CONSEIL DE LA COOPÉRATION CULTURELLE
DU CONSEIL DE L'EUROPE

Adaptation de «Un niveau-seuil» pour des contextes scolaires

par
L. Porcher,
M. Huart et F. Mariet

École normale supérieure de Saint-Cloud
(CREDIF)

d'après
«Un niveau-seuil»
par
D. Coste, J. Courtillon, V. Ferenczi,
M. Martins-Baltar, E. Papo

École normale supérieure de Saint-Cloud
(CREDIF)

et

E. Roulet

(Université de Genève)

Créé le 5 mai 1949 avec dix Etats membres, le Conseil de l'Europe en compte aujourd'hui 21. Il a pour but "de réaliser une union plus étroite entre ses Membres afin de sauvegarder et de promouvoir les idéaux et les principes qui sont leur patrimoine commun et de favoriser leur progrès économique et social". Ce but est poursuivi notamment par l'examen de questions d'intérêt commun, par la conclusion d'accords et par une coopération dans les domaines économiques, social, culturel, scientifique, juridique et administratif.

Le Conseil de la Coopération Culturelle (C.D.C.C.) a été créé, le 1er Janvier 1962, par le Comité des Ministres du Conseil de l'Europe en vue d'élaborer des propositions de politique culturelle pour le Conseil de l'Europe, de coordonner et d'exécuter l'ensemble de son programme culturel et d'affecter les ressources du Fonds Culturel. Tous les gouvernements membres du Conseil de l'Europe ainsi que le Saint-Siège et la Finlande, qui ont adhéré à la Convention culturelle européenne, sont représentés au Conseil de la Coopération Culturelle.

Le but de ses activités dans le domaine de l'apprentissage des langues vivantes est d'encourager la compréhension, la coopération et la mobilité entre Européens en améliorant et en élargissant l'apprentissage des langues vivantes pour toutes les catégories de population.

Cet objectif implique :

- que l'on mette à la portée de tous les outils de base permettant de concevoir, d'élaborer et d'exécuter de façon systématique des programmes d'apprentissage étroitement adaptés aux besoins et aux motivations des apprenants et aux exigences changeantes de la société ;

- que l'on aide à préparer les enseignants à jouer dans de tels programmes le rôle qui est le leur ;

- que l'on poursuive la création d'un cadre permettant une coopération internationale étroite et efficace visant le développement de l'apprentissage des langues.

Diverses études ont été rédigées à cette fin, sous l'autorité du Conseil de la Coopération Culturelle. Certaines de ces études sont maintenant publiées dans la présente collection des "Travaux du Conseil de l'Europe sur les Langues Vivantes". Les opinions qui y sont exprimées ne doivent toutefois pas être considérées comme reflétant la politique des différents gouvernements, du Comité des Ministres ou du Secrétaire Général du Conseil de l'Europe.

ISBN : 2.218.06032.9

TABLE GENERALE

AVERTISSEMENT AU LECTEUR

Ce texte suppose connu : "Un Niveau-Seuil : présentation et guide d'emploi", par Eddy Roulet, Conseil de l'Europe, Strasbourg 1977, 21 pages.

Le contrat, qui définit la charte de travail dont le présent document est le produit, indique ceci : le document à produire doit être rédigé "en s'inspirant de l'ouvrage "Un Niveau-Seuil" (...).

Dérivé de Un Niveau-Seuil, notre document demande donc à être consulté par rapport à celui-ci. Il repose sur l'hypothèse qu'un enseignement conséquent des langues vivantes aujourd'hui est un enseignement centré sur l'apprenant. La mise en oeuvre de cette hypothèse exige :

- une description des publics visés, de leurs besoins, de leurs attentes et de leurs conditions institutionnelles (1)

- une description de la langue française dans la perspective d'une compétence de communication (cf. Un Niveau-Seuil)

- une approche de modalités d'évaluation (évaluation formelle et auto-évaluation) adéquates au public visé et aux objectifs d'enseignement qu'on s'est assignés (2).

A partir de quoi se posent concrètement les problèmes de définition de programmes, de construction de cours, et de formation d'enseignants : cette responsabilité appartient évidemment aux instances officielles (nationales, régionales, locales, syndicales, associatives) dont on connaît la diversité à l'échelle européenne. Notre travail vise seulement à constituer l'une des ressources techniques auxquelles peuvent se référer ces responsables en fonction de leurs propres options.

Les pages suivantes sont extraites intégralement de "Un Niveau-Seuil" :

Pages 11 à 32, 41 à 51, 61 à 72, 77 à 80, 199 à 278, 289 à 291,
293 - 294 - 296 - 300 - 306 - 307 - 310 - 312 - 315 - 320 - 330 - 335 -
336 - 338 - 339 - 340 - 349 - 350 - 351 - 353 - 354 - 355 - 356 - 357 -
358 - 359 - 360 - 365 - 368 - 370 - 373 à 378

Pour la clarté, il a semblé nécessaire de leur donner une typographie spéciale. Pour un certain nombre d'entre elles, cependant, le lecteur pourra trouver (exclusivement en ce qui concerne les "colonnes de droite" des actes, des objets et des notions) une ou deux différences par page (par rapport à "Un Niveau-Seuil") : il m'a paru indispensable, compte tenu de la complexité de mise en page qui en aurait résulté, de le signaler, explicitement par une marque typographique. Nous avons donc considéré, pour ces pages-là, qu'elles étaient identiques aux pages correspondantes de "Un Niveau-Seuil".

L. Porcher

---

(1) Richterich (R.) et Chancerel (J.-L.) : L'identification des besoins des adultes apprenant une langue étrangère (Conseil de l'Europe, 1977).

(2) Oskarsson (M.) : Méthodes d'auto-évaluation dans l'apprentissage des langues vivantes (Conseil de l'Europe, 1978).

AVANT-PROPOS

Ce projet a été réalisé par une équipe de chercheurs du CREDIF sous la direction de M. Louis Porcher dans le cadre du Projet du Conseil de l'Europe concernant les langues vivantes. Il fait suite aux études menées par un groupe d'experts depuis 1971 sur l'utilité éventuelle d'un système européen d'unités capitalisables pour l'apprentissage des langues vivantes par les adultes.

Les principes sur lesquels le programme repose sont bien connus aujourd'hui. Ils ont été énoncés initialement dans les études réunies sous le titre commun "Système d'apprentissage des langues vivantes par les adultes" et publiées par le Conseil de la Coopération Culturelle en 1973. On trouvera une appréciation des problèmes en cause dans une publication datant de 1977 et intitulée "Des voies possibles pour l'élaboration d'une structure générale d'un système européen d'unités capitalisables pour l'apprentissage des langues vivantes par les adultes". En bref, la systématisation recommandée par les groupes d'experts comprend une série d'étapes pour le développement des programmes d'apprentissage des langues. La première de ces étapes est l'évaluation des besoins (d'après l'utilisation que l'apprenant fera de la langue), des motivations, des caractéristiques et des ressources de l'apprenant, plus une évaluation des contraintes imposées par le cadre institutionnel dans lequel l'apprentissage sera organisé. Cette évaluation débouche sur un énoncé des objectifs aussi explicite que possible et sur le choix ou la conception de matériels et de techniques d'acquisition appropriés qui mèneront l'apprenant du point où il se trouve au départ à un état dans lequel il sera doté des connaissances et du savoir-faire dont il a besoin pour utiliser la langue comme moyen de communication selon les exigences de sa condition. Le système se complète par un feedback qui fournira d'utiles informations sur les divers intervenants dans le processus apprentissage/enseignement à mesure que le programme se poursuit.

Un énoncé clair et explicite des objectifs est perçu comme constituant l'étape clé de la planification systématique de l'apprentissage langagier et une part importante des travaux initiaux du groupe d'experts a été appliquée d'abord à la mise au point des techniques pour décrire dans les détails les fonctions sociales remplies par les actes de parole et leur contenu conceptuel (approche fonctionnelle/notionnelle) et au développement d'un modèle intégré dans lequel les différentes dimensions de spécification se relient les unes aux autres. Ultérieurement, en 1974, M. van Ek a fourni avec "The Threshold Level" un exemple concret d'application de ce modèle à l'objectif d'apprentissage convenant à un apprenant qui désire pouvoir satisfaire d'une façon simple mais adéquate aux exigences linguistiques de la vie courante comme visiteur de passage dans un autre pays. La langue de démonstration était, dans ce cas, l'anglais. Par la suite, une équipe de recherche du CREDIF a mis au point dans "Un niveau-seuil" un appareillage descriptif plus riche et présenté une systématisation des ressources de la langue française, se situant dans l'approche fonctionnelle/notionnelle, qui puisse être utilisée par des concepteurs de cours, des planificateurs, des enseignants et des apprenants de différentes manières et selon leur appréciation des besoins de l'apprenant.

Bien que cette approche soit conçue en vue d'un enseignement pour adultes, les concepts et les méthodes du groupe d'experts ont éveillé un vif intérêt chez les éducateurs des secteurs scolaire et universitaire. Le Comité de l'enseignement général et technique du Conseil de la Coopération Culturelle a invité M. van Ek à réaliser une version de "The Threshold Level" pour les écoles, et cette version a été publiée ultérieurement par Longman. Avec la mise en train du Projet actuel pour les langues vivantes qui couvre tous les secteurs de l'enseignement, le groupe de projet a demandé au CREDIF d'entreprendre une adaptation de "Un niveau-seuil" du même type pour les écoles, l'un des auditoires cibles envisagés dans la version initiale. L'ouvrage dont il s'agit ici est l'aboutissement de cette demande.

Comme M. Porcher le signale, il s'agit d'une adaptation avec toutes les caractéristiques qui en résultent. On n'a pas tenté une évaluation radicalement nouvelle de ce que l'étude langagière devrait atteindre lorsqu'elle est menée non pas par des adultes extra-scolaires mais par des enfants scolarisés. Si c'était le cas, une évaluation approfondie des besoins, des caractéristiques, des motivations et des ressources s'imposerait, avec une étude des contraintes issues de l'institution qu'est l'école. Aucune évaluation de ce type n'est tentée ici mais c'est une recherche qui est en cours. Etant donné la grande diversité des écoles européennes et du rôle du français dans ces écoles, l'étude dont il s'agit ne resserre pas le vaste éventail d'options offertes par "Un niveau-seuil". De fait, les enfants d'âge scolaire sont promptement perçus non pas comme un auditoire cible mais comme une catégorie d'auditeurs avec certaines caractéristiques communes mais beaucoup de différences importantes.

Le groupe chargé du projet a l'assurance que ceux à qui il appartiendra de planifier l'enseignement de la langue française dans les différents pays membres du Conseil de la Coopération Culturelle examineront ce travail soigneusement sous l'angle de leurs besoins propres et feront savoir au groupe les résultats de cet examen. Ni le CREDIF ni le groupe chargé du projet n'envisagent cet effort d'adaptation comme imposant aux écoles une manière de faire. Il s'agit plutôt d'un instrument que nos collègues pourront utiliser en vue de prendre des décisions qui leur soient propres à la lumière des circonstances particulières et d'une façon plus informelle grâce à des options qui leur sont signalées d'une façon systématique alors qu'elles pourraient échapper à leur attention. Dans cette optique nous espérons que nos collègues préciseront ce qu'ils estimeraient utile, les lacunes qu'ils perçoivent et les difficultés qu'ils rencontrent dans l'emploi du document. Nous serions particulièrement heureux d'apprendre qu'eux-mêmes et des institutions envisagent de mettre en pratique à titre expérimental les possibilités présentées dans cette publication et dans d'autres publications du Projet.

La coopération internationale sur le continent hautement diversifié qui est le nôtre n'appelle pas l'adoption de solutions du problème de l'enseignement toutes faites mais elle conduit à établir un cadre pour l'interaction des institutions et des individus sur un pied de liberté et d'égalité et pour l'échange d'expériences et d'avis dans un climat de respect réciproque. La construction et la consolidation d'un cadre fondé sur des principes simples mais solides méthodiquement réfléchis sont l'objectif essentiel du programme de langues vivantes du Conseil de la Coopération Culturelle.

J.L.M. TRIM

Conseiller du projet
"Langues Vivantes"

Autres ouvrages parus dans le cadre du "Projet Enseignement des Langues Vivantes" du Conseil de l'Europe :

- Un niveau-seuil
- L'écrit et les écrits : problèmes d'analyses et considérations didactiques.
- L'identification des besoins des adultes apprenant une langue étrangère
- Autonomie et apprentissage des langues étrangères.

A paraître :

- Méthodes d'auto-évaluation dans l'apprentissage des langues vivantes.

Petit Guide d'Emploi pour l'adaptation de

"UN NIVEAU-SEUIL"

pour des contextes scolaires

par

Louis PORCHER

(Ecole Normale Supérieure, Saint-Cloud)

Le projet, développé par le Conseil de l'Europe depuis 1971, d'élaborer des systèmes d'apprentissage des langues vivantes par les adultes, a donné lieu à la publication de quelques documents majeurs : Systèmes d'apprentissage des langues vivantes par les adultes (1973) qui expose les lignes directrices de l'entreprise ; The Threshold Level (1975) qui constitue la première application de ces principes à une langue particulière ; l'identification des besoins des adultes apprenant une langue étrangère, dont le titre est suffisamment explicite. Telles sont quelques-unes des étapes essentielles du travail mené par le groupe d'experts sous la direction du Professeur John TRIM.

Pour des raisons diverses, l'intérêt suscité par ses recherches a conduit à examiner la possibilité d'adapter leurs principes fondamentaux en dehors de l'enseignement aux adultes, c'est-à-dire dans les systèmes scolaires eux-mêmes. Dès 1977 est publié The Threshold Level for Modern Language Learning in Schools, adaptation de The Threshold Level. Parallèlement était mis en chantier le document que nous présentons ici, dérivé de Un niveau-seuil. Il ne s'agissait pas d'élaborer un ouvrage totalement original, mais de rester fidèle aux modèles méthodologiques de base en les transformant pour les rendre adéquats aux situations scolaires.

Il y a donc un lien de paternité entre Un niveau-seuil et le document dont il est question ici. Les choix fondamentaux sont les mêmes. Les différences tiennent à la très forte distinction qui existe, dans l'enseignement des langues, entre la formation des adultes et l'éducation scolaire. D'une manière générale, les contextes scolaires sont beaucoup plus contraignants, pour les élèves et pour les enseignants, que ne l'est le champ des adultes : horaires, programmes, examens, sont beaucoup moins souples. L'innovation pénètre donc moins facilement. Notre travail consistait à intégrer ces différences (et bien d'autres qui tiennent à ce qui distingue les enfants des adultes) dans le modèle construit par Un niveau-seuil. La tâche était un peu facilitée par le fait que les auteurs de cet ouvrage, ne visant pas un public unique d'apprenants, mais l'ensemble des personnes susceptibles d'avoir à apprendre le français, avaient inclus des contextes scolaires parmi les publics pris en compte. Il nous incombait par conséquent, de développer une analyse déjà suggérée.

I. Description de l'adaptation de Un niveau-seuil pour les contextes scolaires

1. ce que l'on n'y trouvera pas.

Comme Un niveau-seuil lui-même, cet ouvrage n'est ni un manuel, ni un dictionnaire, ni une grammaire, ni même une liste de mots ou de structures comparables à ce qu'a pu être le français fondamental. On n'a pas cherché à décrire la langue française telle qu'elle est actuellement parlée en France (par exemple).

Un tel travail aurait été colossal : il était matériellement impossible dans les délais impartis, et ceux-ci eussent-ils même été suffisants que les moyens matériels indispensables eussent fait défaut. Il ne fait cependant pas de doute qu'un travail de ce type est devenu absolument nécessaire, pour pallier les manques méthodologiques considérables du français fondamental et pour circonscrire le français réellement contemporain. Il y faudra plusieurs personnes pendant plusieurs années et beaucoup d'argent.

De même que les auteurs de Un niveau-seuil ont procédé intuitivement (à partir de leur réflexion, de leur savoir, et de leur expérience), de même avons-nous fait, et d'ailleurs c'était nécessaire pour rester fidèles au modèle construit par Un niveau-seuil. Ce qui est proposé, par conséquent, c'est un ensemble d'énoncés en français, permettant de réaliser tel ou tel acte de parole dans telle ou telle situation donnée. Cet ensemble n'est ni exhaustif, ni même solidement hiérarchisé. Il donne un certain nombre d'exemples à partir desquels il appartient à chacun (concepteurs de cours, enseignants, responsables de programmes) d'opérer ses propres choix en fonction de ses propres objectifs, des contraintes, et du contexte spécifique.

Cela signifie que nous aussi nous sommes situés dans la perspective décrite par Eddy ROULET, c'est-à-dire "en fonction des actes de parole que les apprenants auront à accomplir dans certaines situations, envers certains interlocuteurs et à propos de certains objets ou notions. Ainsi, "à la différence des pratiques en cours dans la pédagogie des langues, le choix du vocabulaire et des structures grammaticales est subordonné à l'acte et aux différents paramètres (statuts social et affectif des interlocuteurs) canal (téléphone, face à face), support (écrit ou oral), situation plus ou moins formelle, etc..., qui en commandent la réalisation" (page 1).

Cette adaptation de Un niveau-seuil n'est pas un objet pédagogique : pas de listes de mots toutes faites (il est tout à fait possible que tel mot fréquent n'y soit pas, et tout à fait sûr que tel mot rare y est), pas de "leçons de grammaire", pas de progressions, pas de matériel phonétique, pas de distinction marquée entre oral et écrit. Tout cela n'aurait pas correspondu à l'intention des auteurs ni à l'objectif qu'on se proposait d'atteindre : élaborer des matériels descriptifs (d'une langue et de son organisation en termes d'instruments de communication) à l'aide desquels des matériels pédagogiques pourraient être secondement construits.

L'ouvrage est donc un lieu de ressources, une "boîte à outils pédagogiques", un réservoir, où chacun a la possibilité de puiser pour résoudre ses propres problèmes. Il n'y a pas de matériel d'enseignement tout fait, mais de quoi le fabriquer : le matériau langagier est là sous diverses formes (grammaire, notions, etc...) et un certain nombre de règles d'utilisation sont fournies (notamment par les systèmes de classement adoptés). On n'est pas dans du construit, ni même dans du préconstruit, mais on dispose de pièces (éléments) nécessaires pour opérer une préconstruction puis une construction. C'est pourquoi il faut affirmer clairement que, pour être utilisée directement sur le terrain, cette adaptation de Un niveau-seuil, comme Un niveau-seuil lui-même, doit être préalablement "pédagogisée", c'est-à-dire réorganisée en fonction des besoins du lecteur (qui varient selon chaque lecteur et, par conséquent, ne sauraient être établis à priori, contrairement à ce que voudraient faire croire quelques didacticiens ou linguistes pressés).

Une fois que le lecteur aura élucidé ses propres besoins et déterminé ses objectifs, il trouvera dans l'ouvrage de quoi construire les outils pédagogiques adéquats. Il lui suffira, pour cela, de circuler à l'intérieur du document en fonction de l'organisation de celui-ci, et d'en extraire ce qui est adéquat à ses préoccupations spécifiques. Les ressources nécessaires lui sont alors fournies. Les publics scolaires apprenant une langue étrangère sont très divers (plus encore que les adultes) en relation avec les conditions institutionnelles, les choix nationaux, les types d'élèves, etc... Vouloir présenter une analyse unique de ces publics (comme si c'était un seul public homogène), et un modèle linguistico-pédagogique correspondant (comme s'il y avait une seule voie pour atteindre un objectif), aurait été une mystification, et, en tout cas une volonté inacceptable (et d'ailleurs absurdement utopique) d'uniformisation-normalisation.

Si l'on admet la diversité des situations d'enseignement et d'apprentissage, et si l'on souhaite cependant favoriser une meilleure harmonisation entre les différents systèmes nationaux, il faut faire le choix d'un modèle descriptif ouvert, pluriel, où l'unité soit assurée par la cohérence de la méthodologie. Pour conjuguer l'harmonisation et la diversité, on est amené à proposer des démarches plutôt que des objets tout faits, des méthodologies d'apprentissage des langues plutôt que des "méthodes de langues", des "documents-ressources" plutôt que des manuels tout préparés.

Cela ne signifie pas une hostilité aux matériels pédagogiques fabriqués, ou aux manuels. Simplement ce n'est pas nous qui pourrons le réaliser, mais ceux qui sont les mieux placés pour cela : tous ceux qui s'occupent de l'enseignement du français en milieu scolaire dans un pays donné. Et, puisque les conditions varient selon chaque pays, et parfois même à l'intérieur d'un seul pays, il est clair que c'est à chacun de ces niveaux que doivent s'opérer les réalisations pédagogiques ; nous cherchons à y aider mais veillons à ne nous substituer à personne.

2. comment est organisée l'adaptation

Pour des raisons de commodité pragmatique et de cohérence méthodologique, l'adaptation suit de près l'organisation de Un niveau-seuil et, de ce fait, elle peut à la fois être utilisée seule ou en liaison avec le document de base. Les principes fondamentaux de construction restent les mêmes, et cela aboutit à un ensemble articulé de la façon suivante :

a. un premier chapitre analyse les caractéristiques essentielles d'un public scolaire, tant au niveau institutionnel que sur les plans psychologique, sociologique, linguistique. Il ne s'agit évidemment pas ici de descriptions linguistiques, mais, comme leurs collègues de Un niveau-seuil, les auteurs de l'adaptation ont tenu à consacrer une première partie du travail à cet aspect du problème pour bien montrer qu'un enseignement centré sur l'apprenant exige une description de celui-ci. La linguistique n'y saurait parvenir, et cela suffirait à indiquer que les solutions didactiques ne pourront pas elles-mêmes être fournies par la linguistique seule, même si, sans elle, on est également sûr de ne pas les atteindre. Il est clair, pour nous, que ce premier chapitre n'aurait pas de sens sans les autres, mais que, à l'inverse, sans lui les autres perdraient l'essentiel de leur pertinence pédagogique pour ne conserver qu'une valeur linguistique.

b. le chapitre actes de parole constitue le coeur du travail, comme dans Un niveau-seuil lui-même, puisque c'est en lui que s'incarnent les possibilités de la construction d'une compétence de communication en termes de potentialités énonciatives. Bien entendu, répétons-le, il ne s'agit pas d'un classement fréquentiel, mais d'une description analytique : les colonnes de gauche sont des dénominations d'actes, celles de droite des exemplifications, ou, si l'on préfère, des réalisations langagières possibles. Ce sont donc ces dernières que nous avons modifiées, par rapport à Un niveau-seuil, car les choix doivent être plus grands lorsqu'on vise un public d'enfants plutôt qu'un public d'adultes. Les enfants parlent aux adultes (et les entendent) et parlent entre eux : ils ont donc en communication les mêmes besoins potentiels que les adultes, plus d'autres qui leur sont propres. C'est donc d'un accroissement qu'il s'agit lorsqu'on passe de l'adulte à l'enfant en termes de compétence de communication, et non pas d'une diminution comme on l'a toujours cru.

Ce chapitre est donc d'une part une description de la langue française, et, en tant que description, on ne voit pas pourquoi elle serait différente selon qu'on vise des adultes ou des enfants ; et, d'autre part, une série d'exemples, de possibilités énonciatives offertes par la langue française.

Ces énoncés-exemples ne fonctionnent évidemment pas sur le principe de l'équivalence sémantique formelle : on ne cherche pas des énoncés synonymes ; on exhibe simplement diverses possibilités existant en français et entre lesquelles il faut choisir (comme le fait à chaque instant un interlocuteur natif), en fonction de la situation de communication, du statut des locuteurs, du lieu de l'interlocution, du type de sujet dont on traite, etc...

C'est en cela aussi que cet ouvrage, comme celui dont il dérive, est un centre de ressources langagières. Son avantage alors est que cet inventaire empirique qu'il propose (c'est-à-dire cet ensemble considérable d'énoncés qu'il met sous les yeux de l'utilisateur) est par ailleurs un inventaire logiquement classé et c'est à cela que sert, sur ce point, la colonne de gauche. Celle-ci constitue une étiquette qui indique quel type sémantique d'énoncés on va trouver sous elle, ou, si l'on veut parler autrement, elle fournit une entrée (comme on dirait à propos d'un dictionnaire). C'est donc par la colonne de gauche qu'il convient de pénétrer dans le chapitre actes de paroles, même si, concrètement, on peut être amené parfois à utiliser davantage les colonnes de droite.

Disons que, sans colonne de gauche, les colonnes de droite n'auraient aucun sens et seraient simplement un ramassis d'énoncés français, un entassement en vrac, un sac magique, comme ceux dont parlaient les contes de notre enfance. Inversement, même si les colonnes de droite n'existaient pas, la colonne de gauche aurait un sens dans la mesure où elle traduit et fonde une taxonomie, un mode de classement, des règles d'inventaire, un système de repérage de ce que la langue française permet, en termes de communication (c'est-à-dire sémantiquement parlant). C'est dans ces conditions, un bon guide pour qui veut circuler dans la langue française afin d'en extraire ce qui est nécessaire à tel ou tel type d'apprentissage déterminé.

Qu'on nous comprenne bien : nous expliquons en ce moment le fonctionnement de l'ouvrage, son mode de construction, sa loi d'élaboration. Nous ne cherchons nullement à le justifier ou à le légitimer : ainsi avons-nous dit, précédemment, que rien, sinon l'expérience des auteurs, ne garantit la hiérarchisation et l'exhaustivité de l'analyse (en ce qui concerne la colonne de gauche). Il aurait fallu pour cela procéder sur corpus, à condition encore que celui-ci soit échantillonné correctement, recueilli de façon fiable, dépouillé totalement, etc... Sauf à attendre une décennie au moins, poser cela en préalable revenait à ne rien proposer sous prétexte que les conditions optimales, idéales, n'étaient pas réunies. Nous avons préféré prendre le risque de l'intuition plutôt que de rester dans les généralités attentistes, mais nous connaissons cette limite et, au plus tôt, nous ferons ce qui convient pour le repousser au maximum.

Reste que, même avec cette réserve consciente, les principes méthodologiques qui ont présidé à l'élaboration des actes de parole nous paraissent rigoureux et sont en tout cas de nature à renouveler notablement les approches didactiques en ce qui concerne une pédagogie de la communication. La démarche est profondément différente des démarches classiques en didactique des langues, et elle repose sur un modèle de description linguistique dont la fécondité semble bien avérée. Le fait que les actes de parole aient été construits a priori n'affaiblit nullement cette approche si on la compare à celle du français fondamental (qui, elle, avait été élaborée sur corpus) : l'une et l'autre méthode ne s'opposent pas comme l'intuitif au mesuré (quantifié), mais comme deux modes de conception de la description d'une langue et, donc, comme deux modes de conception de la langue. Que l'approche par les actes soit notablement supérieure à l'autre sur ce point, en termes de fécondité et de justesse du modèle, ne fait donc guère de doute (sauf pour ceux qui, à des titres divers, ont intérêt à valoriser l'ancienne conception).

c. le chapitre grammaire est identique à celui de Un niveau-seuil. Dans cet ouvrage, en effet, cet aspect n'était pas lié à un public déterminé, mais proposait une description de la langue qui reste valide quelles que soient les applications pédagogiques envisagées.

d. le chapitre objets et notions reste construit comme dans Un niveau-seuil (qui, sur ce point, dérivait lui-même de The Threshold Level) et un certain nombre des remarques précédentes demeurent pertinentes ici, notamment en ce qui concerne l'identité des colonnes de gauche. Là encore, comme pour les actes de parole, colonne de gauche signifie dénomination, appellation, étiquetage, et non pas réalisations langagières concrètes. On ne voit donc aucune raison pour que le public pédagogique de destination influence le découpage proposé. Celui-ci mérite simplement les mêmes commentaires que celui des actes : il est intuitif, donc non totalement fiable en termes d'inventaire, a priori donc potentiellement subjectif ; pragmatiquement, il nous paraît utile et relativement cohérent.

Pour objets et notions aussi, il faut entrer dans le chapitre par la gauche, car c'est là que se trouve la logique de l'analyse, de l'organisation, de la conception. Les colonnes de droite sont des exemplifications, en nombre fortement restreint par rapport aux possibilités de la langue française : elles signalent des illustrations possibles, en français, de chaque catégorie de la colonne de gauche. C'est celle-ci, encore une fois, qui donne la clé et indique le classement qu'on a choisi, c'est-à-dire les principes à partir desquels on a découpé la langue et on l'a décrite : l'idée est analogue à celle des tableaux de classification zoologique par exemple, qui servent à décrire l'ensemble de la faune planétaire.

Parce qu'elles sont seulement des illustrations, parmi d'autres, les colonnes de droite doivent être considérées comme suggestives et pas du tout comme normatives ou prescriptives. C'est là encore une différence capitale avec les démarches linguistico-pédagogiques qui ont présidé à l'élaboration du français fondamental. Il est tout à fait possible (probable même) que des mots à très haute fréquence en français actuel ne figurent pas dans nos colonnes de droite, et que des mots quantitativement plus rares en fassent au contraire partie. Les exemples n'en sont sans doute pas très nombreux, comme pour les actes de parole, mais, comme pour ceux-ci aussi, il est pratiquement certain qu'ils existent dans plusieurs cas.

C'est pourquoi, il serait très éloigné des principes méthodologiques de ce travail, d'utiliser ces listes comme on utilise celles du français fondamental. On s'étonne alors que tel ou tel mot courant ne figure pas dans Un niveau-seuil ; on va vérifier si tel autre y est bien ; on emploie le document comme moyen de légitimer une pratique pédagogique : "n'enseignons pas ce mot aux débutants, puisqu'il n'est pas dans Un niveau-seuil" (comme on le disait, à juste raison cette fois, à propos du français fondamental) ; ou, pis encore : "il faut enseigner ces mots, puisqu'ils se trouvent dans Un niveau-seuil". Une telle perspective serait très fortement erronée, au moins quant) ce que nous voulions faire et aux règles que nous nous sommes données.

Il faut bien voir que le travail ici présenté ne s'inscrit pas du tout dans la ligne du français fondamental. Par conséquent, l'interpréter à la lumière de celui-ci reviendrait pratiquement à regarder un match de basket-ball en lui appliquant les règles du football et en lui reprochant de ne pas les appliquer. Le chapitre objets et notions, comme les précédents, ne cherche pas à opérer des dénombrements. Il vise à mettre en place des modes de classement et de repérage qui permettent de circuler dans la langue en fonction de la compétence de communication que l'on veut construire chez l'apprenant. Ce système de description n'a d'intérêt que par sa cohérence interne et par l'efficacité qui est la sienne pour classer les énoncés, les catégoriser, les ordonner, les faire fonctionner les uns par rapport aux autres.

Dans ce chapitre aussi, on constatera d'importantes modifications par rapport à Un niveau-seuil. Certains objets et certaines notions paraissent indispensables dans le cas d'une formation d'adultes et inutiles pour des publics scolaires ; ou inversement. L'idée centrale, que nous ne prévoyions pas, reste la même que celle rencontrée déjà à propos des actes de parole : en visant un public d'enfants et d'adolescents, les choix langagiers doivent être plus vastes que pour un public d'adultes. Non que les besoins soient nécessairement plus étendus (quantitativement) mais ils sont inévitablement plus diversifiés, précisément parce que les élèves, beaucoup moins engagés dans la vie que les adultes, gardent ouverts devant eux un grand nombre de possibilités que l'enseignement se doit de préserver et de développer. Le champ est plus vaste, qualitativement et, par conséquent, les cartes pédagogiques ont à être plus nombreuses. C'est pourquoi on a ajouté beaucoup plus qu'on n'a retranché, comme cela avait été le cas également à propos des actes de parole, mais plus nettement encore.

e. un index a été joint. Comme dans Un niveau-seuil, il est considérable en volume, dans la mesure où il s'efforce de synthétiser les diverses informations présentes dans l'ensemble de l'ouvrage, et de mettre en évidence les liens qui existent entre les différents chapitres. C'est à travers lui que s'instaurent les passerelles, que se dessinent les voies de circulation à l'intérieur du livre, que s'organisent les éléments apparemment dispersés en première lecture. Ils constituent donc à la fois une grille de lecture et une sorte de radiographie de l'ouvrage. Cette double fonction rend d'ailleurs sa présence nécessaire car elle permet à chaque lecteur de construire son propre cheminement à travers le livre et d'élaborer son propre mode d'emploi.

Nous irions volontiers jusqu'à dire que, pour l'utilisateur, l'index est la partie essentielle de Un niveau-seuil comme de l'adaptation. Il joue, en effet, plusieurs rôles qu'il est bon de signaler.

- pour guider la première lecture, c'est un outil commode et souple. Il aide à comprendre l'architecture de l'ensemble, et donne le moyen au lecteur de se repérer, de prendre ses balises, d'arpenter son territoire.

- une fois la première lecture faite, il permet de transformer l'ouvrage en un véritable instrument de travail, c'est-à-dire en un livre-ressources ou livre de référence, dans lequel on va puiser selon ses besoins. L'index, dans ces conditions, exerce sa fonction radiographique et fournit rapidement l'endroit auquel il faut se reporter compte tenu des préoccupations qu'on a.

- quand on utilise ponctuellement le texte, le recours à l'index suggère fréquemment des rapprochements encore inaperçus entre la grammaire (par exemple) et les actes de parole (par exemple) ou les objets et notions (par exemple). Il aide à repérer des cohérences et se trouve donc susceptible de jouer un rôle pédagogique pragmatique en montrant la complémentarité des divers échanges proposés dans l'ouvrage.

- enfin, banalement, il peut être employé comme une sorte de dictionnaire permettant, à l'aide d'un mot-entrée, de retrouver les champs conceptuels dans lesquels celui-ci fonctionne à l'intérieur du texte. Cette dernière utilisation est sans doute la plus fréquente dans le travail quotidien ou momentané.

Au total, le rôle méthodologique de l'index est, à nos yeux, polaire. Il serait, en outre, particulièrement suggestif de pouvoir fréquenter ensemble l'index de Un niveau-seuil et celui de l'adaptation, dans la mesure où, très rapidement et très synthétiquement, la double lecture fait apparaître les différences et les similitudes entre les deux travaux. Dans ce cas aussi, d'ailleurs, la fonction de l'un ou l'autre index, est une fonction d'économie pour le lecteur. Puisque, par leur nature même, les ouvrages considérés sont relativement complexes et peu maniables, l'index, qui met à nu les lois de fonctionnement et de composition, est un facilitateur remarquable grâce auquel on intériorise rapidement et fermement la construction de l'ensemble. Par conséquent, même si la présence d'un index long alourdit fortement le volume, il nous paraît rait gravement dommageable d'y renoncer.

Enfin, c'est grâce à lui que se marquent pleinement les transformations opérées sur le modèle : suppressions et adjonctions de réalisation (d'exemples, illustrations) dans les actes de parole comme dans les objets et les notions ; changements dans la hiérarchisation des catégories à l'intérieur du chapitre "objets et notions". Au total, sans tenir compte des très profondes modifications obligées du premier chapitre, plus de mille (1 000) transformations ont été introduites dans l'adaptation. Donc, même si l'architecture d'ensemble reste la même, les pondérations sont très différentes et, corrélativement, l'économie générale en est notablement affectée. Nulle part cela n'apparaît aussi clairement que dans l'index qui remplit ici vraiment une fonction de synthétiseur. Pour cette raison aussi, son poids dans le travail terminal est considérable.

II. Pistes pour des utilisations de l'ouvrage

Afin de prévenir toute ambiguité ou toute interprétation fallacieuse, volontairement ou non, il faut d'emblée préciser ceci : devant ce livre, publié, comme devant tout autre, chaque lecteur est totalement libre de sa lecture, dans la mesure exacte où nous n'avons pas écrit le Code Civil ou tout autre ouvrage de loi ou de dogme. En particulier chacun est pleinement en mesure de faire dire à une oeuvre quelque chose que ses auteurs n'ont pas du tout voulu y mettre. C'est la définition même de l'acte de lire et elle s'applique exemplairement ici. Il en résulte, naturellement et nécessairement que chacun utilise notre texte comme il l'entend, et même si cette forme d'emploi (par hypothèse) est contraire à ce que nous avons souhaité mettre en place.

Cela s'est déjà vu pour Un niveau-seuil, dont d'aucuns se servent en contradiction même avec ses principes ; par exemple comme une liste d'énoncés à apprendre en priorité ou comme une sorte de dictionnaire pédagogique du français contemporain. Rien à redire à cela, sinon les explications données dans le corps du texte et celles mentionnées ci-dessus.

C'est pourquoi les quelques pages qui suivent veulent simplement fournir quelques indications et suggestions, mais nullement signaler quelque ligne générale à suivre ou à respecter. Pour éviter ce risque, d'ailleurs, nous choisirons de ne pas entrer dans les détails des propositions ci-dessous.

1. La mise au point de programmes

Cette charge peut intéresser aussi bien les responsables de programmes que les enseignants eux-mêmes. L'enseignement des langues continue à être en crise dans beaucoup de pays, notamment sur le plan méthodologique, et les réformes se succèdent pour essayer de pallier ces défaillances. L'un des problèmes consiste toujours en la mise au point de programmes nouveaux, adaptés aux divers besoins. Cela tend même à devenir une nouvelle spécialité que celle de construire des programmes. Dans le domaine scolaire la question est particulièrement ardue car le nombre des paramètres à prendre en compte est très grand (conditions institutionnelles, développement cognitif des élèves, etc...). Il est pourtant clair qu'une telle opération est capitale sur le plan pédagogique.

S'agissant de l'enseignement du français langue étrangère, soit aux enfants migrants en France, soit aux enfants étrangers qui apprennent le français dans leur propre pays, l'adaptation de Un niveau-seuil nous paraît être de nature à aider à la mise au point de programmes. En effet elle propose une description de la langue française dans la perspective d'une compétence de communication qui est susceptible de permettre la construction d'un cursus d'apprentissage, sur un nombre d'années déterminé (qui varie selon les pays et les systèmes).

Grâce au chapitre actes de parole, par exemple, il est possible de choisir et de hiérarchiser les actes qu'un élève de tel ou tel niveau doit être capable de réaliser dans la langue étrangère (en compréhension comme en expression, à l'écrit comme à l'oral). Les objectifs, certes, ne peuvent être fixés, car ils dépendent bien évidemment d'options nationales qui ne sont pas essentiellement d'ordre méthodologique, mais la ou les manières d'atteindre ces objectifs, et en particulier les cheminements d'apprentissage à privilégier, les choix linguistiques à opérer, tout cela trouve un écho dans le document. Dans la mesure où nous n'avons pas limité notre propos à un seul niveau d'études, les analyses qui sont ici proposées peuvent très légitimement être utilisées longitudinalement, c'est-à-dire dans l'enchaînement successif de plusieurs niveaux d'étude.

Ce cas de figure est d'ailleurs le plus fréquent à l'intérieur des systèmes éducatifs européens : les classes se définissent les unes par rapport aux autres, et l'on sait combien, dans le domaine des langues, est délicate l'articulation des divers niveaux. Le modèle esquissé dans ce travail, pour les actes de parole comme pour les objets et notions, aiderait fortement à cette coordination.

Les découpages en nombre de mots et nombre de structures syntaxiques, qui ont constitué longtemps les seuls programmes scolaires (à la fin de telle classe, on doit connaître tant de mots en français et tant de structures), ont désormais montré leurs limites et leur caractère non satisfaisant. Une approche fonctionnelle-notionnelle semble notablement plus appropriée.

Pour les enseignants qui doivent exécuter les programmes corpus par leurs autorités de tutelle, le type de description suggéré ici sera également d'un grand secours : elle permet en effet, à l'intérieur d'un programme donné, d'opérer un choix d'actes de parole à réaliser qui soit réellement adéquat aux besoins de communication des élèves. Elle donne un moyen de passer d'un programme exprimé en termes traditionnels à une pratique pédagogique plus conforme aux objectifs de communication sans pour autant, par hypothèse, contredire la lettre des programmes. Le chapitre "objets et notions" est, à cet égard, d'une grande utilité, car c'est lui qui autorise le plus aisément une articulation entre des programmes libellés en termes traditionnels et une approche fonctionnelle-notionnelle.

En tout cas, dans chacune des circonstances évoquées, la flexibilité du modèle et son haut degré d'ouverture donnent d'importantes possibilités d'adaptation à des contextes divers. Si l'ouvrage est ainsi utilisé pour l'élaboration de programmes, on peut considérer qu'une meilleure adéquation s'opérera entre les motivations des élèves (qui vont vers la communication) et les réalités institutionnelles globales. Enfin, la description des actes de parole, d'une grammaire du sens, des notions et des objets, est faite ici en termes opératoires, c'est-à-dire capables de donner lieu à une organisation programmatique suffisamment précise pour éviter les pièges habituels de l'impressionnisme. Trop souvent en effet, les objectifs visés sont libellés de façon très vague, faute justement d'un modèle d'ensemble rigoureusement défini.

Le caractère fonctionnelle de la démarche que l'on propose garantit la possibilité d'une hiérarchie articulée des objectifs (sur le mode de la compétence de communication : être capable de tel comportement langagier dans telle situation). Cela n'est pas sans conséquence sur un élément essentiel de l'organisation scolaire ; les modalités institutionnelles de l'évaluation des compétences des élèves. L'approche systématique, mise en oeuvre dans l'ensemble du Projet, permet de donner une cohérence méthodologique aux deux dimensions fondamentales d'un programme : la détermination des objectifs et l'établissement des procédures d'évaluation, dimensions dont on sait qu'elles sont étroitement interdépendantes.

2. L'élaboration d'instruments pédagogiques

Cette fois ce sont les concepteurs de cours et les enseignants qui se trouvent intéressés au premier chef. Il est d'ailleurs vraisemblable que c'est en ce domaine que toute innovation recueille aujourd'hui le plus d'écho, compte tenu précisément des ratés de l'enseignement actuel des langues dans les divers systèmes scolaires. Le renouvellement des méthodologies, pour se traduire dans la quotidienneté concrète de la classe, doit s'incarner dans des objets pédagogiques (manuels, "méthodes", etc...). On peut s'en désoler ou s'en réjouir : l'essentiel est que les choses pour l'instant se passent ainsi et ne sont pas en voie de changer.

Là encore, l'analyse en actes de paroles est susceptible de grandes conséquences, dans la mesure où elle permet la réalisation de manuels non monolithiques et de documents didactiques de caractère pluriel et diversifié, donc adaptables aux multiples contextes de la pratique pédagogique. La partie grammaticale donne ainsi des moyens variés d'établir des progressions notionnelles et non pas une progression linéaire formelle comme c'est presque toujours le cas actuellement. Si l'on privilégie la construction d'une véritable compétence de communication, cela signifie que les matériels didactiques doivent contenir un certain coefficient d'authenticité, d'ouverture, de pluralité des cheminements proposés.

Bien entendu, des contraintes nombreuses pèsent sur une telle démarche, notamment des considérations d'ordre économique et commercial. Mais, si l'on veut bien prêter attention au fait que de toute façon, quelle que soit la méthodologie choisie, ce phénomène jouera un rôle important, on peut légitimement admettre que l'enjeu véritable, pour l'éducation proprement dite, se situe dans la méthodologie elle-même. Les manuels reflètent la méthodologie dominante à un moment donné, et, par conséquent, contribuent à figer le mouvement et à freiner les dynamiques. C'est pourquoi il est capital d'élaborer des outils pédagogiques nouveaux, traduisant des tendances neuves.

Dans ces conditions, des matériels autorisant des progressions individuelles diverses, privilégiant la sémantique et la communication, constituent un besoin permanent et dont l'urgence se fait particulièrement sentir aujourd'hui. L'approche notionnelle-fonctionnelle est à même de nourrir ce genre d'outils pédagogiques. Les concepteurs et les fabricants auront évidemment à "pédagogiser" les descriptions que nous leur proposons, mais, complémentairement, ils y trouveront une somme importante d'idées réalisables, dont la mise en oeuvre serait de nature à nouer un dialogue fructueux avec les enseignants eux-mêmes, utilisateurs des manuels, l'important étant d'allier une facilité d'emploi avec une grande richesse de possibilités.

Les matériels didactiques stagnent pour l'instant, parce qu'ils reposent tous sur un même modèle linguistico-pédagogique. Seul l'habillage extérieur peut donc changer, et chacun sait bien que le problème à résoudre ne se situe pas à ce niveau. Ce ne sont pas les thèmes, les centres d'intérêt, etc... qu'il faut modifier au gré de l'évolution des goûts des élèves. Les transformations à opérer sont d'ordre méthodologique et c'est sur cette base seulement que les changements de thème prendront un sens. C'est ce que permet, nous semble-t-il, le présent travail, en privilégiant la compétence de communication et en organisant rigoureusement les moyens dont on a besoin pour la construire.

3. L'analyse et le choix des textes

Ce problème concerne les trois publics essentiels de notre ouvrage : enseignants, concepteurs de cours, décideurs de programmes. Il touche en effet un aspect central de l'enseignement des langues, celui de l'articulation entre l'oral et l'écrit dans l'apprentissage (après toutes les vicissitudes que l'on sait depuis un demi-siècle). Sans doute le travail présenté ici ne s'est-il pas attaché particulièrement à cette dimension : il a privilégié, comme Un niveau-seuil, comme The Threshold Level, l'oral de façon quasi-exclusive. Il n'y avait pas là un choix délibéré mais un enchaînement de circonstances.

Au-delà de cet avatar conjoncturel, les auteurs gardaient présente à l'esprit l'idée fondamentale : compétence de communication ne signifie nullement compétence de communication orale seulement. Il est clair que la langue écrite permet et produit de la communication, y compris dans l'ordre de la lecture. Lire, même solitairement, implique et renforce une certaine capacité à communiquer chez le lecteur même. Il va donc de soi que l'objectif visé n'est pas uniquement de l'ordre de l'oral même si, provisoirement et circonstanciellement, l'accent est mis sur cet aspect particulier de la communication. Dans l'adaptation de Un niveau-seuil plusieurs suggestions concernant la pédagogie des textes peuvent être induites.

Eddy ROULET, dans Un niveau-seuil, présentation et guide d'emploi, indique comme un exemple possible d'utilisation de Un niveau-seuil, "l'analyse d'un document authentique par un enseignant qui désire l'utiliser dans son cours" (page 16). Les procédures qu'il développe, à propos d'un document oral (une conversation à un guichet de gare), pourraient sans difficultés être transposées à l'analyse d'un texte écrit, moyennant les transformations méthodologiques requises par la spécificité du code scriptural par rapport au code oral. Il importe peu, en outre, que le document considéré soit authentique ou non, car dans le domaine de l'écrit notamment, la distinction entre l'authentique et le non-authentique est particulièrement obscure.

Les textes des manuels, les textes dits "authentiques" (journaux, tracts, etc...), les textes dits "littéraires", posent un problème commun : celui de l'accès à la lecture, réellement communicative. Partout, l'enseignement se fait avec du texte, même si ce n'est pas seulement avec du texte. Il importe donc de l'intégrer à la méthodologie qui nous attache ici. C'est pourquoi des procédures d'analyse textuelle, dans le cadre fonctionnel, revêtent une valeur pédagogique décisive, tant pour les enseignants que pour les auteurs de cours. Il faut être en mesure de repérer opératoirement ce que dit un texte (de façon plurielle) pour y confronter les élèves comme à une situation de communication spécifique et qui a ses caractéristiques propres.

Le document "L'écrit et les écrits" réalisé dans le cadre du Projet du Conseil de l'Europe par Michel MARTINS-BALTAR et ses collaborateurs, indique à cet égard un certain nombre de pistes intéressantes, même si le problème scolaire n'y est pas directement pris en compte. Un niveau-seuil et l'adaptation, fournissent des moyens de mener des analyses textuelles adéquates aux besoins de communication des élèves : les situations d'interlocution, les rôles et statuts d'interlocuteurs, les actes de parole, les champs de référence, les notions mobilisées, les énoncés qui mettent en évidence les traits fondamentaux de la communication ("au-delà de l'étude des traits strictement lexicaux et grammaticaux des analyses traditionnelles" : Eddy ROULET, page 17), autant de dimensions qui habituellement ne sont pas convoquées pour l'analyse d'un texte, et qui, pourtant, participent pleinement, sous des modalités diverses, au transfert du sens.

De telles analyses pourraient d'ailleurs avoir des conséquences, en retour, sur la composition des manuels eux-mêmes. En tout cas, elles entraînent des modifications substantielles et dans la nature des textes proposés aux élèves, et dans leur type de traitement, et même dans leur choix et leur répartition. Dans cette perspective, une cohérence (dans le respect des spécificités) s'instaurerait véritablement entre l'oral et l'on sait combien ce serait souhaitable, compte tenu du relatif désarroi qui règne à cet égard. Ainsi s'opèrerait "la prise de conscience de tous les éléments qui jouent un rôle important dans la communication" (Eddy ROULET, page 19) et l'on touche déjà ici à la formation des enseignants.

CONCLUSIONS

Ce rapide panorama ne s'est jamais donné pour objectif l'exhaustivité. Il vise simplement à fournir quelques explications (du type mode d'emploi) et à suggérer quelques pistes de travail parmi bien d'autres possibles. Le but est donc essentiellement pragmatique et de clarification, précisément pour mieux assurer la communication. Il ne s'agit par conséquent, ni d'un plaidoyer ni d'une analyse critique.

La véritable fonction de notre travail est sans doute celle d'initiation à la discussion et à l'échange, loin des passions et des excommunications. Ce dialogue nécessaire ne s'engagera que par des contacts réels avec des enseignants sur le terrain, ou des concepteurs de cours, ou des décideurs de programmes. Les auteurs, pour leur part, le souhaitent vivement et sont ouverts à toutes formes de travail en commun et négocié. Ils n'oublient pas, enfin, ce qu'ils doivent à leurs amis auteurs de Un niveau-seuil, qui n'ont jamais cessé de les aider.

BIBLIOGRAPHIE

COSTE D., COURTILLON J., FERENCZI V., MARTINS-BALTAR M., PAPO E., et ROULET E. . Un niveau-seuil (Conseil de l'Europe, 1976)

ROULET E. . Un niveau-seuil - présentation et guide d'emploi (Conseil de l'Europe, 1976)

TRIM J. L. M. . Des voies possibles pour l'élaboration d'une structure générale d'un système européen d'unités capitalisables pour l'apprentissage des langues vivantes par les adultes (Conseil de l'Europe, 1978)

. Un système européen d'unités capitalisables pour l'apprentissage des langues vivantes par les adultes (Symposium de Ludwigshafen) (Conseil de l'Europe, 1979)

RICHTERICH R./ CHANCEREL J. L. . L'identification des besoins des adultes apprenant une langue étrangère (Conseil de l'Europe, 1977)

HOLEC H. . Autonomie et apprentissage des langues étrangères (Conseil de l'Europe, 1980)

MARTINS-BALTAR M., BOURGAIN D., COSTE D., FERENCZI V., MOCHET M-A. . L'écrit et les écrits : problèmes d'analyse et considérations didactiques (Conseil de l'Europe, 1979)

OSKARSSON M. . Approaches to self-assessment in adult language learning (Conseil de l'Europe, 1978)

VAN EK J. A. . The Threshold Level (Conseil de l'Europe, 1975)

VAN EK J. A. . The Threshold Level for Modern Language Learning in Schools (Longman, 1977)

APPROCHES D'UN NIVEAU-SEUIL

(pour des contextes scolaires)

L. PORCHER

V. FERENCZI

E. PAPO

D. COSTE

I. LIMITES DU DOCUMENT ⁎

Le présent travail s'inscrit dans le cadre d'un projet d'ensemble concernant l'enseignement des langues vivantes en Europe. Les grandes lignes de ce projet ont déjà été dessinées à plusieurs reprises, notamment par un texte synthétique du professeur John Trim, qui en est le directeur (1). Nous n'y reviendrons donc pas ici, mais il convient d'indiquer au lecteur qu'il lui serait fort utile de prendre une connaissance au moins panoramique de quelques autres travaux réalisés par le groupe d'experts du Conseil de l'Europe ou sous le contrôle de ceux-ci. C'est en effet à partir de ces textes antérieurs que la présente étude prend son sens.

Dans ces conditions, les limites institutionnelles de notre travail doivent être très clairement fixées d'emblée. Nous en mentionnerons deux, qui l'une et l'autre dérivent de la situation chronologique de notre étude à l'intérieur du projet d'ensemble.

1. Jan Van Ek, auteur du Threshold Level pour l'enseignement de l'anglais aux adultes, a également réalisé, en 1976, un Threshold level for schools, conçu et rédigé sur la base du premier. Par conséquent, un certain type de relations entre un document de référence et l'adaptation qui en est tirée pour le contexte scolaire, se trouvent instaurées et prennent place dans le projet global comme un de ses aspects essentiels.

2. Un Niveau-Seuil, publié en 1976, constitue le modèle (au sens épistémologique de ce terme) à l'intérieur duquel nous avons à situer notre actuel travail. Il ne s'agit donc pas de le transgresser, même s'il nous est loisible de le modifier dans toute la mesure compatible avec les options fondamentales qui ont présidé à l'élaboration de Un Niveau-Seuil comme modèle. En outre, ce document de référence prévoyait lui-même explicitement, parmi les apprenants visés, le public scolaire. Le chapitre "Publics et domaines", rédigé par Daniel Coste, consacre même un développement relativement long à la description de cette cible particulière.

Dès lors, notre ligne de conduite se trouve plus qu'esquissée ; des contraintes méthodologiques précises pèsent sur nous. Comme toujours, elles sont à la fois bénéfiques et onéreuses, elles entraînent à la fois des conséquences positives et des conséquences négatives. En tout cas, elles déterminent strictement le cadre de travail, et cela était évidemment clair dès le départ pour nous, avant même que le travail ne commence. Ce qui importe, c'est que le lecteur en soit immédiatement et fermement informé, afin de bien interpréter la nature et le contenu de la présente étude. Bien entendu, un objet fabriqué, une fois fabriqué, peut être interprété librement par qui que ce soit : il ne s'agit nullement de paralyser la liberté de jugement du lecteur. Simplement, les intentions et les contraintes du fabricant ne sont jamais indifférentes, notamment lorsque l'on a affaire à des objets dont le but est pédagogique. Quiconque évaluera cette étude indépendamment du cadre qui lui était institutionnellement assigné, s'expose à l'erreur ou au malentendu.

⁎ L. Porcher.

(1) Des voies possibles pour l'élaboration d'une structure générale d'un système européen d'unités capitalisables pour l'apprentissage des langues vivantes par les adultes (Conseil de l'Europe, 1978).

APPROCHE, I. Limites

A partir des contraintes mentionnées ci-dessus se dégagent donc les objectifs de notre recherche :

1. réaliser un objet qui entretienne avec Un Niveau-Seuil un rapport homologue de celui que "a Threshold Level for Schools" entretient avec "The Threshold Level" ;
2. être fidèles aux caractéristiques majeures de Un Niveau-Seuil, en n'opérant, à partir de ce modèle, que des modifications qui n'affectent pas l'économie générale de l'instrument.

De là dérivent quelques conséquences essentielles que nous signalerons ici brièvement, quitte à y revenir plus tard en détail :

1. l'étude exhaustive des différences entre Van Ek 1 et Van Ek 2 (1) nous a montré que celles-ci étaient très peu nombreuses et d'importance qualitative relativement faible. Ce recensement systématique a confirmé ainsi ce que nous avait dit Jan Van Ek lui-même, d'une part, et, d'autre part, l'affirmation principielle selon laquelle les niveaux-seuils ne constituent pas intrinsèquement des objectifs pédagogiques mais une description de la langue <u>en vue</u> de la mise au point d'objectifs d'apprentissage/enseignement.

2. Radicalisant cette idée, à l'intérieur même de l'approche par fonctions et notions, Un Niveau-Seuil construit des catégories de description, comme telles métalinguistiques, qui ne correspondent pas à un public particulier d'apprenants mais permettent une description de la langue française, considérée à partir des hypothèses que les auteurs se faisaient à propos de la nature de celle-ci (2). Certes, contrairement à ce que l'on dit souvent, ces catégories ne sauraient être regardées sans danger comme "non language specific", au moins tant que le problème séculaire des universaux n'aura pas été complètement élucidé en ce domaine. Les catégories de description d'une langue entretiennent en effet avec cette langue des relations biunivoques essentielles, qui font que toute substitution d'une langue à l'autre demeure aventureuse. Il n'en reste pas moins que, s'agissant de la langue française, les analyses de Michel Martins-Baltar concernant les Actes de Parole (colonne de gauche) et celle de Janine Courtillon concernant la grammaire notionnelle, restent "non target group specific".

---

(1) Nous dénommerons ainsi désormais, pour plus de commodité dans l'exposé, "The Threshold Level" (Van Ek 1) et "a Threshold Level for Modern Language Learning in Schools" (Van Ek 2).

(2) Bien entendu, il conviendrait ici de poser le problème de la validité des descriptions de la langue (quelles qu'elles soient) et en particulier des critères de cette validité. Il serait utile aussi de s'interroger sur le type de relations à instaurer entre de telles descriptions et des pratiques méthodologiques (ou pédagogiques). Dans l'état actuel des connaissances, il y a plusieurs descriptions possibles d'une langue qui peuvent prétendre à la scientificité sans que rien ne permette de choisir entre elles. Se pose donc alors la question de savoir quel type de confiance accorder à telle ou telle description d'une langue en vue d'un enseignement de celle-ci (c'est-à-dire quels rapports fixer entre Linguistique et Didactique). Nous avons fait l'impasse sur ce problème essentiel (qui est suspendu, d'ailleurs, à celui de la définition de ce qu'est une langue), comme <u>Un Niveau-Seuil</u> lui-même a fait cette impasse.

3. Leurs exemplifications ne supportent pas les mêmes remarques. Elles sont en effet plus ou moins adaptées à un public donné, surtout si, comme c'est le cas ici, ce public fait partie des cinq grandes catégories visées par les auteurs de Un Niveau-Seuil. Bien entendu, elles n'ont pas été choisies d'abord en fonction de tel public (quel qu'il soit) mais essentiellement par rapport aux catégories d'actes qu'elles incarnent et, par là, aux Actes de Parole dans leur ensemble. Cependant, par leur nature linguistique propre, d'une part, et, d'autre part, par le savoir qu'avait leur auteur de ce qu'elles allaient servir à un usage didactique, ces exemplifications ne restent pas totalement neutres vis-à-vis d'un public potentiel (comme le confirmerait, s'il en était besoin, la codification opérée par Eliane Papo sur certaines d'entre elles). C'est donc ici que, visant un public déterminé, nous aurons à pratiquer des modifications de Un Niveau-Seuil (pour la colonne de droite des Actes de Parole).

4. S'agissant des notions, les modifications sont plus larges, parce que le public visé y exerce une influence plus grande que dans toute autre section. Pour la même raison, les notions spécifiques sont plus affectées que les notions générales. Mais, dans tous les cas, nous conservons intactes les colonnes de gauche, en vertu de l'argument déjà cité à propos des Actes de Parole et de la grammaire.

5. Le chapitre "Publics et domaines" est évidemment modifié en profondeur, pour ne pas dire transformé en totalité. C'est d'un public spécifique que nous parlons ici, et il est donc nécessaire de mettre en perspective à partir de lui les analyses de Daniel Coste.

6. Enfin, pour le chapitre "Approche d'un niveau-seuil", seules les parties III et IV peuvent et doivent être conservées telles quelles, dans la mesure où leur visée et leur portée sont exclusivement méthodologiques et ne préjugent pas d'un public particulier d'apprenants. En effet, les "choix pour un niveau-seuil" (partie IV) sont valides pour tout public de destination, y compris les enfants en contexte scolaire ; et il en va de même pour "les composantes d'une situation de communication en face à face et le fonctionnement du langage" (partie III). Par contre, les deux premières parties du chapitre : "Systèmes d'apprentissage des langues vivantes par les adultes" (partie I) et "analyse des besoins et détermination des objectifs" (partie II) doivent être très profondément modifiées car elles sont substantiellement liées aux publics cibles considérés.

Au total, nous avons donc opéré des transformations relativement importantes, mais dont nous avons conscience qu'elles n'affectent pas gravement le modèle proposé. Il est essentiel d'être totalement clair sur ce point : notre fidélité à Un Niveau-Seuil ne participe pas de la foi du charbonnier et n'implique pas que nous sommes nécessairement en accord avec chaque détail ou chaque option de cette matrice. Mais les auteurs eux-mêmes de Un Niveau-Seuil répètent fréquemment, dans leur ouvrage, qu'il n'a pas à être pris pour parole d'Evangile, et qu'ils ont essayé de le rendre aussi souple et flexible que possible. Les modifications que nous proposons nous semblent entrer pleinement dans les limites de cette souplesse ; elles en constituent précisément une adaptation, comme l'indiquait notre mandat, et non pas un bouleversement ou une subversion méthodologique.

Si nous avons entrepris cette tâche, c'est pour deux raisons opposées et complémentaires : notre accord profond sur la fécondité et la pertinence du modèle proposé par Un Niveau-Seuil, et notre liberté, à l'intérieur de ce modèle, de proposer des ajustements. C'est dire que, conjointement avec les auteurs bien que secondairement par rapport à eux , nous assumons les incertitudes de Un Niveau-Seuil, ses choix, ses prises de position, et croyons à sa valeur fondamentale. N'étant pas la clef qui ouvre toutes les serrures, il appelle et supporte des modifications pour s'inscrire dans une perspective déterminée.

APPROCHE, I. Limites

Cela signifie, en dernier ressort, que si transformation du modèle il doit y avoir, elle ne saurait venir de nous, par définition même : la cohérence indispensable entre Un Niveau-Seuil et le présent travail l'exige ainsi. C'est pourquoi, si nous n'avions pas partagé substantiellement les options de Un Niveau-Seuil, nous n'aurions pas accepté d'entreprendre cette tâche. Complémentairement, nous aurions adopté la même attitude si quiconque avait prétendu nous enfermer préalablement dans le carcan d'un modèle rigidifié. S'il s'agit d'améliorer Un Niveau-Seuil, beaucoup de choses mériteraient en effet d'être dites, reprises, réévaluées, et les auteurs eux-mêmes l'indiquent ; mais ici le propos est explicitement d'adaptation, et c'est donc tout différent. Toute transformation des colonnes de gauche, par exemple, nous aurait fait sortir de cet objectif : par conséquent, outre les raisons indiquées ci-dessus, il n'y fallait pas songer et nous n'y avons d'ailleurs jamais songé.

Sans doute convient-il de préciser, à partir de tout ce qui précède, ce que le présent document n'est pas, afin d'éviter au maximum les incompréhensions.

1. Ce n'est pas une autre version, meilleure ou moins bonne, de Un Niveau-Seuil. Il est seulement dérivé de celui-ci.
2. Il ne s'adresse pas à des enfants, mais à des enseignants, à des concepteurs de cours, à des producteurs, etc.
3. Mais il ne constitue pas un programme. Comme Un Niveau-Seuil, son but est de constituer un ouvrage de référence, un centre de ressources (linguistiques, méthodologiques et pédagogiques) où il appartient à chacun de puiser librement en fonction de ses propres objectifs et de sa propre situation.
4. Des objectifs d'apprentissage/enseignement peuvent en être extraits à condition d'y ajouter diverses considérations d'ordre institutionnel et didactique. Il peut servir à construire des objectifs d'apprentissage/enseignement, mais ceux-ci ne sauraient être déduits de lui.
5. Ce n'est pas un manuel, et l'on n'y trouvera aucune progression préétablie ou même recommandée.
6. On n'y trouvera pas plus que dans "The Threshold Level" et "Un Niveau-Seuil" de considérations phonétiques et phonologiques, ni prosodiques.
7. Comme dans "The Threshold Level" et "Un Niveau-Seuil", des distinctions entre oral et écrit n'y sont que très rarement opérées.
8. Il ne fixe pas des contenus langagiers à la fois délimités et exhaustifs : il propose des classifications descriptives de la langue, suggère des exemples pour chacune des catégories ainsi mobilisées, et essaie de cerner les diverses intersections possibles entre le champ linguistique et le champ pédagogique (dans ses dimensions institutionnelles notamment).
9. Il affirme hautement et une fois pour toutes ne pas constituer une Bible, pédagogique ou linguistique, qui édicterait des normes, à laquelle il faudrait être fidèle, et qui fixerait l'alpha et l'oméga (le début, la fin et le parcours unique allant de l'un à l'autre) de tout enseignement de Français langue étrangère en contexte scolaire. Il ne vise ni à tout dire sur la langue, ni à indiquer ce qu'il faut apprendre aux enfants.

10. Il se refuse à faire les choix qui ne sont pas de son ressort (tous ceux qui précèdent) mais relèvent des autorités nationales, des institutions, des enseignants, des élèves, des citoyens, où que l'on se trouve. Mais il cherche à aider ceux qui ont à faire ces choix, à éclairer ceux-là sur ceux-ci, et à proposer des moyens (parmi d'autres) pour remplir les choix ainsi opérés.

En résumé, ce document propose une description de certains aspects de la langue française qui paraissent utiles lorsqu'on veut enseigner/apprendre celle-ci, e s'efforce de mettre cela en relation avec quelques conditions essentielles (sociologiques, psychologiques, pédagogiques) qui semblent caractériser l'enseignement/apprentissage du Français langue étrangère en contexte scolaire. Il ne vise rien de moins, mais, surtout, rien de plus.

II. LES COMPOSANTES D'UNE SITUATION DE COMMUNICATION EN FACE A FACE ET LE FONCTIONNEMENT DU LANGAGE UN EXEMPLE : LA POSTE *

II.0. Pour illustrer quelque peu certains aspects du modèle esquissé dans le chapitre précédent, les composantes du contexte situationnel qui décident de notre compétence pour communiquer, tant au plan cognitif que pratique, méritent d'être évoquées.

Cette analyse discursive devrait nous fournir quelques indications sur l'ampleur des possibilités de mise en oeuvre qu'offre le cadre général proposé. Elle n'a qu'une valeur descriptive et tend à élucider la contextualisation des options psychosociales, entre différentes modalités linguistiques concurrentes, que met en jeu toute pragmatique des registres du discours.

Pour faciliter la collecte et l'illustration des faits, nous avons pris pour exemple la poste comme lieu de déroulement d'un processus interactionnel entre locuteurs qui soit caractéristique des usages sociaux et des pratiques comportementales ou langagières par lesquels se manifeste l'échange des messages.

II.1. *Aspects socioculturels*

II.1.1. *Le lieu*

Le choix du lieu, en tant que donnée de fait (environnement physique) ou comme décor lié à un territoire dont la marque institutionnelle résulte du découpage d'un domaine d'activités socioculturelles, n'est évidemment pas indifférent quant aux comportements des usagers ou au fonctionnement du code verbal. A ce titre, les implications énonciatives de ce choix topologique sont d'ordre divers :

a. Le lieu est objet de discours (exemple : la visite d'un appartement à louer).

b. Le lieu fournit un cadre perceptif immédiat de références. Ses caractéristiques spatio-temporelles permettent notamment de recourir, au plan du discours, à des déictiques.

c. Le lieu fait partie intégrante d'un domaine d'activités publiques ou privées que caractérise un réseau de rapports sociaux et d'usages énonciatifs. Cette marque sociologique permet de l'identifier et d'y effectuer des transactions qui visent à satisfaire des besoins pratiques ou culturels. Dans ce cas, son emplacement est prédéterminé et c'est l'usager qui décide de s'y rendre en fonction de ses besoins propres. Aussi peut-il prévoir ses actes de langage et les interlocuteurs auxquels il aura affaire. Ce choix volontaire est assimilable, eu égard aux représentations du locuteur,

---

* Ce chapitre a été conçu et rédigé par Eliane Papo et Victor Ferenczi.

à un appel téléphonique dont la décision est de son seul ressort. Inversement, pour ce qui est de la poste, le préposé au guichet sait d'expérience les stéréotypes d'énoncés qui lui sont le plus souvent adressés. Sa formation lui permet d'y répondre ou d'être l'agent d'exécution de toute demande conforme à ses prérogatives. Le lieu impose, toutefois, la connaissance de certaines règles d'usages sociaux, notamment pour ce qui a trait aux "interpellations" (formes d'adresse). On ne peut engager un dialogue n'importe où, n'importe comment, avec n'importe qui.

d. Le lieu est souvent sans rapport avec l'acte d'énonciation (exemple : une discussion sur le sexe des anges).

Considérons maintenant notre exemple (la poste) comme cadre d'interaction sociale :

Parmi toutes les opérations possibles que l'on effectue dans un bureau de poste, nous avons retenu celle qui consiste à envoyer un télégramme. Il est certain que, comme pour toutes les autres opérations, plus l'information de l'usager quant à la façon de procéder sera grande, moins la parole interviendra. A la limite, il peut s'agir "d'histoires sans paroles".

Soit M. X qui veut envoyer un télégramme et qui va demander un renseignement :

- sur l'opération elle même

Je veux envoyer un télégramme.
Pour envoyer un télégramme ? (cf. A.P.I.9.5.1.) *
J'ai un télégramme à envoyer.

- sur le lieu (le guichet)

Où est-ce que je vais ?
A quel guichet dois-je m'adresser ?
Les télégrammes, S.V.P. ? (cf. A.P.I.9.4.2.)

- sur le "comment" de l'opération

Qu'est-ce que je dois faire ? (cf. A.P.I.9.5.1.)
Quel papier est-ce que je dois remplir ? 9.4.2.)

Ces demandes pourront entraîner les réponses suivantes :

Remplissez ce formulaire (cf. A.P.I.9.0.5.)
Remplissez le formulaire qui est là-bas (II.22.20)

Adressez-vous à ce guichet (cf. A.P.I.9.0.5.)
Adressez-vous au guichet n° 9 (A.P.II.22.20)

---

* Nous proposons ici des renvois à différentes rubriques de la section *Actes de parole*.

APPROCHE, II. Communication face à face

A partir de ces quelques énoncés, on peut faire les remarques suivantes :

- Le lieu de la poste est segmenté en guichets, chacun répondant à une ou plusieurs opérations particulières ; ceci dans les grandes villes.

- On note l'apparition de déictiques, tout au moins selon que l'usager se trouve d'emblée au bon guichet et que l'employé n'a qu'à lui tendre ou lui montrer le formulaire à remplir, ou que le guichet où il doit se rendre est en vue : *Remplissez ceci et allez là-bas* (cf. A.P.I.9.0.5.)

Les "interpellations" ne sont pas nécessaires mais possibles et les demandes vues plus haut peuvent être précédées d'un *Pardon, Monsieur* ... ou d'un *s'il vous plait* ... ; on exclura comme trop familières des interpellations du type *Hé* ; *Hé vous là-bas* ; *Hep*, ou incongrues : *Il y a quelqu'un ? Qui est là ?* etc. (cf. A.P.I.9.1.).

II.1.2. *Les circonstances*

Elles ont toujours un caractère événementiel. C'est le "ici et maintenant" de toute situation de communication. On peut cependant, par commodité, classer les circonstances selon leur caractère fortuit d'une part et, d'autre part, selon la nature linguistique ou non des faits.

a. Les circonstances peuvent être prévues par le locuteur lorsque c'est lui qui détermine au préalable les conditions de son intervention.

b. Les circonstances peuvent être imprévisibles, provoquant, le cas échéant, des réactions verbales spontanées ou impulsives selon la nature de l'événement ou des contingences. Ces circonstances peuvent être contextuelles (c'est-à-dire d'ordre linguistique) quand la manifestation de l'inattendu se réalise par le biais d'un énoncé verbal qui fait référence à un événement extra-linguistique. C'est le cas lorsque le locuteur, au lieu de se trouver dans la position de l'interpellant, se considère comme pris à partie ou interpellé (exemple : l'appel "au secours").

A la poste, les circonstances sont prévues par le locuteur puisqu'il se rend dans un lieu déterminé en vue d'effectuer une opération précise. Mais, même à la poste, l'imprévu peut apparaître. Si nous éliminons, parce que extravagants, des accidents tels que le feu qui se déclare, un hold-up agrémenté de prise d'otages, etc., il est raisonnable d'imaginer qu'un usager essaiera de ne pas faire la queue, par exemple : ce qui appellera des réactions verbales, de la part des autres usagers ou de l'employé, du type : *Prenez votre tour s'il vous plaît* ou *Non, mais dites-donc ! Ne vous gênez pas ! Çà alors !* (cf. A.P.I.3.5.).

D'autre part, il peut se trouver que des changements soient intervenus dans les modalités d'exécution d'une opération postale : le formulaire à remplir est différemment libellé, ce qui se faisait par oral se fait maintenant par écrit, l'emplacement d'un guichet a changé, le coût d'une opération a augmenté, etc.

APPROCHE, II. Communication face à face

A ce type d'événement extra-linguistique, on pourra avoir, comme réactions verbales, soit des demandes d'information quant au nouveau fonctionnement, soit des commentaires tels que :

Tiens, ce n'est plus à ce guichet qu'on envoie les télégrammes ? (cf. A.P.I.11.5.1)

ou *C'était bien plus pratique avant* (cf. A.P.IV.1.11.)

ou *Il y a longtemps que ça a augmenté ?* (cf. A.P.I.9.4.2.)

Ces commentaires brilleront toutefois par leur modération : un excès de surprise comme : *Je ne m'y attendais pas, Je n'en reviens pas, Pour une surprise, c'est une surprise.* (cf. A.P.I.3.5.) laisserait songeur quant à l'esprit d'à propos du citoyen en question.

II.1.3. *Le domaine de référence*

Le domaine de référence objectivable qui est lié au contenu de tout message a une incidence situationnelle qui se répercute aussi bien sur la nature et la forme de la question (verbale ou inverbale) que sur les énoncés émis en réponse. C'est le cas tout particulièrement lorsque les objets référentiels qui constituent l'enjeu de l'allocution se trouvent présents ou absents du champ perceptif immédiat des interlocuteurs. Ainsi, certaines opérations qui se déroulent à la poste peuvent s'accomplir sans qu'il y ait lieu de recourir à la parole (exemple : le timbrage d'une lettre remise directement en main propre, opération qui se laisse aisément automatiser comme c'est le cas au guichet de péage d'une autoroute ; les transactions de paiement se limitent à des rituels comportementaux sans paroles).

Nous avons ici choisi un usager qui éprouve le besoin de demander des renseignements, ce qui est le cas de la plupart des étrangers, qui ne sont pas nécessairement au fait des opérations postales en France, mais on peut très bien imaginer qu'un usager, connaissant le guichet adéquat, ou ayant pris soin de lire les enseignes au-dessus des guichets, s'y dirige sans hésitation et prenne de lui-même le formulaire nécessaire.

On peut noter, à propos des demandes possibles sur le lieu et sur le comment de l'opération (voir plus haut), que leur objet est limité par le cadre administratif dans lequel elles se développent.

N.B. : La compétence en langue écrite intervient ici, soit pour lire les enseignes, soit pour repérer parmi d'autres le formulaire qui convient, soit pour remplir sans erreur ce formulaire. Il est bien évident que si, à la non-compréhension orale, s'ajoute une non-compréhension écrite, l'opération a peu de chances de s'effectuer ! Sauf bien entendu si un tiers s'interpose pour aider, que ce soit un autre usager, un employé (ou un écrivain public).

II.1.4. *Le statut social des interlocuteurs*

Dans toute société, la hiérarchisation institutionnelle des fonctions sociales impose au détenteur ou au représentant du pouvoir public ou privé des droits et des devoirs. Aussi, selon les instances du dialogue en situation, celles-ci polarisent les échanges, soit en établissant un rapport d'autorité (qui explicite le statut de supériorité du locuteur) soit, inversement, en imposant des règles d'énonciation à celui qui a un statut de subordonné, pour accuser son rapport de soumission.

a. Dans le cas où les actes de parole soulignent les écarts de statuts respectifs ou mettent en évidence la nature des fonctions publiques exercées, on a affaire à des échanges transactionnels (exemple : l'employeur et son employé, le caporal et le conscrit, une réunion interministérielle, etc.).

b. Quand les échanges verbaux se font sur un pied d'égalité et indépendamment des statuts, ils sont, par opposition, considérés comme personnalisés. On notera qu'en français l'usage du "vous" ou du "tu" ne manifeste pas obligatoirement des différences de statuts entre interlocuteurs, ni toujours le caractère formel ou intime des rapports. Ce choix repose sur la distance que veulent maintenir entre eux les personnes engagées dans un échange verbal.

c. Quand les interlocuteurs en présence ignorent leur statut social respectif, les échanges seront qualifiés de neutres. Il y a lieu de souligner qu'entre deux mêmes interlocuteurs, selon le lieu et le domaine de référence du discours, les rapports peuvent être tour à tour transactionnels ou personnels (exemple : un fonctionnaire de l'administration peut être un ami ou un parent ; aussi les registres du discours vont varier en fonction du lieu et de la nature publique ou privée des échanges).

L'employé de poste peut être considéré comme le détenteur ou le représentant du pouvoir public, ce qui lui donne certains droits, comme celui de faire respecter l'ordre, et certains devoirs, entre autres celui de s'adresser poliment aux usagers ; on a noté dans les réponses de l'employé interpellé la présence d'impératifs qui témoignent de son savoir-faire et, par là, de son autorité, et qui témoignent également de son souci d'économie verbale, aux heures d'affluence principalement : *Remplissez ce formulaire, Prenez votre tour S.V.P.* Toutefois des *Je vous ordonne de remplir ce formulaire* ou *Remplissez ce formulaire, c'est un ordre !* (cf. A.P.I.9.0.5.) seraient trop péremptoires dans ce type d'interaction sociale où la rébellion n'est pas fréquente ! ...

II.1.5. *La nature de l'acte d'énonciation*

Tout acte de parole présuppose que le locuteur connaisse, avant de s'exprimer, les raisons de son intervention. A cet égard, on peut distinguer sommairement trois cas :

a. Il s'agit de faire face à des besoins pratiques immédiats liés aux conditions matérielles de vie (logement, nourriture, habillement, transport, etc.).

b. Il s'agit de faire face à des besoins secondaires d'ordre psycho-social (domaines d'activités liés à la profession, au loisir, à l'idéologie, etc.).

c. Il s'agit de respecter et de répondre à des rites ou à des usages protocolaires (exemple : conversations mondaines, cérémonies, etc.). On notera dans ce cas une forte fréquence des stéréotypes idiomatiques et cela, tant au plan du contenu que de la forme. Sous son aspect lexical, c'est à travers le pronom collectif "on" que notre inconscient social se manifeste avec le plus d'évidence au plan de l'énonciation. En subvertissant le moi énonciateur, les "on dit", "on sait", "on pense", etc., réfèrent d'une manière allusive à des pratiques sociales sous couvert desquelles s'institue le discours rapporté (dans le sens large du terme), comme lieu de représentation mentale ou comme relais de l'idéologie. En effet, les activités langagières en tant que pratiques discursives se substituent aux comportements productifs concrets du travail ou s'articulent sur ceux-ci, et s'avèrent, à cet égard, caractéristiques de la mentalité des formations sociales ou professionnelles comme signes témoins de leur histoire vécue.

Pour reprendre notre exemple de la poste, l'usager se trouvant dans le doute quant au guichet qui convient à ses besoins, utilise souvent la forme d'interpellation suivante : *On m'a dit de m'adresser ici pour* ... (cf. A.P.IV.I.18.). On notera que la force illocutive de cette expression est plus grande que celle des formes concurrentes du type : *Je crois savoir* ..., *J'ai entendu dire* ... En effet, le recours au pronon "on" présuppose, à tort ou à raison, que le demandeur a pris au préalable le soin de s'informer et que son avis est partagé. Le "on" suggère toujours un assentiment social et en tire effet pour forcer une opinion ou infléchir les prédispositions de l'auditeur. L'énonciation du "on", efface le "je" de l'interlocuteur au profit d'un consensus qui englobe une multitude d'usagers. Aussi, le rejet brutal d'un avis ainsi exprimé va jusqu'à remettre en cause un secteur de l'opinion publique. La précaution oratoire du *on m'a dit* trouve ici l'une des raisons implicites de sa fréquence d'usage.

Dans notre exemple, l'usager a à faire face à un besoin immédiat, nécessaire, qui est l'envoi d'un télégramme.

Il est à remarquer toutefois que, même dans ce cas, il doit se soumettre à certains usages sociaux, ne pas enfreindre le règlement, ne pas non plus avoir un comportement "aberrant", sortir son couteau et son saucisson pour casser la croûte au guichet par exemple.

Sa façon de s'adresser à l'employé ne doit être, d'autre part, ni trop désinvolte ni ironique, du genre : *Dites-donc, vous, puisque vous n'avez rien à faire, profitez-en pour m'expliquer* ..., ni trop familière, du type : *Bonjour, ça va ?* (cf. A.P.I.9.1., 1.8.10.). Même au niveau de ces opérations primaires, la connaissance d'un certain protocole est souhaitable.

II.1.6. *Encodage et contexte socioculturel*

Ces cinq composantes : *lieu, circonstances, domaines de référence, statut social et nature de l'énonciation* constituent des données de fait qui sont connues du locuteur et déterminent ses options linguistiques (encodage du message) parmi toutes les formes équivalentes que la langue met à sa disposition. Le respect des règles d'usages sociaux quant au choix du registre et de l'objet du discours est étroitement dépendant de la juste appréciation des indicateurs pragmatiques liés à ces composantes situationnelles.

APPROCHE, II. Communication face à face

Il s'agit maintenant d'envisager comment le locuteur peut moduler son énonciation pour conférer une marque linguistique personnelle au processus langagier qui le met en relation avec autrui.

II.2. *Aspects psycholinguistiques*

II.2.1. *Finalité de la prise de parole*

Au-delà des données de fait connues des interlocuteurs en présence et que nous venons d'évoquer, il y a lieu aussi d'inclure parmi les composantes de la situation de communication en face à face, celles qui déterminent le type de relation que l'allocutaire veut spontanément établir avec l'allocuté et dont l'acte d'énonciation rendra compte à travers ses constituants linguistiques propres.

Ce sont les possibilités de modulation de ce rapport duel qu'il s'agit d'analyser maintenant sous ses différents aspects.

Les tenants et aboutissants de toute prise de parole ne sont pas réductibles à leur substrat socioculturel. D'évidence, le choix qu'effectue le locuteur parmi les alternatives que lui offre la langue est la marque et l'effet de sa subjectivité. Aussi celle-ci introduit-elle une marge d'incertitude, quant à la teneur de l'énoncé, en regard des déterminations objectivables qui caractérisent toute situation interpersonnelle ayant provoqué une émission verbale.

Si, au plan des interactions humaines, on admet que tout acte de parole est impulsé par un besoin d'ordre privé ou social, on conviendra que sa finalité va tendre à la satisfaction de ce besoin par le biais d'une transformation des conditions externes ou internes qui ont été à l'origine de sa manifestation.

De par sa nature, un acte de parole tire effet de l'émergence d'un moi, qui s'affirme face à autrui, la possibilité lui étant offerte de s'extérioriser en se posant comme un objet de discours. En d'autres termes, toute émission verbale a valeur de : "Moi qui vous parle, je vous dis ...". Toutefois, cette préséance que le locuteur s'accorde sur l'auditeur vise à tirer parti de la vigilance que la prise de parole a suscité pour exercer sur l'interlocuteur une pression ou un effet qui l'oblige à modifier son comportement ou tout au moins à réagir (réponse). Selon la nature des besoins exprimés par le locuteur, différentes classes d'énoncés sont susceptibles d'en faire état. Au plan psychologique, cependant, on peut réduire l'éventail des besoins expressifs en s'interrogeant sur le bénéficiaire potentiel de l'acte d'énonciation. Cela nous amène, par commodité, à envisager trois cas :

a. L'acte de parole vise la satisfaction "des besoins" du sujet de l'énonciation, c'est-à-dire du "je".

b. L'acte de parole vise la satisfaction "des besoins" présumés du destinataire de l'allocution, c'est-à-dire du "tu".

APPROCHE, II. Communication face à face

c. L'acte de parole répond à des usages conventionnels et résulte de la socialité du sujet de l'énonciation, celui-ci éprouvant le besoin de s'y conformer. Cette socialité se traduit au plan de la communication par le souci d'établir ou de maintenir le contact avec l'interlocuteur en suscitant son attention, ou encore d'assurer, le cas échéant, la poursuite des échanges verbaux de manière à éviter leur extinction prématurée.

Nous écartons ici à dessein l'aspect autistique que peut comporter tout acte de parole, notamment lorsque celui-ci est l'effet d'impulsions intimes ou fantasmatiques auxquelles le dire peut servir de support ou d'exutoire. Par opposition au "je" et au "tu", les incitations occultes de ce type de besoin expressif, qui se manifeste à l'insu du locuteur, font intervenir le "il" ou le "ça" comme lieu d'ubiquité ou d'incarnation du discours ("quand je parle, ça parle en moi").

En d'autres termes, la troisième personne du verbe se définit par ce qu'elle n'est pas et non par ce qu'elle est : elle n'est pas partie prenante dans un acte de discours. Elle est celle dont on parle et qui ne parle jamais, et à qui il n'est jamais parlé. A ce titre, elle est assimilable à une non-personne (tel que dans l'exemple : "il pleut").

Etant donné la situation particulière que nous avons choisie, l'acte de parole du type : *Qu'est-ce que je dois faire pour envoyer un télégramme ?* (cf. A.P.I.9.5.) vise à la satisfaction immédiate du "je". Le "je" exprime d'emblée le besoin qu'il doit satisfaire avec une économie de moyens et une concentration sur l'opération à effectuer qui suppriment presque complètement le caractère de "socialité" de l'échange verbal : la prise de contact avec l'interlocuteur ne dure que le temps de la satisfaction du besoin. L'échange peut d'ailleurs n'être verbal que chez le locuteur. En effet, en réponse à la question ci-dessus, l'employé peut se contenter de tendre à l'usager un formulaire à remplir.

Si l'employé se montre particulièrement efficace ou aimable et va jusqu'à rendre un service qui ne relève pas de ses attributions, il pourra se voir gratifier d'un *C'est très aimable à vous* (cf. A.P.II.2.5.)
Merci infiniment.

II.2.2. *Degré d'implication de la prise de parole*

Les composantes que nous avons énumérées jusqu'ici sont toutes d'ordre directionnel, dans la mesure où elles orientent la décision volontaire et motivée qui commande la prise de parole. Cependant, tout acte de parole peut varier en intensité, selon le *degré d'implication* du sujet dans la situation de communication, de manière à dynamiser son dire. Cette implication peut être d'ordre cognitif, volitif, ou affectif. On peut donc la catégoriser par inférence à partir de l'origine éventuelle de ses modes de manifestation. Ainsi, le degré de tension, d'excitation ou d'agressivité (ou l'inverse) du sujet de l'énonciation peut résulter :

a. de l'état contingent du locuteur (colère, fatigue, anxiété, etc.) ;

b. de la conviction, de l'empressement ou de l'insistance dont fait preuve le locuteur dans ce qu'il énonce ;

c. de la bipolarité des attitudes (favorable - défavorable) du locuteur par rapport à son auditeur.

A priori, les rapports employé/usager sont dépourvus de toute affectivité. Cependant, l'affectivité de chacun, latente, pourra se manifester sous certaines conditions : si, par exemple, l'usager est particulièrement pressé ou anxieux, soit pour des raisons externes à l'envoi du télégramme, soit que ce télégramme représente pour lui un événement important dans sa vie affective, des signes d'impatience apparaîtront, dans le ton de sa voix entre autres, particulièrement si l'employé se montre distrait. Sa nervosité aura pour effet de provoquer une irritation certaine chez l'employé qui, toutefois, tenu par la neutralité que suppose sa charge, ne manifestera cette irritation qu'au niveau de l'intonation ou de la mimique. Les jurons ou grossièretés (cf. A.P.I.11.7.13) seront bannis.

II.2.3. *Rôles réciproques*

Finalement, la dernière composante qu'il nous faut retenir, de prime abord, tient aux rôles respectifs assumés par les interlocuteurs engagés dans une situation de face à face. En effet, tout locuteur peut en toutes circonstances faire état de son statut social selon une représentation qui lui est personnelle ou, le cas échéant, masquer son identité sociale réelle au profit d'un personnage capable de faire illusion sur son auditeur. La possibilité offerte au locuteur d'adopter un rôle privé ou social à sa convenance, explique le pouvoir d'autorité, de séduction ou de suggestion qu'il exerce sur son interlocuteur, dans la mesure où celui-ci, consciemment ou non, s'en rend complice ... C'est sur la toile de fond de cette connivence entre interlocuteurs que se détachent les règles sociales d'usage, dont la théâtralité confère aux relations publiques l'aspect de comédie sociale. Comme les rapports humains peuvent se nouer sur différents plans, le partage des rôles entre interlocuteurs met en jeu des qualités ou des compétences de fait ou présumées. Celles-ci leur permettent de se situer réciproquement selon des jugements de valeur qui reposent sur des préjugés sociaux ou des critères institutionnels bien établis. A cet égard, on peut envisager trois cas :

a. les rapports réciproques se situent au plan de "l'être" et sont par définition égalitaires ;

b. les rapports s'établissent au plan de "l'avoir", ce qui accuse la dissymétrie de représentations, notamment par la prise en considération du patrimoine de chaque interlocuteur (acquis ou avantages matériels et culturels) pour décider de leur position sociale respective ;

c. les rapports se règlent au plan du "faire" et présument ainsi des compétences et des aptitudes dont chaque partie peut à tort ou à raison se prévaloir.

APPROCHE, II. Communication face à face

"le faire"

Il est raisonnable de penser qu'à la poste le rôle social du locuteur comme de l'interlocuteur l'emportera sur le rôle privé : en effet, nous sommes ici au niveau pragmatique, dans le "dire de faire" : l'usager demande quelque chose pour lui, l'employé est tenu de faire ce quelque chose. Leurs rôles respectifs se cantonnent à cette tâche demandée par l'un et devant être accomplie par l'autre, qui détient la compétence nécessaire ; cela exclut que l'usager mette en doute cette compétence par des demandes naïves comme : *Qu'est-ce que vous feriez à ma place ? Vous avez une idée ?* etc. (cf. A.P.I.9.5.1.).

"l'être"

Il peut cependant se trouver que se soient noués des liens cordiaux entre un habitué de la poste et un employé. Leur dialogue sera alors étayé de remarques pertinentes comme : *Quel sale temps !* (cf. A.P.I.1.3.) ou *Il y avait longtemps qu'on ne vous avait pas vue !* (cf. A.P.I.1.2.1.). Il est bien évident que si, d'aventure, usager et employé se trouvent avoir fréquenté la même école, l'acte de demande lui-même pourra être modulé : *Dis-donc, tu me l'envoies ce télégramme ?* (cf. A.P.I.9.0.1.b4) ou donner lieu à commentaires : *Alors, comme ça, on envoie des télégrammes à sa petite amie !* (cf. A.P.I.9.1.4.4.).

"l'avoir"

Si, au plan de "l'être", les rapports locuteur/interlocuteur peuvent amener des variations au niveau de la communication, il est peu vraisemblable qu'au plan de "l'avoir" se manifestent des rapports de force : il est bien entendu que le statut de l'employé lui confère un pouvoir momentané dû à sa fonction, pouvoir qu'il exerce sur le demandeur qu'est l'usager. Mais cela ne doit en principe pas affecter leurs rôles respectifs : le demandeur s'en tient à sa demande et cela indépendamment de son statut social et de son vécu.

Un personnage haut placé (ou qui veut se faire passer pour tel) formule sa demande comme monsieur tout le monde. On peut toutefois envisager le cas extrême où ledit personnage ferait valoir ses titres par un : *Vous ne savez pas à qui vous avez affaire* (cf. A.P.I.1.4.) ou *Je vous conseille, mon ami, de ne pas me faire attendre* (cf. A.P.I.9.0.3.).

Si c'est au niveau du "faire" que vont se nouer les rapports usager/employé à la poste, il en va tout autrement lorsque la situation interpersonnelle se déroule hors du domaine administratif et que l'exécution d'une tâche par l'interlocuteur relève d'un service spontané à rendre au lieu d'un devoir à accomplir dans le cadre d'une fonction. On conçoit que dans ce cas les moyens d'expression de la demande soient beaucoup plus riches et engagent une stratégie persuasive.

APPROCHE, II. Communication face à face

Conclusion

Pour nous résumer, ce qui caractérise la situation de la poste au plan des actes de parole, c'est que ceux-ci se laissent réduire à l'énonciation d'une demande très codée. Dans un service public, l'accomplissement de toute demande est tarifé et obligatoire. Aussi les usagers avertis utilisent-ils un sous-code d'autant plus efficace que la force de l'habitude contribue à automatiser leurs comportements. La contraction des énoncés émis en est l'effet. On est ainsi frappé par la discordance entre la mise en oeuvre de moyens linguistiques très réduits et l'exécution d'opérations souvent fort longues et complexes.

Ce n'est qu'en cas de dysfonctionnement de ce type de communication, fondé sur des comportements ostentatoires, que la parole joue un rôle de suppléance, en servant de lieu et de moyen de transaction entre les exigences administratives et la satisfaction des besoins privés, toujours soumis aux contingences les plus immédiates.

Pour bien différencier "statut" et "rôle" en situation interpersonnelle, il faut relever que le "rôle" attribué au locuteur ne coïncide pas avec son statut social établi. Le rôle met toujours en jeu le vécu et le perçu du sujet parlant, notamment son imaginaire et ses représentations sociales, selon les effets immédiats intentés par la prise de parole afin d'exercer son emprise sur l'interlocuteur éventuel.

La communication en situation interpersonnelle ne se réduit pas à la transmission d'informations ou de messages. Elle vise, au-delà de leur signification littérale, la relation avec autrui et les valeurs spécifiques qui caractérisent la métacommunication. Celle-ci est vécue et ressentie à travers la subjectivité des acteurs en présence sans que ne soit nécessairement prise en compte leur identité sociale respective (autorité ou soumission, engagement ou évitement, attraction ou répulsion, etc.).

La relation n'est pas la somme des actes de parole émis de part et d'autre. Elle s'établit et s'impose à la suite de l'effet produit par l'ensemble des interactions entre acteurs engagés dans un événement langagier et dont l'issue les conforte dans leurs attitudes réciproques.

La nature conflictuelle de toute communication tient à la confusion des niveaux de décodage. Le refus ou l'acceptation du dire ne relève pas uniquement de la validité des énoncés émis mais aussi des rôles relationnels reconnus ou contestés qui s'incarnent à travers eux. Une assertion aussi banale que *il pleut* se laisse aisément vérifier et pourtant nous savons qu'elle peut, le cas échéant, fournir prétexte à dispute : Exemple : *Bien sûr qu'il pleut. Ce n'est vraiment pas la peine de prendre toujours les gens pour des idiots ... Je sais regarder par la fenêtre aussi bien que toi.* Dans ce cas, l'énoncé *il pleut*, au-delà de sa valeur référentielle, fonctionne comme symptôme d'un rapport bloqué dont il met à nu les ressorts.

Ce sont donc les huit composantes de la situation de communication en face à face qui sont impliquées dans la réalisation pratique d'un acte de parole dont procède tout dialogue.

Dès l'émission d'un premier énoncé, celui-ci modifie la situation de départ et l'apparition de cette nouvelle donnée en redistribue les déterminations. L'enchaînement des énoncés successifs, qui constitue un événement langagier, suppose la mise en oeuvre, pour chacun d'eux, d'un ensemble d'options dont le tableau ci-après tient lieu de matrice.

Compte tenu de l'autonomie du sujet parlant, un acte de parole est par nature imprévisible. Toutefois, sa mise en situation contextuelle aide à cerner certains indices et contraintes permettant de prévoir la nature des émissions verbales les plus probables. Dans cet esprit, les composantes de la situation de communication que nous avons mises en évidence doivent être considérées comme des réducteurs d'indétermination dont procède inconsciemment toute pratique sociale du langage en face à face.

COMPOSANTES D'UNE SITUATION DE COMMUNICATION EN FACE A FACE

ASPECTS SOCIOCULTURELS	Lieu	objet de discours
		activités sociales spécifiques
	Circonstances	prévisibles
		imprévisibles
	Domaines et référents	présent
		absent
	Statut	+
		=
		-
	Nature de la prise de parole	besoins pratiques
		besoins intellectuels
		usages sociaux
ASPECTS PSYCHOLINGUISTIQUES	Finalité (bénéficiaire)	je
		tu il
	Degré d'implication (origine)	état du locuteur
		rapport au référent
		rapport à l'interlocuteur
	Rôles (types de rapport)	être
		avoir
		faire
Prise de parole		ENCODAGE

III. CHOIX POUR UN NIVEAU-SEUIL [*]

III.1. *Niveau-seuil, Basic English, français fondamental*

III.1.0. Dans la dynamique générale du projet qui vise à permettre la conception et la réalisation de systèmes d'unités capitalisables pour l'apprentissage des langues vivantes par les adultes, la notion de niveau-seuil a pris très tôt de l'importance. Il a toujours paru souhaitable de calibrer l'entrée dans le système d'unités capitalisables ou plutôt - puisque aussi bien le niveau-seuil peut lui-même être atteint par capitalisation d'unités - de ménager dans la diversité voulue de l'ensemble une sorte de référence commune,

- qui permettrait d'étalonner comparativement d'autres objectifs d'apprentissage ;

- qui tendrait à caractériser une capacité de communication effective et générale dans - ou avec - la communauté étrangère ;

- qui ne se présenterait pas pour autant comme un but trop distant ne pouvant être atteint qu'au prix d'un apprentissage pesant ou prolongé.

III.1.1. Pour définir cet objectif, il est tentant - et de premiers essais avaient été faits en ce sens - d'arrêter un volume de lexique (éléments grammaticaux et non grammaticaux) que l'apprenant serait censé maîtriser (par exemple : 500 ou 1.000 ou 1.500 mots). On peut aussi évaluer le niveau visé par rapport au temps moyen qu'il faudrait à un étudiant moyen pour l'atteindre (par exemple : 100 heures ou 150 heures de travail). Mais, outre que ces modes de définition restent aléatoires (qu'est-ce que maîtriser 1.000 mots ? qu'est-ce qu'un étudiant moyen ?), il s'agit de caractérisations indirectes et secondes ; limiter la taille de l'objectif ou fixer sa distance n'indique nullement comment on l'a sélectionné parmi d'autres possibles.

III.1.2. A cet égard, deux réalisations antérieures déterminant des contenus et des objectifs d'enseignement valent d'être rappelées ici pour mieux situer ensuite les options retenues pour le niveau-seuil. Il s'agit du *Basic English* et du *français fondamental*.

Le *Basic English*, créé à partir de l'anglais, est une langue artificielle au vocabulaire rigoureusement réduit mais susceptible, par le biais de la composition syntagmatique et de la paraphrase, de répondre - en principe - à tous les besoins sémantiques d'expression des locuteurs.

---

[*] Ce chapitre a été conçu et rédigé par Daniel Coste.

APPROCHE, III. Niveau-seuil

Le *français fondamental*, résultant du dépouillement d'un corpus de conversations enregistrées et d'une enquête sur la disponibilité de substantifs appelés chez les témoins par l'évocation de certains centres d'intérêt, définit un contenu considéré comme utile, voire prioritaire, parce que fréquent ou immédiatement disponible dans l'usage de locuteurs français. Comme tel, il ne permet pas de répondre à tous les besoins sémantiques d'expression mais détermine des zones linguistiques d'une rentabilité maximale dans les échanges quotidiens simples.

Ces deux instruments sont suffisamment connus pour qu'il paraisse superflu de les décrire plus avant. Mais il faut rappeler qu'ils diffèrent profondément l'un de l'autre :

- Le *Basic English* propose un répertoire en langue : il réduit un dictionnaire à un autre, opère le transcodage d'un code établi en un code nouveau, plus restreint mais réputé apte à couvrir les mêmes intentions de communication. Le *français fondamental* provient d'une observation de la parole et, au départ, on ne préjuge ni de ce qu'il permet de dire, ni des possibilités de fonctionnement systématique des éléments qu'il met au jour.

- Le *Basic*, en raison même de son mode de conception et de construction, est l'aboutissement de choix a priori et, par définition, ne prend pas en compte les variations sociolinguistiques opérant normalement dans l'emploi d'une langue naturelle. Le *français fondamental*, même si la façon dont il est exploité neutralise en partie ce trait, comporte, dans la diversité de son matériau d'origine, des différenciations internes tenant à la diversité des usages.

- Le *Basic* se présente comme un ensemble fermé, "définitif". Il se suffit à lui-même et peut constituer un objectif ultime d'apprentissage. Le *français fondamental*, au contraire, a toujours été décrit par ses promoteurs comme un objectif, certes opérant, mais transitoire pour celui qui apprend.

III.1.3. Si on le confronte au *Basic* et au *français fondamental* quelles sont les marques spécifiques d'un *niveau-seuil ?*

1. Au contraire du *Basic* et comme le *français fondamental*, un *niveau-seuil* ne saurait satisfaire à tous les besoins sémantiques d'expression. Il ne permet pas de tout dire mais simplement de communiquer adéquatement (c'est-à-dire d'établir et de maintenir la communication) dans des situations simples de la vie courante (par exemple).

2. Dans sa définition actuelle, un *niveau-seuil*, contrairement au *français fondamental* mais comme le *Basic*, découle de choix arbitraires et non d'enquêtes portant sur l'usage de locuteurs francophones. Mais, comme pour le *français fondamental*, des enquêtes de cette nature pourraient - devraient - être entreprises.

APPROCHE, III. Niveau-seuil

3. En effet, à la différence du *Basic*, un *niveau-seuil* ne constitue pas un code où des formes doivent correspondre de façon doublement univoque à des intentions d'expression et à des contenus sémantiques à exprimer ; il doit plutôt refléter l'usage normal d'une langue naturelle où le locuteur choisit entre plusieurs possibilités d'expression linguistique selon ses intentions propres, la nature de ses interlocuteurs et le type de situation dans lequel il se trouve.

4. Mais, alors que pour le *français fondamental* la collecte des matériaux dépouillés a été opérée selon des critères sociolinguistique qui ne pouvaient être que sommaires (conversations enregistrées, sans guide d'entretien, choix relativement aléatoire des témoins et des circonstances d'enregistrement), l'essentiel étant, à l'époque, d'obtenir et d'analyser des échantillons de français parlé, on s'est proposé pour l'élaboration d'un *niveau-seuil* un modèle préalable où sont pris en compte non seulement les contenus notionnels à exprimer (comme c'était le cas d'une certaine manière pour le *Basic*) mais aussi et surtout les actes de parole que les interlocuteurs peuvent chercher à réaliser et, encore que de façon moins fine, les situations dans lesquelles celui qui utilise une langue étrangère est susceptible de se trouver.

En bref, si un *niveau-seuil* propose des choix a priori - aussi bien pour les catégories retenues par le modèle que pour les formes linguistiques illustrant ces catégories - on ne se situe pas pour autant uniquement ni même d'abord sur le plan de la langue mais on met bien plutôt l'accent sur la diversité des intentions énonciatives des locuteurs, sur la variété des moyens linguistiques qui s'offrent à eux pour réaliser ces intentions et sur les facteurs d'ordre psycho ou sociolinguistique de nature à influer sur le choix entre ces différents moyens.

III.2. *Un niveau-seuil de compétence de communication*

III.2.1. Cette orientation entraîne quelques conséquences qu'il convient de commenter.

III.2.1.1. Un *niveau-seuil* n'est pas une liste de mots ni un répertoire de phrases utiles. On a tenu à insister sur le caractère ouvert des propositions qui sont formulées et sur le fait que l'utilisation de cet instrument doit se faire avec souplesse, c'est-à-dire en pratiquant, selon les publics concernés, les adaptations qui s'avéreraient nécessaires. Comme les choix qui ont permis l'élaboration de ce niveau-seuil sont pour l'essentiel arbitraires et subjectifs et ne sauraient guère être justifiés que par l'expérience et l'intuition linguistiques des locuteurs francophones qui y ont travaillé, des compléments, des retraits, des modifications restent toujours possibles et l'outil ainsi mis à la disposition des professeurs de français et des auteurs de cours, s'il peut, comme le projet d'ensemble le prévoit, prendre une certaine valeur de référence utile, ne saurait en aucune matière délimiter impérativement un objectif et un contenu d'apprentissage modèles.

APPROCHE, Niveau-seuil

III.2.1.2. D'autre part, la description proposée caractérise une certaine compétence de communication et présente, en termes d'objectifs, des aspects de son fonctionnement. C'est dire qu'elle concerne un niveau de maîtrise de la langue étrangère et non pas un processus d'acquisition : le contenu de cette compétence ne se confond donc pas nécessairement avec un contenu d'apprentissage et, dans l'état actuel des connaissances, il est difficile de dire quel type de rapport existe entre ce qui à un moment donné est acquis et ce qui a été antérieurement mobilisé dans l'apprentissage : rien ne permet d'affirmer que le second ensemble corresponde exactement au premier ou y soit inclus. Concrètement, on veut ici signifier qu'un *niveau-seuil* cerne le contenu d'une compétence de communication mais il est tout à fait possible que, pour arriver à cette compétence, il faille apprendre formellement plus - ou au contraire moins - que ce contenu.

III.2.1.3. La description - aussi bien pour ce qui est des catégories que pour les réalisations linguistiques - ne saurait prétendre à l'exhaustivité : le caractère arbitraire de certains choix d'une part, la primauté accordée à l'énonciation et aux faits de parole d'autre part, ont pour conséquence que les éléments retenus ne constituent peut-être pas un ensemble parfaitement cohérent au niveau du système. Pour contrebattre ce risque - si c'en est vraiment un - on a tenu à consacrer une section à une présentation assez systématique (encore que sémantique et taxonomique plus que formelle et algorithmique) des phénomènes et des fonctionnements grammaticaux qu'il paraissait commode de regrouper.

III.2.1.4. Enfin, ainsi qu'on l'a déjà indiqué dans la présentation générale, cette définition d'un niveau-seuil doit d'entrée de jeu être conçue comme provisoire et susceptible d'être remise en cause par un ou plusieurs facteurs :

- la suite de l'élaboration de systèmes d'unités capitalisables peut modifier la notion même de niveau-seuil ;
- des études sociolinguistiques portant sur le français devraient permettre peu à peu de compléter ou d'amender les propositions du présent document ;
- un travail d'intégration ou de mise en liaison plus étroite des diverses composantes du modèle reste sans doute souhaitable et possible et conduirait, indépendamment de toute cause externe, à une révision et à un meilleur ajustement des diverses sections, catégories et illustrations retenues.

III.2.2. Tel qu'il se trouve actuellement défini, *Un niveau seuil* comporte les caractéristiques et l'organisation suivantes :

III.2.2.1. On a tenu grand compte de ce qui avait été élaboré auparavant pour l'anglais : *The Threshold Level* de J.A. van Ek. Il s'agit en effet de ménager une comparabilité et une compatibilité entre les définitions qui, préparées par divers individus ou équipes, s'appliquent aux langues européennes (anglais, allemand, espagnol, français, etc.). J.A. van Ek ayant été à l'origine et au centre de tous les travaux qui ont porté sur la notion de niveau-seuil et en ayant lui-même proposé une définition et une application exemplaire à l'anglais, il allait de soi que les documents résultant de son travail serviraient de référence principale pour les définitions s'appliquant à d'autres langues. On a donc adopté pour l'essentiel le même modèle.

III.2.2.2. *Publics*

On a cependant esquissé une différenciation plus grande des publics concernés en s'efforçant d'en dresser une catégorisation sommaire. Ceci pour plusieurs raisons :

- Si on estime que les apprenants susceptibles de s'intéresser à une langue étrangère ne seront pas tous amenés à avoir des contacts de type touristique avec les locuteurs de cette langue, il peut paraître opportun d'élargir la définition du niveau-seuil à d'autres besoins que ceux liés à la survie quotidienne ou aux échanges sociaux simples à l'étranger, surtout à l'échelle européenne et avec la multiplication des contacts entre les citoyens des différents pays.

- Une différenciation, fût-elle grossière, des publics, même si, dans un premier temps, elle conduit à gonfler le nombre des catégories et le volume des formes linguistiques entrant dans la définition de ce niveau-seuil, doit ensuite permettre de mieux déterminer les zones d'intérêt commun et, simultanément, de délimiter des sous-ensembles à l'intérieur de l'ensemble, voire des zones prioritaires à l'intérieur de chacun de ces sous-ensembles.

- Enfin, en termes d'utilisation de l'outil ainsi créé, chaque auteur de cours doit interpréter, modifier et choisir, à l'intérieur d'un *niveau-seuil*, en fonction du public et des objectifs visés. Il ne se sent pas contraint par un quadrillage canonique des buts de l'apprentissage et des contenus à enseigner. Certes, sa tâche est plus lourde que si on lui proposait - comme souvent est apparu, de façon erronée mais quasi inévitable, le *français fondamental* - une liste toute faite et toute prête de ce que la science linguistique dit devoir être enseigné. Mais ainsi, seulement, chacun garde ses responsabilités propres et il revient au méthodologue ou au didacticien de construire son matériel d'enseignement non en y enfournant mot à mot tout le contenu de quelque niveau-seuil que ce soit mais en se servant de ce dernier comme d'un instrument parmi d'autres au service des choix que, de toute manière, il lui faut bien faire.

III.2.2.3. *Actes de parole*

Au-delà d'une caractérisation des publics susceptibles d'être concernés par le niveau-seuil (caractérisation qui s'accompagne d'une délimitation de secteurs sociaux d'activité langagière (famille, vie professionnelle, etc.) pour lesquels la notion de compétence minimale de communication a une incidence), on aborde la section consacrée aux actes de parole, la plus volumineuse de l'ensemble. On suppose en effet qu'il est difficile, pour la plupart des publics intéressés, d'opérer une réduction stricte et a priori quant à la nature et au nombre des actes de parole que l'on pourrait choisir comme objectif opérant pour l'apprentissage. A plus forte raison, si on tient à ce qu'un *niveau-seuil* puisse intéresser différents publics, restreindre considérablement l'éventail possible des actes de parole fermerait par trop les possibilités d'utilisation effective de la langue étrangère. Enfin, il nous a paru d'autant plus important de donner une extension notable à cette composante du modèle que, d'évidence, elle concerne un aspect du langage très souvent maltraité, voire complètement négligé, dans la plupart des programmes d'enseignement. Ces derniers sont définis en termes de contenu grammatical et lexical, explicitent parfois les choix faits quant aux "centres d'intérêt" ou aux éléments de civilisation, mais il reste exceptionnel qu'on précise quels actes de parole l'apprenant sera en mesure d'accomplir dans la langue étrangère grâce à l'enseignement qu'il suit. Cela tient bien évidemment à la relative nouveauté de la notion d'acte de parole, au plan de l'analyse et de la recherche, et il n'en résulte pas que ceux qui apprennent ne sont pas à même ensuite de réaliser adéquatement bien des actes de parole dans la langue étrangère. Mais cet apprentissage s'est fait de façon quasi aléatoire et ne vas pas sans trous ni sans imperfections. Tel sera en mesure d'exprimer une demande ou de donner un ordre mais se montrera incapable de marquer un désaccord ou au contraire un assentiment. Encore faut-il souligner, que pour l'ordre et la demande, qui ont des expressions grammaticales canoniques (l'impératif, l'interrogation), il se peut que l'apprenant soit d'une efficacité un peu carrée et ne dispose pas de plusieurs stratégies d'expression entre lesquelles choisir selon les interlocuteurs et les circonstances.

Reste que cette section consacrée aux actes de parole, pour nécessairement non exhaustive qu'elle soit, et pour nécessairement développée qu'elle doive être, exigera sans doute des choix de la part des utilisateurs d'un *niveau-seuil* Ceci à différents points de vue :

APPROCHE, III. Niveau-seuil

- Pour un public donné, certaines catégories d'actes seront considérées par les auteurs d'ensembles didactiques comme inutiles ou d'intérêt secondaire. Ce sont là des décisions qui leur appartiennent et non aux concepteurs d'un niveau-seuil.

- La catégorisation proposée étant assez fine, il semblera parfois utile de regrouper quelques catégories en une seule. Cette opération est d'autant plus envisageable que, comme on le sait, l'analyse en actes ne dispose pas actuellement - non plus d'ailleurs que l'inventaire de notions - d'unités et de niveaux bien établis. On en est donc réduit à des distinctions ou au contraire à des amalgames qui peuvent varier d'une description à une autre et gardent toujours un certain caractère d'arbitraire. L'établissement de hiérarchies et de relations d'inclusions entre les actes de parole reste à faire et l'inventaire et la dénomination même de ces actes sont soumis à de vastes fluctuations selon les analyses. Mais ce n'est pas le premier exemple d'un concept qui, gardant encore un certain flou dans sa compréhension et son extension, se révèle cependant fécond quant à ses applications méthodologiques et aux conséquences didactiques qu'on peut en tirer.

- Pour chaque catégorie, une liste généralement importante d'exemples de réalisations a été établie. Par définition inachevées, ces listes peuvent bien évidemment être réduites et ne constituent en aucune manière un corpus de phrases ou d'expressions qui seraient toutes "à apprendre". Sinon, on aurait affaire à ce qu'on appelle en anglais un *phrase-book* avec toutes les limites de ce genre d'inventaire. Mais ce qui nous paraît ici essentiel, c'est :

. le fait que ces réalisations soient affectées à une catégorie de l'analyse : elle sont importantes non en tant que syntagmes ou phrases mais en tant qu'énoncés pris dans un processus d'énonciation qui les fait contribuer à réaliser un acte de parole ; il importe donc de toujours les lire par rapport à l'acte qu'elles illustrent ;

. l'existence de plusieurs réalisations : répétons qu'on ne conçoit aucunement un niveau-seuil comme une table de concordance bi-univoque entre des catégories propres aux composantes du modèle, d'une part, des formes linguistiques, d'autre part ; pour réaliser telle ou telle catégorie (qu'il s'agisse d'un acte, ou de l'expression d'une notion), le locuteur (mais ceci vaut aussi pour le récepteur) doit pouvoir choisir entre plusieurs possibilités, formuler autrement si nécessaire ; sinon, son apprentissage serait celui d'un code artificiel, non d'une langue naturelle et, dès lors, ses possibilités de communication effective avec ceux qui pratiquent la langue étrangère qu'il veut apprendre seraient, au départ, compromises.

III.2.2.4. *Grammaire*

La section relative aux actes de parole est immédiatement suivie d'une section intitulée "grammaire". On n'y trouvera pas, bien évidemment, une grammaire du français mais plutôt, sous trois têtes du chapitre (actance, détermination, relations logiques), un regroupement à dominante sémantique de phénomènes grammaticaux (fonctionnement de formulations et de formes appartenant à des séries fermées). On a déjà indiqué pourquoi ce développement grammatical était apparu nécessaire. Pour l'utilisateur d'un *niveau-seuil* il rassemble des éléments qui, de toute manière, seraient apparus ou apparaissent effectivement au titre d'autres composantes du modèle. Mais il permet de souligner - ce qui reste indispensable - le caractère systématique et grammaticalisé de l'expression en français de certains rapports sémantiques. A cet égard, et bien que le point de vue soit naturellement autre, la section *Grammaire* contient, distribuées différemment, des catégories et des formes qui, dans le *Threshold Level* par exemple, apparaissent plutôt sous la rubrique des notions générales (voire spécifiques). Ceci vaut aussi, notons-le, pour la section *Actes de parole* qui, comparée au *Threshold Level*, entretient des rapports de correspondance non seulement avec la partie *language functions* mais aussi avec les chapitres *general notions* et *notions derived from topics*.

Il convient d'insister sur le fait que, dans *un niveau-seuil*, la grammaire n'est pas une composante fondamentale du modèle. En ceci, le document ne diffère pas, pour ce qui est des choix de base, des applications concernant l'anglais, l'allemand ou l'espagnol. La définition de la compétence générale minimale de communication est d'abord faite non en termes linguistiques mais de façon fonctionnelle : réaliser tel acte de parole ou exprimer telle notion dans telle situation de communication. C'est cela que l'apprenant devra être capable de faire et, par rapport à cet objectif, le détail des formes linguistiques et leur organisation grammaticale ne constituent que des moyens, certes nécessaires, mais à ne pas confondre avec les fins de l'apprentissage, comme le fait trop souvent l'enseignement des langues étrangères.

Des renvois existent entre la section *Actes de parole* et la section *Grammaire* ainsi qu'avec la dernière section, relative aux *Notions*.

III.2.2.5. *Notions*

La section *Notions* reprend la division, adoptée pour le *Threshold Level*, entre *notions générales* et *notions spécifiques*, ces dernières étant dérivées des domaines de référence abordés au cours des échanges linguistiques. Il s'agit d'une zone particulièrement ouverte et révisable, car les listes de mots propres à tel ou tel domaine de référence pourraient être étendues et les domaines de référence eux-mêmes multipliés. Les notions générales sont en principe plus stables mais, rappelons-le, nombre d'entre elles apparaissent déjà dans la section *Actes* ou dans la section *Grammaire* et, pour certains cas, la limite entre "général" et "spécifique" semblera à juste titre bien arbitraire. Nous pourrions répéter ici ce qui a été dit à propos des actes de parole : pour féconde que puisse déjà paraître une analyse à orientation didactique faisant appel au concept de notion, on manque d'une description théorique un peu systématique où serait proposée une hiérarchisation des notions. A l'évidence, on bute ici sur le redoutable problème des universaux sémantiques et sur la vieille question des rapports langue-culture-concepts.

Il est permis d'estimer que l'on n'arrivera pas de sitôt à des solutions rigoureuses ni même à des modèles hypothétiques satisfaisants. Mais on peut considérer provisoirement, comme le fait J.A. van Ek pour le *Threshold Level*, que, si on se limite à l'échelle européenne, il est à la fois en principe faux mais pragmatiquement commode de postuler une quasi-identité ou à tout le moins une faible différenciation entre les organisations de notions selon les diverses cultures.

III.2.3. *Un niveau-seuil* conserve un aspect polymorphe voulu. Par *seuil*, il faut entendre normalement passage entre deux domaines distincts et considérer, par exemple, qu'en deça du niveau-seuil on se trouve dans une zone peu différenciée où la compétence de communication n'est que très partielle et sommaire, alors qu'au-delà on entre soit dans le monde d'une compétence générale croissante, soit dans des voies conduisant à des compétences spécifiques spécialisées. On constatera que, pour cette application au français, le seuil est large et le niveau flottant. C'est qu'on a tenu, tout en préservant le caractère global de référence et d'étalon que peut prendre cet instrument, à laisser aux concepteurs d'ensembles didactiques suffisamment de latitude et de marge d'initiative dans l'utilisation qu'ils feraient du document. Mais il va de soi qu'une nouvelle version de cette étude aura à intégrer, outre les révisions résultant d'une concertation avec les auteurs d'applications de la notion de niveau-seuil à d'autres langues que le français, les suggestions et les critiques d'utilisateurs effectifs ou potentiels d'un *niveau-seuil*.

PUBLICS ET DOMAINES

L. PORCHER

D. COSTE

I. PUBLICS (1)

Les bornes temporelles du public concerné ne peuvent être scientifiquement définies. Il importe de prendre, à leur sujet, une décision optionnelle, relativement arbitraire sur le plan théorique, mais fidèle aux réalités empiriques. C'est pourquoi nous avons considéré que l'âge de notre public allait de 6 à 16 ans : telles sont en effet, dans le contexte européen, les bornes déterminant le plus fréquemment, au plan de l'état civil, la scolarité obligatoire.

Ainsi balisé, ce public se divise en deux grandes catégories, fortement distinctes l'une de l'autre :

1. les enfants et adolescents étrangers en France, soumis aux mêmes obligations scolaires que les enfants français ;

2. les enfants et adolescents qui, hors de France et d'un pays francophone, choisissent le français comme langue étrangère à quelque niveau de l'enseignement secondaire.

Ces deux grands groupes, sur lesquels nous aurons à revenir en détail, n'épuisent cependant pas notre population, même s'ils en constituent l'immense majorité : il faut leur ajouter les enfants qui, à l'étranger, apprennent institutionnellement le français dès la scolarité primaire : le cas n'est pas très fréquent, mais il existe. Une autre catégorie serait peuplée de tous les enfants qui, en France même, ne parlent pas le français jusqu'à leur entrée à l'école primaire, mais une langue régionale : le problème se rencontre en Alsace notamment, mais aussi en Bretagne, au Pays basque, etc. La situation est encore plus nette dans les D.O.M. et T.O.M. (Départements d'outre-mer, Territoires d'outre-mer) concernant les populations créolophones et leur entrée dans le système scolaire français. Enfin, dans certains pays, pour des raisons qui tiennent à l'Histoire, le français reste une langue d'enseignement, dès la scolarité primaire : c'est, d'une part, le cas du Mahgreb (Algérie, Maroc, Tunisie) où cependant la langue officielle est l'arabe ; c'est, d'autre part, les pays d'Afrique noire, anciennes colonies françaises, qui ont choisi, pour des raisons diverses et bien connues, le français comme langue officielle.

D'autres situations méritent évidemment d'être considérées : la Louisiane, Haïti, en constituent des exemples notables. Les pays réellement et/ou officiellement plurilingues doivent aussi être pris en compte dans l'analyse : la Belgique, le Québec, la Suisse, entrent dans cette catégorie. Un dernier cas pose problème : celui de certains pays (l'URSS par exemple) où des écoles sont très tôt spécialisées en français langue étrangère et où, dès l'enseignement primaire, se fait un enseignement du français, certes, mais aussi un enseignement en français d'autres matières scolaires (la géographie par exemple).

Il serait évidemment absurde de prétendre hiérarchiser ces diverses catégories de publics. Nous avons privilégié les deux premières citées, d'une part à cause de leur caractère statistiquement massif, d'autre part à cause de leur valeur pédagogiquement représentative par rapport aux problèmes qui nous préoccupent ici. A elles deux, en effet, elles contribuent à poser la quasi-totalité des questions que soulève un enseignement du français langue étrangère en contexte scolaire. Cela ne signifie nullement que les autres publics ne sont pas importants ou spécifiques : répétons-le, il n'y a entre eux aucune hiérarchie pédagogique ou qualitative. Simplement, les analyses que nous aurons à mener concernant les deux grands groupes nous paraissent pouvoir s'adapter avec une relative facilité (moyennant quelques aménagements qui ne peuvent être faits que sur le terrain lui-même) aux autres catégories.

---

(1) L. Porcher.

PUBLICS ET DOMAINES, I. Publics

Ces divers publics ont en commun deux caractéristiques : les individus qui les composent ne sont pas des adultes (avec toutes les conséquences que cela entraîne sur les plans économique, sociologique, psychologique, pédagogique, linguistique, etc.), et l'enseignement qu'ils reçoivent, s'agissant du français langue étrangère, est de part en part institutionnellement déterminé par le statut même de l'obligation scolaire.

Un certain nombre de remarques dérivent de cette situation. Il est clair, notamment, qu'un enseignement centré sur l'apprenant est au moins aussi nécessaire en contexte scolaire que dans la formation des adultes, mais qu'il ne saurait prendre les même formes dans les deux cas. Le problème de l'analyse des besoins langagiers, de leurs modes de repérage, de leur place dans les stratégies pédagogiques, se pose tout autrement pour les adultes et pour les enfants/adolescents.

Les études de René Richterich et les réflexions de Daniel Coste sur ce sujet (in Un Niveau-Seuil, pages 7 à 13) restent certes pleinement valides dans leurs principes : si l'on veut enfin centrer l'enseignement des langues non plus exclusivement sur la matière à enseigner, mais surtout et d'abord sur celui qui apprend, alors il est impératif de connaître celui-ci, ses aspirations et ses besoins. Les mêmes auteurs ont bien mis en évidence les incertitudes méthodologiques qui continuent de subsister à propos du concept de "besoins langagiers", tout en indiquant fermement qu'il s'agissait désormais d'une réalité incontournable dans un système moderne d'enseignement des langues vivantes.

Toutes leurs remarques, franchement positives et toujours prudentes, demeurent indiscutables dans le contexte qui est le nôtre ici. Nous y renvoyons le lecteur. Mais d'autres analyses doivent être ajoutées aux leurs, précisément pour prendre en compte les spécificités mêmes de notre public.

1. Compte tenu de ce qu'est le statut sociologique des enfants, d'une part, et, d'autre part, de l'obligation scolaire qui s'impose à eux, il est extrêmement difficile de mener à leur propos une analyse des besoins conforme aux réquisits classiques mis en exergue par René Richterich et Jean-Louis Chancerel. En effet, les programmes scolaires sont, presque toujours, établis pour une grande masse d'élèves à un niveau donné : ils sont donc définis pour une généralité de cas et pour la globalité d'une situation. Une analyse de besoins s'imposerait, certes, mais elle ne pourrait guère être que massive, globale, moyenne : elle concernerait les besoins des enfants vus par le monde adulte, c'est-à-dire la représentation que celui-ci se ferait de l'utilité future de l'apprentissage d'une langue pour un enfant (à quoi cela lui servira-t-il plus tard ? etc.) ; les besoins pris en compte seraient donc nécessairement externes (hétérodéfinis) et centrés sur l'insertion sociale d'un individu (et, qui plus est, son insertion sociale future, c'est-à-dire éventuelle). Les objectifs et les contenus pédagogiques, fixés institutionnellement en termes de programmes, ne pourraient donc reposer que sur une analyse globale et utilitariste des besoins, répondant à la question : que faut-il apprendre aux enfants pour qu'ils en tirent socialement profit lorsqu'ils seront adultes ? On ne serait guère en mesure d'aller plus loin, mais, notons-le, cela représenterait déjà un progrès considérable par rapport à la plupart des situations que nous connaissons aujourd'hui.

2. Un pas de plus peut cependant être fait. La psychologie de l'enfant, notamment sur les plans cognitif et affectif, est bien mieux connue que celle de l'adulte (sans qu'il y ait lieu pour autant de tomber dans un optimisme techniciste béat qui tendrait à nous faire croire que la psychologie de l'enfant est, d'ores et déjà, une science sûre dont on peut déduire avec certitude des pratiques pédagogiques universellement valides). De ce point de vue, mettre en place un enseignement centré sur l'apprenant constitue une entreprise moins aléatoire en milieu enfantin qu'en milieu adulte : si, pour mieux enseigner le français langue étrangère, il est nécessaire d'abord de connaître l'apprenant et secondement de maîtriser la matière à enseigner, il est légitime d'être raisonnablement plus optimiste à propos des enfants qu'à propos des adultes. Si, comme le dit René Richterich, mener une analyse des besoins d'une population pédagogique consiste à rassembler toutes informations utiles sur celle-ci, alors la psychologie de l'enfant a un rôle considérable à jouer dans le contexte qui nous occupe ici. Les travaux sur ce sujet sont désormais bien connus, y compris sur le plan du langage lui-même. Les relations multiples entre les caractéristiques psychologiques d'un apprenant (enfant) et ses composantes sociologiques, sont elles aussi suffisamment repérées.

3. L'articulation entre besoins et motivations s'opère différemment chez l'adulte et chez l'enfant en milieu scolaire. Les motivations externes, notamment (du type promotion socioprofessionnelle), jouent peu sur les enfants car elles portent sur le long terme et ne correspondent guère aux visions du monde qui caractérisent cet âge. Dans ces conditions, la représentation de l'utilité future d'un apprentissage aide moins à supporter l'éventuelle difficulté de celui-ci : les enfants, par exemple, résistent beaucoup moins bien que les adultes à l'ennui d'un enseignement. C'est pourquoi la prise en compte des besoins vécus et des motivations des apprenants en contexte scolaire doit s'opérer surtout au plan des méthodes pédagogiques et des modalités mêmes de l'enseignement dans la classe. Et cela est d'autant plus vrai que l'influence des programmes, indiquée précédemment, se trouve renforcée par la présence des manuels qui, en petit nombre (pour des raisons économiques) contribuent à uniformiser l'enseignement et, donc, à le décentrer par rapport à l'apprenant. Cette présence est, on le sait, beaucoup plus forte en contexte scolaire qu'en formation des adultes, précisément parce que les institutions éducatives sont plus déterminantes dans le premier cas que dans le second. La centration sur l'apprenant doit donc s'opérer essentiellement au niveau des pratiques pédagogiques de l'enseignant lui-même, à l'intérieur d'un cadre à forte densité d'imposition.

4. Les contextes scolaires se caractérisent aussi par une grande importance donnée à l'évaluation, par les notations, les examens, et toutes les formes de contrôle entraînant un certain type de sanctions diverses. La plupart du temps, ce sont les examens qui régulent l'enseignement lui-même, et la plupart du temps aussi ces examens sont prédéterminés : soit parce qu'ils ont validité nationale, ou régionale, soit parce qu'ils doivent donner lieu à classement (concours, etc.). Les systèmes de notation de trouvent donc, inévitablement, marqués par cette emprise de l'examen, puisque, très normalement, les enseignants ont tendance à considérer leur enseignement comme une préparation de leurs élèves à l'examen qu'ils devront subir et qui seul validera socialement leur apprentissage. Sur ce point, par conséquent, la souplesse éducative est relativement moins forte dans les contextes scolaires qu'en formation des adultes : la pression institutionnelle est plus lourde dans le premier cas que dans le second.

Si l'auto-évaluation, par exemple, doit avoir une place à l'école, ce sera nécessairement une place seconde (par rapport aux évaluations institutionnelles formelles) et dérivée : non pas seulement, ni même surtout, parce que les enfants seraient moins aptes que les adultes à se décentrer et à se distancier par rapport à eux-mêmes pour apprécier leurs cheminements d'apprentissage, mais fondamentalement parce que les systèmes éducatifs ne sont pas construits sur le modèle d'une auto-évaluation et n'accordent à celle-ci qu'une place annexe et secondaire.

Là encore, c'est bien dans les pratiques pédagogiques elles-mêmes que quelque chose peut réellement changer. L'auto-évaluation a un rôle à jouer dans l'enseignement scolaire, mais essentiellement dans le cadre de techniques didactiques plus modernes et plus souples qui accorderaient une importance plus grande (qu'actuellement) à l'apprenant. La mise en place de procédures spécifiques d'évaluation, liée à la détermination d'objectifs d'apprentissage (plutôt que seulement d'objectifs d'enseignement comme c'est trop souvent le cas), constituerait un progrès pédagogique décisif vers des systèmes éducatifs donnant à l'apprenant (enfant) sa pleine responsabilité dans la gestion de son propre apprentissage, en relation avec la pleine responsabilité didactique de l'enseignant. Mais, comme à propos des besoins, il est clair que, dans un premier temps, l'on doit se situer à l'intérieur même des systèmes tels qu'ils existent, et cela marque une distance majeure entre l'enseignement scolaire et la formation des adultes.

5. Les contextes scolaires fonctionnent selon des découpages temporels fortement spécifiés. Le temps de l'apprentissage et le temps de l'enseignement se trouvent quasi imposés aux partenaires de l'acte pédagogique. Les horaires sont fixés, les cursus sont établis et étalonnés, des progressions chronologiques se trouvent bien souvent "suggérées" par les instructions officielles ou par telle ou telle incarnation de l'autorité de tutelle (inspecteur, conseiller pédagogique, etc.). L'horaire réservé à l'enseignement des langues échappe à la volonté des enseignants et des apprenants, tant en quantité que pour la répartition de cette quantité : c'est trois heures hebdomadaires par exemple, se situant tel et tel jour, etc. Certes, dira-t-on, mais ces contraintes existent aussi en formation des adultes. Nous l'admettrons, mais à condition de remarquer qu'en général la rigidité est beaucoup moins forte dans le secteur adulte. Il y a, bien entendu, des horaires fixes et relativement peu malléables ; mais il est très rare qu'ils soient d'emblée imposés comme une obligation et une nécessité intouchables.

De plus, le formateur d'adultes garde le plus souvent, à l'intérieur de ses contraintes, une marge non négligeable d'initiative dans la gestion temporelle de l'année et dans l'organisation de la rapidité des progressions. Les cas où cela est possible en contexte scolaire sont au contraire rarissimes, d'une part à cause du poids institutionnel dont nous avons déjà parlé, d'autre part à cause de la succession des niveaux de classe : l'enseignement en effet, outre le découpage horaire, est morcelé en années et conçu comme un tout dont ces années ne constituent que des parties articulées entre elles. S'agissant des langues vivantes, une année scolaire comprend environ une centaine d'heures d'enseignement, mais elle ne prend son sens, explicitement, que par rapport à celle(s) qui la précède(nt) et/ou la suive(nt). On se trouve par conséquent, qu'on le veuille ou non, dans une immense machine bureaucratique (ceci dit sans aucun jugement de valeur) où chaque rouage n'existe que par rapport à tous les autres. C'est la raison pour laquelle toucher l'un quelconque de ces rouages constitue toujours une entreprise périlleuse, qui risque de mettre en cause l'ensemble du système. La formation des adultes, pour l'instant, n'atteint qu'exceptionnellement un tel stade de rigidité et cela suffit à expliquer que les innovations y pénètrent (au moins en apparence) plus aisément.

D'importants efforts ont cependant été tentés à ce sujet, dans les années dernières, pour assouplir la gestion temporelle : les groupes de niveaux, les cycles désenclavés, le soutien, la pédagogie intégrée, les 10 %, en constituent quelques exemples. Les résultats restent, pour l'instant, problématiques, dans la mesure où les conditions de telles expériences n'ont pas toujours été optimales. C'est pourtant dans des perspectives semblables de flexibilité que l'enseignement des langues devrait évoluer pour demeurer fidèle aux lignes directrices de notre projet : la pédagogie de l'autonomie et l'individualisation de l'enseignement, déjà largement expérimentées dans plusieurs pays, fournissent à cet égard des pistes prometteuses.

Mais, on le voit, une telle attitude, même si elle représente un changement décisif, ne saurait à elle seule annuler les contraintes économiques, sociopolitiques et institutionnelles qui sont le lot de tout système éducatif. Sur le plan du temps disponible et de sa répartition en particulier, un chemin considérable reste à parcourir, et l'on n'entrevoit guère, pour l'instant, comment une telle évolution pourrait s'opérer dans des délais raisonnables.

6. Dans les contextes scolaires, on a le plus souvent affaire à des professionnels de l'enseignement, qui exerceront ce métier toute leur vie et n'exerceront que lui. Il y a là une différence essentielle avec la formation des adultes dans son état actuel : les formateurs, ici, ne travaillent que rarement comme pédagogues à plein-temps et ils ont très fréquemment exercé auparavant une autre profession. Dans la plupart des cas, en outre, ils ne se destinent pas à faire ce métier jusqu'au terme de leur existence professionnelle.

Bien entendu, on rencontre, dans ce domaine aussi, des "formateurs à plein-temps", mais ils ne constituent qu'une petite minorité du personnel réellement présent sur le terrain. Le plus souvent, donc, il s'agit de formateurs temporaires ou circonstanciels (et nous ne portons ainsi aucun jugement sur leur compétence pédagogique). Il n'est d'ailleurs pas rare que l'on trouve parmi eux des enseignants qui exercent cette activité en plus de leur profession dans le système éducatif : mais il apparaît clairement que leurs relations avec le groupe des apprenants ne sont pas les mêmes dans un cas et dans l'autre, même si, par hypothèse, ils utilisent à chaque fois la même stratégie d'enseignement.

A cause de cette différence de personnel (durée, statut, insertion hiérarchique, etc.), des distinctions se font jour à propos des types mêmes d'apprentissage, des objectifs que l'on vise, des contrôles que l'on peut exercer. Les mêmes contenus linguistiques (que le modèle de référence soit morpho-syntaxique et lexical ou d'un autre type), la même somme de connaissances, la même visée terminale (en termes de niveau, ou de compétence, ou de savoir-faire, etc.) ne sauraient donner lieu aux mêmes réalisations pédagogiques concrètes. Nous illustrons ainsi cette vérité, désormais bien assurée mais qui éprouve une difficulté certaine à se répandre, qu'un objectif d'apprentissage implique toujours le parcours qui mène jusqu'à lui compte tenu du public apprenant et des conditions de l'enseignement : s'agissant des langues vivantes cela signifie qu'un objectif d'apprentissage ne peut pas être décrit en termes seulement linguistiques.

7. Dans un certain nombre de domaines sociaux, les enfants, malgré leur dépendance économique et sociologique, ont voix au chapitre et participent aux décisions qui les concernent (dans la limite des possibilités matérielles réelles). Ce n'est encore que très rarement le cas dans le secteur de l'éducation : ici, en effet, les enfants ne sont pas considérés comme des décideurs. L'enseignement est posé comme une affaire du monde adulte, précisément parce qu'elle est vécue comme la préparation exemplaire à la vie d'adulte. Les choses, certes, sont en train de changer à cet égard, mais très lentement : la participation de délégués élus des élèves aux conseils de classe en France au moins en constitue un bon indice. Dans ces conditions, prendre en compte l'apprenant lui-même dans le déroulement de l'enseignement est d'une extrême difficulté. Et cela se complique encore par le fait que les parents d'élèves possèdent presque toujours, institutionnellement, un certain droit de regard sur l'enseignement de leurs enfants.

Ils ont naturellement tendance à vouloir rapprocher l'école de leurs enfants de leur école d'enfants et, par conséquent, sont particulièrement attentifs aux innovations qui vont dans un autre sens : qu'ils y soient favorables ou non n'est pas ici le problème. Ce qui importe, c'est qu'ils existent comme partenaires de l'acte éducatif. En formation des adultes, la situation est évidemment très différente et, d'une certaine façon, plus ouverte (ce qui n'est pas nécessairement un avantage ou un désavantage).

PUBLICS ET DOMAINES, I. Publics

Dans la perspective du projet dont il est question ici, il serait souhaitable que les élèves soient plus étroitement associés à la gestion de leur apprentissage et que, par conséquent, des modalités de négociation pédagogique soient proposées. Le rôle des parents doit, à cet égard, être clairement pris en charge et articulé souplement avec celui des enseignants, de l'institution scolaire et des élèves eux-mêmes. Cette éducation de la responsabilité autonome et de la coresponsabilité sociale s'inscrit dans le droit fil du Projet global tel qu'il est visé par le groupe d'experts.

Il va de soi cependant, et cela étant dit seulement pour éviter tout malentendu et toute interprétation malencontreuse, qu'il n'est nullement question ici de penser que le mode d'association des élèves à leur enseignement puisse être du même type que celui préconisé en formation des adultes. Utopie et réalisme s'affrontent comme d'habitude sur ce terrain : notre but consiste simplement à essayer de les articuler souplement pour transformer leurs relations en "idéal et possible". Il s'agit de mettre en place une personnalisation optimale compatible avec les nécessités d'une éducation institutionnelle de masse, caractéristique majeure de la plupart des systèmes actuels.

Au total, compte tenu de ce que sont aujourd'hui, sur le plan de la réalité empirique, les diverses situations nationales en matière de scolarité et étant donné notamment que l'éducation scolaire est toujours un enjeu politique pris en charge par les Etats eux-mêmes ou par des instances officielles (locales ou régionales), une adaptation de Un Niveau-Seuil pour des publics scolaires doit posséder quelques traits fondamentaux :

1. être suffisamment souple et flexible pour rester utilisable quelles que soient les options officielles choisies sur le plan national ou local ;

2. être suffisamment ouverte pour que chaque instance (institution ou individu) concernée puisse trouver en elle matière à réflexion ou à information, ou à enrichissement, en fonction même du contexte dans lequel elle se situe ;

3. être suffisamment exemplifiée et argumentée pour que les responsables de programmes et les concepteurs de cours soient en mesure d'y rencontrer de quoi étayer les options qu'ils ont choisies ou, au contraire, en élaborer de nouvelles ;

4. être suffisamment riche pour rendre possible, à l'intérieur même d'un système institutionnel massif et relativement uniformisé, une véritable centration sur l'apprenant, c'est-à-dire la prise en compte des attentes individuelles comme des besoins sociaux et la mise sur pied d'outils d'évaluation articulant l'évaluation externe formelle et une auto-évaluation aussi individualisée que possible ;

5. être résolument, comme Un Niveau-Seuil lui-même, "une check-list permettant de passer en revue tous les éléments pertinents et d'établir une sélection plus raisonnée à partir d'une vision globale des problèmes" (Eddy Roulet : Présentation et guide d'emploi, page 11) ;

6. par conséquent, ne déterminer, ni ne prescrire aucune sélection automatique d'aucune sorte (lexicale, syntaxique, etc.) : outre les raisons méthodologiques déjà largement indiquées, la différence profonde des contextes nationaux et des institutions scolaires constitue un argument péremptoire à ce sujet. Donc, inévitablement, "c'est à l'utilisateur d'opérer des choix en fonction du public visé" (idem) ;

7. au bout du compte, choisir sciemment d'être plurielle, inachevée par nature, systématique mais non saturée, incomplète mais non aléatoire.

II. RELATIONS SOCIALES ET ACTIVITE LANGAGIERE (1)

II.0. *Présentation*

Comme instrument de communication sociale, une langue sert dans des circonstances diverses qu'il est délicat de catégoriser de façon stricte mais qui peuvent être regroupées selon différents champs d'expériences et de relations humaines. Compte tenu de la perspective générale dans laquelle s'inscrit la définition d'un niveau-seuil, cinq domaines sociaux de l'activité langagière sont ici distingués, considérés chacun sous l'angle des relations qui y trouvent place et que l'on appellera :

. les relations familiales
. les relations professionnelles
. les relations grégaires
. les relations commerçantes et civiles
. la fréquentation des media.

Ces dénominations restant sommaires, quelques lignes de commentaires sont sans doute indispensables pour préciser chacune d'elles avant d'examiner plus en détail et une à une les différentes zones.

Par *relations familiales,* on désigne les relations propres à la cellule que constitue la famille, étant entendu que cette cellule peut être plus ou moins étendue mais qu'on suppose sa structure culturelle relativement constante à l'échelle européenne. Les statuts familiaux sont ceux de mari/femme, parent/enfant, frère/soeur, etc., selon les dyades envisagées.

Par *relations professionnelles.* on désigne les relations qui résultent de l'insertion d'un individu dans un milieu professionnel où il exerce une activité. Les statuts professionnels sont, par exemple, du type collègue/collègue, supérieur/inférieur, employé/client, syndicaliste/patron, etc.

Par *relations grégaires,* on désigne les relations qui tiennent au contact avec des amis, voisins, connaissances diverses, hors du contexte strictement familial ou étroitement professionnel. Les rôles grégaires sont du type ami/ami mais des différenciations peuvent bien sûr apparaître (existence de leaders, d'exclus, etc.). *

Par *relations commerçantes et civiles,* on désigne les relations que nouent le consommateur, le citoyen, l'administré ... l'étranger, avec les différents agents (relevant pour la plupart du secteur économique dit "tertiaire") qui assurent, dans une société industrielle, la circulation des biens et le fonctionnement des services au contact direct de l'usager : petit et grand commerce, banques, postes, hôtels, transports publics, police et douanes, etc. Les statuts et rôles tenant à ces relations sont du type : client/vendeur, administré/administrateur, demandeur/employé, etc.

---

* N.B. : on notera que *grégaire* s'applique ici simplement à des relations électives et associatives et n'implique pas, comme dans son sens usuel, effacement des personnalités individuelles.

---

(1) Ce chapitre a été conçu et rédigé par Daniel Coste.

PUBLICS ET DOMAINES, II. Domaines

Par *fréquentation des media,* on désigne les rapports qu'entretient un individu avec des supports d'information et de communication différée et, le plus souvent, à sens unique : livres, journaux, radio, télévision, cinéma, etc. On n'ignore pas que les media audio-visuels peuvent fonctionner en direct, que les journaux publient des lettres de lecteur, que des spectateurs ou auditeurs peuvent intervenir dans l'instant à l'antenne, mais on conviendra ici, pour plus de simplicité, que la plupart des media ne permettent généralement à celui qui les fréquente ni le face à face ni la réponse susceptible d'infléchir la suite de message. Les rapports sont donc du type récepteur (lecteur, auditeur, spectateur) / émetteur (auteurs des messages véhiculés par le medium).

Chacun de ces domaines peut être caractérisé - avec plus ou moins de finesse selon les cas - par rapport aux outils de description qui ont été présentés dans la section *Approche d'un niveau-seuil.*

II.1. *Relations familiales*

II.1.1. *Statuts et rôles* : Les statuts sont liés aux liens de parenté et sont donc susceptibles de mettre en oeuvre les rapports d'âge, de sexe, d'alliance : époux/épouse ; parents/enfants ; grands-parents/enfants ; enfant/enfant, etc.

L'âge, le sexe, l'alliance, l'appartenance à un groupe socioculturel donné peuvent entraîner des variantes, des sous-catégorisations à l'intérieur de chacun de ces rapports fondamentaux. Une culture donnée définit en général ces relations en termes de statuts (exemple : du père par rapport aux enfants) et le contexte familial peut donc être le lieu d'échanges transactionnels particuliers. Mais les rôles psychologiques, dans leur diversité, compliquent ces différents schémas relationnels et donnent une forte coloration personnelle à tous les échanges, même transactionnels.

En raison de l'importance des connivences, des connaissances communes, des expériences partagées, on s'attendra généralement à ce que les échanges comportent une forte part de non-dit, d'implicite, de sous-entendus ; qu'ils soient souvent de nature plus prédicative (commentaire sur quelque chose) que référentielle (énoncé descriptif de ce quelque chose).

II.1.2. *Intentions énonciatives*

Elles peuvent être de tous ordres et l'ensemble délimité dans la section *Actes de parole* (A.P.O.) paraît entièrement applicable à ce type de relations.

II.1.3. *Actes de parole*

Là aussi on voit mal comment décider que tels actes de parole seraient plus propres aux relations familiales que tels autres, considérés comme moins probables. Diverses et complexes, les relations à l'intérieur du groupe de la famille parcourent sans doute tout l'éventail ouvert dans la section AP. Tout au plus pourrait-on estimer *a priori* et sous réserve d'inventaire, que les actes sociaux (AP III) seront modulés en fonction des situations familiales, que l'aspect formel des opérations discursives (IV 6) n'apparaîtra guère que dans le discours rapporté et que, dans l'ensemble, les registres relativement familiers et le recours au tutoiement seront privilégiés.

II.1.4. *Situations de communication*

Conditions spatio-temporelles des échanges : les lieux privilégiés des échanges familiaux sont d'abord les lieux privés (foyer, habitation permanente ou temporaire) et à des moments de rassemblement (repas, soirées, jours de repos, vacances, célébrations et réunions familiales diverses, etc.). Ce qui n'implique évidemment pas que les relations familiales ne trouvent pas place dans les lieux publics et dans d'autres circonstances que celles mentionnées ci-dessus. Simplement, il est permis de supposer :

1. que les circonstances familières, mais aussi rituelles et solennelles, importent ;

2. que ces retrouvailles et rassemblements réguliers d'individus ayant chacun ses activités propres vont donner lieu à discours rapportés, récits, descriptions, évocations diverses.

Ces divers échanges relèvent du face à face du petit groupe (cellule) ou de la réunion plus large avec des membres plus ou moins éloignés d'une même famille. Ils se produisent d'abord à l'oral. L'écrit (si on exclut les faire-part et les actes notariés) se réduira essentiellement à des correspondances de caractère privé et familier.

II.1.5. *Champs de référence*

Il n'y a pas lieu de supposer que tel ou tel champ de référence sera exclu à coup sûr des échanges langagiers tenant aux relations familiales. Et heureusement ! Tout au plus peut-on raisonner en termes de probabilité plus ou moins grande d'appel à certains de ces champs.

A cet égard, on propose la liste suivante qui n'a rien d'exhaustif ni de hiérarchisé :

- événements familiaux
- relations avec personnes extérieures à la famille
- budget familial
- vie scolaire, éducation, avenir des enfants

. santé des membres de la famille ou des proches

. logement

. loisirs (projets collectifs ou individuels)

. faits et gestes personnels rapportés par un des membres du groupe (travail, rencontres, incidents, etc.)

. problèmes généraux ou d'actualité immédiate (souvent liés à la fréquentation des media (radio, télévision, journal, etc.) ou aux opinions, convictions, idées respectives des différents membres de la famille).

II.1.6. *Notions*

Si les champs de référence sont potentiellement tous mobilisables, on voit mal comment les notions générales ou spécifiques ne le seraient pas également. S'il est vrai que certains champs soient, selon toute probabilité, plus fréquemment appelés que d'autres, les notions que leur évocation met en oeuvre, s'avèrent elles aussi fréquemment utiles.

On se borne à noter que, pour ce qui est des notions spécifiques, la nature même des relations familiales devrait faire que, s'agissant de certains champs de référence, on n'aille pas très loin dans le spécifique :

. soit que l'un seulement des membres de la famille domine ce champ et se contente dès lors de l'évoquer "sans rentrer dans les détails",

. soit que la connivence entre les membres de la famille est telle qu'elle rende inutile les spécifications et s'accommode de désignations plus approximatives ou génériques.

II.2. *Relations professionnelles*

II.2.1. *Statuts* : A l'intérieur d'un contexte donné (compagnie, usine), les statuts tiennent à la position hiérarchique et/ou aux compétences et/ou aux spécialités. L'ensemble détermine, du moins à certains niveaux de la hiérarchie, des réseaux complexes de rapports, parfois représentés au moyen d'organigrammes.

Exemples de rapports statutaires plus ou moins clairement définis :

. ouvrier/maîtrise
. ingénieur/cadre commercial
. manoeuvre/employé de bureau
. chef du personnel/directeur des ventes.

D'une façon générale, ou bien les relations ne sont pas prévues - professionnellement - ou bien elles s'interprètent en termes hiérarchiques (hiérarchie de dépendance directe ou selon les niveaux de "responsabilité" à l'intérieur de l'entreprise) ou bien, à un même niveau hiérarchique, elles peuvent ou non se teinter de concurrence entre individus.

On notera que des statuts particuliers - celui par exemple de militant syndical - affectent ou court-circuitent ou égalisent les autres rapports relationnels.

II.2.2. *Intentions énonciatives*

Toutes celles que répertorie le chapitre 0 de la section *Actes de parole* sont parfaitement plausibles dans les relations professionnelles, considérées globalement. Mais dans le fonctionnement "attendu" des relations professionnelles, les rapports hiérarchisés orientent la probabilité de ces intentions. Ainsi, l'intention de faire faire sera plutôt orientée du contremaître vers l'ouvrier spécialisé que l'inverse.

II.2.3. *Actes de parole*

Les différents actes de parole peuvent trouver place en milieu professionnel. Mais, de même que, plus généralement, pour les intentions énonciatives, leur disponibilité et leur probabilité d'apparition seront assez étroitement dépendantes de la fonction de l'individu dans l'ensemble hiérarchisé et organisé auquel il appartient. Pour le strict exercice de leur métier, considéré sous l'angle fort étroit du poste de travail, les actes de parole indispensables au travailleur à la chaîne peuvent se réduire à peu de chose, alors que le représentant de commerce ou le Directeur Général, toujours considérés dans leur poste de travail, devront sans doute être à même de réaliser de diverses manières tous les actes de parole que comporte la liste proposée ici. On voit aussi, par cette opposition, en quoi une définition fonctionnelle des objectifs d'apprentissage linguistique, si elle entretient une confusion entre besoins langagiers des adultes en milieu professionnel et besoins de la production (tels que les fait apparaître une analyse des postes de travail) risque de renforcer les écarts qui, pour une partie, résultent de l'échelonnement des responsabilités et des compétences ou de la diversification des spécialités.

En bref, toute généralisation serait ici abusive et dangereuse. Il est clair que les relations professionnelles peuvent être - cas par cas - décrites de façon assez précise en actes de parole. Il est probable qu'il existe des classes d'emplois dont les profils ainsi décrits sont homologues. René Richterich, et d'autres après lui, travaillant sur des entreprises particulières ont engagé des travaux d'analyse devant conduire à de telles catégorisations. Mais on n'est certainement pas aujourd'hui en état de dégager des conclusions autres que ponctuelles.

PUBLICS ET DOMAINES, II. Domaines

II.2.4. *Situations de communication*

Conditions spatio-temporelles des échanges : les relations professionnelles s'exercent dans les lieux de travail (usines, bureaux, chantiers) ou, à l'occasion, dans des lieux publics "banalisés" (certains contrats se discutent autour d'une table de restaurant). Les lieux de travail, aux heures de travail, constituent un cadre organisé fonctionnellement par les tâches et opérations qui sont censées s'y dérouler. Dans ce cadre - qu'il s'agisse du chantier de construction ou de la salle de réunion du conseil d'administration, les échanges verbaux de nature professionnelle sont relativement prévisibles. Il ne s'ensuit pas pour autant qu'il soit toujours facile de les décrire ni que ce cadre spatio-temporel interdise toujours tout échange autre que directement lié à l'exercice de la profession !

Quant aux canaux par lesquels se réalisent les échanges professionnels, on doit souligner, globalement, leur diversité :

A l'oral : conversations en face à face, consignes données à un groupe, adresses collectives, réunions d'entreprises, meeting syndicaux, recours au téléphone, à l'interphone, au dictaphone et à d'autres formes d'enregistrement sonore.

A l'oral et/ou à l'écrit : circuit fermé de télévision, programmes sur vidéo-cassettes, films, montages sonorisés (en particulier dans le cadre de certaines formations internes et pour certaines catégories d'employés)

A l'écrit : affiches, circulaires, notes de service, correspondance professionnelles, questionnaires et contrats, journaux d'entreprise, journaux et revues professionnels, tracts et textes syndicaux, livres de notices, de schémas de montage et d'entretien, feuilles de paie, rapports et comptes rendus, etc.

Selon les fonctions exercées dans le contexte professionnel, certains seulement de ces supports concerneront un individu donné, soit en tant qu'auteur-producteur, soit en tant que destinataire.

II.2.5. *Champs de référence et notions*

Il serait aussi présomptueux que vain de s'engager dans une catégorisation des domaines d'activité ; qu'on se limite ou non à l'échelon européen, l'éventail des professions et de leurs champs de référence décourage l'inventaire. S'il fallait tout de même envisager quelques secteurs de large extension (touchant un grand nombre de professions), les zones suivantes, entre autres, pourraient être retenues, qui tiennent surtout aux aspects socio-économiques de la relation entre un employeur et un travailleur :

- la recherche d'un emploi (embauche, chômage, licenciement)
- la législation du travail
- conditions de travail et de sécurité
- avancement, carrière, promotions
- formation professionnelle (initiale et continuée)
- organisations professionnelles (syndicats, etc.)
- mode de gestion de l'entreprise et de distribution des produits (quelle que soit leur nature).

Il est clair que, dans leur extrême généralité, ces champs de référence sont souvent concrètement informés par la nature de l'activité professionnelle à laquelle ils s'appliquent. Ils ne sauraient donc être caractérisés, et singulièrement dans les réalisations inguistiques auxquelles ils vont *se* prêter, sans référence aux variables spécifiques à ce type d'activité.

II.3. *Relations grégaires* *

II.3.1. *Statuts et rôles*

On supposera que ces relations de voisinage, d'amitié, de camaraderie, s'établissent et se maintiennent sur un pied d'égalité entre des partenaires qui se sont mutuellement choisis. Les liens ne sont ni d'ordre biologique, comme dans le cas des relations familiales, ni de nature professionnelle. Avec des degrès divers de familiarité et d'intensité, les relations grégaires ici examinées reposent sur une sorte de postulat d'équivalence des statuts. En tant que telles, elles sont régies par des conventions sociales de parité et de réciprocité (manifestées, par exemple, par des échanges de cartes de vacances ou de cadeaux, par des invitations alternées chez les uns puis chez les autres).

Dans les faits, on sait bien que ces rapports électifs sont moins équilibrés qu'ils ne s'affichent. Ceci en raison de plusieurs facteurs :

- ces échanges personnels résultent parfois de relations professionnelles (qui ne sont pas nécessairement égalitaires) et présentent, à l'occasion, des implicites transactionnels ;
- ces échanges ont un caractère évolutif qui peut être influencé par les variations des statuts des personnes concernées (les amitiés de régiment ou de club sportif ne se transplantent pas toujours de façon durable hors des lieux et circonstances où elles sont nées) ;
- dès que le groupe s'élargit, des disparités s'introduisent : l'ami de mon ami n'est pas toujours mon ami.

---

* voir le *nota bene* p. 41.

Ces fluctuations diverses déterminent des jeux relationnels qui sont souvent - en dépit des apparences égalitaires - plus complexes et plus subtilement codifiés que les échanges en milieu familial ou professionnel. Entre autres indices, la nature des appellatifs, des formules de politesse, le passage éventuel du *vous* au *tu* permettent sans doute d'établir des sociogrammes linguistiques de ces relations grégaires. Et l'on n'oubliera pas l'existence de "leaders" ou d'"exclus partiels" à l'intérieur de ces groupes mouvants.

II.3.2. *Intentions énonciatives et actes de parole*

Comme dans le cas des relations familiales, une limitation des intentions énonciatives et des actes de parole paraît ici improbable. Les relations grégaires autorisent la pleine ouverture des possibilités inventoriées dans la section AP. Mais on rappellera que la complexité des rapports de statuts et de rôle (voir ci-dessus) peut faire qu'un même individu doive disposer, pour ce genre de relations, d'une gamme étendue de formulations linguistiques pour chaque acte de parole, et de stratégies discursives pour chaque intention énonciative.

II.3.3. *Situations de communication*

Cadre spatio-temporel : comme pour les relations familiales, il s'agit souvent de lieux privés, à des moments de rassemblement et de détente (dîner, soirée entre amis ou connaissances) mais aussi de lieux communautaires (conversations sur le palier, entre voisins) ou de lieux publics (dialogues sur la place du village ou rencontres au bistrot), voire de lieux de loisir (village de vacances, club sportif, société de pêche) ou de centres de rassemblements d'intérêts ou d'idées (associations non professionnelles, groupements par "marottes", etc.).

Ces cadres de relations non familiales et non strictement professionnelles s'avèrent plus ou moins sélectifs quant aux échanges langagiers susceptibles de s'y dérouler. Dans l'ensemble, on les considérera comme plutôt propices à une grande diversité d'échanges (voir aussi le point 3.4.).

Les canaux utilisés varient. A ceux que connaissent les relations familiales (oral en face à face ou au téléphone, écrit de correspondance privée), s'ajouteront ici, éventuellement, des réunions et assemblées (pouvant même présenter un certain caractère formel) et, pour l'écrit, des circulaires ou bulletins, voire des affiches, annonces, règlements intérieurs, etc. Comme dans des relations professionnelles, ces documents écrits seront, selon les individus, matière à production ou à simple réception.

PUBLICS ET DOMAINES, II. Domaines

II.3.4. *Objets de référence et notions*

Tout est en principe possible. Il suffit de souligner quelques évidences :

1. Quand il s'agit d'associations ou de rassemblements d'intérêts ou d'idées, il y a de fortes chances pour que les activités et thèmes à propos de quoi on s'est réuni fassent partie des objets de référence privilégiés ; il serait pour le moins curieux que les membres d'une société de pêche ne parlent jamais de poisson.

2. Les relations grégaires, du fait peut-être de leur apparente "gratuité" et de leur caractère fortement socialisé, comportent le plus souvent des règles, des usages, des passages obligés et des tabous : les rituels de politesse et de réciprocité existent - même pour des échanges très familiers - et ne sont pas impunément enfreints. Il y a des choses dont on parle tout naturellement entre "connaissances" (le dernier film vu à la télévision, la santé des enfants) d'autres qu'il est plus délicat d'aborder (la façon dont on a voté aux dernières élections, les difficultés budgétaires de fin de mois). La douche prise en commun après le match de rugby tolérera des propos ou des chants grivois qui seraient malvenus, quelques minutes plus tard, dans la salle du country club, une fois passée la cravate. On remarquera bien sûr que, d'une culture à une autre, la distribution entre sujets privilégiés et sujets peu attendus (ou tabous) connaît des variations sensibles.

II.4. *Relations commerçantes et civiles*

II.4.1. *Statuts et rôles*

Le chapitre III de la section *Approche d'un niveau-seuil* présente l'exemple particulier de la poste et des relations entre usager et employé. Avec des variantes, ces jeux de statuts et de rôles vont se retrouver dans la plupart des échanges qui relèvent de ce que nous appelons, faute d'une qualification plus appropriée, les relations commerçantes et civiles. Dans les rapports administrateur/administré, usager/employé, client/vendeur, citoyen/représentant de l'ordre public, les statuts l'emportent normalement sur les rôles (à l'inverse de ce qui était généralement constaté, plus haut, pour les relations grégaires) et les contacts sont avant tout d'ordre transactionnel. Les rapports d'infériorité et de supériorité, quand ils existent, tiennent le plus souvent aux fonctions de l'"homme de service" mais aussi aux circonstances dans lesquelles il communique avec le public : l'agent de police qui vient de m'arrêter pour excès de vitesse et qui se profile, debout, le long de la portière de ma voiture, n'est pas dans la même position relationnelle par rapport à moi que le commerçant à qui je viens de faire remarquer qu'il avait commis une erreur à son avantage en faisant mon addition.

Dans l'ensemble donc, toutes ces relations sont caractérisées par le fait qu'on a toujours affaire à quelqu'un qui agit en sa qualité professionnelle et que l'on rencontre à ce titre.

En tant qu'usager public, les échanges que j'ai avec l'épicier, l'agent de police, l'employé de banque, le garagiste, le médecin, la directrice d'école, le contrôleur de chemin de fer, sont des échanges avec des personnes qui portent ou pourraient porter casquette et uniforme. Il va de soi que des variables personnelles peuvent s'ajouter à cette trame transactionnelle mais elle leur préexiste.

II.4.2. *Intentions énonciatives et actes de parole*

Les échanges transactionnels de ce type obéissent pour la plupart à certaines règles canoniques dans leur déroulement, que celles-ci tiennent à des conventions sociales ou à des nécessités pragmatiques ; il y a un déroulement attendu de l'entretien entre malade et médecin, comme de l'échange entre l'employé de banque et le client (pour une opération donnée). Tout n'est pas possible ; certains enchaînements sont imposés. Il y a des temps qui viennent avant et d'autres temps qui viennent après. On a donc le loisir, pour une relation de cet ordre, d'analyser l'enchaînement probable des actes de parole et d'interpréter les écarts éventuels par rapport à cette espèce de norme. L'exemple de la poste atteste que - pour une opération simple - pouvant à la limite ne donner lieu qu'à un minimum de verbalisation - les sources de variation sont multiples et de nature à provoquer la réalisation d'actes fort divers. Mais le fonctionnement "normal" se caractérise en général assez facilement.

II.4.3. *Situations de communication*

Le cadre spatio-temporel des relations commerçantes et civiles n'est que très rarement un lieu banal. Il est socialement déterminé et déterminant quant aux interlocuteurs qui s'y rencontrent, aux opérations qui s'y déroulent, aux types d'échanges linguistiques qui s'y produisent. Comme les employés, agents du service, vendeurs, qui y exercent leur activité, ces lieux ont, d'une certaine manière, un statut, qu'il s'agisse de la mairie, du commissariat de quartier ou de la boutique du cordonnier.

Les supports de communication y sont le plus souvent oraux et impliquent un face à face. Mais le caractère routinier, prévisible, voire réglementé, d'un certain nombre d'opérations fait que ces relations commerçantes et civiles donnent très souvent lieu à utilisation de documents écrits normalisés : formulaires, questionnaires, avis, notices, ordonnances, factures, dossiers, pièces justificatives (certificats, état civil, etc.). C'est là aussi que le style administratif ou d'autres discours spécialisés (juridique, technique) entrent - avec plus ou moins de réussite - dans un processus de vulgarisation, au contact des usagers destinataires.

II.4.4. *Objets de référence et notions*

On n'y insistera pas : dans un cadre relativement contraignant et pour des opérations au déroulement assez prévisible mettant en relation transactionnelle des interlocuteurs agissant ès qualité, il paraît plus aisé que pour d'autres types de relations de caractériser les objets de référence et les notions qui ont le plus de chances d'être appelés pendant la négociation et l'exécution d'un service particulier. Chez le boucher, il sera question de viande (boeuf, mouton, etc.), de morceau (bifteck, rôti, côte, etc.), de quantité, de taille, de poids, de prix ; peut-être de la (bonne ou mauvaise) qualité du dernier achat et, accessoirement, du temps qu'il fait ou de la santé de la cliente.

II.5 *Fréquentation des media*

II.5.1. *Situation de communication*

Si on s'en tient à la délimitation restrictive qui en a été faite au début de ce chapitre, les media intéressent essentiellement les activités de réception et de compréhension. Au sens large, ils peuvent apparaître dans chacune des zones relationnelles envisagées jusqu'à présent : familiale, professionnelle, grégaire, commerçante et civile. De façon très restrictive, on dira tout aussi bien que les media peuvent être reçus indépendamment de tout autre type de relation. En tout état de cause, il y a à insister sur le fait qu'on ne limite pas les media aux moyens audio-visuels de diffusion de masse mais qu'on y inclut aussi, par exemple, livres et journaux.

II.5.2. *Objets de référence et notions*

Tout est possible. Chaque zone d'activité langagière examinée jusqu'à présent est susceptible d'une prise en charge par les media (ne serait-ce qu'au niveau de la représentation). Mais le contact du récepteur avec les media est en général optionnel, sélectif et orienté. On peut toujours éteindre la radio, changer de chaîne de télévision, ne pas ouvrir le journal. La potentielle diversité des media est alors à confronter avec les différents groupes de publics.

II.6. *Remarque finale*

Pour conclure ce chapitre, il faut bien sûr souligner que la catégorisation ici esquissée n'exclut pas les combinaisons entre ces divers types de relations. On peut exercer une profession en famille et avoir des rapports grégaires avec, par exemple, la clientèle. Mais, dans la perspective qui est nôtre, une forte simplification était sans doute d'abord nécessaire.

III. CARACTERISTIQUES LANGAGIERES DES PUBLICS

Qu'est-ce qui caractérise le langage d'un enfant lorsqu'il se trouve confronté, en situation d'apprentissage, à une autre langue que sa langue maternelle ? Sur ce point capital, on sait, à vrai dire, peu de choses. Les travaux valides portent essentiellement sur des problèmes importants, certes, mais relativement particuliers par rapport à notre objectif présent : celui du bilinguisme, par exemple, ou celui des interférences. Le savoir sur la langue maternelle est considérable et de qualité mais, à l'évidence, il ne concerne que très indirectement notre propos.

Quelques pistes ont cependant été dégagées et nous allons les explorer en fonction du but que nous poursuivons, sous forme de constatations ou de questions.

1. Des enfants qui apprennent une langue étrangère possèdent plusieurs points communs avec les adultes dans la même situation.

a. Au plan formel (ou, si l'on veut, au niveau du système), il n'y a pas une langue pour les enfants et une pour les adultes. Quel que soit le public, il y a des objets linguistiques incontournables : ce qui est "du français" et ce qui n'en est pas (c'est-à-dire ce qui permet de communiquer en français) ne dépend pas seulement de la situation des interlocuteurs, mais aussi et identiquement (dialectiquement) de la langue comme langue.

b. Les enfants ne parlent pas qu'à des enfants. Ils s'adressent aussi bien aux adultes que ceux-ci s'adressent à eux. Il ne s'agit certes pas de nier ici le poids des statuts et des rôles qui, au contraire, pèsent évidemment d'un poids capital dans la communication et dans son apprentissage : simplement, il faut insister sur la nécessaire (épistémologiquement et pédagogiquement parlant) mise en perspective de ce poids. L'enfant, communiquant avec l'adulte, est le plus souvent en position dominée, et cela est vrai en langue maternelle comme en langue étrangère ; mais il est vraisemblable que, dans les deux cas, les modalités de cette domination ne sont pas semblables. Il est probable, par exemple, qu'en langue étrangère un enfant peut "se permettre" vis-à-vis d'un adulte des énoncés qui seraient mal tolérés d'adulte à adulte et, en langue maternelle, d'enfant à adulte. Par conséquent, l'influence des statuts et des rôles dans l'interlocution doit être ici largement pondérée et modulée.

c. Dans ces conditions, on voit mal quels domaines, quels thèmes, quels secteurs, devraient être plus spécialement réservés aux enfants ou aux adultes. En réalité, c'est bien la même langue qu'ils ont tous à apprendre et pour des buts largement communs ; dès 14 ans, aujourd'hui, l'enfant peut être touriste à l'étranger, confronté aux même problèmes langagiers que l'adulte dans la même situation. Il fréquente les media, comme l'adulte, et sans doute plus volontiers que celui-ci. Il n'est sans doute pas rare même que, dans une famille venant en touriste en France, seul un enfant soit capable de communiquer en français et, par là, se trouve préposé aux fonctions de relais. A priori donc, une sélection des domaines ne s'impose pas, sauf en ce qui concerne des apprentissages spécialisés qui posent des problèmes spécifiques sur lesquels nous aurons à revenir.

d. S'agissant des enfants de travailleurs migrants, la fonction de relais prend des formes plus fréquentes et plus marquées encore. Il y a, dans ce cas, un recouvrement quasi total entre les besoins langagiers des adultes (sur le plan de la communication sociale non professionnelle) et ceux des enfants, à ceci près que ceux-ci, par ailleurs, du fait notamment de leur scolarisation dans le système français, ont en outre d'autres besoins. On s'aperçoit ainsi, par exemple, que dans les réalisations langagières proposées par Michel Martins-Baltar comme exemplifications concernant les actes de parole, beaucoup d'entre elles, énoncées à la première personne du singulier, correspondent aux besoins de l'enfant migrant - relais pour peu qu'on les énonce à la troisième personne.

PUBLICS ET DOMAINES, III. Caractéristiques

Par conséquent, dans l'ensemble, l'adaptation de Un Niveau-Seuil aux nécessités des contextes scolaires fait apparaître l'exigence d'adjonctions plutôt que de suppressions parmi les exemples proposés par Un Niveau-Seuil. Et cela vaut aussi bien (et sans doute plus) en compréhension qu'en expression.

2. Mais les enfants ont en outre, vis-à-vis de l'apprentissage d'une langue étrangère, d'autres besoins que ceux des adultes, à cause de la singularité de leur situation d'enfants et d'élèves. Ce que nous dirons ici prend en compte et élargit ce que Daniel Coste a indiqué, sur ce problème, dans Un Niveau-Seuil (pages 75-78).

a. Chez les plus jeunes enfants, et notamment pour tous ceux qui sont à l'école primaire, un besoin logico-intellectuel fondamental (et non ressenti comme tel) est celui de la décentration. Il n'est pas question de reprendre ici les acquis de la psychologie génétique, mais il convient de signaler avec insistance que cette dimension constitue un aspect essentiel de la formation. Cet objectif de formation intellectuelle, visant à donner aux enfants l'équipement logique indispensable, doit à l'évidence être intégré à l'enseignement de la langue étrangère. Celle-ci fournit en effet un bon moyen de se mettre à distance de soi-même. A cet égard, les actes de parole, d'une part, et, d'autre part, les notions générales ont un rôle considérable à jouer ; il est légitime de faire l'hypothèse que, sur ce point, une approche fonctionnelle-notionnelle correspond à un besoin véritable de l'enfance en formation. En effet, dans une telle approche, une langue est à la fois décrite comme un outil et comme un vécu, comme un objet au sens piagétien du terme (c'est-à-dire comprenant en soi le sujet lui-même qui a contribué à le produire) et non pas comme une chose totalement externe par rapport aux locuteurs (et donc aux apprenants). Une démarche fonctionnelle-notionnelle telle que celle de Un Niveau-Seuil favorise la décentration langagière dans la mesure où elle ne neutralise pas la langue mais la présente toujours comme non indépendante des sujets qui la parlent, d'une part, et, d'autre part et en même temps, comme exerçant une action sur ces sujets eux-mêmes. Cette existence dialectique de la langue, comme réalité qui simultanément s'impose à nous et dépend de nous, conduit bien l'enfant à se décentrer, c'est-à-dire à intérioriser l'idée que le monde extérieur ne se confond pas avec sa propre subjectivité (égocentrisme) mais lui impose des contraintes et, tout à la fois, n'est pas en dehors de ses prises. Il y a une dépendance mutuelle entre le moi et le monde : c'est la maîtrise du déterminisme et de l'objectivité. Dans cette perspective en tout cas, viser le développement d'une compétence de communication demande une sérieuse mise au point qui inclut la formation intellectuelle et logique (cf. Bernstein).

b. La même remarque mérite d'être notée à propos du développement de la personnalité enfantine et non plus seulement sous ses aspects cognitifs. L'apprentissage d'une langue étrangère doit se donner, comme un de ses buts essentiels, la contribution à l'ouverture d'esprit, à la compréhension de l'altérité, à l'admission normale des différences, au respect des spécificités. Les "manières de dire", sur le modèle des "manières de table" étudiées par Claude Lévi-Strauss, constituent, par leurs caractéristiques propres, une incarnation de la diversité des cultures, des modes de vie, des habitudes nationales ou régionales, etc. Ne pas prendre en charge cette dimension de l'apprentissage langagier et s'en tenir à l'enseignement linguistico-linguistique traditionnel, serait à coup sûr laisser de côté la communication entre les individus et les cultures. Sur ce plan encore, une approche fonctionnelle-notionnelle telle que celle de Un Niveau-Seuil nous semble posséder des atouts solides qu'il s'agit d'utiliser pédagogiquement.

c. Les mondes de l'enfance et de l'adolescence ont désormais une existence sociologique (et économique) dont suffirait à nous convaincre la prolifération des objets de consommation culturelle qui leur sont spécifiquement destinés. En ce sens aussi, il est légitime de considérer ce public comme singulier, c'est-à-dire dépositaire d'attentes particulières, de références, d'implicites, etc., qui le distinguent fortement des adultes. Cela se manifeste, dans l'enseignement d'une langue étrangère, par les centres d'intérêt des apprenants : à travers les différences nationales et, à l'intérieur d'une société donnée, les clivages socioculturels, s'est désormais constituée, par des moyens multiples, une certaine communauté des non-adultes. Souvent non explicitée, elle est fréquemment vécue d'abord et surtout comme opposition aux adultes.

En termes de stratégie pédagogique, il importe donc de partir de ces centres d'intérêt des enfants et des adolescents, comme lieu d'incarnation des compétences langagières qu'on se propose de leur faire acquérir : les modes de vie, les habitudes des teen-agers, la musique, le vêtement, l'écologie, etc., constituent quelques exemples de cette culture adolescente, dont la version française est évidemment profondément marquée par la langue française. Cela ne signifie pas qu'il faille borner à cela le champ des notions spécifiques (par exemple) ; mais cela montre qu'une communication langagière, en langue étrangère, s'enclenchera plus aisément et plus authentiquement à partir de telles thématiques. A cet égard, l'utilisation pédagogique des documents authentiques fournit un moyen optimal d'enseignement (plus nettement que dans le cas des adultes dans la mesure où les adultes, marqués (même inconsciemment) par leur expérience scolaire passée (où, dans l'ensemble, on utilisait peu les documents authentiques), ont tendance à être d'abord surpris par de tels documents qui, au début, leur paraissent la marque d'un enseignement "pas sérieux" ; mais il va de soi que, du point de vue des techniques pédagogiques elles-mêmes, l'emploi des documents authentiques est, envers tout public, un bon moyen d'enseignement.

d. Les enfants et adolescents sont les interlocuteurs les plus fréquents des enfants et adolescents. Le schéma statistiquement classique d'une communication face à face est alors : enfant/enfant, ou adolescent/adolescent, plutôt que enfant/adulte. Le problème des statuts et des rôles comme paramètres essentiels de la communication langagière se pose de façon moins aiguë que dans l'apprentissage adulte, sauf sans doute en ce qui concerne les relations filles/garçons. Pour un jeune, l'un des buts convaincants de l'apprentissage d'une langue consiste à pouvoir s'entretenir avec ses homologues dans cette langue. Les domaines de préoccupation majeure seront alors ceux que, précisément, nous avons indiqués au point précédent. Mais il faut noter aussi que, dans ces conditions, aucun domaine de référence recensé à propos des adultes ne se trouve exclu et cela confirme une idée que nous avons déjà mentionnée auparavant : les jeunes, comme les autres, aimeront à parler de la famille, des relations grégaires, de la vie professionnelle. Sans doute ne le feront-ils pas avec le même type d'implication psychosociologique que les adultes, mais, à l'évidence, ils arpenteront bien, eux aussi, ces champs langagiers. Ils n'auront pas de dialogues professionnels, comme des spécialistes (sauf dans le domaine précis du "métier d'enfant" et du "métier d'élève"), mais ils parleront de métiers, au moins de ceux qu'ils voudraient exercer plus tard et de ceux que pratiquent leurs parents et leurs connaissances. Là encore donc, en termes de domaines, les enfants sont partie prenante dans la très grande majorité des préoccupations adultes.

e. Ce qui vient d'être dit touche d'abord la communication orale, mais les besoins de lecture-écriture apparaissent plus vite chez les jeunes que chez les adultes, compte tenu d'un certain nombre de pratiques habituelles du groupe social qu'ils constituent. La correspondance interscolaire, les échanges entre établissements, la correspondance entre individus, mettent en jeu une telle compétence par rapport à l'écrit. Ce public constitue un bon exemple de situation où, dès le début, apprentissage de l'oral et apprentissage de l'écrit doivent être menés de front, ce qui n'est pas nécessairement le cas pour tous les publics d'adultes. Le plus souvent d'ailleurs il s'agira d'apprendre à communiquer avec des pairs plutôt qu'avec des adultes.

f. Les publics scolaires sont tous captifs et soumis aux normes institutionnelles. C'est pourquoi, qu'on le veuille ou non, l'un des objectifs d'un enseignement de langue dans ce contexte consiste à progresser normalement dans le curriculum prévu et, au moins, à ne pas entraver cette progression. Cela signifie notamment qu'il lui faut s'adapter aux critères d'évaluation institutionnellement prescrits. Il n'y a jamais de gratuité de l'apprentissage, contrairement à ce qui se passe parfois chez l'adulte.

PUBLICS ET DOMAINES, III. Caractéristiques

La pression institutionnelle prescriptive est toujours forte en contexte scolaire alors qu'elle ne l'est que souvent en formation d'adultes. Il est donc nécessaire que l'objectif de réussite institutionnelle soit pris en compte d'emblée dans l'apprentissage, même si, par ailleurs, il faut s'efforcer de modifier les systèmes d'évaluation pour les rendre plus adéquats par rapport aux objectifs majeurs de l'enseignement langagier.

Ce problème se pose évidemment de façon suraiguë en ce qui concerne les enfants migrants puisque, pour eux, l'apprentissage de la langue étrangère constitue une condition sine qua non de la réussite scolaire dans son ensemble. Dans ces conditions, en outre, l'apprentissage de l'écrit prend une importance fondamentale dans la mesure où, comme on sait, la plupart des systèmes scolaires donnent une place privilégiée aux évaluations écrites dans toutes les matières majeures (scolairement et socialement) de l'enseignement. Puisque pour ces enfants tout est enseigné dans la langue étrangère, d'une part, et que, d'autre part, ils sont soumis aux mêmes normes scolaires que les natifs, la maîtrise de la langue orale et écrite, telle qu'elle est scolairement requise, définit un objectif qui commande tous les autres (même si, comme il le faut, on fait l'hypothèse forte du maintien de la langue et de la culture d'origine).

Langue de communication, langue instrumentale, langue fonctionnelle, tout ici se trouve présent à la fois. Aux domaines habituels de référence doit donc s'ajouter le secteur propre de l'Ecole comme lieu technique, c'est-à-dire comme lieu de travail, et, de ce point de vue, on pourrait validement placer cet apprentissage sous le signe des "relations professionnelles" (Roulet, page 10). Cela est vrai non seulement pour les enfants migrants mais aussi en milieu créolophone ou dialectophone et, sous d'autres modalités, dans les pays où plusieurs matières essentielles continuent d'être enseignées en français. Pour ce qui concerne cet aspect spécifique d'enseignement en français de matières autres que la langue française elle-même, on se trouve confronté à des problèmes comparables à ceux que l'on rencontre dans l'enseignement aux adultes du français "langue de spécialité". Deux exigences doivent ainsi être mises en exergue : la nécessité de décrire, avec un modèle linguistique efficient et adéquat, les caractéristiques linguistiques (lexicales, syntaxiques, etc.) du secteur considéré (description qui serait valide aussi bien pour les adultes que pour les enfants) ; la nécessité de construire des pratiques pédagogiques très attentives aux aspects linguistiques dans les disciplines autres que la langue elle-même : il importe par exemple que le professeur de sciences expérimentales soit accoutumé à savoir que la langue joue un certain rôle dans l'élaboration de la science qu'il diffuse, que lui-même utilise la langue pour transmettre ce savoir et que, par conséquent, l'incompréhension d'un élève n'est pas forcément d'ordre "scientifique" : elle peut avoir son origine dans une incompréhension linguistique.

La balle se trouve donc conjointement, mais selon deux modalités différentes, dans le camp de l'enseignant de français et dans celui de l'enseignant "de spécialité".

Au total donc, mis à part le cas d'un apprentissage de français langue étrangère par des adultes pour des buts très précis et très étroitement spécialisés (correspondant exclusivement, par hypothèse, à la catégorie "spécialistes professionnels dans leur pays"), les enfants et adolescents en contexte scolaire ont, sous tous les aspects, les mêmes besoins d'apprentissage langagier que les adultes, plus d'autres qui leur sont spécifiques. Cette situation se comprend d'ailleurs fort bien si l'on considère qu'enfants et adolescents scolarisés constituent la totalité d'une population dans une catégorie d'âge donnée : ils représentent donc le public le plus vaste, rassemblant tous les besoins. Etant de futurs adultes, et l'école ayant pour tâche de les préparer à ce futur, elle doit couvrir le maximum des besoins que ces jeunes rencontreront lorsqu'ils seront devenus adultes.

PUBLICS ET DOMAINES, III. Caractéristiques

Cela est particulièrement vrai dans l'apprentissage d'une langue, si l'on veut bien admettre que celle-ci est d'abord un moyen de communication. En outre, chaque enfant doit être considéré comme pouvant devenir n'importe quel adulte : aucun choix ne doit être opéré de façon prématurée, il faut au contraire préserver le plus longtemps possible toutes les possibilités de choix et d'information. Par conséquent, aucune sélection a priori ne peut être effectuée dans le domaine qui nous préoccupe ici : le seul critère légitime est alors la capacité de compréhension (au sens englobant du terme) du public concerné. Doivent être exclus a priori uniquement les objets langagiers qui, pour une raison quelconque, sont inaccessibles aux apprenants visés.

Pour toutes ces raisons, notre public d'aujourd'hui est manifestement le plus large auquel puisse s'adresser Un Niveau-Seuil et, comme tel, il constitue sans doute le public exemplaire d'Un Niveau-Seuil.

A C T E S D E P A R O L E

M. MARTINS-BALTAR

M. HUART

ABREVIATIONS

+	voir Présentation, 6.
⁑	homonyme de
p,q	propositions:(prédicat, argument(s))
ppé	présupposé
pé	posé
(ind.)	indicatif
(subj.)	subjonctif
(Int.)	sous certaines conditions intonatives
(Fam.)	familier
DR	discours rapporté
(G.I.1.4.)	voir Grammaire, Section I.1.4.
°	voir Présentation, Annexe

PRESENTATION - M. MARTINS-BALTAR

1. L'aspect énonciatif du langage reste encore aujourd'hui le domaine dans lequel la linguistique est la moins avancée : les recherches, dont l'importance, tant quantitative que qualitative, est considérable, ne se sont véritablement développées que dans les 15 dernières années, et il reste beaucoup à faire.

La difficulté majeure à décrire les actes de parole tient sans doute à ce que la parole n'est pas un code, sauf dans les cas précis et peu représentatifs des "codes restreints" (énonciations des jeux de cartes, d'échecs ..., formules de politesse, stéréotypes à la mode, etc.). C'est plutôt, à partir d'une littéralité, objet d'une sémantique de l'énoncé, une dérive vers des implicites potentiels, objets d'une sémantique de l'énonciation.

La pire solution dans l'enseignement des langues, fût-ce à un "niveau-seuil", serait donc de présenter la parole comme un code, c'est-à-dire de donner à l'apprenant des moyens d'expression des actes de parole qui seraient rigides, biunivoques, au point de transformer l'énonciation de la langue enseignée en "code restreint". Une telle expérience, du reste, choquerait profondément les habitudes du maniement de la parole de l'apprenant dans sa langue maternelle.

Or, s'il apparaît raisonnable de limiter très fortement le lexique à enseigner en début d'apprentissage, voire la grammaire (dont la structure, pour être différente de celle du lexique, impose une conception différente de la réduction), on ne voit pas pourquoi ni comment les actes de parole, au niveau du contenu, devraient faire l'objet d'une telle délimitation préalable, sauf, justement, à exclure de leurs diverses possibilités d'expression, ce qui paraîtra trop complexe aux niveaux lexical et grammatical. De plus, il nous a paru intéressant de permettre à l'utilisateur de choisir les expressions à enseigner dans un ensemble suffisamment vaste pour que ce choix puisse se faire en connaissance de cause.

De cette ambiguïté de la parole, qui est fondamentale et qui fait qu'*un même énoncé peut avoir différentes valeurs énonciatives*, de même qu'*une même valeur énonciative peut s'exprimer par différents énoncés*, il ressort que la difficulté, dans l'apprentissage de l'énonciation d'une langue, ne tient pas, au niveau du contenu, dans le nombre d'actes de parole, ni, au niveau de l'expression, dans les différents types d'énoncés à apprendre, mais bien dans le mode de fonctionnement de cette "grammaire de l'énonciation" qui rend compte de toutes les possibilités d'accrochage entre contenu (acte de parole) et expression (énoncé), dans un sens (encodage), comme dans l'autre (décodage).

Ce choix parmi différentes possibilités n'est pas laissé au hasard : on peut aligner un certain nombre de facteurs qui font que tel acte de parole sera réalisé par tel (ou tels) énoncé(s) plutôt que par tel(s) autre(s) :

ACTES DE PAROLE, Présentation

- *Le canal :* selon que l'on s'exprime, à l'oral, en champ libre ou au téléphone, ou, à l'écrit, par correspondance, on interpellera quelqu'un par l'énoncé *Excusez-moi* (parmi d'autres possibles), *Allo ?*, ou par *Cher collègue*.

- *L'"ordre" de l'acte de parole* (au sens séquentiel du terme) : pour donner la permission à quelqu'un de partir, sans qu'il ait sollicité cette permission, on pourra dire *Vous pouvez partir* (ordre (1)), mais s'il a demandé cette permission, un simple *Oui* (ordre (2)) pourra suffire.

- *Le contexte syntaxique :* pour réaliser un acte d'ordre (2) en "réponse" à un acte d'ordre (1) de l'interlocuteur, il faut respecter une certaine harmonie syntaxique entre ces deux actes successifs. Si en (1) on demande une permission par *Est-ce que je peux sortir ?*, pour donner la permission en (2) un *Oui* conviendra, alors que si (1) était réalisé par *Je voudrais sortir*, *Oui* en (2) ne conviendrait pas : on dirait plutôt *Si vous voulez*.

- *Le statut des interlocuteurs dans la situation :* selon que l'on s'adresse à quelqu'un qui est, dans la situation, un supérieur, un égal ou un subordonné, on n'emploiera pas les mêmes énoncés pour réaliser les mêmes actes. Pour saluer quelqu'un on pourra ainsi être amené à choisir entre *Bonjour Monsieur*, *Monsieur*, ou *Salut*.

- *La référence de l'acte de parole :* on n'annonce pas de la même manière qu'on a cassé la potiche, qu'on a gagné à la loterie ou qu'il pleut encore ; on ne demande pas de la même manière de nous passer le sel, de nous prêter la voiture ou de nous laisser tranquille. Et l'influence de la référence sera elle-même différente selon la situation. En milieu urbain *Il va faire beau* n'aura pas la même valeur informative que *Il va pleuvoir* qui pourra être reçu comme un avertissement, pour des raisons uniquement référentielles et situationnelles.

- Il y aurait sans doute bien d'autres paramètres à isoler, par exemple le fait de devoir se faire entendre dans le bruit, ou au contraire de chuchoter pour que les voisins ne s'aperçoivent pas qu'on parle, impose des restrictions formelles différentes sur le choix des énoncés.

Aurait-on d'ailleurs aligné et combiné entre eux tous les paramètres objectifs du choix de l'énoncé, on n'aboutirait pas pour autant, par une voie détournée, à réinstaller la parole dans un code. Il restera, à la fin, l'idiosyncrasie du sujet parlant, lequel se situe, tout particulièrement au niveau énonciatif, dans son individualité d'être parlant, selon l'image qu'il a de l'autre auquel il s'adresse, et de l'Autre en général. Cela implique l'importance de donner à l'apprenant les moyens de se construire une personnalité de sujet parlant dans la langue qu'il apprend, faute de quoi elle lui resterait étrangère.

⁂

ACTES DE PAROLE, Présentation

2. La réalisation, dans un temps très limité, d'une étude sur les actes de parole était une gageure qui aura abouti à un catalogue assez peu dégrossi, et qui ne saurait répondre à ce que pourraient souhaiter le linguiste et le méthodologue. Nous espérons simplement, au-delà d'une recherche à poursuivre, qu'il puisse être utilisé d'une manière beaucoup plus souple que la structure, forcément rigide, qui le supporte, par une pratique constante de l'interpolation et de l'extrapolation.

Nous avons évité autant que possible d'y inclure les éléments d'une théorie dont il devrait être l'application, parce que celle-ci n'est pas construite sinon par bribes discutables dont l'exposé n'eût pas facilité l'utilisation de l'ensemble. Cette présentation se limitera donc à en donner une vue générale.

x

x x

3. Nous avons, en gros, construit cet inventaire autour et à partir des notions classiques de modalité, d'illocution et de perlocution.

Le chapitre 0. *Intentions énonciatives* a pour but d'attirer l'attention sur la fonction "instrumentale" de l'énoncé dans l'énonciation. Tout énoncé peut être l'instrument d'une intention du locuteur de produire un effet sur autrui, soit vis-à-vis de soi-même (0.1.), soit vis-à-vis d'autrui (0.2.). A l'inverse, et cette fois du point de vue de l'auditeur, toute énonciation du locuteur peut être la cause d'un effet, que celui-ci ait été intentionnel ou non.

Nous avons également inclu dans ce chapitre liminaire, en 0.3., l'esquisse d'une grammaire de l'énonciation, c'est-à-dire de ce qui permet de *faire un implicite*. Le fonctionnement de cette grammaire particulière a été par ailleurs abondamment appliqué, en I.9.0.1. à l'acte de "demander à autrui de faire lui-même". De plus, nous avons porté en annexe du chapitre I (Actes d'ordre (1)) un essai de typologie des notions relevant du domaine de l'action (I.10. *pragmatique*) et du domaine de *l'affectivité* (I.11.), qui nous semblent constituer, avec le domaine de la *vérité* ou aléthique (dont les notions sont distribuées en I.1.2. *poser un fait comme (vrai ... faux)* et I.1.7. *donner son opinion sur la vérité d'un fait*), les organes principaux d'une grammaire de l'énonciation, c'est-à-dire les notions qui rendent compte des potentialités implicites d'un énoncé. (On retrouvera, entre autres, sous ces trois chefs, une redistribution de ce que recouvre la catégorie traditionnelle de *modalité*.)

Outre les intentions (les effets) qui visent (atteignent) la personne de l'auditeur, nous avons regroupé sous le titre d'*Opérations discursives* (chapitre IV) un ensemble d'actes de parole qui nous paraît mériter une place à part du fait que, bien qu'il puisse s'y agir également d'intentions et d'effets énonciatifs, ceux-ci sont moins dirigés sur la personne de l'auditeur qu'ils ne constituent le discours lui-même, sous ses aspects référentiels *(préciser, comparer, ...)*, quantitatif *(effleurer, s'étendre, ...)*, métalinguistique *(épeler, traduire, ...)*, formel *(conclure, faire une digression, ...)* etc. Ces "opérations" ont été rejetées au dernier chapitre en raison de l'originalité de ces actes.

Le gros de l'ensemble est donc constitué par les actes qui relèvent très largement de l'illocution, séparés par commodité, en 3 chapitres :

I. *Actes d'ordre (1)*, II. *Actes d'ordre* (2) et, mis à part dans un chapitre III, les *Actes sociaux*, suffisamment stéréotypés au niveau des énoncés pour qu'il n'y ait pas lieu de traiter à part tout ce qui est de l'ordre (1) puis tout ce qui est de l'ordre (2).

Par contre, il nous a paru préférable de traiter en deux chapitres distincts les actes d'ordre (1) et les actes d'ordre (2), du fait qu'à chaque acte d'ordre (1) peuvent "répondre" différents types d'actesd'ordre (2) et que, inversement, un même type d'acte d'ordre (2) peut répondre à différents types d'actes d'ordre (1). Pour assurer le passage d'un type d'acte d'ordre (1) aux actes d'ordre (2), nous avons ménagé, entre ces deux chapitresI et II une *Table de correspondance* qui donne, donc, pour chaque acte d'ordre (1) tous les types d'actes d'ordre (2) retenus.

La description n'a pas été poussée au-delà de l'ordre (2), l'objectif n'étant en aucune manière, et pour cause, de construire les éléments d'une syntagmatique de l'énonciation capable de fournir les possibilités de reparties successives d'un dialogue. De fait, il ne semble pas, à première vue, que les *types* d'acte d'ordre (3) puissent être très sensiblement différents des types d'actes d'ordre (2) ou (1) - on constate déjà que certains actes d'ordre (2) se réalisent par des actes qui peuvent être, par ailleurs, d'ordre (1) - bien qu'il y ait une différence fondamentale entre ce qui est de l'ordre (1) et ce qui est de l'ordre (2). Ce qui va changer, dans un échange de reparties à propos d'une même référence, qui se développe en actes d'ordres successifs, ce ne sera pas tant les types d'actes que les énoncés qui les réalisent.

La structure dans laquelle nous avons rangé les différents types d'actes apparaîtra plus linéaire que hiérarchique, bien qu'il y ait un certain nombre de regroupements. On pourrait sans doute répartir tous les actes de type illocutif en une opposition binaire entre "dire" et "demander", ce dernier acte recouvrant aussi bien les "demandes de dire" (de faire une énonciation) que les "demandes de faire" (faire un acte non verbal), mais il reste très délicat de poursuivre méthodiquement ce genre de catégorisation jusqu'à y différencier tous les actes.

Cela signifie que les différentes catégories dans lesquelles nous avons classé les actes d'ordre (1) ne s'opposent pas systématiquement, il s'en faut, les unes aux autres : I.3.2. "accuser autrui d'avoir accompli une action" peut, à juste titre, être considéré comme une sous-catégorie de I.1. "donner des informations factuelles", ce qui n'aurait pu apparaître dans la numérotation des actes qu'au prix d'un alourdissement considérable de celle-ci, et elle est déjà lourde. Par contre, si l'on veut désapprouver (ordre (2)) l'énoncé d'accusation *C'est toi qui as fait ça*, on peut avoir tout simplement recours à l'acte II.17. "désapprouver énoncé (de I.1. donner des informations factuelles)", et répondre *Non*, sans qu'il soit besoin d'introduire un acte d'ordre (2) "réfuter accusation".

⁂

4. Signalons les manques les plus évidents.

- Rien n'a été prévu ici pour la prosodie, bien que le rôle de l'*intonation* soit particulièrement évident dans la réalisation des actes de parole, puisqu'elle peut fonctionner comme marqueur d'implicite, c'est-à-dire orienter un énoncé vers un implicite plutôt que vers un autre - quand elle n'est pas directement illocutive (opposition "dire" - "demander de dire"). Mais ce fonctionnement énonciatif de l'intonation, encore très peu étudié, nécessiterait à lui seul l'élaboration d'une théorie d'ensemble, sans parler des difficultés inévitables à isoler et à transcrire les formes intonatives. Nous nous sommes borné à signaler que certains énoncés ne peuvent réaliser l'acte dans lequel ils apparaissent qu'avec une certaine intonation en les spécifiant de l'abréviation (Int.), parfois suivie entre guillemets d'une certaine caractérisation sémantique de cette intonation.

- Nous n'avons fait aucune tentative de spécification des énoncés en fonction des *paramètres* signalés ci-dessus, sauf pour de rares exceptions (par exemple I.9.1. *interpeller*, en fonction du canal), et pour les énoncés notés (*Fam.*) (familier) qui relèvent de la conversation dite "familière", sans exclure tout ce qui peut être considéré comme "grossier". Etant donné la complexité des possibilités de combinaison entre les paramètres et compte tenu du fait qu'une marge de liberté est finalement laissée au locuteur, une telle spécification eût demandé un travail considérable, qu'il n'était pas vraiment indispensable de fournir au lecteur francophone.

On ne trouvera pas non plus d'étude spéciale pour la *négation*, bien que celle-ci puisse s'appliquer sur tous les constituants hiérarchiques d'un énoncé ; nous nous sommes néanmoins efforcés d'adjoindre aussi souvent que possible des énoncés négatifs à côté des énoncés positifs pour en faire ressortir la différence.

- *L'emphase* posait un problème du même ordre, puisqu'on peut la trouver elle aussi à tous les niveaux d'analyse. Elle fait l'objet de la section I.1.3. et se trouve donc en sous-catégorie de I.1. "donner des informations factuelles" du fait que nous avons limité cet essai de systématisation de l'emphase aux énoncés assertifs. Cela n'exclut nullement la présence d'énoncés emphatiques dans les différents types d'actes.

- La relation entre certains types d'énoncés et le choix entre *tu* et *vous* n'a pas été précisée. On trouvera donc des énoncés où l'emploi de *vous* est de règle (*Je vous prie d'agréer ...*) et d'autres où le choix se fait en fonction des rapports entre les interlocuteurs.

x

x x

5. Reste à préciser le statut des énoncés portés en regard des différents actes par rapport à ce que nous avons dit ci-dessus des rapports entre énoncé et énonciation (acte). Il s'agit de listes (qui sont très loin d'être exhaustives) obtenues en combinant différents types d'expression des actes à la fois au niveau de l'implicite et au niveau de la référence (1). Par exemple dans I.1.2. *poser un fait comme vrai* on trouvera deux exemples de référence bâtis sur le même type d'expression, *Paul est parti* et *j'ai mal aux dents*. Le fait que l'une des références soit objective et l'autre subjective n'est pas sans importance pour les actes d'ordre (2) qui pourraient "répondre" à ces informations, et cela montre l'intérêt qu'il y aurait à disposer d'une typologie des "faits" que l'on peut "poser".

Dans I.1.2.2. *poser un fait comme nécessaire*, il n'est pas fait mention de référence, mais seulement de l'expression. Cela, évidemment, ne veut pas dire que dans *q, donc p,* où *q* et *p* désignent des propositions (*p* étant la proposition nécessaire), on puisse remplacer, au niveau de la référence, *q* et *p*, par n'importe quelle référence.

Dans I.1.2.3. *poser un fait comme certain*, nous avons, comme dans l'exemple ci-dessus, *il est certain que p*, ce qui n'exclut pas un certain nombre de manipulations syntaxiques : *p. C'est certain, Ce qui est certain, c'est que p.*

Dans I.1.2.4. *poser un fait comme apparent*, si l'on compare *Paul a l'air malade* et *Paul fait jeune*, qui présentent deux expressions, utilisant *avoir l'air* et *faire + adjectif*, et deux références *(Paul, malade)* et *(Paul, jeune)*, on voit que les combinaisons *Paul fait malade* et *Paul a l'air jeune* auraient des sens sensiblement différents de, respectivement, *Paul a l'air malade* et *Paul fait jeune*.

Si l'on prend maintenant I.2.2. *féliciter* on y trouvera aussi bien *Toutes mes félicitations* que *Bravo !* (en passant par le renvoi I.2.1.), qui sont des expressions de la félicitation, mais qui ne peuvent pas s'employer sans tenir compte de qui on félicite, ni de quoi.

---

(1) Chaque liste d'expressions d'un acte est suivie (parfois précédée) d'un énoncé relatant cet acte en discours rapporté (DR) : l'acte "rapporter discours", en général, figure dans les opérations discursives, sous IV.1.18.

ACTES DE PAROLE, Présentation

Un dernier exemple : on peut *s'excuser* (I.4.3.) en disant *Je m'excuse* -énoncé qui ne fait pas référence à ce dont on s'excuse -. Mais on ne trouvera pas dans la liste des énoncés retenus pour cet acte un énoncé tel que *J'ai été retenu*, qui est purement référentiel, dans le sens où il peut servir à s'excuser d'être en retard, parce qu'il implique un *Je ne l'ai pas fait exprès*, que l'on trouvera, lui, dans la liste. Et là encore, en énonciation, ces deux derniers énoncés ne sont pas interchangeables.

6. On pourrait ainsi multiplier les exemples montrant que *toutes ces listes ne peuvent valoir qu'à être manipulées et exploitées en fonction des divers paramètres d'énonciation*. Il n'en reste pas moins qu'elles apparaîtront d'une dimension telle qu'on puisse souhaiter des simplifications, et c'est dans cette optique qu'un certain nombre d'énoncés ont été signalés, par le signe +, parmi les autres (1). Mais, en la matière, toute simplification ne peut être qu'abusive, puisqu'elle ne peut tenir compte de l'ensemble des paramètres de la communication. Les critères retenus ont été essentiellement ceux de la productivité : un *Oui* ou un *Non* peuvent réaliser bien des actes d'ordre (2), certains énoncés ont, plus que d'autres, une valeur de généralisation syntaxique qui, toute autre considération mise à part, fera préférer *Si q, p* à *A supposer que q, p*. Les énoncés familiers, voire "grossiers" (Fam.) sont le plus souvent moins généralisables que les autres, quand ils ne sont pas sujets à une mode passagère et parfois localisée dans certains milieux.

L'ensemble ainsi constitué par cette sélection d'énoncés devrait répondre aux besoins immédiats les plus élémentaires, ceux d'un touriste, par exemple, désireux d'établir et de maintenir un minimum de contacts sociaux dans le pays qu'il visite, mais ne pourra pas fournir à l'apprenant la compétence d'énonciation nécessaire pour lui permettre de s'exprimer d'une manière personnalisée dans la langue étrangère.

x

x x

---

(1) Cette sélection a été préparée par E. Papo.

Dans certains cas, c'est toute une section qui a été sélectionnée (particulièrement III. *Actes sociaux)*. Par contre, aucune expression de discours rapporté n'a été sélectionnée, étant donné le caractère particulier de l'acte "rapporter discours". Signalons dès à présent que dans l'Index (voir 7 infra) toutes les sélections ont été reportées systématiquement, aussi bien pour le lexique des énoncés que pour les intitulés des sections (lorsqu'une section a au moins un énoncé sélectionné, elle est elle-même sélectionnée).

ACTES DE PAROLE, Présentation

7. L'index des *Actes de parole* appelle quelques précisions. Il est constitué, d'une part, de termes métalinguistiques et, d'autre part, de termes que nous pourrions appeler "formulateurs".

Les termes métalinguistiques se divisent en trois catégories.

Ce sont, en premier lieu, les termes de la "colonne de gauche" des *Actes*, c'est-à-dire ceux qui sont utilisés pour identifier les actes ou les notions. Ils apparaissent en capitales et sont suivis de l'indication de la section où ils sont traités :

ex. : ABSTENTION AP : I.10.8.1

Sont également indexés les termes métalinguistiques qui sont utilisés, dans la "colonne de droite", pour spécifier l'expression d'un acte ou d'une notion. Ces termes apparaissent en romain et sont renvoyés à la section dans laquelle ils sont utilisés : cette notion est alors identifiée par son numéro et son intitulé :

ex. : accabler AP : v.0.2.3. : faire éprouver un sentiment.

Cela signifie donc qu'on ne trouvera pas dans les *Actes* de section donnant les moyens de réaliser l'acte "accabler", mais que celui-ci est utilisé dans la description de l'acte "faire éprouver un sentiment".

Certains termes métalinguistiques ont ces deux types de référence. C'est, par exemple, le cas de "affectivité", qui est traité dans la section I.11., et qui est utilisé dans la section IV.1.11. : *juger, évaluer, apprécier*. Ce terme apparaîtra alors en capitales, avec les deux types de renvoi ci-dessus :

AFFECTIVITE AP : I.1.1.
v. IV.1.11 : juger, évaluer, apprécier

Pour faciliter la consultation de l'index, nous y avons également fait figurer des termes métalinguistiques qui sont d'usage courant en linguistique mais dont nous ne nous sommes pas servi explicitement, "modalisation" par exemple. Ils apparaissent en capitales et entre guillements et sont renvoyés aux sections concernées (avec leur intitulé).

La difficulté essentielle était d'indexer les expressions de la "colonne de droite", c'est-à-dire de réduire un *énoncé* réalisant un acte à des *unités lexicales* pertinentes. Cela ne pose pas de problème lorsque l'acte de demander est réalisé à l'aide du verbe *demander* mais il faut noter que ce verbe ne peut réaliser l'acte de demander que lorsqu'il est employé à la première personne du singulier de l'indicatif présent. Toutefois, comme les énoncés de discours direct et les énoncés de discours rapporté ont été indexés ensemble, il peut arriver qu'on trouve dans l'index un mot qui n'a de rapport avec un acte qu'en discours rapporté : c'est le cas pour *ignorance* qui n'apparaît, dans nos listes, que dans le discours rapporté de II.18. *exprimer son ignorance*. Par contre, dans *Ferme la porte,* il n'y a aucun élément lexical pertinent dans la réalisation de la demande : c'est *l'impératif* qui est utilisé. Pour cet énoncé, il n'y a donc aucune unité lexicale à faire figurer dans l'index ; quant à indexer le *morphème impératif* il a fallu y renoncer, d'une part, parce que les renvois, non seulement à *impératif* mais, pour être cohérent, à *assertion, interrogation, négation,* et à d'autres types d'énoncés, eussent été beaucoup trop nombreux pour être utilisables, et que, d'autre part, il eût fallu également indexer systématiquement tous les autres morphèmes pertinents. Nous avons préféré nous en tenir à un minimum : par exemple le suffixe *-able*, comme expression de la "faisabilité" ne pouvait être omis ; *l'éventuel* n'est indexé que pour la section dont il est l'objet, mais non pas aux diverses sections où il est utilisé.

Au niveau de l'expression, l'index est donc limité aux "formulateurs" lexicaux : ils apparaissent en italiques, suivis d'une catégorisation grammaticale si possible traditionnelle ; le ou les renvois comportent le numéro de la section et son intitulé :

ex. : *absolument* av. AP : II.15.1. approuver énoncé : approbation forte.

Enfin, qu'il s'agisse de termes métalinguistiques ou de "formulateurs", lorsque ceux-ci se présentent sous forme, non d'un mot, mais d'un syntagme, ils sont indexés au mot principal, voire à chacun des mots principaux du syntagme.

⁂

L'index a été établi après coup: outre la commodité qu'il présente pour la consultation des *Actes* il en constitue une sorte de critique interne dont, faute de temps, on n'a pas pu tirer l'enseignement pour une révision des listes d'énoncés. C'est ainsi qu'il fait apparaître un certain manque d'harmonie dans les intitulés des sections, où l'objectif visé était d'éviter à la fois l'écueil d'une formalisation abstraite et de la lourdeur d'une formulation utilisant principalement des verbes. Ainsi, par exemple, on pourra regretter que dans les actes d'ordre (1) on ait des intitulés comme *permettre* d'une part, avec un verbe, et *demander permission* d'autre part, avec une nominalisation, au lieu de "demander de permettre", ce qui donne deux entrées (*permettre, permission*), au lieu d'une, dans l'index - encore que, pour cet exemple, les deux entrées se suivent dans l'ordre alphabétique.

Mais les remarques à faire pour ce qui est du lexique indexé sont plus intéressantes. Il faut d'abord noter que l'index ne contient pas plus d'éléments de lexique "pertinent" que n'en contiennent les listes et même plutôt moins : dans la section I.6.3. *demander dispense* on trouvera un certain nombre d'énoncés spécifiques mais aussi un renvoi à I.6.2. *demander permission*. Or, dans l'index, les éléments lexicaux renvoyés à I.6.2. ne sont pas automatiquement renvoyés à I.6.3.. Le soin est laissé au lecteur qui s'intéresse aux expressions de l'acte de "demander dispense" de lui associer son transformé négatif "demander permission" : cet exemple parmi d'autres montre à quel point, en matière d'énonciation, un acte, un énoncé, doivent être envisagés dans leurs rapports avec les autres éléments de l'ensemble sémantique auxquels ils appartiennent.

ACTES DE PAROLE, Présentation

Plus généralement, l'index fait apparaître que le choix des éléments lexicaux figurant dans les listes d'énoncés n'est ni systématique - tel mot n'a pas été utilisé dans tous les actes où il pourrait l'être - ni d'un degré de pertinence cohérent - la valeur de l'emploi d'un mot donné, pour l'expression d'un acte, n'est pas forcément la même dans tous les actes où il peut être employé.

Ce qui est pertinent, dans la réalisation d'un acte, ce n'est évidemment pas le lexique utilisé, mais l'énoncé et le rapport sémantique unissant énoncé et énonciation. Ce n'est que dans la mesure, très étroite, où le sens (énonciatif) de l'énoncé a un certain rapport avec le sens des mots, pris un à un, dont il est composé, qu'un index lexical peut avoir un intérêt pratique. Mais, tel quel, l'index ne suffit pas à décrire le fonctionnement de l'énonciation : sa consultation ponctuelle ne peut donc pas se substituer à une consultation dynamique des listes : elle devrait, au contraire, y inciter.

ANNEXE - M. HUART

L'influence du statut des interlocuteurs dans la situation de communication sur la réalisation des actes de parole est particulièrement importante, déterminante pour ce qui concerne notre public cible : enfants, préadolescents, en situation scolaire.

En effet, les différences de position qui existent entre adultes, adolescents, préadolescents et enfants, et qui sont à analyser en termes de différences de développement psychocognitif (dues entre autres aux différences de classes d'âges) mais aussi et surtout en termes d'inégalités des droits, devoirs et pouvoirs socialement, conventionnellement attribués à ces classes d'âges, font qu'un adolescent, par exemple, ne peut se comporter (langagièrement parlant) de la même façon avec un adulte, un autre adolescent, un préadolescent ou un enfant. Il est évident que ces différences sont moins fondamentales, moins stables entre les statuts d'enfant, de préadolescent et d'adolescent qu'entre ces différents statuts, d'une part, et celui d'adulte, d'autre part. Ce qui a pour effet que le non-respect de ce qu'impliquent ces différences est moins grave, a moins de répercussions en ce qui concerne les énoncés possibles et acceptables entre interlocuteurs de statuts proches, enfants, préadolescents, adolescents, qu'entre interlocuteurs de statuts très différents (enfants et adultes par exemple).

De ce fait, et pour simplifier notre tâche, nous regrouperons les sous-classes composant notre public sous la même appellation : public scolaire et/ou élèves - ceci faute de mieux car nous considérons ces appellations comme un peu trop restrictives, étant donné que les productions langagières que nous proposons comme réalisation des actes de parole ne se limitent pas à celles qui peuvent être produites dans le lieu institutionnel même si c'est dans le cadre scolaire que notre public y a accès.

Ces quelques considérations sur notre public conditionnent fortement la réalisation de notre projet. En effet, si proposer une adaptation de "Un Niveau-Seuil" pour des publics scolaires ne signifie absolument pas proposer un objectif, un programme d'enseignement pour ces publics, cela implique tout de même de tenir compte de ces publics pour proposer, réaliser une description organisée et exemplifiée de ses environnements langagiers, linguistiques, potentiels. L'organisation au plan métalinguistique de cette description ne relève pas d'un public particulier mais de la langue elle-même et de ce qu'elle permet d'accomplir à ses différents locuteurs ; elle respectera donc l'approche fonctionnelle-notionnelle de Un Niveau-Seuil et reprendra les entrées utilisées par Michel Martins-Baltar dans la section "Actes de Parole". L'exemplification, par contre, sera fonction des caractéristiques, des besoins spécifiques de nos publics et intégrera les répercussions des différents paramètres cités par Michel Martins-Baltar (dans son introduction aux actes de parole de Un Niveau-Seuil) sur la réalisation, le choix des énoncés : canal, ordre, contexte syntaxique, référence de l'acte ... En ce qui concerne particulièrement le paramètre "statut des locuteurs" et étant donné l'importance extrême de celui-ci, il paraît nécessaire de penser le problème de l'exemplification des actes en termes d'actants, c'est-à-dire de considérer ce que peuvent être les relations langagières entre interlocuteurs issus de la même classe d'âge (non adultes), d'une part, et entre interlocuteurs issus de classes d'âge différentes, d'autre part, : publics scolaires/adultes.

ACTES DE PAROLE, Annexe

Ce qui revient à rechercher :

+ ce que peut dire un élève

ce qui signifie ici "produire" et ne privilégie pas le canal oral même si de fait celui-ci est certainement le plus emprunté

- à un autre élève
- à un adulte
  - en son nom
  - en tant que relais d'adultes

le lieu d'où il parle est particulièrement important pour l'enfant de migrant qui a souvent à servir d'intermédiaire entre ses parents (ou autres adultes non francophones) et le monde adulte francophone car ce rôle l'amènera souvent à réaliser des actes qu'il ne réaliserait pas, ou qu'il réaliserait différemment en son nom

+ ce que doit être capable de recevoir un élève

- d'un autre élève (cf. § précédent)
- d'un adulte
  - pour lui-même

    par exemple en situation scolaire
  - en tant que relais

    cf. § précédent
- des productions langagières orales et écrites du monde extérieur

ceci est très important pour notre public étant donné le besoin d'ouverture vers le monde extérieur qui le caractérise et qui doit être pris en compte dans le rôle de formation que doit avoir tout enseignement (cf. objets et notions)

Les différences constatables entre élèves et adultes en ce qui concerne leurs comportements langagiers possibles, acceptables, recevables, c'est-à-dire adéquats notamment aux interlocuteurs, se manifestent, bien sûr, essentiellement au niveau de la réalisation en énoncés des actes de parole (exemple 1) mais aussi, à la limite, au niveau des actes eux-mêmes (ou des notions liées aux actes) qui ne pourront parfois être produits (ou exprimés) que dans le sens élève → élève et/ou adultes → élève et non dans le sens élève → adulte (exemples 2 et 3).

Exemples

1. Pour ce qui est des actes réalisés pour demander à autrui de faire lui-même (cf. expression de l'acte de demande : I.9.0.1.), un élève pourra dire à un autre élève "la porte !" mais s'adressant à un adulte dira plus certainement "est-ce que vous pourriez fermer la porte ?".

2. Quant aux actes permettant d'exprimer les notions d'irritation, d'indignation, d'exaspération (cf. sentiments liés à une réalité désagréable : I.11.7.13), un élève pourra les réaliser pour exprimer ces sentiments devant un autre élève - et même par des jurons - mais il est plus difficilement concevable qu'il les réalise directement, ouvertement, devant un adulte si c'est celui-ci qui est à l'origine de la réalité désagréable provoquant le sentiment en question.

ACTES DE PAROLE, Annexe

3. Ou bien un élève peut-il se permettre de désapprouver l'énonciation de l'acte "se féliciter d'une action accomplie par soi-même" réalisé par un adulte ? (cf. II.14.6. en réponse à 1.4.1.).

Les autres paramètres sont tout aussi importants pour ce qui est de l'occurrence possible d'un énoncé dans une certaine situation de communication ; ainsi, un élève pourra, en prenant certaines précautions, se permettre d'accuser ouvertement un adulte (I.3.2.) de lui avoir dit quelque chose (exemple : "C'est vous qui m'avez dit de faire cela") mais ne pourra certainement pas l'accuser de lui avoir volé quelque chose.

Ceci est à pondérer bien sûr par la notion de "distance" sociale, hiérarchique, affective ... existant entre les interlocuteurs et qui, en diminuant, rend possibles, acceptables, recevables un plus grand nombre d'énoncés, un plus grand éventail de registres, un moindre degré de formalisme ..., autrement dit, une plus grande liberté dans le choix des énoncés réalisant les actes.

C'est donc à partir de la démarche que nous venons de décrire qu'a été réalisée la présente sélection d'énoncés. Il ne paraît pas possible, étant donné le nombre de paramètres influant sur le choix des énoncés dans une situation de communication, de préciser pour chacun d'eux qui parle à qui et au nom de qui. Cependant, pour ce qui est du problème, particulièrement délicat en français, du vouvoiement/tutoiement, nous avons adopté le système d'exemplification suivant, qui est, certes, beaucoup trop simpliste au regard de l'ampleur et de la complexité du problème mais qui ne veut donner que des indications très générales à moduler selon les situations de communication effectives.

<u>Ont été réalisés</u> avec vouvoiement

- les énoncés relevant des relations langagières entre public scolaire et adultes (1)

  élève ⟶ adulte
  adulte ⟶ élève en situation hiérarchique et/ou institutionnelle très marquée

  et dont le degré de formalisme est peu concevable entre pairs ;

- les énoncés relevant de productions langagières que l'enfant peut rencontrer dans son ouverture vers le monde extérieur et qui ne sont pas toujours uniquement destinées à sa classe

  exemple :
  - écrit scolaire, non scolaire
  - media
  - conversation entre adultes
  - ...

(1) Ce qui signifie non pas que le vouvoiement est obligatoire et/ou nécessairement toujours présent dans ce type de relation mais que les énoncés même réalisés avec tutoiement auront dans ce cas le même degré de "formalisme".

ACTES DE PAROLE, Annexe

avec tutoiement

- les énoncés relevant spécifiquement de ses relations langagières avec ses pairs ou assimilables (1) (enfants - préadolescents - adolescents)

- les énoncés qu'il peut recevoir d'interlocuteurs adultes (peut-être avec vouvoiement) mais qu'il ne peut leur adresser

indifféremment avec tutoiement et/ou vouvoiement

- les énoncés pouvant provenir des / s'adresser aux deux types d'interlocuteurs

→ dans ce cas, il sont marqués du signe °

(1) Ce qui ne veut pas dire que le vouvoiement ne sera jamais employé dans ce type de relation mais que lorsqu'il le sera il résultera d'intentions particulières : ironie, mépris, jeux ...

0. INTENTIONS ENONCIATIVES

0.1. vis-à-vis de soi-même

0.1.1. paraître avoir ... (G.I.2.5.2.)

0.1.1.1. une opinion (cf. I.1.7.)	- dire que l'on *sait, est certain, pense, doute, ignore*. - *savoir :* présupposer (cf. I.1.8.) - *ignorer :* interroger (cf. I.9.4.6.)
0.1.1.2. une attitude (cf. I.11.1. à I.11.3.)	- dire qu'on a telle attitude - manifester cette attitude par un comportement qui l'implique : pour paraître *gentil*, proposer une action agréable à autrui (cf. I.5. à I.9.), donner à autrui une permission, une dispense, sans qu'il l'ait demandée (cf. I.8.6. et I.8.7.), etc.
0.1.1.3. un sentiment (cf. I.11.4. à I.11.9.)	- dire qu'on éprouve ce sentiment - manifester ce sentiment par un symptôme qui l'implique : pour paraître *irrité* contre quelqu'un, *l'insulter, l'injurier, l'engueuler* (cf. I.11.7.13.), etc.
0.1.1.4. une disposition face à l'action (cf. I.10.)	- pour paraître avoir un *désir* , exprimer ce désir ou demander à autrui qu'il l'accomplisse (cf. I.9.) : comparer *Je voudrais que tu viennes demain* et *Viens demain*. Etc.

0.1.2. se renseigner	- exprimer son *ignorance* (cf.I.1.7.5.) - poser des questions (cf. I.9.4. à I.9.6.), etc.

0.2. vis-à-vis d'autrui

0.2.1. faire savoir (G. I.2.5.1.)	- *convaincre, persuader, faire admettre : insister* (I.1.3.), *argumenter* (IV.1.9.) - *faire voir, faire remarquer, faire constater : argumenter* (IV.1.9.) - *faire comprendre : expliquer* (IV.1.6.)

ACTES DE PAROLE, 0. Intentions énonciatives

0.2.2. faire faire (G. 1.2.5.3.)	- *faire faire*, en général : *demander* (I.9.)
	- *contraindre, forcer, obliger :* *menacer d'une sanction* (I.9.0.3.) *promettre récompense* (I.9.0.4.) *ordonner* (I.9.0.5.) *défendre, interdire* (I.9.0.6.)
	- *convaincre, persuader de faire* *proposer* (I.8.)
	- *faire parler :* tout acte de parole ; spécialement : *interpeller* (I.9.1.) *engager conversation* (IV.5.1.) *demander de parler* (I.9.3.)
	- *faire dire :* *proposer à autrui de faire soi-même* (I.5.) *demander à autrui de faire soi-même* (I.6.) *proposer à autrui de faire ensemble* (I.7.) *proposer à autrui de faire lui-même* (I.8.) *demander informations factuelles* (I.9.4.) *demander propositions d'action* (I.9.5.) *demander jugement sur une action accomplie par soi-même* (I.9.6.) *demande de réagir par rapport à une action accomplie* (I.9.7.)

0.2.3. faire éprouver un sentiment (cf. I.11.4. à I.11.8.) (G. I.2.5.1.)	- *amuser, égayer* - *flatter* - *satisfaire* - *consoler* - *rassurer* - *étonner* etc.	- *accabler* - *embarrasser, ennuyer* - *faire de la peine* - *faire honte, culpabiliser* - *alarmer, inquiéter* - *vexer, blesser*

0.3. faire un implicite

0.3.1. implicite linguistique = présupposer (I.1.8.)

0.3.2. implicite extra-linguistique

0.3.2.1. de l'énoncé

0.3.2.1.1. "logique"

0.3.2.1.1.1. syllogisme - l'assertion de la mineure et de la conclusion d'un *syllogisme* implique nécessairement sa majeure : *On a sonné deux fois, ça doit être le facteur.* implique nécessairement *Le facteur sonne toujours deux fois.*

ACTES DE PAROLE, 0. Intentions énonciatives

0.3.2.1.1.2. euphémisme — *Il me semble qu'il y a une légère erreur.* peut impliquer : *Vous vous êtes complètement trompé.*

— *Je ne l'aime pas beaucoup* peut impliquer : *Je le déteste.*

0.3.2.1.1.3. litote — *Ce n'est pas mauvais* peut impliquer : *C'est bon, C'est très bon.*(cf. I.1.3.)

0.3.2.1.1.4. hyperbole — *C'est dément* peut impliquer : *C'est étonnant.*(cf. I.1.3.1.3.)

0.3.2.1.1.5. ironie — *Vous êtes trop bon* peut impliquer : *Vous êtes un salaud.*

0.3.2.1.2. "pragmatique" (*théorie de l'action*) (cf. I.10.)

0.3.2.1.2.1. conditions matérielles nécessaires (G. III.1.7.) — *Je suis monté sur la Tour Eiffel* implique : *Je suis allé à Paris.*

0.3.2.1.2.2. conséquences matérielles nécessaires (G. III.1.7.) — *Je viens de rater le dernier métro* implique *Je ne peux pas rentrer en métro ce soir.* (incapacité, cf. I.10.5.)

0.3.2.1.2.3. conditions possibles ("modales")

Pour tout acte accompli (*J'ai réparé la télévision, J'ai cassé une assiette, Je me suis trompé dans mes calculs, J'ai rencontré Paul par hasard*), il peut y avoir des implicites, qui sont les réponses aux questions :

- l'auteur savait-il faire cet acte ? (cf. I.10.4.)
- l'auteur était-il capable de faire cet acte ? (cf. I.10.5.)
- l'auteur avait-il l'intention de faire cet acte ? (cf. I.10.3.)
- l'auteur avait-il l'obligation, la permission, etc., de faire cet acte ? (cf. I.10.2.)
- l'accomplissement de l'acte était-il facile, difficile, utile, inutile ... ? (cf. I.10.1.)

0.3.2.1.2.4. conditions matérielles possibles

Tout acte accompli peut impliquer une motivation (cf. I.10.6.)

Tout sentiment peut impliquer sa cause (cf. I.11.4. à I.11.8.)

0.3.2.1.2.5. conséquences matérielles possibles

Le fait d'être allé au cinéma peut impliquer la compétence (I.10.4.) de raconter le film qu'on a vu.

ACTES DE PAROLE, 0. Intentions énonciatives

0.3.2.1.3. interpersonnel — **Si quelqu'un dit *Il est 8 h.* et que les interlocuteurs savent qu'ils vont au cinéma à 8 h 30 et qu'il leur faut 25 mn de trajet, cet énoncé peut impliquer *Dépêche-toi*.**

0.3.2.2. de l'énonciation — **Celui qui *asserte* est censé être sincère (cf. *mentir* IV.1.1.) celui qui *ordonne* (cf. I.9.0.5.) est censé avoir le droit d'ordonner et, comme pour toute *demande* (cf. I.9.0.) désirer (cf. I.10.3.) que ce qu'il ordonne soit réalisé. Etc.**

0.4. échec et réussite de l'intention énonciative — **cf. I.10.8., I.1.8.5.**

I. ACTES D'ORDRE (1)

I.1. donner des informations factuelles

+ I.1.1. faire l'hypothèse qu'un fait est vrai

+ I.1.1.1. hypothèse simple

+ *Je suppose*
  ⌘ (ind.) I.1.7.3.
+ *Supposons*
° *Supposez*
+ *J'imagine*
  ⌘ (ind. I.1.7.3.)
Imaginons
° *Imaginez*
J'admets
Admettons
° *Admettez*

+ subjonctif :
qu'il ait plu. (passé)
qu'il pleuve. (présent, futur)

Je pose
Posons

+ indicatif
qu'il a pu, qu'il pleut
qu'il pleuvra.

On dit que tu serais la reine. (enfantin)
Soit un triangle isocèle.
Il aurait plu. (passé)
Il pleuvrait. (présent, futur)

DR : *Il a (supposé, imaginé) que* p.

+ I.1.1.2. éventuel

+ *S'il a plu, il n'est pas sorti.* *Au cas où il a plu (...).*
+ *S'il pleut, il ne sort pas.* *En supposant qu'il a plu (...).*
+ *S'il pleut, il ne sortira pas.*
+ *S'il pleuvait* (futur), *il ne sortirait pas.*
°+ *S'il pleut, tu sortiras ?*
°+ *S'il pleuvait* (futur), *tu sortirais ?*
+ *S'il pleut, ne sors pas.*

DR : *Il a dit* | *que si* ... q ..., p
| *qu'au cas ou* ... q ..., p
Il a demandé si ... p ..., *au cas où* q ...

+ I.1.1.3. irréel
cf. I.1.8.1.
(G. III.1.6.)

+ *S'il avait plu, il ne serait pas sorti.*
En supposant qu'il ait plu (...).
Au cas où il aurait plu (...).
+ *S'il pleuvait, il ne sortirait pas.* (présent, futur)
°+ *S'il pleuvait, tu sortirais ?*

NB : homonymies de modes et d'époque pour *s'il pleuvait.*

DR : comme I.1.1.2.

ACTES DE PAROLE, I. Actes d'ordre (1)

+ I.1.2. poser un fait comme (vrai ... faux)
voir aussi I.1.7.
(G.I.2.1.4.5.) (Int.) "assertion"

+ I.1.2.1. vrai

+ *Paul est parti.*
+ *J'ai mal aux dents.*
p. *c'est vrai.*
Il est vrai que p.
Le contenu d'un énoncé présupposant (cf. I.1.8.)
DR : *Il a (dit, déclaré, affirmé) que* p.

+ I.1.2.2. nécessaire
(G. III.1.7. à 10.)

+ q. *donc* p.
+ p. *puisque* q.
p. *En effet,* q.
q. *Il s'ensuit que* p.
q. *C'est donc que* p.
Si q, *(c'est que)* p.
Cela signifie que p.
Cela implique que p.
Cela montre que p.
Cela prouve que p.
Cela donne p.
Quand q, p.
q. *se réécrit* p.
p. *C'est logique.*
p. *C'est dans la poche*
A tous les coups, p.
J'en déduis que p.
J'en conclus que p.
(...) d'où je tire que p.
Il faut (donc) que p.
q. *nécessite que* p.
(cf. I.1.8.10., IV.1.10.)
DR : *Il a (montré, prouvé) que* p.

+ I.1.2.3. certain

+ *Il est* / *C'est* | + *certain* / *sûr* / *hors de doute* / *évident* / *clair* / *incontestable* | *que* p.
Que p. (subj.), *c'est certain.* etc.
Comme chacun (le) sait, p.
Bien entendu, p.
Bien sûr, p.
Sans aucun doute, p.
Evidemment, p.
p. *on ne peut pas dire le contraire.*
p. *on ne peut pas le nier.*

De toute évidence, p.
p, *c'est un fait.*
Il apparaît que p.
Il va de soi que p.
p, *ça va de soi.*
Il va sans dire que p.
p, *ça va sans dire.*
Il faut | *se rendre à l'évidence* / *reconnaître* / *admettre* | *que* p.
Je | *constate* / *note* / *remarque* / *vois* | *que* p.
J'observe
DR : *Il a dit qu'il* (impersonnel) *était certain que* p.

+ I.1.2.4. apparent

Paul paraît malade.
⁑ I.1.2.6.
Il semble que Paul soit malade.
Paul semble malade.
Paul est malade, semble-t-il.
A ce qu'il semble, Paul est malade.
On dirait que Paul est malade.
Paul a l'air malade.
Paul donne l'impression d'être malade.
Paul fait jeune.
cf. I.1.7.3.
DR : *Il a dit qu'il* (impersonnel) *semblait que* p.

+ I.1.2.5. probable

+ *Paul est sans doute malade.*
Il semble bien que Paul soit malade.
Il est probable que Paul soit malade.
Il y a de fortes chances pour que Paul soit malade.
+ *Paul doit être malade* (devoir)
⁑ I.10.1.5., I.10.2.
Paul est | *sûrement malade* / *certainement ...*
DR : *Il a dit qu'il était probable que* p.

+ I.1.2.6. possible

+ *Il est possible que* p. (subj.)
Il n'est pas possible que p. (subj.)
Il se peut que p. (subj.)
Il se pourrait (bien) que p. (subj.)
Paul risque d'être malade.
⁑ prendre un risque

ACTES DE PAROLE, I. Actes d'ordre (1)

On peut	*dire* *penser* *prévoir* *estimer*	*que* p. (ind.)

\+ *Paul est peut-être malade.*

\+ *D'après* (nom), / *Selon certains bruits,* | + *Paul est malade.* / *Paul serait malade.*

Il apparaît que Paul est malade.
(※ I.1.2.4.)

\+ *Paul est malade, paraît-il.*
A ce qu'il paraît, il est malade.
Peut-être que Paul est malade.
On dit que Paul est malade.
J'ai entendu dire que Paul | *est malade.* / *serait malade.*

DR : *Il a dit qu'il était possible que* p.

\+ I.1.2.7. contingent

Paul n'est pas forcément malade.
Rien ne | *permet de* / *laisse* | *penser que* p. (ind. ou subj.)
Rien ne prouve que p. (ind. ou subj.)
Est-ce que p. ? *Mystère !* / *Ça !* (cf. I.1.7.5.)
Rien ne dit que p.

DR : *Il a dit que rien ne permettait d'affirmer que* p.

\+ I.1.2.8. improbable

Il ne semble pas que Paul soit malade.
\+ *Il est improbable que Paul soit malade.*
Il est (bien) peu probable que Paul soit malade.
Il y a (bien) peu de chances pour que Paul soit malade.
Il est (bien) peu vraisemblable que Paul soit malade.

DR : *Il a dit qu'il était improbable que* p.

\+ I.1.2.9. impossible

\+ *Il est impossible que Paul soit malade.*
Il est exclu que (...).
Il n'y a aucune chance pour que (...).

DR : *Il a dit qu'il était impossible que* p.

\+ I.1.2.10 faux
(G. II.1.3.2.1.)

\+ *Paul n'est pas parti.*
\+ *Je n'ai pas mal aux dents.*
Il n'est pas vrai que p.
Il est faux que p.

DR : *Il a dit que non* p.
Il a nié que p.

I.1.3. insister sur un fait
(emphase)

\+ I.1.3.1. emphase intensive

\+ I.1.3.1.1. sur l'acte d'asserter

p. avec (Int.) "péremptoire"

Je dis *Je déclare* *J'affirme*	*que* p. *ceci :* p.

ACTES DE PAROLE, I. Actes d'ordre (1)

p. *je l'affirme*
Je le dis sans hésiter : p.
Je le dis bien haut : p.
o *Je vous* | *assure* / *garantis* | *que* p.
Vraiment, / *Franchement,* | p.
Parole, / *Sans blague,* | p. (Fam.)
Je te | *jure* / *promets* | *que* p.
DR : *Il a affirmé que* p.

+ I.1.3.1.2. sur la proposition assertée

. p. avec (Int.) "évidence"
. *Je souligne que* p.
J'insiste sur le fait que p.
Je dis bien que p.
Il ne faut pas oublier que p.
Il faut tenir compte du fait que p.
Il faut (bien) noter que p.
Il faut savoir que p.
On notera que p.
Cela fait (bien) voir que p.
Cela mérite attention.
Nous touchons ici un point | *important.* / *essentiel.* cf. IV.6.2
Remarque (bien) que ...
Le fait que ... / *Ce point, cet aspect* | *est très important* / *il est important (de savoir)* / *essentiel (que* p.*)*
Sachez que ...
N'oublie | *pas* / *jamais* | *que* p.

. adjonction d'expressions du certain (I.1.2.3.) :
Incroyable mais vrai : p.
Il est | *évident* / *sûr* / *certain* | *que* p. Etc.
+ *Evidemment*
+ *Bien sûr*

. construits en segments :
Evidemment, je lui ai dit.
Je lui ai dit, évidemment.

. ou en introducteurs de complétive (Fam.) :
+ *Evidemment que je (le) lui ai dit.*
+ *Bien sûr que* p.
Un peu que p.

. adjonction d'expressions de la conviction (I.1.7.2.)
.+ *Je suis* + *persuadé que* p.
convaincu
+ *sûr* Etc.

. double transformation négative :
Il n'a pas tort. peut être l'expression emphatique de *Il a raison.* (par *litote* : cf. 0.3.2.1.1.3.) ; la forme négative peut elle-même être renforcée : + *absolument pas,* + *pas du tout, en aucune manière,* etc., selon les contextes.

DR : *Il a* | *souligné* / *insisté sur le fait que* p.

+ I.1.3.1.3. sur un constituant de la proposition assertée (G. II.1.3.3.)

. (Int.) "accent affectif" sur le mot mis en relief
. choix des mots :
Il est petit : Il est minuscule.
C'est étonnant : C'est dément
Il est gentil : il est adorable.
cf. hyperbole 0.3.2.1.1.4.
. adjonction d'expressions intensives :

Il est | + *bien* / + *vraiment* / + *tout* / + *très* / *particulièrement* / *rudement* / *drôlement* / + *tellement* | *petit.*

Il est petit | *comme tout.* / *à faire peur.* / *comme un(e) (...).* / *comme c'est pas possible.* (Fam.) / *comme c'est pas permis* (Fam.)

∘ *Il est petit ! Vous ne pouvez pas savoir !*

Qu' / + *Ce qu'* / *C'est qu'* / *Qu'est-ce qu'* / + *Comme* | *il est petit !*

+ *Il est petit, petit, petit !*
∘ *Si tu savais !*
C'est incroyable !

DR : comme I.1.3.1.2.

ACTES DE PAROLE, I. Actes d'ordre (1)

+ I.1.3.2. emphase oppositive (G. II.1.3.2.)

. (Int.) "accent intellectuel" sur le mot mis en relief.
. transformation d'une phrase liée (ex. : *Paul a acheté un chat)* par segmentation et extraction :
. sur *Paul* (opposé à *Pierre, Jacques, ...*) :
+ *C'est (bien) Paul qui a acheté un chat.*
C'est Paul lui-même qui a acheté un chat.
Paul l'a acheté lui-même son chat.
tout seul
sur *acheter* (opposer à *donner, emprunter, vendre,...*
+ *Paul l'a acheté, son chat.*
Son chat, Paul, il l'a acheté.
Il l'a bel et bien acheté son chat, Paul.
+ *Il l'a acheté, Paul, son chat.*
. sur *un* (opposé à *deux, trois, ...*) :
. *Paul n'a acheté qu'un (seul) chat.*
Paul a acheté un chat et un seul.
. sur *chat* (opposé à *chien, fleurs, ...*) :
+ *C'est un chat, que Paul a acheté.*
C'est un chat, qu'il a acheté.
C'est un chat, qu'il a acheté, Paul.
Ce qu'il a acheté, Paul, c'est un chat.
DR : comme I.1.3.1.2.

+ I.1.4. annoncer, informer d'un fait

o+ *Je vous* | + *annonce que* p. / *informe que* p.
p.
o *Vous sav(i)ez que* p *?*   cf. I.9.4.3.
o *Vous savez,* p.
o+ *Vous ne savez pas,* p.
o p. *vous savez.*
o+ *Il faut que je vous dise que* p.
Il faut que vous sachiez que p.
Figure-toi que p.
Devine qui j'ai vu.
Il a acheté - devinez quoi - des bretelles ! (Fam.)
Tiens-toi bien : (...).
Tu ne me croiras peut-être pas, mais (...).
Je vais t'étonner, mais (...).
o *Vous avez vu que* p. *?*
Tu connais / *Tu ne connais pas* | *la nouvelle :* p. / *la derniere :* p.
Tu ne veux peut-être pas le savoir, / *Tu ne le sais (peut-être) pas,* / *Tu l'ignores (peut-être),* / *Ça ne t'intéresse (peut-être) pas,* | mais p.
DR : *Il (lui) a annoncé que* p.
(l') a informé

ACTES DE PAROLE, I. Actes d'ordre (1)

+ I.1.5. signaler, avertir, prévenir, mettre en garde

° *Je vous signale que*
° *Je vous avertis que*
°+ *Je vous préviens que*
Je vous mets en garde contre les risques d'avalanche.
(p = Il y a des risques d'avalanche.)
A propos,
Au fait,
+ *Attention (,p) !* voir aussi I.9.0.3.
(fais) attention | , p. / *de ne pas te faire renverser* / *aux voitures* / *pour traverser*
Prends garde à toi.
p.
Si tu as des ennuis, | *tant pis pour toi.* / *je t'aurai prévenu.* / *ne viens pas te plaindre.* (I.2.2.3.) / *tu ne pourra pas dire que je ne t'avais pas prévenu.*
p., *maintenant* / *Fais ce que tu veux mais* | *tu sais ce que tu risques.* / *tu sais ce qui t'attends.*
DR : *Il* | *(lui) a signalé* / *(l') a* | *(averti, prévenu)* | *que* p. / *mis en garde contre (...).*

+ I.1.6. rappeler, répéter,

+ I.1.6.1. rappeler

+ *Je te rappelle que tu me dois 100 F.*
° *(est-ce que) tu te souvient que* p. ?
+ *N'oublie pas que* p.
Dis-donc, p.
Est-ce que je ne | *t'avais pas* / *t'aurais pas* | *prêté un livre ?*
° *Il me semble* / *Je crois* | *que je t'avais prêté un livre, non ?* (I.9.4.4.)
Je me permets de vous rappeler que vous avez un livre à moi
Si j'ai bonne mémoire, / *Si tu t'en souviens,* / *Tu n'as pas oublié que* | p.
Je ne sais pas si tu est au courant, / *tu t'en souviens,* | *mais* p. (iron.)
Tu as l'air d'avoir oublié que / *On dirait que tu as oublié que* | p.
DR : *Il (lui) a rappelé que* p.

+ I.1.6.2. répéter

+ *Je te répète qu'il n'y en a plus.*
Je (te) dis qu'il n'y en a plus.
Il n'y en a plus, je te dis.
Encore une fois, il n'y en a plus.
+ *Je t'ai déjà dit cent fois qu'il n'y en avait plus.*
Combien de fois faudra-t-il te répéter que p. ?
p. (Si on vient de dire que p.)
Pour la centième fois, il n'y en a plus.
Je ne le | *répéterai (plus, pas),* p. / *dirai plus* , p.
DR : *Il (lui) a répété que* p.

ACTES DE PAROLE, I. Actes d'ordre (1)

+ I.1.7. donner son opinion sur la vérité d'un fait (voir aussi I.1.2.) (G.I.2.1.4.5. et II.1.3.2.)

DR : cf. IV.1.18.

+ I.1.7.1. savoir

+ *Je sais (+ très bien, parfaitement) que* p.
Je n'ignore pas que p.

+ se souvenir

+ *Je me souviens qu'à cette époque (...).*
Tiens ! je me souviens que p.
Ah ! (mais) je me souviens que p. *!*
Ah ! mais p. *!*

+ se rappeler

Je me rappelle que p.
Je n'ai pas oublié que p. (I.1.7.5.)
cf. I.8.2.

DR : *Il a déclaré (savoir, se souvenir, se rappeler) que* p.
Il a dit qu'il | *savait* / *se souvenait* / *se rappelait* | *que* p.

+ I.1.7.2. conviction

+ *Je suis* | *convaincu que* p. / + *persuadé que* p. / *certain que* p. / + *sûr que* p.
Je n'ai aucun doute à ce sujet. (I.1.7.4.)
J'en ai la | *conviction.* / *certitude*
Je prétends que p.
p. *j'en suis* | *persuadé* / *certain* / *sûr*

DR : *Il a assuré que* p.

+ I.1.7.3. opinion

+ *Je pense que* p.
p. *je pense.*
+ *Je crois que* p.
p. *je crois*
J'estime que p.
+ *Je trouve que* p.
Je crois savoir que p.
+ *Je suppose que* p. (ind.)
⁎ (subj.) I.1.1.
J'imagine que p. (ind.)
⁎ (subj.) I.1.1.
J'ai peur qu'il (ne) soit trop tard cf. I.10.3.4.
(= Je crois qu'il est trop tard)
J'ai (bien, nettement, bien nettement) l'impression que p.
Il me semble que p. (cf. I.1.2.4., I.1.2.5.)
A ce qu'il me semble, p.
p. *à ce qu'il me semble.*
Il me semble (bien) que Paul est malade.
Paul me semble malade.
Paul m'a l'air malade.
+ *A mon avis,* p.

ACTES DE PAROLE, I. Actes d'ordre (1)

p, *à mon avis.*
A mon sens, p.
D'après mois, p.
\+ *Pour moi,* p.
Mon idée, c'est que p.
Mon opinion, c'est que p.
p, *c'est (du moins) ce que je pense (crois).*
Ça ne m'étonnerait pas qu'il soit malade.
(cf. I.II.5.1.)
Tu te trompes, | *je le crains.* / *J'en ai peur.*
DR : *Il a émis l'opinion que* p.

\+ I.1.7.4. doute

Je doute (fort) que p. (subj.)
\+ *Ça m'étonnerait (beaucoup) que* p. (subj.)
(cf. I.II.5.1.
\+ Expressions, niées de la *conviction* et de l'*opinion* :
\+ *Je ne pense pas que* p. Etc.
Je ne suis pas | *sûr* / *certain* | *que* p.
J'ai du mal à croire | *que* p.
DR : *Il doute que* p.

\+ I.1.7.5. ignorance

\+ *Je ne sais pas si* p.
J'ignore si p.
Je me demande si p.
\+ *Je ne me souviens plus si* p.
Je ne me rappelle plus si p. (cf. I.1.7.1.)
Est-ce que p ? | *Je n'en sais rien.* / *Je me le demande.* / *Ça !* / *Ma foi !*
p *?* (Int.) "ignorance"
DR : *Il (ne sait pas, ignore) si* p.

\+ I.1.8. présupposer qu'un fait est vrai

DR : *Il a (laissé entendre) que* ppé.
Il (lui) a fait comprendre que ppé.

\+ I.1.8.1. irréel (G. III.1.6.)

cf. I.1.1.
\+ *S'il avait plu, il ne serait pas sorti.*
ppé : Il n'a pas plu.
pé : Il ne serait pas sorti.

\+ I.1.8.2. savoir

cf. I.1.7.1.
\+ *Je sais qu'il est venu.*
ppé : Il est venu.
pé : Je le sais.
\+ *J'ai oublié de lui téléphoner.*
ppé : Je savais que je devais lui téléphoner.
pé : Je ne l'ai pas fait.

ACTES DE PAROLE, I. Actes d'ordre (1)

+ I.1.8.3. verbes aspectuels (G. II.1.1.3.2.)

+ *Il commence à pleuvoir.*
  ppé : Tout à l'heure, il ne pleuvait pas.
  pé : Maintenant, il pleut.
+ *Il continue son travail.*
  ppé : Avant il travaillait.
  pé : Maintenant, il travaille.
+ *Il s'est réveillé à 7 h.*
  ppé : Avant 7 h, il dormait.
  pé : A 7 h, il ne dormait pas.

+ I.1.8.4. verbes d'attribution

+ *Je lui ai donné un livre.*
  ppé : Avant, j'avais un livre.
  pé : Ce livre lui appartient maintenant.

+ I.1.8.5. verbes d'échec et de réussite (G. II.1.1.3.)

cf. I.10.8. ; 0.4.
+ *Il n'a pas essayé de me téléphoner.*
  ppé : Il ne m'a pas téléphoné.
  pé : Il n'a pas essayé.
+ *Il s'est donné la peine de m'attendre*
  ppé : M'attendre lui était désagréable.
  pé : Il m'a attendu.
+ *Il a réussi à sortir.*
  ppé : Il voulait sortir.
  pé : Il est sorti.

+ I.1.8.6. attitudes

cf. I.II.1.
+ *J'apprécie beaucoup votre aide.*
  ppé : Vous m'aidez.
  pé : J'apprécie beaucoup cela.

+ I.1.8.7. sentiments

cf. I.II.4 à I.II.8.
+ *Je suis fier d'avoir réussi.*
  ppé : J'ai réussi.
  pé : J'en suis fier.
+ *Je regrette qu'il ne soit pas venu.*
  ppé : Il n'est pas venu.
  pé : Je le regrette.

+ I.1.8.8. déterminants divers (G. II)

+ *Paul est venu*
  ppé : Il y a quelqu'un qui s'appelle Paul.
  pé : Il est venu.
+ *Cette robe ne me va pas.*
  ppé : Il est question d'une robe.
  pé : Elle ne me va pas.
+ *Mon vélo est cassé.*
  ppé : J'ai un vélo.
  pé : Il est cassé.
+ *Tous mes amis sont venus.*
  ppé : J'ai des amis.
  Il y a des amis à moi qui sont venus.
  pé : Aucun n'a manqué de venir.
+ *Certains jours, il fait très chaud.*
  ppé : Il y a des jours où il ne fait pas très chaud.
  pé : Il y a des jours où il fait très chaud.
+ *Il a beaucoup mangé.*
  ppé : Il a mangé ...
  pé : ... ... beaucoup d'aliments.

ACTES DE PAROLE, I. Actes d'ordre (1)

+ *Moi aussi, j'ai soif.*
ppé : Quelq'un (d'autre que moi) a soif.
pé : J'ai soif.
+ *Il y a encore de la bière.*
ppé : Il y avait de la bière.
pé : Il y a de la bière.
.+ *Vous êtes déjà au travail ?*
ppé : J'aurais cru que vous commenceriez à travailler plus tard.
pé : Vous travaillez.
+ *Le bruit me fatigue.*
ppé : Il y a du bruit.
pé : Cela me fatigue.
+ *Le film que j'ai vu m'a ennuyé.*
ppé : J'ai vu un film.
pé : Il m'a ennuyé.
+ *C'est le secrétaire qui m'a répondu.* (Int. "liée")
ppé : Un secrétaire m'a répondu.
pé : C'est celui-ci.
+ *C'est le secrétaire qui m'a répondu* (Int. "segmentée")
ppé : Quelqu'un m'a répondu.
pé : C'est le secrétaire.
+ *Je ne comprends pas un mot de ce que vous dites.*
ppé : Vous dites quelque chose.
pé : Je n'y comprends pas un mot.
+ *Je ne comprends rien de ce que tu dis.*
ppé : Tu dis quelque chose
pé : Je n'y comprends rien.
+ *Il est parti avant moi.*
ppé : Je suis parti au temps t.
pé : Il est parti au temps t-x.
+ *J'entends Françoise qui arrive.*
ppé : Françoise est une personne de sexe féminin.
pé : Je l'entends qui arrive.

+ I.1.8.9. questions partielles (G. I.3.1.1. et I.3.1.3.)

cf. I.9.4.2.
. *Pourquoi es-tu venu ?*
ppé : Tu es venu.
pé : Quelle en est la cause ?
. *Qui te l'a dit ?*
ppé : Quelqu'un te l'a dit.
pé : Qui est-ce ?

+ I.1.8.10. conjonction du nécessaire (G. III.1.7. à 10.)

cf. I.1.2.2.
+ p, *puisque* q.
+ *Etant donné que* q, p.
+ *Vu que* q, p.
ppé : q.
pé : p.

+ I.2. réagir aux faits et aux événements

+ I.2.1. se féliciter

a. *Je me féliciter* | *d'avoir su* / *d'avoir pu* | *faire cela.*
de ce qui m'arrive.
de cet évènement.

b. + *Je suis* | *content (de (...), que (...)).* / *heureux (de (...), que (...)).*
cf. I.II.6.
+ *J'ai eu de la chance.*
+ *Quelle chance !*
J'ai (eu) une sacrée veine ! (Fam.)
+ *Bravo !*
Chouette ! (Fam.)
Ça me fait plaisir | *d'avoir* | *su faire cela* / *pu*
| *d'être,* | *de faire ...*
Chic ! (Fam.)
voir aussi I.4.1.
DR : *Il s'est félicité (...).*

+ I.2.2. féliciter

Je vous félicite.
Félicitations
+ *Toutes mes félicitations.*
Tous mes compliments.
et les expressions (b) de I.2.1., éventuellement adaptées.
voir aussi I.3.1.
DR : *Il l'a félicité.*

+ I.2.3. se plaindre

a. + *Je suis bien à plaindre.*
b. + *Ça me fait de la peine.* cf. I.II.7.8.
+ *Je n'ai pas de chance.*
Quelle malchance !
(Je n'ai, Ce n'est) | *pas de veine.* (Fam.) / *pas de pot.* (Fam.)
Mon Dieu !
Oh la la !
Ce n'est pas drôle de ...
Ça | *m'embête* (Fam.) / *m'ennuie* / *me gêne* | *de (ne pas) être ...* / *avoir ...* / *faire ...*
Ça me fait mal (au coeur) | *que* p.
DR : *Il s'est plaint.*

+ I.2.4. plaindre

expressions (b) de I.2.3. éventuellement adaptées.
Pauvre vieux. (Fam.)
Pauvre petit(e). (Fam.)
Pauvre petite bête. (Fam.)
Pauvre (Prénom, Nom).
Ces expressions, lorsqu'elles s'adressent à l'interlocuteur, peuvent être précédées de *(mon, ma)*.
en parlant d'un tiers :
+ *Pauvre* (Prénom, Nom).
+ *Pauvre type*
※ I.II.7.13.

ACTES DE PAROLE, I. Actes d'ordre (1)

+ *(Le, La) pauvre !*
o *Tu dois être bien* | *ennuyé* / *embêté* / *gêné* | *de (ne pas)*
o
DR : *Il l'a plaint.*

+ I.2.5. remercier

Je vous remercie | *(beaucoup).* / *(très sincèrement).* / *(de tout mon coeur).*

Merci (bien, beaucoup), | *(Monsieur)* / *(Madame)* / *(Mademoiselle)* / *(Jeune homme)* / *((mon) petit)* / *((ma) petite)* / *(Nom)* / *(Prénom).* cf. I.9.1.

Je ne sais comment vous remercier.
C'est très gentil à vous.
Vous êtes bien aimable.
C'est très aimable à vous.
Tu es très gentil
o *C'est* | *très gentil de ta part* / *vraiment*
Ça me fait | *(vraiment) plaisir* / *(beaucoup)*
DR : *Il l'a remercié.*

+ I.3. juger l'action accomplie par autrui.

+ I.3.1. approuver, féliciter

Je vous approuve entièrement.
Je vous félicite.
+ *Félicitations.*
Toutes mes félicitations.
Tous mes compliments.
+ *Bravo !*
NB : applaudissements.
(C'est) | + *pas mal* (litote 0.3.2.1.1.1.3.) / *bien* / *très bien* / *fantastique* / *formidable* (hyperbole 0.3.2.1.1.4.) / *génial*
Tu as (bien) eu raison de faire ça.
+ *Je suis (très) content.*
Je suis fier de toi.
Tu dois / *Tu peux* | *être content.* / *être fier.* cf. I.II.4., I.II.6.
Il y a de quoi être | *content.* / *fier.*
Chapeau ! (Fam.)
Ouais ! (Fam.) (Int.)
voir aussi I.2.2.
(Tout à fait) d'accord.
C'est terrible (hyperbole)
Tu as bien fait (de faire cela).
DR : *Il l'a (approuvé, félicité).*

ACTES DE PAROLE, I. Actes d'ordre (1)

+ I.3.2. accuser

Je t'accuse de m'avoir volé mon portefeuille.
+ *C'est toi qui m'as volé (...).*
C'est lui qui (...).
Tu m'as volé (...).
Il m'a volé (...).
voir aussi I.4.2., I.II.7.3. (jurons)
C'est vous qui m'avez dit de faire cela.
DR : *Il l'a accusé.*

+ I.3.3. excuser, pardonner

Je t'excuse.
Je te pardonne.
+ *Il n'y a pas de mal.*
+ *Je vous en prie.*
Ça ne fait rien.
+ *Ce n'est rien.*
Ne t'inquiète pas.
Ne t'en fais pas.
Ne te fais pas de souci.
Je ne vous en veux pas.
(Allez,) je ne suis pas rancunier.
Oublions (tout) cela.
+ *N'en parlons plus.*
N'y pensons plus.
o *Je vous comprends.*
o *Ce n'est pas (vraiment) (de) votre faute.*
Il n'y a pas de quoi en faire un drame.
Je passe l'éponge. (Fam.)
Ça va pour cette fois (mais ne recommence pas).
Ce n'est pas grave.
J'ai déjà oublié.
DR : *Il l'a (excusé, pardonné).*

+ I.3.4. critiquer

+ *Ce n'est pas* | + *fameux.* / *terrible.* / *extraordinaire.* / *si bien que ça.*
Ça laisse à désirer.
Il n'y a pas de quoi | *être fier.* / *pavoiser.*
Tu aurais pu mieux faire.
Tu ne t'es pas (trop) fatigué !
Tu ne t'es pas foulé ! (Fam.)
C'est un peu léger ! (Fam.)
A ta place, je n'aurais pas fait comme cela (comme ça).
Il ne fallait pas faire cela (comme ça).
+ *Tu n'aurais pas dû (...).*
+ *Pourquoi as-tu (...) ?* (* I.10.6.)
Je ne suis pas d'accord avec vous.
Je n'aime pas (beaucoup) | *que ...* / *cela.*
Ça ne me plaît qu'à moitié.
Tu ne t'es pas cassé la tête.
C'est un peu juste.
Ce n'est ni fait ni à faire.
DR : *Il l'a critiqué.*

+ I.3.5. désapprouver, reprocher protester

Je ne vous approuve pas.
Je proteste.
Je vous reproche d'avoir fait cela.
Je ne suis pas d'accord.
Je n'aurais pas fait cela comme ça.
Tu n'aurais pas dû.
Il ne fallait pas.
Je me demande comment tu as pu (...).
° *Comment as-tu pu (oser) faire cela ?*
Comment oses-tu (...) ?
Tu es impardonnable.
+ *C'est | inadmissible.*
| scandaleux.
Je n'admets pas | ce genre de (... plaisanterie).
| que tu fasses cela.
Je ne supporte pas de telles (... accusations).
J'exige des excuses. (cf. I.9.7.1.)
Ne vous gênez pas ! (iron.)
+ *C'est bientôt fini ?* (Int.)
Tu vois comme tu es !
+ *Assez !*
+ *Ça suffit !*
+ *J'en ai marre !* (Fam.)
cf. I.11.7.13.
Ça alors ! (Int.) |
Non mais, (dites donc) ! (Int.) |
Quoi ? (Int.) | (Fam.)
(Non mais) ça va pas (non) ? (Int.) |
Ah non ! (Int.)
Je n'aime pas (du tout) ...
Je déteste ...
Je ne t'aurais pas cru capable de cela ...
Quelle idée ! (Int.)
C'est | honteux.
| méchant. | NB : de la part d'un enfant ou
| vilain. | s'adressant à un enfant.
| dégoûtant. (Fam.)
| mal (fait).
| mauvais.
Tu as fait le contraire (de ce qu'il fallait faire
Tu t'es (complètement) trompé.
Tu n'es pas sérieux.
Tu ne parles pas sérieusement.
Tu te moques de moi.
DR : *Il l'a désapprouvé.*
Il lui a reproché de (...).
a fait des reproches.
Il a protesté.

ACTES DE PAROLE, I. Actes d'ordre (1)

+ I.4. juger l'action accomplie par soi-même

+ I.4.1. se féliciter

Je me félicite d'avoir fait cela.
+ *Je suis content de (...).*
Je suis fier de (...).
J'ai bien fait de (...).
Je ne regrette pas de (...).
J'ai eu (bien) raison de (...).
Heureusement que je (...).
voir aussi I.2.1., I.10.9.3.
DR : *Il s'est (félicité, vanté) de (...).*

+ I.4.2. s'accuser, avouer

J'avoue avoir fait cela.
Je m'accuse d'avoir fait cela.
+ *C'est moi qui ai fait cela.*
+ *Je n'aurais pas dû faire cela.*
Je suis (mécontent, furieux) de (...).
J'ai honte de (...).
Je ne me vante pas de (...).
Je ne me félicite pas de (...).
Je regrette de (...).
Je suis impardonnable.
Je reconnais | que j'ai fait cela.
| que c'est moi qui ai ....
Je m'en veux d'avoir fait cela.
Je ne suis pas | fier | d'avoir fait cela.
| content |
| heureux |
voir aussi I.3.2., I.9.6.3.
DR : *Il s'est accusé de (...).*
Il a avoué (...).

+ I.4.3. s'excuser

Je vous présente mes excuses.
Je m'excuse.
Je suis impardonnable.
Je ne l'ai pas fait exprès.
J'ai fait cela sans penser à mal.
Je ne voulais pas vous (... vexer, blesser, ennuyer, faire de la peine...) (cf. O.
J'ai cru bien faire.
Je regrette.
Je suis (sincèrement, vraiment) désolé.
Je ne le ferai plus. | cf. I.5.2.
Je ne recommencerai pas. |
cf. I.9.3. (demander de pardonner)
DR : *Il lui a présenté ses excuses.*
Il s'est excusé.

ACTES DE PAROLE, I. Actes d'ordre (1)

+ I.5. proposer à autrui de faire soi-même

+ I.5.1. proposer, offrir

Je vous propose de vous accompagner.
° *Voilà ce que je vous propose : (...).*
° *Je peux vous accompagner.*
° *Je pourrais vous accompagner.*
° *Je veux bien vous accompagner.*
° *Si vous voulez, je peux vous accompagner.*
Si cela peut vous être | utile, | agréable, | je peux vous accompagner.
° *Si cela peut vous | arranger, | rendre service, | je vous accompag*
Si vous voulez que je (...), n'hésitez pas à me le | dire | demander.
+ *Voulez-vous | Aimeriez-vous | que je vous accompagne ?*
° *Je vous accompagne ?*
Si ça | peut te faire plaisir, | te fait plaisir, | je t'accompagne.
Si tu veux que je t'accompaggne, tu peux me le | dire | demander.
Tu voudrais que je t'accompagne ?
voir aussi I.8.2.
DR : *Il lui a (proposé, offert) de (...).*

+ I.5.2. promettre

° *Je vous promets que je vous accompagnerai.*
Je m'engage à vous accompagner.
° *Je vous garantis que je vous accompagnerai.*
° *Je vous assure que je vous accompagnerai.*
° *Je vous jure de vous accompagner.*
° *J'ai décidé de vous accompagner.*
° *Vous pouvez compter sur moi,* | ° *Comptez sur moi,* | *je vous accompagnera*
° *Vous pouvez être certain* | *Soyez certain* | *que je (...).*
Je vous accompagnerai. | *N'en doutez pas.* | *Vous avez ma parole.*
Je t'accompagnerai. | *Parole d'honneur.* | *Parole.* (Fam.) | *Promis.*
Je ne le ferai plus.
Je ne recommencerai pas.
cf. I.4.3.
DR : *Il lui a promis de (...).*
Il s'est engagé à (...).

ACTES DE PAROLE, I. Actes d'ordre (1)

+ I.6. demander à autrui de faire soi-même

+ I.6.1. demander la parole

Je demande la parole.
o *(Si vous permettez), je voudrais dire quelque chose.*
J'ai quelque chose à dire.
Un mot seulement.
o *(Est-ce que) je peux (vous)* | *parler ?* / *dire quelque chose ?*

DR : *Il a demandé (la parole, à parler).*

NB : redemander la parole après avoir été interrompu

+ *Je n'ai pas terminé.*
Laissez-moi terminer.
Un instant.
Je ne peux pas terminer !
S'il vous plaît ! (s'il vous plaît !)
Permettez.
Je voudrais / *(Est-ce que) je peux* | *continuer (?)* / *terminer (?)*
Laisse-moi parler !

DR : *Il a redemandé la parole.*

+ I.6.2. demander permission

Je vous demande la permission de m'en aller.
o *(Est-ce que) je peux m'en aller (sil vous plaît) ?*
Puis-je / *Pourrais-je* / o *Est-ce que je pourrais* | *m'en aller (s'il vous plaît) ?*
Me permettez-vous de / *M'autorisez-vous à* | *m'en aller (s'il vous plaît) ?*
+ *J'aimerais (bien) m'en aller.*
Je voudrais m'en aller.
(Est-ce que) vous me permettez de / *m'autorisez à* | *m'en aller ?*
Est-ce qu'il (me) serait possible de ...
(Est-ce que) je peux vous demander (la permission) de ...
Tu | *veux bien* / *acceptes* / *accepterais* | *que* + subj.
Ça (ne) | *t'embête* / *t'ennuie* / *te dérange* | *(pas) que* + subj.

DR : *Il lui a demandé la permission de (...).*

+ I.6.3. demander dispense

expression de I.6.2. adaptées
+ *Faut-il vraiment que je m'en aille ?*
Est-ce que je dois vraiment m'en aller ?
J'aimerais (bien) rester.
Je n'ai pas envie de m'en aller.
Je dois (vraiment) partir ?
(Est-ce qu') il faut vraiment que je m'en aille ?
o *Vous* | *voulez (vraiment) que* + subj. / *tenez à ce que*
Je ne peux pas / *Je préférerais* | *rester (?)* / *faire autrement (?)*
Tu y tiens vraiment ?

DR : *Il lui a demandé la permission de ne pas (...).*

ACTES DE PAROLE, I. Actes d'ordre (1)

+ I.7. proposer à autrui de faire ensemble

+ I.7.1. proposer, suggérer

+ *Si on allait au cinéma ?*
On pourrait aller au cinéma.
+ *Si tu veux,* | + *on pourrait* / *on peut* | *aller au cinéma.* / *on va au cinéma*
Qu'est-ce que tu dirais d'aller au cinéma ?
Ça te dirait d'aller au cinéma ?
Tu aimerais aller au cinéma ?
+ *Ça te ferait plaisir d'aller (...) ?*
Tu aurais envie d'aller (...) ?
Tu voudrais / *Tu veux* | *qu'on aille au cinéma ?*
On va au cinéma.
J'ai envie d'aller au cinéma, | *et toi ?* / *pas toi ?*
Tu n'irais pas au cinéma ?
Je vais au cinéma, | *ça te dit ?* / *tu viens ?*
DR : *Il lui a (proposé) de (...).*

+ I.7.2. inviter

Je vous invite | + *à dîner (au restaurant).* / *au restaurant.* / *à (venir) dîner (à la maison).*
+ *Venez donc dîner à la maison.*
Il faut que | *vous veniez dîner à la maison.* / *nous dînions ensemble.*
Allez, on va dîner au restaurant. Je vous invite.
Laissez-moi vous inviter.
+ *Vous êtes mon invité.*
Si tu est libre, je t'invite.
Tu est libre ce soir ?
Qu'est-ce que tu fais, ce soir ?
⌘ I.9.0.2.
(Allez) viens (donc) chez moi, on fera ...
Tu viens (travailler) | *avec moi ?* / *chez*
Tu ne fais rien ce soir ?
Tu n'as rien à faire ?
Viens donc voir mon nouveau vélo.
(Si tu veux), je t'invite à regarder le film chez mo
DR : *Il l'a invité à (...).*

ACTES DE PAROLE, I. Actes d'ordre (1)

+ I.8. proposer à autrui de faire lui-même

+ I.8.1. suggérer

Je vous suggère de lui en parler.
° *Et si vous lui en parliez ?*
Avez-vous pensé à lui en parler ?
° *Vous pourriez (peut-être) lui en parler.*
Pourquoi ne pas lui en parler ?
° *(Est-ce que) tu as pensé à lui en parler ?*
Ce que tu pourrais faire c'est lui en parler.
° *Il faudrait peut-être que tu lui en parles ?*
Tu as essayé de lui en parler ?
Ça vaudrait peut-être | la peine / le coup | de lui en parler.
Il y a toujours la possibilité de lui en parler.
DR : *Il lui a suggéré de (...).*

+ I.8.2. proposer

Je vous propose de lui en parler.
NB : Cet énoncé est ambigu syntaxiquement :
soit : "*que je lui en parle*" (cf. I.5.1.),
soit, ici, "*que vous lui en parliez*".
° *Voilà ce que je vous propose : (...).*
° *Vous pouvez lui en parler.*
° *Si vous voulez, vous pouvez lui en parler.*
Que diriez-vous de lui en parler ?
° *Vous lui en parlez ?*
Ce que tu peux faire c'est lui en parler.
Tu peux toujours lui en parler.
Tu as toujours la possibilité de lui en parler.
Qu'est-ce que | tu risques / tu perds | à lui en parler ?
DR : *Il lui a proposé de (...).*

+ I.8.3. conseiller

\+ *Je vous conseille de lui en parler.*
Parlez-lui en !
(Si je peux me permettre (de vous donner) un conseil).
(Si tu veux un conseil,)
(Si j'ai un conseil à te donner,)
° *(Je n'ai pas de conseil à vous donner, mais)*
° *Tu devrais | + lui en parler.*
il vaudrait mieux que vous | lui en parliez / lui en parler
Tu ferais (bien, mieux) de lui en parler.
Si j'étais à ta place, / Si j'étais toi, / Moi, | je lui en parlerais.
Ce qu'il faudrait faire / Ce que tu devrais faire | c'est lui en parler.
Le mieux serait de lui en parler.
Je serais toi / Si j'étais toi / (Moi) à ta place | je lui en parlerais.
voir aussi I.9.0.3.
DR : *Il lui a conseillé de (...).*

+ I.8.4. recommander

Je vous recommande (vivement) de lui en parler.
+ *Dis-lui (donc) !* (Int.)
(Surtout,) n'hésitez pas | *une seconde* / *un instant* | *à lui en parler*
° *Vous avez tout intérêt à lui en parler.*
° *Vous auriez (bien) tort de ne pas lui en parler.*
Tu dois lui en parler !
Il faut que tu lui en parles.
N'aie pas peur de lui en parler.
Tu serais bien bête de ne pas lui en parler.
° *N'oublie pas de lui en parler.*
Le meilleur moyen, / *Le mieux,* | *c'est de lui en parler.*
DR : *Il lui a recommandé de (...).*

+ I.8.5. déconseiller

+ *Je vous déconseille de lui en parler.*
° *Ne lui en parlez (surtout) pas.*
Si je peux me permettre un conseil,
etc. : voir I.8.3.
vous devriez ne pas lui en parler.
etc. : *tu ne devrais pas lui en parler.*
° *Je ne vous conseille pas (du tout) de lui en parler.*
Je ne te recommande pas de lui en parler.
° *Vous n'avez* | *pas* / *aucun* | *intérêt à lui en parler.*
° *Vous auriez (bien) tort de lui en parler.*
° *(Surtout), évitez de lui en parler.*
Tu n'as pas à lui en parler.
Tu serais bien bête de lui en parler.
Ce serait une | *bêtise* / *erreur* | *de lui en parler.*
Tu n'as pas besoin de lui en parler.
Ce n'est pas la peine / *Ce n'est pas le moment* | *de lui en parler.*
voir aussi I.9.0.3.
DR : *Il lui a déconseillé de (...).*

+ I.8.6. permettre, autoriser

Je vous permets de partir.
Je vous autorise à partir.
Je vous donne | *la permission* / *l'autorisation* | *de partir.*
+ *Vous pouvez partir.* / *Partez !* | *(Vous avez ma permission).* / *(Vous avez mon autorisation).*
°+ *(Si vous voulez),* | *vous pouvez partir.* / *partez.*
° *Vous pouvez partir,* / ° *Partez,* | *(si vous voulez).*
Si vous souhaitez partir, | *partez.* / *vous pouvez partir.* / *je veux bien.* / *faites comme vous voulez.* / *je ne vous retiens pas.*

o+ *Vous voulez partir ?*
o+ *Vous ne voulez pas partir ?*
o *Si vous avez envie de partir ...*
Vas-y !
Tu peux y aller !
DR : *Il lui a permis de (...).*
Il l'a autorisé à (...).
Il lui a donné | *la permission de (...).*
| *l'autorisation de (...).*

+ I.8.7. dispenser

o *Ne partez pas (, si vous voulez) !*
o *Ce n'est pas la peine que vous partiez.*
o *Si vous n'avez pas envie de partir,* | *ne partez pas.*
| *vous pouvez rester.*
| *je veux bien.*
| *faites comme vous voulez.*
Je ne t'oblige pas à partir.
o *Vous n'êtez pas obligé de partir.*
o *Vous ne voulez pas partir ?*
o *Si tu préfères rester ...* (Int.)
Je ne te chasse pas.
NB : dans I.8.6. la négation porte sur *vouloir* ; ici, elle porte sur *partir*.
DR : *Il l'a dispensé de (...).*

+ I.9. demander à autrui de faire lui-même

+ I.9.0. demander (en général)

+ I.9.0.1. demander DR : *Il lui a (demandé, dit) de (...).*

+ a. expressions de l'acte de demande.

a.1. (explicite)

+ *Je te demande de (... fermer la porte ...).*
Je te dis de (...).
Je te répète de (...).
+ *Je te rappelle de (...).* cf. I.1.6.
+ *Je te charge de (...).*
t'ordonne de (...). cf. I.9.0.5.
vous ordonne de (...).
+ *Je te défends (...).*
t'interdis (...). cf. I.9.0.6.
+ *Je te prie de (...).*
*Je te supplie de (...).*cf. I.9.0.7.

+ a.2. (impératif) *Ferme la porte.*
N'oublie pas de (...).
Pense à (...).
+ *Ferme la porte, s'il te plaît.*
S'il te plaît, ferme la porte.
+ *La porte !*
La porte, s'il te plaît.
S'il te plaît, la porte.
(Ferme) la porte, allez !
Allez, ferme la porte.
Dis, ferme la porte.
Hé, la porte !

ACTES DE PAROLE, I. Actes d'ordre (1)

+ a.3. (hypothèse)
+ *Je te demanderais bien de (...).*
Si je te demandais de (...) ?
cf. I.1.1.

+ a.4. (faisabilité)
Il est indispensable que je te demande de (...).
On peut te demander de (...).
cf. I.10.1.

+ a.5. (devoir)
° *Il faut que je te demande de (...).*
Il va (encore) falloir que je te demande de (...).
° *Je dois te demander de (...).*
° *Je suis chargé de te demander de (...).*
° *Je suis obligé de te demander de (...).*
On a le droit de te demander de (...). (iron.)
Je ne sais pas si je peux te demander de (...).
cf. I.10.2.

+ a.6. (volition)
J'ai envie de te demander de (...).
° *J'ai peur de te demander de (...).*
J'ai l'intention de te demander de (...).
Je tiens à te demander de (...).
cf. I.10.3.
° *Je voulais te demander de (...).*
° *Je voudrais te demander de (...).*
° *Je ne suis pas d'accord pour te demander de (...).*
° *Je préfère (ne pas) te demander de (...).*

+ a.7. (compétence)
Je (sais, saurais) | *te demander de (...).*
| *comment faire pour te demander de (...).*
| *comment il faut te demander de (...).*
cf. I.10.4.
Moi, je peux te demander de (...). (Int.)
Je crois que je peux te demander de (...).

+ a.8. (capacité)
Je | *peux* / *suis capable de* / *pourrais* / *serais capable de* | *te demander de (...).*
Je ne sais pas si je pourrais te demander de (...).
cf. I.10.5.

+ a.9. (motivation)
C'est parce que je ne peux pas le faire moi-même que je te demande de (...).
C'est par gentillesse que je te demande de (...).
cf. I.10.6.

+ a.10. (but)
C'est pour voir si tu en es capable que je te demande de (...).
C'est pour t'aider que / *Ce n'est pas pour t'ennuyer que* | *je te demande de (...).*
Je te demande de (...) pour te rendre service.
cf. I.10.7.

ACTES DE PAROLE, I. Actes d'ordre (1)

+ a.11. (échec, réussite)	*Je voudrais essayer de / arriver à te demander de (...).* *J'arriverai bien / Je n'arriverai jamais / J'ai réussi à lui demander de (...).*
+ a.12. (dispositions subjectives)	*Je vous demande modestement de (...). / humblement de (...). / respectueusement de (...).* ° *Je me sens coupable de vous demander de (...).* ° *J'ose à peine / Je n'ose pas te demander de (...).* *Je te le demande sans arrière pensée.* cf. I.10.9.
+ a.13. (dispositions objectives)	*Je te demande gentiment / carrément de (...).* *Et si je te demande carrément de (...) ?* *Sans vouloir te commander, je te demande de (...).* etc. *Il lui a demandé (ça) sans problème, simplement. / avec beaucoup de précautions. / en faisant très attention.* *J'ai eu du mal à lui demander de (...).* cf. I.10.10.
+ a.14. (responsabilité)	*J'ai le courage de te demander de (...).* *C'est moi qui te demande de (...).* *Ce n'est (peut-être) pas bien mais je te demande de (...).* cf. I.10.11.
+ a.15. (conditions matérielles)	*Dans ces conditions, je te demande de (...).* *Puisque tu m'y obliges / c'est comme ça, / tu me forces, je te demande de (...).* cf. I.10.12.
+ a.16. (conséquences matérielles)	*Si je te demandais de (...), tu le ferais ?* ° *Tu refuseras peut-être, mais je te demande de (...).* *Je te demande de (...), qu'est-ce que tu fais ?* cf. I.10.13.
+ a.17. (sentiments)	° *J'ai l'honneur de te demander de (...).* ° *J'ai le plaisir de te demander de (...).* *J'aurais plaisir à vous demander de (...).* ° *Je suis heureux de te demander de (...).* *Je serais heureux de vous demander de (...).* cf. I.11.4.1. et I.11.6.

ACTES DE PAROLE, I. Actes d'ordre (1)

o *J'ai honte de (devoir) te demander de (...).*
o *Il me déplaît de te demander de (...).*
o+ *J'ai le regret de te demander de (...).*
Ça me dégoûte de te demander de (...).
Ça (ne) | me plaît (pas) / m'intéresse | de te demander de (...).
Ça me fait plaisir
o *Ça m'ennuie, me gêne*
J'ai de la peine
Ça me fait de la peine
cf. I.11.4.2. et I.11.7.

b. expression de l'acte demandé à autrui

+ b.1. (hypothèse)

+ *Si tu fermais la porte (stp) ?*
Tu fermerais la porte (stp) ?
cf. I.1.1.

b.2. (vrai)

Tu fermeras la porte (stp).
Il est évident que tu fermeras la porte.
Tu fermeras peut-être la porte.
Tu fermeras la porte, | bien sûr. / évidemment.
Tu fermeras | certainement / sûrement | la porte.
cf. I.1.2.

+ b.3. (opinion)

Je sais que tu fermeras la porte.
Je suis persuadé que tu (...).
Je pense que tu (...).
A mon avis, tu (...).
Je me demande si tu (...).
Je ne suis pas sûr que tu (...).
cf. I.1.7.

+ b.4. (question)

Tu fermeras la porte (stp), oui ?
Tu ne fermeras pas la porte ?
+ *Tu fermes la porte (stp), oui ?)*
Tu ne fermes pas la porte ?
Tu as fermé la porte (stp) ?
Tu n'as pas fermé la porte ?
cf. I.9.4.1.

+ b.5. (faisabilité)

Il est indispensable que tu (...).
Tu peux fermer la porte.
Tu ne peux pas ...
o *Est-ce que vous | pouvez / pourriez | fermer la porte ?*
cf. I.10.1.

+ b.6. (devoir)

Il est obligatoire que tu (...).
Il faut que tu (...).
+ *Tu dois (...).*
Tu es chargé de (...).
cf. I.10.2.

ACTES DE PAROLE, I. Actes d'ordre (1)

+ b.7. (volition)

J'ai envie que tu (...).
Je voulais que tu (...).
+ *Je voudrais que tu (...) (stp).*
J'aurais voulu que tu (...) (stp).
Je veux que tu (...) (stp).
Je tiens à ce que tu (...) (stp).
J'exige que tu (...).
Je préférerais que tu (subj.)
J'espère que tu (...).
cf. I.10.3.
(As-tu, aurais-tu) envie de (...) stp ?
(Crains-tu, craindrais-tu) de (...) ?
(Veux-tu, voudrais-tu) (...) (stp) ?
Ne crains pas de (...).
Veuillez (...) (svp).
Est-ce que tu | *as* / *aurais* | *envie de (...) ?*
° *Est-ce que tu (veux, voudrais) (bien) (...) ?*
N'aie pas peur de (...).

+ b.8. (compétence, capacité)

° *(Est-ce que) (Tu sais, tu saurais) (...) (?)*
(Tu peux, tu pourrais (...) (?)
Tu | *es* / *seras* | *capable de (...).*
cf. I.10.4. et I.10.5.
Savez-vous, sauriez-vous (...) (svp) ?
Pouvez-vous, pourriez-vous (...) (svp) ?

+ b.9. (motivation)

Par pitié, (impératif)
Par amitié pour moi.
cf. I.10.6.

+ b.10. (but)

(impératif), *pour me faire plaisir.*
Fais-moi plaisir (impératif).
Tu veux bien me faire le plaisir de (...) (stp) ?
Fais | *-le* / *ça* | *pour moi*
NB : énoncé ambigu signifiant ici : *pour me faire plaisir, pour me rendre service ...*
et non pas : *à ma place.*
cf. I.10.7.

+ b.11. (échec, réussite)

+ *Essaie de (...) (stp).*
Donne-toi la peine de (...) (stp).
Efforce-toi de (...) (stp).
Applique-toi à (...) (stp).
Ne te retiens pas de (...) (stp).
Ne résiste pas à (...) (stp).
+ *Tâche de (...).*
Tâche de réussir à (...).
Arrange-toi / *Débrouille-toi* *pour (...).*
Tu arriveras bien à (...).
cf. I.10.8.

ACTES DE PAROLE, I. Actes d'ordre (1)

+ b.12. (dispositions subjectives)

Sois modeste (et) (impératif).
Tu n'a pas à te sentir coupable de (...).
Aie | *du culot.* / *plus de culot.*
Vas-y carrément.
Sois sûr de toi (et) (...).
Ne t'en fais pas (...).
cf. I.10.9.

+ b.13. (dispositions objectives)

(impératif) | *prudemment* / *doucement* / *gentiment* / *sans brusquerie* | *(stp)*

Sois gentil,
Ne sois pas méchant,
Pense à moi,
Ne sois pas égoïste,
Obéis,
Aie pitié (... des voisins ...),
Pitié pour (... les voisins ...),
Fais attention,
| (impératif) (stp)
cf. I.10.10.

+ b.14. (responsabilité)

Tu aurais du mérite si tu (... éventuel)
Un peu d'audace : / *Sois courageux :* | (impératif)
Aie le courage de (...).
Prends sur toi et ...
Prends tes responsabilités et ...
Tu es assez grand pour ...
cf. I.10.11.

+ b.15. (conditions matérielles)

Qu'est-ce qu'il te faut pour (...) ?
Qu'est-ce que tu veux pour (accepter de) (...) ?
Profitez-en pour (...).
cf. I.10.12.

+ b.16. (conséquences matérielles)

Que dirais-tu de (...) (stp) ?
Qu'est-ce que ça te ferait de (...) ?
Est-ce que tu verrais un inconvénient à (...) ?
Verriez-vous un inconvénient à (...) ?

+ b.17. (attitudes)

+ *J'aimerais que tu (...) (stp).*
J'apprécierais que tu (...).
J'ai confiance que tu (... futur).
Je te serais (reconnaissant) de (...) (stp).
Je t'en voudrais si tu (ne ... pas ... éventuel*)* (I.1.1.)

Aimerais-tu (...) (stp) ?
cf. I.11.1., I.11.2., I.11.3.

ACTES DE PAROLE, I. Actes d'ordre (1)

+ b.18 (sentiments)

Je serais (content, heureux) | *que tu (...).* / *si tu* (éventuel).
Je serais fier si tu (éventuel).
A ta place, je serais fier de (...).
Ça m'ennuierait que tu (ne ... pas ...).
Ça m'ennuie de voir que tu (ne ... pas ...).
Tu serais | *content, heureux, fier* | *si tu* (irréel).
Ça t'ennuierait de (...) (stp) ?
\+ *Ça (ne) te dérangerait (pas) de (...) (stp) ?*
Ça m'intéresse(rait) | *que tu (...).* / *si tu* (éventuel).
Ça me plaît (bien)
Ça me plairait (bien)
Ça m'embête(rait)
° *J'aimerais (bien)*
| *que tu (...).* / *que vous ...*
Ça te gênerait (beaucoup) de (...).
cf. I.11.4.6.7.8.

c. expression de l'acte demandé, sans référence à autrui.

c.1. (hypothèse)

La porte serait fermé ... (Int.)
Si la porte était fermée ... (Int.)
Ah ! Si la porte pouvait se fermer (toute) seule !
cf. I.1.1.

+ c.2. (vrai)

La porte n'est pas fermée
\+ *La porte est ouverte*
| *(on dirait).* / *(apparemment).* / *(semble-t-il).*
etc. (I.1.2. et I.1.7.)
La porte est fermée (ironie : 0.3.2.1.)
La porte (n') est (pas) fermée ?
La porte (n') est (pas) ouverte ?
\+ *Tu crois que la porte est fermée ?*
La porte sera fermée.
La porte ne restera pas ouverte.
La porte sera fermée ?
La porte va rester ouverte ?
Etc.
Ne t'imagine pas que la porte va se fermer toute seule.
Tu te figures que la porte va rester ouverte ?
Je croyais que la porte était fermée.
cf. I.1.2., I.1.7., I.9.4.1.

+ c.3. (faisabilité)

Elle se ferme cette porte (non ?)
Il y a moyen de fermer la porte (non ?)
Rien n'empêche de (...).
Il est indispensable de (...).
Il n'y a aucune raison de (... laisser la porte ouverte).
C'est (si) difficile / *Ce n'est pas facile* | *de fermer une porte (?)* (ironie)
Il est important que la porte soit fermée.
cf. I.10.1., et I.9.4.4. pour *(non ?)*

c.4. (devoir)	*Il est obligatoire de (...).* *Il faut (...).* *On ferme la porte.* *Une porte ça se ferme.* *La porte doit être fermée.* cf. I.10.2.
c.5. (volition)	*J'ai envie que la porte soit fermée.* *J'aimerais que la porte soit fermée.* Etc. cf. I.10.3.
c.6. (conditions matérielles)	*C'est l'heure de (...).* cf. I.10.12.
c.7. (conséquences matérielles)	*Si la porte était fermée, il ferait moins froid.* *Il y a un courant d'air.* *Si la porte était fermée, on ne risquerait pas de nous voir.* *On pourrait nous voir.* cf. I.10.13.
+ c.8. (attitudes)	+ *J'aimerais que la porte soit fermée.* *J'apprécierais que (...).* cf. I.11.1.
+ c.9. (sentiments)	+ *Je serais (content, heureux)* | *que (...).* / *si* (éventuel) (I.1.1.). *Ça m'ennuierait* | *que (ne ... pas ...).* / *si (ne ... pas ...* éventuel*).* cf. I.11.6.7.8.
+ I.9.0.2. inviter encourager	∘ *Faites (donc).* ∘ *Prenez votre temps.* ∘ *Ne vous gênez pas.* ∘ *Mettez-vous à l'aise.* ∘ *Faites comme chez vous.* ∘ *Entrez.* ∘ *Installez-vous.* ∘ *Asseyez-vous.* ∘ *Servez-vous.* ∘ *Tu es chez toi.* etc. *Je vous invite à réfléchir à ce problème.* ※ I.7.2. *Je t'encourage (vivement) à* | *continuer* / *le faire* *Il ne faut pas avoir peur.* *De quoi as-tu peur ?* + *N'aie pas peur, (voyons) !* + *Un peu de courage.* *N'hésitez pas.* *A ta place, je n'hésiterais pas.* *Tu n'as rien de mieux à faire.* *(Allez,)* | *fais un effort.* / *décide-toi.* + *Allez !* + *Vas-y !* *Continue !*

Encore un (petit) effort !
Tu y es presque !
Ça y est ! (par anticipation)
Selon l'acte dont il s'agit :
\+ *Plus fort !*
\+ *Plus vite !* Etc.
Il n'y a | *plus* / *pas* | *à* | *avoir peur.* / *hésiter.*
Tu as tout ce qu'il faut (pour ...).
Qu'est-ce qu'il te manque (pour ...) ?
Qu'est-ce que tu attends (pour ...) ?
Alors ?
Tu ne risques rien à (...).
Il n'y a pas de raison de (ne pas ...).
DR : *Il l'a (invité, encouragé) à (...).*

\+ I.9.0.3. menacer d'une sanction (cf. I.I.1.2.)

\+ *Si tu (ouvres, ne me donnes pas) cette lettre,*
| *je me fâche.*
| *je le dirai à* Nom.
etc.
Si tu *ouvres* / *ne me donnes pas* | *cette lettre ...* (Int.)
N'essaie pas d'ouvrir cette lettre, | *sinon (...).*
\+ *N'ouvre pas cette lettre,* | *sinon ...(...).*
Donne-moi cette lettre, | *sinon gare (à toi)*
\+ *Attention si tu* | *ouvres* / *ne me donnes pas* | *cette lettre.*
Je te promets que si (...), tu auras affaire à moi.
cf. I.5.2.
Tu veux que je t'aide ?
Tu veux une paire de claques ? (Fam.)
(Si ...,).
(tu peux être sûr | *que)* / *(je te promets* | *)* / *(je te jure* | *)*
| *tu t'en souviendras.*
| *tu n'es pas prêt de recommencer.*
| *je t'enlèverai l'envie de recommencer.*
| *tu ne recommenceras pas de si tôt.*
| *tu le regretteras.*
DR : *Il l'a menacé de (...) si (...).*

\+ I.9.0.4. promettre récompense (cf. I.1.1.2.)

(Je te promets que) si tu | *n'ouvres pas* / *me donnes* | *cette lettre,*
je ne me fâcherai pas.
je ne dirai rien à personne.
je ferai quelque chose pour toi.
Si tu n'ouvres pas cette lettre, je te promets que (...).
Tu aimerais que je fasse quelque chose pour toi ?
Alors,
| *n'ouvre pas* / *donne-moi* | *cette lettre.*
\+ *Si tu veux que (je fasse quelque chose pour toi),*
(alors) | *n'ouvre pas* / *donne-moi* | *cette lettre.*
il faut que tu me donnes / *il ne faut pas que tu ouvres* | *cette lettre.*

ACTES DE PAROLE, I. Actes d'ordre (1)

\+ *Tu veux que (je fasse quelque chose pour toi ?)*
Alors | n'ouvre pas (...).
| donne-moi (...).
| il faut que tu (...).
| il ne faut pas que tu (...).
Si tu (es gentil avec moi, (ne) fais (pas) ...),
| tu n'y perdras pas.
| tu y gagneras.
| je m'en souviendrai.
| tu t'en souviendras.
| tu ne le regretteras pas.
DR : *Il lui a promis de (...) si (...).*

\+ I.9.0.5. ordonner

Je t'ordonne de me donner cette lettre.
Ouvrez cette lettre. | (Je vous l'ordonne.)
| (C'est un ordre.)
| (Immédiatement.)
| (S'il vous plaît.)
J'exige que vous me donniez cette lettre (immédiatement).
Vous allez me donner (...).
Donne-moi cette lettre.
Je veux cette lettre.
DR : *Il lui a ordonné de (...).*
Il lui a donné l'ordre de (...).

\+ I.9.0.6. défendre, interdire

\+ *Je te | défends d'ouvrir cette lettre.*
| interdis (formellement) de (...).
N'ouvre pas cette lettre. C'est un ordre.
Vous n'ouvrirez pas cette lettre.
Je ne veux pas que tu (...).
Il n'est pas question | que tu (...).
| de (...).
DR : *Il lui a (défendu, interdit) de (...).*

\+ I.9.0.7. prier supplier

Je vous prie de ne pas me laisser seul.
° *Je vous en prie, ne me laissez pas seul.*
° *Je vous supplie de (...).*
° *Je vous en supplie, (...).*
° *Ne me laissez pas seul, | je vous en prie.*
| je vous en supplie.
° *(Par) pitié, ne me laissez pas seul.*
° *Vous ne pouvez pas me laisser seul.*
° *Dites, vous n'allez pas me laisser seul !*
Soyez gentil, | ne me laisse(z) pas seul.
Sois sympa, |
Je t'en prie, laisse-moi sortir.
DR : *Il l'a (prié, supplié) de (...).*

ACTES DE PAROLE, I. Actes d'ordre (1)

+ I.9.1. interpeller

+ I.9.1.1. en champ libre

+ *Monsieur* | *Madame* | *Mademoiselle* | *Jeune homme* — *(s'il vous plaît)* voir aussi I.9.1.3., I.2.5.
+ *Petit(e), (s'il te plaît) !*
+ Nom *!*
+ Prénom *!*
+ Prénom, Nom *!*
+ *S'il vous plaît !*
+ *Pardon !*
+ *Excusez-moi !*
+ *Dites (donc)*
+ *Hé !*
+ *Hé, vous là-bas !*
+ *Hep !*
+ *Il y a quelqu'un ?*
+ *Qui est là ?*
+ *Qui est-ce ?*
+ *Qu'est-ce que c'est ?*

DR : *Il a appelé* Nom.
Il s'est adressé à Nom.
Il l'a interpellé

+ I.9.1.2. au téléphone

+ *Allo ?*
+ *(C'est bien le)* | *123.45.67 ?* (prononcer *cent-vingt-trois, quarante-cinq, soixante-sept ?)*
(Je suis bien chez) M. Nom *?*
(C'est bien) le service des cars scolaires ?
+ *J'aurais voulu.*
+ *(Je voudrais parler à)* | *M.* Nom *(svp).*
+ *Pourrais-je* | *Puis-je* | *parler à* | *M.* Nom *(svp ?)*
Est-ce que je | *peux* | *pourrais* | *parler à ... ?*
+ *Qui est à l'appareil ?*
+ *A qui ai-je l'honneur ?*
+ *De la part de qui ?*

+ I.9.1.3. correspondance

+ *Monsieur.*
+ *Monsieur le* (fonction).
+ *Docteur* (médecin).
+ *Cher* | *Monsieur.* | *Docteur.* | *Collègue.*
+ Nom.
+ Prénom.
+ *(Mon, Ma, Mes) (Cher, chère, chers) ...*
*(*Nom, Prénom, *... papa, maman, parents, ... ami ...)*
etc.

ACTES DE PAROLE, I. Actes d'ordre (1)

+ I.9.2. appeler à l'aide

A moi !
\+ *Au secours !*
A l'aide !
Aide-moi !
Aidez-moi !
voir aussi interpeller I.9.1.1.
\+ *Au feu !*
Au voleur !
Au fou !
Au viol !
A l'assassin !
DR : *Il a (appelé, crié) au secours.* Etc.

+ I.9.3. demander de parler

Je donne la parole à M. Nom.
° *M.* Nom, *vous avez la parole.*
° *M.* Nom *?*
° *Qu'en pensez-vous (, M.* Nom) *?*
° *Quelle est votre opinion (,* Nom) *?*
° *J'aimerais avoir* | *l'avis de M.* Nom. / *votre avis (, M.* Nom*).*
° *(M.* Nom,*) vous ne dites rien ?*
° *M.* Nom, | *je ne vous ai pas encore entendu.* / *nous ne vous avons pas encore entendu.*
\+ *Alors (, M.* Nom*) ?*
\+ *Quoi de neuf ?*
Qu'est-ce que tu me racontes ?
C'est à vous ...
Tu | *disais* / *a dit* / *dis* | *quelque chose (?)* (ironie)
° *(Est-ce que) tu peux* | *recommencer ?* / *répéter ?*
° *On t'écoute*
Pour les appellatifs, voir I.9.1.
DR : *Il lui a demandé de* | *parler.* / *donner son opinion.*

+ I.9.4. demander informations factuelles
(G. I.3.1.1. et 3.)

+ I.9.4.1. demander si un fait est vrai
("question totale")

\+ *Paul est venu ?* (Int.) "question"
\+ *Est-ce que Paul est venu ?* (Int.) "question"
Paul est-il venu ? (Int.)
Je ne sais pas si Paul est venu. "assertion
° *(Est-ce que) tu sais si (...) ?* cf. I.9.4.3.
° *(Est-ce que) tu peux me dire si (...) ?*
Tu veux (bien) me dire si (...) ?
° *Je voudrais* | *que tu me dises si (...).*
° *J'aimerais* | *savoir*
Dis-moi si (...).
Dis-moi : Paul est venu ?

Je me demande si Paul est venu
Tu es sûr que (...) ?
NB : Une "question totale" peut porter sur 1 ou plusieurs éléments d'information :

- 1 élément : *Quelqu'un est venu ?*
- 2 éléments : *Paul est venu ?*
- 3 éléments : *Paul est venu à midi ?*

Au-delà, on utilise des phrases segmentées.

Alors ? Quoi de neuf ? sont des questions indéterminées, sauf contexte-situation explicitants.

DR : *Il lui a demandé si (...).*

+ I.9.4.2. demander information sur un fait ("question partielle")

"questions partielles" avec + *qui, que, quand, où, pourquoi, comment, combien ...*
+ *Quand Paul est-il venu ?*
+ *Quand est-ce que Paul est venu ?*
+ *Quand est-ce qu'il est venu Paul ?*
Je ne sais pas quand Paul est venu.
etc. cf. I.9.4.1.
+ *Les toilettes, s'il vous plaît* (= Où sont ...)
+ *A quel guichet dois-je m'adresser ?*
+ *Et les petits ?* (comment vont-ils ?)

NB : une question partielle peut présupposer (cf. I.1.8.9.) un ou plusieurs éléments d'information :

- 1 élément : *Qui est venu ?*
  ppé : Quelqu'un est venu.
  pé : Qui est-ce ?
- 2 éléments : *Quand est-ce que Paul est venu ?*
  ppé : Quelqu'un est venu.
  C'est Paul.
  pé : Quand cela ?
- 3 éléments : *Pourquoi est-ce que Paul est venu à midi ?*
  ppé : Quelqu'un est venu.
  C'est Paul.
  C'était à midi.
  pé : Pourquoi cela ?

DR : *Il lui a demandé (quand, où, ...).*

+ I.9.4.3. demander opinion sur la vérité d'un fait

cf. I.1.7.
o *Vous savez que Paul est venu (à midi) ?*
cf. I.1.4.
o *Vous savez | si Paul est venu ?*
| quand Paul est venu ?
cf. I.9.4.1.

° *Vous pensez que* | p ?
° *Vous croyez que* |
° *A votre avis,* |
° p, | *vous pensez ?*
° | *vous croyez ?*
° | *à votre avis ?*
° *D'après toi, p ?*
DR : *Il lui a demandé s'il (savait, pensait) que* p.

+ I.9.4.4. demander accord sur la vérité d'un fait

Paul est venu ? (Int.) "proposition"
Paul est venu ! (Int.) "évidence"
Alors comme ça on se promène ?
+ *Paul est bien venu ?*
+ *Paul est venu,* | + *n'est-ce pas ?*
| ° *vous ne croyez pas ?*
| *hein ?*
| *non ?*
N'est-ce pas que Paul est venu ?
Paul est venu, pas vrai ? (Fam.)
Ce n'est pas vrai que Paul est venu ?
Paul est venu, d'accord ? (Fam.)
Tu es (bien) d'accord ?
C'est (bien) cela ?
Je ne me trompe pas ?
Paul est bien venu ?
C'est bien Paul qui est venu ?
C'est bien à midi que Paul est venu ?
° *Il fait chaud, vous ne trouvez pas ?*
NB : Toutes ces expressions peuvent s'employer avec une proposition positive *(Paul est venu)* ou négative *(Paul n'est pas venu)* sauf :

- *"Paul est venu, non ?"* : la transformée négative *"Paul n'est pas venu, non ?"* est bien une demande d'accord sur *Paul n'est pas venu*, mais *Paul n'est pas venu, si ?* introduit un doute ; et

- *"Paul est bien venu ?"* qui ne s'emploie qu'avec une proposition positive.

voir aussi I.9.6.2.
Il lui a demandé (la) confirmation de ...
DR : *Il lui a demandé de lui confirmer que* p.
Il lui (en) a demandé confirmation.

+ I.9.5. demander propositions d'actions

+ I.9.5.1. pour soi-même

+ *Je* | + *ne sais pas* | + *quoi* | *faire.*
| + *me demande* | *comment* |
| | *comment m'y prendre.*
+ *Qu'est-ce que je* | *pourrais* | *faire ?*
| *peux* |
Qu'est-ce que je fais ?
Qu'est-ce qu'on fait dans ces cas-là ?
Qu'est-ce que je | *devrais* | *faire ?*
| *dois* |

ACTES DE PAROLE, I. Actes d'ordre (1)

Qu'est-ce qu'il faut que je fasse ?
Qu'est-ce que tu ferais, à ma place ?
Tu as une idée ?
Tu as quelque chose à me | proposer ? / conseiller ? / suggérer ?
° *Qu'est-ce que tu me | proposes ? / conseilles ? / suggères ?*
Propose / Conseille-moi / Suggère | quelque chose.
° *Dis-moi ce | que je | + devrais / dois | faire.*
| qu'il | faut / vaut mieux | que je fasse.
° *A ton avis, je (...) ?*
° *Tu crois que | je devrais (...) ? / je peux (...) ? / il vaut mieux que je (...) ?*
(Et) si je | (... fais ...) ? / (... faisais ...) ?
\+ *Pour envoyer un télégramme, s'il vous plaît ?*
Où est-ce que je vais ?
Qu'est-ce que je ferais bien ?
° *Je pourrais peut-être (...) (?)*
Qu'est-ce que tu en penses ?
Qu'est-ce qui serait le mieux ?
Donne-moi une idée.
Aide-moi à | trouver / choisir | quelque chose
Comment est-ce que je pourrais faire pour (...) ?
DR : *Il lui a demandé comment faire (pour ...).*
Il lui a demandé quoi faire.

\+ I.9.5.2. pour soi-même et pour autrui ensemble

La plupart des expressions de I.9.5.1., éventuellement adaptées :
Je ne sais pas / me demande | ce qu' / comment | on pourrait faire.
| comment | on pourrait s'y prendre.
\+ *Qu'est-ce qu'on | pourrait / peut | faire ?*
Qu'est-ce qu'on fait (dans ces cas-là) ?
Qu'est-ce qu'on | devrait / doit | faire ?
Qu'est-ce qu'il faut qu'on fasse ?
Tu as une idée ?
Tu as quelque chose à | proposer ? / conseiller ? / suggérer ?
Qu'est-ce que tu | + proposes ? / conseilles ? / suggères ?
Propose / Dis | quelque chose.
Dis, qu'est-ce qu' | on devrait faire ?
| il | faut / vaut mieux | qu'on fasse ?

ACTES DE PAROLE, I. Actes d'ordre (1)

\+ *Tu crois qu'on devrait (...) ?*
\+ *A ton avis,* | *on peut (...) ?*
| *il vaut mieux qu'on (...) ?*
(Et) si on (... faisait ...) ?
Qu'est-ce qu'on ferait bien ce week-end ?
On pourrait peut-être ...
Qu'est-ce que tu en penses ?
Trouve-nous une idée.
Il y aurait (peut-être) (ça) ?
DR : *Il lui a demandé quoi faire.*

\+ I.9.5.3. pour autrui

Je ne sais pas / *me demande* | *ce que* | *tu* *pourrais* / *devrais* *faire.*
| *il vaut mieux que tu fasses.*
o *Qu'est-ce que tu* | *vas* / *penses* / *comptes* | *faire ?*
Tu sais quoi faire ?
\+ *Tu crois que* | *tu devrais (...) ?*
| *tu peux (...) ?*
| *il vaut mieux que tu (...) ?*
Je me demande | *si tu as intérêt à (...)*
| *ce que tu as intérêt à faire.*
Tu crois que tu as intérêt à (...) ?
Qu'est-ce que tu as l'intention de faire ?
DR : *Il lui a demandé ce qu'il comptait faire.*

\+ I.9.5.4.

\- adapter les expressions précédentes.

\+ I.9.6. demander jugement sur une action accomplie par soi-même

\+ I.9.6.1. demander avis

Donne-moi ton | *avis.* / *opinion.*
o *Qu'est-ce que tu en penses ?*
o *J'aimerais* | *avoir ton* | + *avis.* / *opinion.*
| *savoir ce que tu en penses.*
Qu'est-ce que tu aurais fait, à ma place ?
Tu aurais fait ça toi ?
Tu l'aurais fait comme ça ?
Comment aurais-tu fait ?
Comment tu t'y serais pris ?
\+ *Ça va ?*
\+ *C'est bien ?*
o *Ça te plaît ?*
Je me suis trompé ?
J'ai vu juste ?
J'ai fait une erreur ?
o *Tu es d'accord ?*
Est-ce que j'aurais | *pu* / *dû* | *faire autrement ?*
Qu'est-ce que j'aurais | *pu* / *dû* | *faire d'autre ?*
Comment est-ce que | *j'aurais* | *dû* / *pu* *faire ?*
| *tu aurais fait ?*
Il lui a demandé son avis.

+ I.9.6.2. demander d'approuver

° *Tu m'approuves,* | *hein ?*
Tu aurais fait pareil, | *non ?*
C'est pas mal, | *n'est-ce pas ?*
+ *C'est bien,* | cf. I.9.4.4.
C'est bien ça ?
Je ne me suis pas trompé ?
Je n'ai pas fait d'erreur ?
Tu es bien d'accord ?
C'est bien la bonne solution ?

DR : *Il lui a demandé son accord.*
Il lui a demandé de l'approuver.

+ I.9.6.3. demander de désapprouver

° *Tu me désapprouves,*
Tu n'aurais pas fait ça (comme ça), | *hein ?*
J'ai mal fait, | *non ?*
+ *Je n'aurais pas dû faire ça (comme ça),* | ° *n'est-ce pas*
J'ai (eu) tort,
(Je suis, j'ai été) | *bête,*
C'est | (Fam.) | cf. I.9.4.4.
Tu n'es pas d'accord bien sûr.
J'ai encore | *fait* | *une erreur*
| *dit* | *une bêtise ?*
Ce n'est pas ça (bien sûr) ?
Ce n'est pas la bonne solution | *n'est-ce pas ?*
| *hein ?*

DR : *Il lui a demandé de le désapprouver.*
ce qui revient à :
Il s'est accusé de (...) cf. I.4.2.

I.9.7. demander de réagir par rapport à une action accomplie

+ I.9.7.1. par autrui : demander de demander pardon

Demande pardon.
Dis pardon.
Tu pourrais t'excuser.
Excuse-toi
° *J'attends vos excuses.*
J'exige vos excuses.
Qu'est-ce qu'on dit ? (en s'adressant à un enfant)
"Pardon" tu connais ?
Ne t'excuse surtout pas (ironie).
Ce n'est pas la peine de t'excuser (ironie).

DR : *Il lui a demandé (des excuses, de s'excuser)*
Il lui a demandé de (demander, dire) pardon.

+ I.9.7.2. par soi-même : demander de remercier

Remercie-moi.
Dis (-moi) merci.
\+ *Tu peux me* | *remercier.* / *dire merci.*
Tu ne dis pas merci ?
Qu'est-ce qu'on dit ?
Eh bien ?
(en s'adressant à un enfant)
C'est / *Je suis* | *sympa,* (Fam.) | *non ?* / *tu ne trouves pas ?* / cf. I.9.4.4.
Tu as le droit de me remercier. (ironie)
Ne me dis surtout pas merci. (ironie)
Ce n'est pas la peine de me remercier. (ironie)
On ne dit plus merci maintenant !
"Merci" tu connais (?)
DR : *Il lui a demandé (de le remercier, de dire merci, des remerciements).*

+ I.9.7.3. par soi-même : demander de pardonner

o *Je vous demande pardon.*
\+ *Pardon.*
o *Pardonnez-moi.*
Veuillez m'excuser.
o *Excusez-moi.*
Il ne faut pas m'en vouloir.
Je te demande de | *me pardonner.* / *m'excuser.*
voir aussi I.4.3. : *s'excuser.*
DR : *Il lui a demandé (pardon, de l'excuser, de le pardonner).*

+ I.9.8. demander de (ne pas) transmettre

o *Je vous demande de dire à Pierre que Paul est venu.*
o *Dites à Pierre que (...).*
o *Je vous demande de ne pas dire à (...).*
o *Ne dites pas à Pierre que (...).*
o *Surtout ne lui dites pas.*
o *Ne lui dites surtout pas.*
o *Ne lui dites pas, surtout.*
Pas un mot à Pierre.
Il (ne) faut (pas) / *Je (ne) veux (pas)* | *que Pierre* | *le sache.* / *l'apprenne.*
Transmettez mes amitiés à Paul.
Embrasse-le pour moi.
o *Est-ce que vous pouvez dire à Pierre que (...) ?*
Tu diras à Pierre que (...).
Demande-lui / *Dis-lui* | *de ma part* | *si (...).* / *que (...).*
DR : *Il lui a demandé de (ne pas) (dire, transmettre) (...).*
Il l'a chargé de (dire, transmettre) (...).

ACTES DE PAROLE, I. Actes d'ordre (1) ANNEXE

ANNEXE

NOTIONS RELIEES AUX ACTES DE PAROLE

+ I.10. pragmatique

+ I.10.1. faisabilité

+ 1.10.1.1. faisabilité

+ *Il est possible de (faire).*
Il y a (toujours) moyen de (faire).
Ceci permet de (faire).
+ *C'est* | *faisable.* / + *possible.*
+ adjectifs en *-able, -ible, -uble.*
Ça peut se faire.
On peut (faire).
L'air peut se liquéfier.
On peut liquéfier l'air.

+ I.10.1.2. facilité

+ *C'est (+ facile).*
Ce n'est pas | *dur.* / *difficile.*
Ce livre se lit | *facilement.* / *sans difficulté.*
Ce n'est rien à faire.
Ça ne présente aucune difficulté.
C'est l'enfance de l'art. | (Fam.)
C'est simple comme bonjour. | (Fam.)
Ce n'est pas la mer à boire. | (Fam.)
C'est enfantin !
N'importe qui / *Un gamin* / *Tout le monde* | *peut le faire (pourrait)* / *le ferait* / *sait le faire (saurait)*
Ça se fait tout seul.

+ I.10.1.3. difficulté

+ *C'est (+ difficile, délicat).*
Ce n'est pas (si) facile (que cela).
Cela présente | *des* / *beaucoup de* | *difficultés.*
Ce n'est pas (si) simple (que cela).
Faut le faire ! | (Fam.)
C'est pas évident. | (Fam.)
Il faut se lever de bonne heure. | (Fam.)
Il faut s'accrocher. | (Fam.)
Ça ne se fait pas tout seul.
C'est trop | *dur* / *difficile* | *pour moi.* / *lui.*

ACTES DE PAROLE, I. Actes d'ordre (1) ANNEXE

+ I.10.1.4. infaisabilité

+ *Il est (absolument, pratiquement) impossible de (...).*
. *C'est (tout à fait) impossible.*
C'est (absolument) infaisable.
+ adjectifs en in - (-able, -ible, -uble).
Il n'y a (pas, aucun) moyen de (...).
Ceci | *empêche* / *interdit* / *ne permet pas* | *de (...).*
Autant chercher une aiguille dans une botte de foin.
Tu me demandes la lune (Fam.)
Je n'y arriverai pas.
Inutile d'essayer.
Pas question de (faire ...).

+ I.10.1.5. indispensabilité

Pour (... avoir, être, faire ...),
+ *Si l'on veut (... avoir, être, faire ...)*
| + *il faut (d'abord)* / + *on doit* / *il est* | *nécessaire de* / *obligatoire de* / *indispensable de* | / *il importe de* | *(faire ...).*
NB : devoir ☓ I.1.2.5.
On ne peut pas (... avoir, être, faire ...),
| *avant de (faire ...)*
| + *sans (faire ...).*
| *si l'on n'a pas (fait ...).*
| *tant qu'on n'a pas (fait ...).*
+ *Il me* | *faut (...).* / *faudrait (...).*
+ *J'ai* / *J'aurais* | *besoin de (...).*
p *oblige à faire d'abord* q.
p *nécessite (absolument)* q.

+ I.10.1.6. utilité

Pour (... avoir, être, faire ...).
Si l'on veut (... avoir, être, faire ...).
| *il est utile de* / *il vaut mieux* / *il y a intérêt à* | *(faire ...).*
(...) permet de (...).
facilite (...).
+ *Avec (...),* | + *c'est plus facile.* / *c'est moins difficile.* / *ce serait déjà fait.* / *vous y seriez déjà.*
Si l'on veut (...), il est bon de (...).
Ça vaut la peine de (...).

ACTES DE PAROLE, I. Actes d'ordre (1) ANNEXE

+ I.10.1.7. **inutilité**

Pour (...),
il est inutile de
il n'est pas nécessaire de
+ *ce n'est pas la peine de*
il n'y a pas besoin de
ça ne sert à rien de
(faire ...).
ça n'avance à rien de (...)
ça ne vaut pas le coup de (...). (Fam.)
On peut (...)
sans (faire ...).
même si l'on n'a pas fait (...).
Je n'ai pas besoin de (...).

+ I.10.2. **devoir**
(G. I.1.2.0., I.1.2. note et II.2.0.2.)

+ I.10.2.1. **obligation**

+ *Il faut*
Il est nécessaire de
+ *Il est obligatoire de*
(faire ...).
On se lave les mains avant de manger.
+ *Quand il fait froid on se couvre.*
Port du casque obligatoire.
+ *Prière de fermer la porte.*
Il me faut
+ *Je dois*
Mon devoir est de
J'ai le devoir de
J'ai à
Je suis tenu de
Je suis censé
Je suis chargé de
Je ne peux pas ne pas
(faire ...).
NB : devoir ≠ I.1.2.5., I.10.1.5.
+ Nom *m'a*
+ *demandé de*
ordonné de
donné l'ordre de
dit de
(faire ...).
Je me dois de
Il m'appartient de
(faire ...).
Les escaliers se montent en silence.
Présence obligatoire.
Je suis obligé de (...).
Je ne peux pas faire autrement.
X veut que je (fasse ...).

+ I.10.2.2. **interdiction**

+ *Il est interdit de*
défendu de
On n'a pas le droit de
+ *Défense de*
Il ne faut pas
(faire ...).
On ne montre pas avec son doigt.
On ne met pas les coudes sur la table.
On ne parle pas la bouche pleine.
Ça ne se dit pas comme ça.
On ne mange pas avec ses mains.
Accès interdit.
Défense d'entrer.
Prière de ne pas fumer.

ACTES DE PAROLE, I. Actes d'ordre (1) ANNEXE

+ *Je ne peux pas* | *(faire ...).*
+ *Je ne dois pas*
Je suis tenu de ne pas
Je suis censé ne pas
Pas question de (...).
Interdiction de (...).
Ça ne se fait pas.
+ Nom *m'a* | + *demandé* / *ordonné* / *donné l'ordre* / *dit* | *de ne pas (faire ...).*
interdit de / *défendu de* | *(faire ...).*
Nom *s'oppose à ce que je (fasse ...).*
Je ne peux pas me permettre de | *(faire ...).*
Il ne m'appartient pas de
Je n'ai pas à
Ce n'est pas à moi de
X ne veut pas que je (fasse ...).

+ I.10.2.3. permission

obligation et interdiction niées :
Il n'est pas obligatoire de | *(faire ...).*
Il n'est pas interdit de
etc.
+ *C'est* | + *permis.* / *autorisé.* / *toléré.* / *admis.* / *possible.*
+ *Je peux (faire ...) (,si je veux).*
J'ai le droit de (faire ...).
Rien ne / *Personne ne* | *m'empêche de* / *m'oblige à* | *(faire ...).*
J'ai la permission de | *(faire ...).*
Je suis autorisé à
+ Nom *m'a* | *donné* | *la permission de* / *l'autorisation de* | *(faire ...).*
permis de / *autorisé à*
Nom | *veut bien que je (fasse ...).* / *accepte*
+ *Je me permets de (faire ...).*
Accordé ! NB : expression de notions reliées
D'accord ! surtout aux actes d'ordre (2)
Pour (faire ...) j'ai | *l'autorisation de X.* / *l'accord de X.*
X m'a donné son accord pour (faire ...).

+ I.10.3. volition
(G. I.2.1.4.5.

+ I.10.3.1. indécision

Je ne sais pas si j'ai envie | *de venir* / *qu'il vienne.*
Je ne sais pas ce que je veux.
Je ne sais pas ce qu'il vaut mieux (que je fasse).
Je ne sais pas | *quoi en penser.* / *qu'en penser.*

+ *Ma foi !* (Int.)
Je verrai (bien).
On verra (bien).
+ *Peut-être.*
Je me demande | *Je ne sais pas* — *si, ce que ...*

+ I.10.3.2. indifférence

+ *Ça m'est (complètement, parfaitement)* | + *égal* / *indifférent* — *qu'il vienne (ou non).*
Il peut venir, | *ça m'est égal.* / *ça ne me fait ni chaud ni froid.* / *je m'en balance (pas mal).* (Fam.)
+ *Ça ne fait rien.*
Bof ! (Fam.)
Je ne suis pas contre.
Peut-être (Int.)
Pourquoi ! (Int.)
Je m'en moque.
Je n'en ai rien à faire.
Ce n'est pas | *grave* / *important.*
voir aussi I.11.5.2.

+ I.10.3.3. désir

+ I.10.3.3.1. intensité

Je désire | *que* p. / *des tomates.*
+ *J'ai (très) envie* | *que* p. / *de tomates.*
Ça me fait | *(beaucoup)* / *(très)* / *(drôlement)* | *envie.*
Je crève d'envie (...). (Fam.)
J'aimerais (beaucoup) / *Je voudrais (tant)* / *Qu'est-ce que j'aimerais* / *Ce que j'ai envie de* / *Je meurs d'envie de* | *(faire ...).* / *(avoir ...).* / *(être ...).* / *(...).* / *(...).*

+ I.10.3.3.2. préférence

+ *Je préfère* | *qu'il vienne.* / *des tomates.* / *Paul.*
Il est préférable qu'il vienne.
Il vaut mieux.
voir aussi I.11.1.8.
J'aimerais mieux que (...).
C'est mieux que (...).

ACTES DE PAROLE, I. Actes d'ordre (1) ANNEXE

+ I.10.3.3.3. espoir, souhait

+ *J'espère (bien)* | *qu'il viendra.* / *qu'il est venu.*
+ *Dans l'espoir que* p, *(...).*
J'ai / *Je garde* | *l'espoir de (...).*
Je compte (bien) que p.
Je souhaite (vivement) | *qu'il vienne.* / *qu'il soit venu.*
Il est à espérer que p.
On peut espérer que p.
+ *Il faut espérer que* p.
C'est souhaitable.
Pourvu que + p *!*
Si (seulement) il pouvait venir !
Puisse-t-il venir !
J'attends avec impatience qu'il vienne.
Je suis impatient de le voir.
Il | *reste* / *y a* | *un espoir pour qu'il arrive.*

+ I.10.3.3.4. désespoir

Je ne peux plus espérer qu'il vienne.
Comment pourrais-je encore espérer qu'il vienne !
Je n'espère pas | *qu'il vienne.*
Je n'attends plus | *qu'il vienne.*
Je n'ai plus rien à espérer de (...).
Il n'y a plus d'espoir (pour que ...).
(= je n'attends plus rien de lui).
voir aussi I.11.7.11.

+ I.10.3.4. crainte

J'ai peur qu'il (ne) vienne (pas).
Je redoute | *qu'il vienne.* / *sa venue.*
cf. I.1.7.3. (opinion) :
Je crains / *J'ai peur* | *que vous ne fassiez erreur.* / *qu'il ne vienne pas.* / *qu'il ne soit trop tard.* / *qu'il ne vienne pas.*
J'ai une de ces | *trouilles (que* p. *!)* (Fam.) / *pétoches !* (Fam.)
Je crève de peur.
Je suis | *vert* / *mort* | *de peur.*
Quelle panique !
J'ai la frousse.
J'en tremble.
Ça me file | *la trouille.* / *la frousse.* / *la pétoche.* | (Fam.)

+ I.10.3.4.1. anxiété

Je suis anxieux qu'il vienne.
Mon Dieu ! Pourvu qu'il vienne !
J'attends (sa venue) avec anxiété.
⁜ I.11.8.3. angoisse.

ACTES DE PAROLE, I. Actes d'ordre (1) ANNEXE

+ I.10.3.5. intention

+ *J'ai l'intention de m'en aller.*
Je pense m'en aller.
Je songe à m'en aller.
Je vais peut-être m'en aller.
Je veux m'en aller.
Je tiens (expressément) à m'en aller.
Je compte m'en aller.
J'ai dans l'idée de m'en aller.

+ I.10.3.5.1. décision

+ *J'ai décidé de m'en aller.*
J'ai pris la décision de m'en aller.
Je suis décidé à m'en aller.
(C'est décidé :) je vais m'en aller.
(Allez,) je m'en vais.
Ça y est, je m'en vais.

+ I.10.3.5.2. renoncement

Je renonce à m'en aller.
J'ai renoncé à m'en aller.
+ *Finalement, j'ai décidé de ne pas m'en aller.*
Finalement, je ne m'en irai pas.
(Bon,) je reste.
Changer d'avis :
Je ne veux plus | *Je n'ai plus envie de* | *Je n'ai plus besoin de* | *Je ne pense plus à* | *Je ne compte plus* — *m'en aller.*

+ I.10.3.6. volonté

J'aurais voulu | *Je voudrais* — *partir.* | *que vous partiez.*
Je voulais partir.
+ *Je veux* — *partir.* | *que vous partiez.*
Je tiens — *(vivement, expressément)* *à partir* | *à ce que vous partiez.*
+ *J'exige* — *de partir.* | *que vous partiez.*
+ *Je suis pour.*

+ I.10.3.6.1. tolérance

+ *Je* — *veux bien* | *comprends* — *que vous partiez.*
J'admets
Je ne m'oppose pas à ce que vous partiez.
+ *Je ne vois pas d'inconvénient à ce que (...).*
C'est — *supportable.* | *(bien) compréhensible.*
Je ne suis pas contre.
Je n'ai rien contre.
Pourquoi pas ! (Int.)
Je suis d'accord pour | *J'accepte* — *que tu partes.*
Ça ne me — *dérange* | *gêne* — *pas que tu partes.*

+ I.10.3.6.2. intolérance

+ *Je ne veux pas que vous partiez.*
Je ne tolère pas que (...). | aussi au futur
Je n'admets pas que (...). | aussi au futur
Je ne supporte pas que (...). | aussi au futur

C'est | *intolérable.*
| *inadmissible.*
| *insupportable.*
+ *Il n'en + est pas question.*
+ *Je suis contre.*
Ça me ferait mal que (...).
Je voudrais bien voir ça. (Int.)
Il ne manquerait plus que ça !
Et puis quoi encore ?

+ I.10.3.6.3. résignation

Je ne voulais pas mais il faut bien
| *que je m'y fasse*
| *s'y faire.*
Je ne peux rien y faire.
+ *Je n'y peux rien.*
+ *Tant pis !*
Je ne voulais pas, mais je le ferai quand même

Je m'y | *ferai.*
| *fais.*
Je me suis fait à cette idée.
Il faudra bien que je m'y fasse.
Si ne je peux pas faire autrement ...
A la rigueur !

+ I.10.4. compétence
(G. I.1.2.1.4.5.)

+ I.10.4.1. compétence

Il est très à l'aise.
+ *Je sais le faire.*
+ *Il sait le faire.*
Il saurait le faire.
Il le ferait très bien.
C'est quelqu'un de (très) bon, doué
| *(en la matière).*
| *(dans ce domaine).*
+ *Il (est, serait) capable de le faire.*
Il fait ça | *très bien.*
| *à la perfection.*
| *en un tournemain.*
Il sait y faire.
Il a le coup.

+ I.10.4.2. incompétence

Expressions négatives de la compétence
+ *Je ne sais pas le faire.*
Ce n'est pas | *(de) son domaine.*
| *(de) son rayon.*
+ *Il est trop (jeune, petit) pour le faire.*
Il n'y | *connaît* | *rien.*
| *comprend* |

ACTES DE PAROLE, I. Actes d'ordre (1) ANNEXE

+ I.10.5. capacité
(G. I.2.1.4.5.)

+ I.10.5.1. capacité

+ *Je peux le faire.*
+ *Je suis capable de le faire.*
Je suis en état de le faire.
Je me sens de le faire.
Ce n'est pas au-dessus de mes forces.
Ça me paraît | *possible.*
| *faisable.*
Il y a tout ce qu'il faut pour le faire.
Il y arrive parfaitement.
Je suis assez en forme pour le faire.

+ I.10.5.2. incapacité

Expressions négatives de la capacité
+ *Je ne peux pas le faire.*
+ *J'en suis incapable.* etc.
Je n'y arrive pas.
Il est trop (faible, énervé, ...) pour le faire.
Il n'a pas les moyens | *intellectuels de le faire.*
| *physique*
Il n'est pas assez (...) pour le faire.

+ I.10.6. motivation
(G. III.1.5.)

+ *Il a fait cela par* | *amitié.* cf. I.11.1.
| *pitié.* cf. I.11.1.
| *dépit.* cf. I.11.7.
parce que Nom *ne pouvait pas le faire lui-même.* cf. I.10.12.
+ *Pourquoi as-tu fait cela ?*
question sur la motivation ou sur le but (I.10.7.)
※ I.3.4.
Il a fait cela par | *intérêt.* cf. I.10.10.10.
| *égoïsme.* cf. I.11.1.
| *méchanceté.* cf. I.11.1.
| *gentillesse.* cf. I.11.1.
| *orgueil.* cf. I.11.4.
| *lâcheté.* cf. I.11.4.
Il a fait cela parce qu'il se sentait coupable de (...). cf. I.10.11.

+ I.10.7. but
(G. I.1.2.6.)

+ *Il a fait cela pour* | *se faire admirer.* cf. I.11.1.1.
| *l'ennuyer.* cf. I.11.8.1.
| *paraître* | *gentil.* cf. I.10.10.
| | *content.* cf. I.11.6.
Il lui a dit cela pour le rassurer.
Il est sorti pour prendre l'air.
Pourquoi as-tu fait cela ? (※ I.3.4.)
voir I.10.6. motivation
Pour quoi faire (est-ce que tu as fait ça) ?
Tu as fait ça dans | *quel but ?*
| *quelle intention ?*
Il a fait cela pour | *l'aider.*
| *rendre service.*
| *faire bien.*

ACTES DE PAROLE, I. Actes d'ordre (1) ANNEXE

+ I.10.8. échec, réussite

+ I.10.8.1. abstention

Il n'a pas cherché à (...).
+ *Il n'a (même) pas essayé de (...).*
Il n'a fait aucun effort pour (...).
Il n'a pas fait l'effort de (...).
Il ne s'est pas donné la peine de (...).
Il n'a pas pris la peine de (...).
Il s'est retenu de (...).
Je résiste à (...).
+ *J'allais (faire ...) mais je ne le ferai pas.*
cf. I.10.3.5.2.
Il a évité de (...).
Il s'est | arrangé / débrouillé | pour ne pas (faire ...). / ne rien (faire).
Il n'a rien fait pour (...).
Je voulais (faire ...)
mais ce n'est | plus / pas | la peine

+ I.10.8.2. tentative

Il a tenté de (...).
+ *Il a essayé de (...).*
Il s'est donné la peine de (...).
+ *Il a pris la peine de (...).*
Il s'est appliqué à (...). cf. I.10.10.
+ *Je vais essayer de (...).*
Je vais tâcher de (...).
Il s'est forcé à (...).
+ *Je ne voulais pas en parler mais + puisque/si vous insistez (...).* cf. I.10.3.6.3.
Il a tout fait pour (...).
Il finira peut-être par y arriver.
Je veux bien essayer mais ...

+ I.10.8.3. réussite

+ *Il a réussi à (...).*
+ *Il est arrivé à (...).*
Il est parvenu à (...).
Il a (fait ...).
Il a bien | joué / manoeuvré
Il a fini par | y arriver. / le faire.

+ I.10.8.4. échec

+ *Il a échoué à (...).*
expressions négatives de I.10.8.3. réussite
+ *Il a | + failli / manqué | le blesser.*
Il s'en est fallu de peu (qu'il ne le blesse).
+ *Un peu plus, / Pour un peu, | il le blessait.*
Il a raté son coup.
Il n'en était pas loin.
C'était trop | dur / difficile | pour lui.

ACTES DE PAROLE, I. Actes d'ordre (1) ANNEXE

+ I.10.9. dispositions subjectives
(G. II.1.4.1.)

+ I.10.9.1. assurance

Il a fait cela avec (beaucoup d') assurance.
Il ne manque pas d'assurance.
+ *Il est sûr de lui.*
Il lui a carrément demandé de (...).
Il ne se laisse pas faire.
Il | *a beaucoup de* / *ne manque pas* | *culot.*
Il est drôlement culoté. (Fam.)

+ I.10.9.2. timidité

Il a fait cela avec timidité.
Il le lui a demandé timidement.
+ *Il n'a pas osé le faire, il est trop timide.*

+ I.10.9.3. orgueil

Il lui a répondu avec orgueil (...).
C'est un vantard. cf. I.4.1.
Ce n'est pas la modestie qui l'étouffe.
+ *Pour qui se prend-il (celui-là) !*
Il ne manque pas d'ambition.
Il a tout vu, tout fait celui-là !
Il en rajoute. (Fam.)
Il sait ce | *qu'il veut.* / *qu'il vaut.*
Il ne se prend pas pour / *Il ne se croit pas* | *rien !*

+ I.10.9.4. modestie

Il a fait cela avec modestie.
Il lui a répondu modestement.
+ *C'est quelqu'un de très* | *modeste.* / *discret.* / *effacé.* / *désintéressé.*
Ne soyez pas (si) modeste.
° *Vous êtes trop modeste.*
Il n'a pas / *Il manque* | *d'ambition.*
Il n'en rajoute pas.
Il ne fait pas de cinéma.
Tu ne | *t'imposes* / *te montres* | *pas assez.*

+ I.10.9.5. humilité

Il a fait cela avec | *simplicité.* / *respect.*
Il lui a demandé | *respectueusement de (...).* / *simplement de (...).*
Il l'a prié.

+ I.10.9.6. innocence

+ *Il a fait cela* | *avec* / *en toute* | *innocence.* / *sans penser à mal.*
Il l'a avoué innocemment.
Il a fait cela | *sans arrière pensée.* / *sans se rendre compte de (...).*
Il l'a avoué naïvement.
Il a été naïf.
※ I.10.11.3.

+ I.10.9.7. culpabilité

Je me sens coupable de faire cela.
+ *Je ne devrais pas faire cela.*
J'ai honte de faire cela.
※ I.10.11.4.

+ I.10.10. dispositions objectives
(G. II.1.4.1.)

+ I.10.10.1. aisance

+ *Il a fait cela* | *avec (beaucoup) de facilité.*
| *sans* | *aucune* | *difficulté.*
| | *la moindre* |
| *avec brio*
Il a fait cela comme si de rien n'était.
Vite fait, bien fait. (Fam.)
Il a fait cela | *facilement*
| *les doigts dans le nez.* (Fam.)
| *comme une lettre à la poste.* (Fam.)

+ I.10.10.2. difficulté

+ *Il a eu du mal à le faire.*
Ça m'a été très pénible de le faire.
Je me suis | *rudement fait suer.* (Fam.)
| *drôlement*
Qu'est-ce que je me suis fait suer ! (Fam.)
Il a eu beaucoup | *de difficultés.*
| *de problèmes.*
J'en ai bavé. (Fam.)
Il fallait le faire. (Fam.)

+ I.10.10.3. application

+ *Il a fait cela* | *avec application.*
| *en s'appliquant.*
| + *de son mieux.*
| *du mieux qu'il a pu.*
Il s'est (beaucoup) appliqué.
Il n'a rien laissé au hasard.
Il y a mis du sien.
Il s'est démené pour (...).

+ I.10.10.4. désinvolture
insouciance

+ *Il a fait cela* | *avec insouciance.*
| + *sans s'en faire.*
Il a été un peu léger.
Il ne s'est pas cassé la tête.
Il ne s'est pas | *foulé.*
| *gêné.*
| *embêté.*

+ I.10.10.5. prudence

+ *Il a fait cela avec* | *prudence.*
| + *prudemment.*
| *avec beaucoup de précautions.*
Il n'a pris aucun risque.
+ *Il a eu la prudence de (ne pas) le faire.*
Il a | *pris* | *des gants.* (Fam.)
| *mis* |
Il a fait très attention.
Il a fait gaffe. (Fam.)
Il sait ce qu'il fait.
Il a bien calculé son coup.
Il a été prudent.

ACTES DE PAROLE, I. Actes d'ordre (1) ANNEXE

+ I.10.10.6. imprudence

+ *Il a fait cela* | *avec imprudence.*
imprudemment.
sans prudence.

+ *Il a eu l'imprudence de (ne pas) le faire.*

Il a pris | *des* / *beaucoup (trop) de* / *trop de* | *risques.*

Il n'a pas fait (assez) | *attention.* / *gaffe.* (Fam.)

Il a été imprudent.

Il n'a pas pris assez de précautions.

Il a fait cela | + *au risque de (...).*
sans s'inquiéter de (...).
sans tenir compte de (...).
sans considérer (...).
(... danger, conséquences ...).

Il n'a pas | *mis* / *pris* | *de gants.* (Fam.)

Il a fait cela sans penser à ...

+ I.10.10.7. douceur, gentillesse, tendresse

+ *Il a fait cela* | *avec* | *douceur.* / *gentillesse.* / *tendresse.*
doucement.
gentiment.
tendrement.

+ I.10.10.8. dureté, méchanceté

+ *Il a fait cela* | *avec* | *dureté.* / *méchanceté.* / *brusquerie.*
durement.
méchamment.
brusquement.

Il n'y est pas allé | *par quatre chemins.* / *de main morte.*

Il l'a carrément mis à la porte.

Il l'a foutu à la porte. (Fam.)

Il ne s'est pas gêné pour ...

+ I.10.10.9. altruisme

+ *Il a fait cela* | + *pour* Nom.
en pensant à Nom.
+ *par désintéressement.*
sans tenir compte de ses (propres) intérêts.
par | *esprit* | *humanitaire.* / *de solidarité.*
philanthropie.
humanitarisme.
charité.
solidarité.

Il a fait cela par | *bonté.* / *générosité.*

Il a fait beaucoup pour X.

ACTES DE PAROLE, I. Actes d'ordre (1) ANNEXE

+ I.10.10.10. égoïsme

+ *Il a fait cela* | + *par* / *avec* | *égoïsme.*

Il n'a pensé qu'à | + *lui* / *ses (propres) intérêts.*

Il n'a agi que | *par* | *égoïsme.* / *intérêt.*
| *pour son* | *(propre) intérêt.* / *intérêt personnel.* / *propre compte.*

Il a été très égoïste.

+ I.10.10.11 obéissance

Il a été obéissant en (ne) faisant (pas) cela.

+ *Il a fait ce qu'on lui avait* | + *dit* / *demandé* / *ordonné* | *de faire.*

Il a fait ce que Nom *voulait qu'il fasse.*

Il a suivi (scrupuleusement) | *les indications* / *les ordres* | *qui lui avaient été donné(e)s.*

Il a bien | *écouté.* / *obéi.*

+ I.10.10.12. désobéissance

Il a désobéi en (ne) faisant (pas) cela.

expressions négatives de l'obéissance.

+ I.10.11 responsabilité

voir aussi I.11.4.

+ I.10.11.1. responsabilité

Il a fait cela.

+ *C'est lui qui a fait cela.*

C'est lui le responsable.

Il en est le responsable.

C'est | *grâce à* / *à cause de* | *lui, toi, vous.*

+ I.10.11.2. non-responsabilité

Il n'a pas fait cela.

+ *Ce n'est pas lui qui a fait cela.*

Il n'y est pour rien.

Il n'est pas dans le coup. (Fam.)

Il n'a rien à voir avec ça.

+ I.10.11.3. innocence

Je suis innocent.

Je n'ai rien fait de mal.

Il est innocent.

Ce n'est pas de sa faute.

- expressions de la non-responsabilité, appliquées à un acte coupable.

+ I.10.11.4. culpabilité

C'est moi le coupable.

C'est lui le coupable.

C'est très mal, ce que vous avez fait.

Vous n'avez pas honte !

Vous vous rendez compte de ce que vous avez fait !

C'est de sa faute.

- expressions de la responsabilité, appliquées à un acte coupable.

ACTES DE PAROLE, I. Actes d'ordre (1) ANNEXE

+ I.10.11.5. mérite, gloire

Il a le mérite d'avoir fait cela.
Vous avez bien mérité de la nation.
Vous méritez une récompense.
NB : le verbe *mériter* s'emploie aussi pour les sanctions liées à la culpabilité :
Vous méritez une punition.
Il y a de quoi être fier.
Il s'est couvert de gloire en faisant cela.
C'est grâce à lui que (...).
Il peut en être fier.

+ I.10.11.6. audace, témérité

Il a eu | *l'audace* / *la témérité* | *de faire cela.*
Il a osé le faire.
Il a été | *audacieux.* / *téméraire.*
Comment osez-vous !
Vous ne manquez pas d'audace.
o+ *Je n'ose pas vous demander de (..).*
NB : C'est une demande.
+ *Il* | *a* | *osé (...).* / *eu le courage de (...).*
| *n'a pas craint de (...).*
| *n'a pas eu peur de (...).*
Il n'a peur de rien !
Il est gonflé ! (Fam.)
Il a un de ces culots ! (Fam.)
(Pas) chiche ! (Fam.)
Il a eu le culot de faire cela.
Il a été culoté.
Pourquoi pas ! (Int.)

+ I.10.11.7. courage

+ *Il a eu le courage de le faire.*
Il a fait preuve | *de* / *d'un grand* | *courage.*
Il l'a fait avec (beaucoup) de courage.
Il a été (très) courageux.

+ I.10.11.8. lâcheté

Il a fait cela par lâcheté.
Il a eu la lâcheté de (ne pas) le faire.
Ce n'est qu'un lâche.
+ *Il a manqué de courage.*
Poltron ! (Fam.)
Poule mouillée ! (Fam.)
Il a baissé les bras.
Il n'a même pas essayé de ...

+ I.10.12. conditions matérielles et (G. I.2.6. et III.1.7.)

+ I.10.13. conséquences matérielles (G. IV.1.4.5. et 7)

voir 0.3.2.1.2.
I.9.0.1. a. 15
16
b. 15
16
c. 6
7

ACTES DE PAROLE, I. Actes d'ordre (1) ANNEXE

+ I.11. affectivité

+ I.11.1. attitude vis-à-vis d'une chose, une personne, un fait
(G. I.1.2.4.5.)

+ I.11.1.1. intérêt

+ *Je m'intéresse à la musique.*
+ *Je trouve cette idée intéressante.*
Je suis curieux de voir cela.
Cette idée ne manque pas d'intérêt.
Ça m'intéresse(rait) de ...
J'aime(rais) (...).
Je suis / serais | très intéressé / tenté / attiré | par ...
Je m'intéresse à Paul.
+ *Je trouve Paul intéressant.*
Paul est intéressant.
voir aussi I.11.6.6.7.

+ I.11.1.2. appréciation

J'aime bien | les tomates à la provençale. / cette proposition.
Ça me plaît bien, ce que vous dites.
+ *J'apprécie (beaucoup) Paul.*
C'est quelqu'un que j'apprécie beaucoup.
Ça me plaît (bien, beaucoup) / Ça me fait plaisir / C'est bien | que tu sois là.
Je trouve ça bien.
Je m'entends bien / J'aime bien être | avec Paul.
C'est une bonne idée.

+ I.11.1.3. admiration

Je vous admire d'avoir fait cela.
J'admire la peinture de Nom.
+ *J'ai de l' / Je n'ai qu' | admiration pour cette architecture*
+ *Magnifique !*
Admirable !
+ *Ah !*
+ *Oh !*
Pousser des oh ! et des ah !
(Qu'est-ce) que c'est | beau ! / bien ! / bon !
Je trouve ça / C'est | terrible / drôlement beau / sensationnel / merveilleux / génial / super
C'est un excellent coureur.

ACTES DE PAROLE, I. Actes d'ordre (1) ANNEXE

+ I.11.1.4. considération

J'ai | de la / beaucoup de | considération | envers / pour Paul.
J'ai beaucoup d'estime pour X.
Je l'estime beaucoup.
C'est quelqu'un de très bien.

+ I.11.1.5. sympathie

\+ *J'ai de la sympathie pour | Paul. / cette idée.*
J'éprouve de la sympathie pour (...).
\+ *Je trouve | Paul / cette idée | sympathique.*
(...) est (tout à fait) sympathique.
Il est sympa. (Fam.)
C'est un (bon) copain.
Je suis attiré par X.

+ I.11.1.6. amitié

\+ *J'ai de l'amitié pour Paul.*
\+ *J'aime bien Paul.*
\+ *Paul est mon ami.*
Je suis très ami avec X.
J'aime beaucoup X.

+ I.11.1.7. amour

\+ *J'aime (que, quand) vous m'appel(i)ez Gaston.*
\+ *J'adore | + les tomates à la provençale. / + la musique.*
\+ *J'aime Paul.*
Je suis amoureuse de Paul.
\+ *J'adore Paul.*
Je suis folle de lui.
Je t'aime.
\+ *Tu me plais.*
Il est | fou / passionné | de foot.
C'est un | passioné / dingue | de ...

+ I.11.1.8. préférence

\+ *Je préfère | les tomates (aux petits pois). / Paul (à Pierre).*
\+ *J'aime mieux Paul (que Pierre).*
J'aime bien Pierre mais je préfère Paul.
Je n'aime ni Pierre, ni Paul, mais (à tout prendre), c'est (encore) Paul que je préfère.
A choisir, c'est X que j'aime le mieux.
voir aussi I.10.3.3.2.

+ I.11.1.9. pitié

J'ai pitié | des voisins. / de Paul.
voir aussi I.11.7.9.

+ I.11.1.10. antipathie

\+ *Je n'aime pas beaucoup | cette idée. / Paul.*
Cette idée / Paul | m'est antipathique. / ne m'est pas sympathique.
Il m'est tout à fait antipathique.
Je n'ai aucune attirance pour ...
Il ne me plaît pas du tout.

ACTES DE PAROLE, I. Actes d'ordre (1) ANNEXE

+ I.11.1.11. hostilité

Je suis (tout à fait) contre ...
Je m'oppose à ...

+ I.11.1.12. haine

Je déteste que vous fassiez ce geste.
Elle déteste qu'il fume.
+ *Elle a horreur de ça.*
Elle ne supporte pas ça.
+ *Je* | + *déteste* / *hais* | *Paul.*
Je ne peux pas le | *sentir.* (Fam.) / *blairer.* (Fam.) / *piffer.* (Fam.) / *voir.* (Fam.)

+ I.11.1.13. dédain

Je n'ai rien à faire de ...
Il n'a rien voulu savoir.
Il n'a même pas voulu s'en occuper.
... ça ne m'intéresse pas (du tout).

+ I.11.1.14. mépris

Je méprise Paul.
J'ai du mépris pour ce genre (d'individu, d'acte).
Paul est (quelqu'un de) méprisable.
Je suis | *dégouté* / *écoeuré* | *par la publicité.*

+ I.11.2. attitude vis-à-vis de l'avenir
(G. I.2.1.4.5.)

+ I.11.2.1. confiance

+ *J'ai confiance* | *en cet outil.* / *en la justice.* / *en Paul.*
+ *Il m'inspire confiance.*
Je compte sur lui.
° *Vous pouvez* | + *avoir confiance en lui.* / + *compter sur lui.*
C'est quelqu'un en qui on peut avoir confiance.
N'aie pas peur.
° *Fais-moi confiance.*
Ayez confiance.
° *Ne t'inquiète pas.*
+ *Tout ira bien.*
+ *Ne te fais pas de* | *souci.* / *mauvais sang.* / *bile.*
Je | *crois (bien)* / *pense* | *qu'il viendra.*
Tu peux t'appuyer sur lui.

+ I.11.1.2. méfiance

+ *Je me méfie* | *de Paul.* / *de ses promesses.*
+ *Je n'ai pas confiance en lui.*
+ *Il ne faut pas s'y fier.*
+ *Il vaut mieux se méfier.*
Ça ne m'inspire pas (confiance).
Ça ne me dit rien (qui vaille).

ACTES DE PAROLE, I. ACTES D'ORDRE (1) ANNEXE

+ I.11.3. attitude vis-à-vis de ce qu'autrui nous a fait (G. I.2.1.4.5.)

+ I.11.3.1. gratitude, reconnaissance

J'ai | *de la* / *beaucoup de* | *reconnaissance envers Paul.*
Je lui suis reconnaissant d'avoir fait cela.
Je lui dois beaucoup.
+ *Sans lui ... (je n'y serais jamais arrivé).*
+ *Grâce à lui ... (j'y suis arrivé).*
Il a fait beaucoup pour moi.

+ I.11.3.2. rancune, ressentiment

+ *J'en veux à Paul de m'avoir fait cela.*
J'ai de la rancune envers Paul.
Je ne suis pas prêt | *d'oublier ça.* / *d'avaler ça.* (Fam.)
+ *Je m'en souviendrai.*
+ *Je ne suis pas près de lui pardonner.*
Tu ne perds rien pour attendre.
Je t'aurai (au tournant).
Salaud ! (Fam.)
Quel salaud ! (Fam.)
Ah ! le salaud ! (Fam.)
Il s'en souviendra.

+ I.11.3.3. ingratitude

Il a été ingrat envers Paul.
Il ne lui est même pas reconnaissant de (...).
Il | *oublie* / *a oublié.* | *ce que X a fait pour lui.*

+ I.11.4. sentiment lié à la responsabilité (cf. I.10.11.) (G. I.2.1.4.5.)

+ I.11.4.1. fierté

+ *Je suis fier* | + *d'avoir réussi.* / *que tu aies réussi.* / *de moi.* / *de toi.* / *d'être un des meilleurs.* / *de mon devoir.*
Cela me rend fier.
Il y a de quoi être fier.

+ I.11.4.2. honneur

Cela me fait honneur.
+ *J'ai l'honneur de vous informer que (...).*
Vous me faîtes beaucoup d'honneur.
(stéréotype de la correspondance administrative)
Quel honneur !

ACTES DE PAROLE, I. Actes d'ordre (1) ANNEXE

+ I.11.4.3. honte

J'ai honte | d'avoir ...
| que tu aies ...
J'ai honte de | moi.
| toi.
Je | me fais honte.
Tu |
J'ai honte d'avoir | de tels amis.
| des boutons.
Cela me fait honte.
Quelle honte !
o *J'ose à peine vous | dire | que (...), tellement*
| avouer |
| j'ai honte.
| je suis honteux.
| ça me fait honte.
Il n'y a pas de quoi être fier.
Il y a de quoi | avoir honte.
| se faire tout petit.
| rentrer sous terre.
| se cacher.
Il ne faut pas avoir honte.
Je n'aurais jamais dû faire cela.
Je suis très gêné de ...
Je ne sais plus où me mettre.

+ I.11.4.4. déshonneur

Je suis déshonoré.
Cela me rabaisse. (Fam.)

+ I.11.5. sentiment lié à l'inattendu
(G. I.2.1.4.5.)

+ I.11.5.1. surprise,
étonnement

Je suis | surpris | qu'il soit là.
| étonné |
Je n'aurais pas cru cela.
\+ *Je ne m'y attendais pas.*
\+ *C'est | surprenant.*
| étonnant.
Tiens ! (Int.)
Cela me | surprend.
| m'étonne.
\+ *Quelle | (bonne) | surprise !*
| (mauvaise) |
Ça, pour une surprise, c'est une surprise !
\+ *Ce n'est pas | croyable !*
| possible !
Je n'en reviens pas.
\+ *Ça alors !* (Int.)
Qu'est-ce que vous dites ? (Int.)
Quoi ? (Int.)
Je rêve ou quoi ? (Int.)
Qu'est-ce qu'il ne faut pas entendre ! (Int.)
Sans blague ! (Fam.)
Ma parole ! (Fam.)
Ce n'est pas vrai ! (Fam.)
Tu ne vas pas me dire que ...
Je ne peux pas | y croire
| croire que ...
Eh bien, | si je m'attendais à (cela).
| si on m'avait dit (cela).
voir aussi I.11.6.7.

ACTES DE PAROLE, I. Actes d'ordre (1) ANNEXE

+ I.11.5.2. indifférence

voir I.10.3.2.

Ça ne | *me surprend pas.*
| *m'étonne pas.* etc.

Qu'est-ce que | *ça peut faire ?*
| *tu veux que ça me fasse ?*
| *j'en ai à foutre ?* (Fam.)

Si tu crois que ça m'intéresse .... (Int.)

Et alors ? (Int.)

J'en ai vu d'autres.

Pourquoi pas ... (Int.)

Peut-être ... (Int.)

Pour ce que j'en ai à faire.

+ I.11.6. sentiment lié à une réalité agréable
(G. I.2.1.4.5.)

+ I.11.6.1. satisfaction

Je suis satisfait | *qu'il se soit enfin décidé.*
| *de ce résultat.*
| *de vous.*

Cela me satisfait.

C'est satisfaisant.

J'ai eu ce que | *je voulais.*
| *je désirais.*

Je n'en | *espérais* | *pas* | *plus.*
| *demandais* | | *davantage.*

A ma grande satisfaction, (...).

J'en ai eu pour mon argent.

Ça me va.

C'est très bien.

Je trouve très bien que tu aies fait cela.

Je trouve | *ce résultat* | *très* | *bien.*
| *ça* | | *bon.*

Cette idée | *me va très bien.*
Ce résultat |

+ I.11.6.2. contentement

\+ *Je suis content* | *qu'il se soit décidé.*
| *de ce résultat.*
| *de vous.*

\+ *C'est exactement ce que je* | *voulais.*
| *désirais.*
| *espérais.*

+ I.11.6.3. plaisir

° *(Comme) ça me fait plaisir de te voir !*
Quel plaisir !
(Comme) c'est agréable !
Quel pied ! (Fam.)

° *J'ai le (très grand) plaisir de vous*
| *annoncer* | *que (...).*
| *informer* |

(stéréotype de la correspondance administrative)

Ça me fait du bien.

Ça m'a mis en forme.

Ça me plaît bien de te voir.

ACTES DE PAROLE, I. Actes d'ordre (1) ANNEXE

+ I.11.6.4. bonheur

∘ *Je suis heureux* | + *de te voir.* / *de savoir que tu vas venir.*

∘ *Quel bonheur* | *de te voir !* / *que tu viennes !*

Cela m'a mis de bonne humeur.

※ I.11.9.1.

+ I.11.6.5. joie

Je suis heureux | *de savoir que (...).* / *depuis que j'ai appris que (...).*

+ *Quelle joie !*

+ *Je suis fou de joie.*

∘ *J'ai la (très grande) joie de vous annoncer que (...)*

C'est une très grande joie pour moi de vous | *rencontrer* / *annoncer que ...*

stéréotypes.

+ I.11.6.6. intérêt

Voir aussi I.11.1.1.

La musique / *Paul* | *m'intéresse.*

+ *Je suis (très, vivement)* | *intéressé par vos propositions.*

C'est intéressant.

C'est excitant.

(Ça) | *m'intéresse* / *m'attire* | *(beaucoup)* | *(ce que tu ...)*

+ I.11.6.7. fascination

Je suis émerveillé par son audace.

J'ai vu un film ...

(C'est) | *incroyable.* / + *génial.* / *dingue.* (Fam.)

Je suis très attiré par son courage.

J'ai vu un film très | *attirant.* / *prenant.*

C'est / *Je trouve ça* | *merveilleux.* / *formidable.* / *terrible.* (Fam.) / *super.* (Fam.) / *génial.* (Fam.)

Les bras m'en tombaient.

J'en suis tombé sur le cul. (Fam.)

Il y a de quoi se mettre à genoux. (Fam.)

voir aussi I.11.5.1.

ACTES DE PAROLE, I. Actes d'ordre (1) ANNEXE

\+ I.11.7. sentiment lié à une réalité désagréable
(G. I.2.1.4.5.)

\+ I.11.7.1. insatisfaction

Je ne suis pas (du tout) satisfait.
Cela n'est pas (très) satisfaisant.
Cela ne me | plaît pas.
| suffit pas.
Ce n'est pas | assez.
| suffisant.
C'est bien peu.
\+ *Ce n'est pas (très) intéressant.*
\+ *Ce n'est pas ce | que je | voulais.*
| désirais.
| espérais.
| à quoi | je m'attendais.
| j'aurais pu m'attendre.
Cela laisse à désirer.
C'est tout ?
Encore !
C'est minable !

\+ I.11.7.2. déception

Je suis déçu | qu'il ne vienne pas.
| de cette promenade.
Paul m'a déçu.
Je n'aurais pas cru cela de lui.
Moi qui croyais qu'il viendrait !
(Et) dire
Quand je pense | qu'il m'avait promis de venir !
Vous me décevez.
Ce n'est pas | juste.
| normal.
Si j'avais su ... (Int.)
Ce n'est | que ça ... (Int.)
| pas ça que j'attendais.

\+ I.11.7.3. regret

\+ *Je regrette qu'il (ne) soit (pas) venu.*
Je regrette | Paul.
| mon pays.
| d'avoir fait cela.
Il n'est pas venu. | C'est (bien) regrettable.
| C'est (bien) dommage.
Hélas, il n'est pas venu.
Malheureusement, il n'est pas venu.
\+ *Si seulement | il était venu !*
| il avait pu venir !
Pourquoi n'est-il (donc) pas venu ! (Int.)
Si c'était à refaire, je recommencerais.
C'est | dommage | qu'il ne soit pas là.
| bête |
Tu aurais dû être là.
Absence de regret :
\+ *Je ne regrette rien.*

ACTES DE PAROLE, I. Actes d'ordre (1) ANNEXE

+ I.11.7.4. dépit

Je suis vexé qu'il ne soit pas venu.
Il m'a proposé un autre rendez-vous mais, vexé, je n'ai pas répondu à sa lettre.

+ I.11.7.5. déplaisir

+ *Cela ne | me plaît pas.*
| déplaît.
Ce film | m'a déplu.
| ne m'a pas plu beaucoup.
C'est (très) | déplaisant.
| désagréable.
Je n'aime pas beaucoup ça.
Je n'aime pas ça du tout.
Ça | m'ennuie | qu'il ne soit pas là.
| m'embête |
| me gêne. |

+ I.11.7.6. malheur

Je suis malheureux qu'il soit parti.
Mon voisin me rend malheureux.
Malheureusement, il est trop tard.
Par malheur, il n'a pas reçu ma lettre.
Quel malheur !
Hélas !

+ I.11.7.7. tristesse

Je suis triste à cause de lui.
Cela me rend triste.
Du coup, je me sens (tout) triste.
C'est d'une tristesse !
Quelle tristesse !
Ça me déprime.
Ça me | fiche | le moral | à zéro. (Fam.)
| fous | | en l'air. (Fam.)

+ I.11.7.8. chagrin

J'ai | du chagrin | qu'il soit parti.
| de la peine |
J'ai du chagrin à cause de Paul.
Cela me fait de la peine.
J'ai envie de pleurer.

+ I.11.7.9. pitié

Tu (me) fais pitié.
Je ne voudrais pas être à ta place.
Ça fait pitié.
Il était dans un état lamentable.
voir aussi I.11.1.0.

+ I.11.7.10. dégoût

Je suis dégoûté.
C'est dégoûtant ce qu'il a fait.
Ça | me dégoûte.
Il | m'écoeure.
| me répugne (profondément)
C'est (vraiment) | + dégoûtant.
Je trouve ça | écoeurant.
| répugnant.
J'en ai | des haut-le-coeur.
| la nausée.
Tu vas me faire vomir.
Pouah ! (vieilli)
Beuark ! (Fam.)
C'est très moche | qu'il ait fait cela.
| d'avoir fait cela.

ACTES DE PAROLE, I. Actes d'ordre (1) ANNEXE

+ I.11.7.11. désespoir

voir aussi I.10.3.3.4.
Je suis désespéré d'avoir raté mon examen.
Je n'attends plus rien (de la vie).
Rien ne m'intéresse plus.
Je n'arrive plus à m'intéresser à rien.
Tout me dégoûte.
Quelle catastrophe !
Je suis catastrophé.
Je ne m'en remettrai pas.

+ I.11.7.12. envie, jalousie

Je suis jaloux de | *la voiture de Paul.* / *cette voiture.* / *Paul.*
J'envie | *Paul (d'avoir une aussi belle voiture).* / *cette voiture.* / *les gens qui n'ont pas besoin de travailler.*
Il n'y en a que pour lui.
Toujours les mêmes !
J'aimerais bien | *être à sa place, comme lui.* / *avoir ce qu'il a.* / *faire ce qu'il fait.*

+ I.11.7.3. irritation, indignation, exaspération

Cela m'a mis de mauvaise humeur.
* I.11.9.2.
Je suis | *irrité par ce retard.* / *énervé par son silence.* / *indigné par ta conduite.*
C'est pénible | *(quand même) !* / *(à la fin) !*
C'est | *insupportable.* / *inadmissible.* / *dégoûtant.* / *révoltant.*
Ça m'a gâché ma journée.
Tu m'énerves.
Ça m'énerve.
Mais qu'est-ce que tu as ! (Int.)
Mais qu'est-ce qu'il a fait !
J'en ai assez (de ...) !
Il y en a marre. (Fam.)
Je suis (très) en colère à cause de | *ce retard.* / *ta conduite.*

+ jurons (Fam.)

(Ah) zut (alors) !
(Ah) merde (alors) !
J'en ai marre !
J'en ai ma claque !
(J'en ai) ras-le-bol !

adressés à autrui

Ta gueule !
(Espèce) | *d'* / *d'* / *de* | *idiot.* / *imbécile.* / *crétin.*
(Quel) sale caractère.
Pauvre type ! (* I.2.4.)

ACTES DE PAROLE, I. Actes d'ordre (1) ANNEXE

+ I.11.8. sentiment lié aux conséquences d'une réalité désagréable.
(G. I.2.1.4.5.)

+ I.11.8.1. ennui, embarras

Ça m'ennuie qu'il soit parti, j'avais besoin de lui.
C'est | embarrassant.
| ennuyeux.
Je suis bien | embarrassé.
| ennuyé.
Comment faire ?
Qu'est-ce que je vais (bien pouvoir) faire, maintenant qu'il est parti !
Je ne sais | plus | quoi faire.
| pas |
Ça me gêne de te dire ça.
Qu'est-ce que je vais lui dire ?

+ I.11.8.2. inquiétude

Je suis inquiet qu'il ne soit pas arrivé : (pourvu qu'il n'ait pas eu un accident).
C'est inquiétant qu'il ne soit pas arrivé.
Je | suis inquiet | pour Paul.
| m'inquiète |
Paul m'inquiète.
(sens objectif et subjectif)
Comment ça se fait que X ne soit pas là ?
Qu'est-ce qui a pu lui arriver ?
Il devrait être là.

+ I.11.8.3. angoisse

Je suis anxieux qu'il vienne.
(= le fait qu'il va venir m'angoisse)
* I.10.3.4.1. anxiété
J'ai peur rien que de savoir qu'il va venir.
Ça me fait peur qu'il vienne.
C'est angoissant.

+ I.11.9. bonne et mauvaise humeur
(G. I.2.1.4.1.b.)

+ I.11.9.1. bonne humeur

Je suis | de (très) bonne humeur.
Je me sens |
Tu es bien gai, ce matin.
Je me suis levé du bon pied.
Je suis en pleine forme.
Il est de bon poil aujourd'hui. (Fam.)
Alors, Nom, *toujours de bonne humeur ?*
Il a le moral (au beau fixe). (Fam.)
Il est bien luné. (Fam.)
Tu as l'air d'aller bien aujourd'hui.

ACTES DE PAROLE, I. Actes d'ordre (1) ANNEXE

+ I.11.9.2. mauvaise humeur dépressive

Je m'ennuie.
Je ne sais pas quoi faire.
Je n'ai envie de rien.
Je suis triste.
Je suis angoissé.
Ça ne va pas.
Je suis déprimé.
Tu en fais une tête ! (Fam.)
Je tourne en rond.
Ça ne va pas aujourd'hui.
Il n'a pas le moral.
Il a le moral à zéro.

+ I.11.9.3. mauvaise humeur agressive

Je suis | *Je me sens* | *de (très) mauvaise humeur.*
Il est d'une humeur massacrante.
Il n'est pas à prendre avec des pincettes.
Il a mangé de la vache enragée.
Il s'est levé du pied gauche.
Il est de mauvais poil. (Fam.)
Il est mal luné. (Fam.)
Ce n'est pas | *son jour.* | *le moment de lui marcher sur les pieds.* (Fam.)
Aujourd'hui, | *il ne supporte rien.* | *il n'y a rien à en tirer.* (Fam.) | *il est pénible.*
Il est comme un lion en cage.

II. ACTES D'ORDRE (2)

+ Actes non spécifiques
(ne s'appliquant pas à des actes d'ordre (1) particuliers)

+ II.1. désapprouver l'expression

+ *Comment ?*
+ *Pardon ?*
Non !
Ts-Ts !
Ce n'est pas comme ça qu'on dit.
On ne dit pas ça comme ça.
reprendre l'expression fautive avec (Int.) interrogative
Non, pas (expression fautive)
Non : (expression corrigée)
Je | n'entends pas | ne comprends pas | (quand tu parles comme ça).
° *Où avez-vous appris à parler ?*
On ne parle pas comme ça à (... un supérieur).
Sois poli (avec (...)).
NB : corriger expression : voir IV.4.3.
DR : *Il a critiqué sa manière de parler.*

+ II.2. demander de se taire

+ *Chut !*
(Ne parle pas) si fort.
Plus bas.
Je ne suis pas sourd.
+ *(Un peu de) silence (, s'il vous plaît).*
Tais-toi.
Tu n'as pas la parole.
On ne t'a rien demandé.
Je ne t'ai rien demandé.
Mêle-toi de | ce qui te regardes. | tes affaires.
Occupe-toi de tes oignons. (Fam.)
Assez !
Ta gueule ! (Fam.)
Ecrase ! (Fam.)
Je ne veux plus t'entendre.
La ferme ! (Fam.)
DR : *Il lui a (demandé, dit) de se taire.*

+ II.3. demander de répéter

+ *Pardon ?*
Quoi ?
Hein ?
° *Qu'est-ce que vous dites ?*
J'ai mal entendu.
° *Tu as dit quelque chose ?*
Tu as parlé ?
+ *Pouvez-vous répéter ?*
° *(Est-ce que) tu peux répéter ?*

ACTES DE PAROLE, II. Actes d'ordre (2)

Répète un peu, si tu oses.
pour voir.
+ *Qui ?*
+ *Qui ça ?*
etc. cf. I.9.4.2. questions partielles
+ reprendre le terme dont on n'est pas sûr :
Paul ?
Qui ça Paul ?
etc.
Recommence (un peu) (pour voir) !
voir aussi I.1.6.2. répéter
DR : *Il lui a demandé de répéter.*

+ II.4. demander de paraphraser, d'expliciter

+ *Pardon ?*
Quoi ?
° *(Excusez-moi),* | *je ne (vous) comprends pas.* / *je n'ai pas compris.*
° *Je ne comprends rien de ce que vous dites.*
+ *Pourriez-vous reprendre (svp) ?*
° *Est-ce que vous pouvez (m')expliquer (de nouveau)*
| *- ce qu'il faut faire.*
| *- ce que ça veut dire.*
| *- ce que vous avez dit.*
DR : *Il lui a demandé de s'expliquer.*
Il lui a demandé d'expliquer (...).

+ II.5. demander de préciser

C'est-à-dire ?
Et alors ?
Tu peux préciser ?
Ce n'est pas clair.
questions partielles : cf. I.9.4.2.
A quelle heure ? etc.
proposition : cf. I.9.4.4.
Demain ?
voir IV.1.4. préciser
Et encore ?
DR : *Il lui a demandé de préciser.*

+ II.6. demander raisons (G. III.1.5.3.)

Pourquoi ?
Pourquoi voulez-vous que (...) ?
Où veux-tu en venir ?
Explique-toi ?
Vous pensez que | *c(e) (n') est (pas) la peine ?* / *ça (n') en vaut (pas) la peine ?*
Quelle idée !
Qu'est-ce qui vous fait | *penser* / *dire* / etc. *çà ?*
A quoi tu vois ça ?
DR : *Il lui a demandé (pourquoi, ses raisons).*

ACTES DE PAROLE, II. Actes d'ordre (2)

+ II.7. demander conséquences

Et alors ?
Et bien ?
Qu'est-ce que ça fait ?
Qu'est-ce que ça peut faire ? (Int.)
Quelle importance ? (Int.)
\+ *Pour quoi faire ?*
(Tu crois que) | c'est / ce serait | gênant ?
Et maintenant ?
Ça t'avance à quoi ?
Qu'est-ce que ça t'apporte ?
Qu'est-ce que ça te donne (de plus) ?
Quel avantage ?
DR : *Il lui a demandé pourquoi.*

+ II.8. demander intentions énonciatives

Voir 0.
Où veux-tu en venir ?
° *Qu'est-ce que* | + *tu veux dire ?* / + *ça veut dire ?*
Que veux-tu dire ?
Je ne comprends pas.
° *Que veux-tu me faire | comprendre ? / croire ?*
Qu'est-ce que tu | as derrière la tête ? cherches ? / as dans le crâne ? mijotes ? (Fam.)
DR : *Il lui a demandé ce qu'il voulait dire.*

+ II.9. interpréter énonciation

Voir 0.
Je te vois venir.
(Ça va), j'ai compris.
° *Tu dis ça pour (...) ?*
Tu essaies de (...) ?
Tu cherches à (...) ?
° *Tu veux dire que (...) ?*
\+ *Est-ce que ça veut dire que (...) ?*
C'est | *un ordre ?* / *une menace ?* / etc.
Tu es gentil.
° *Tu me rassures.*
° *Tu es convaincant.*
En somme, (...).
Si je comprends bien, (...).
DR : *Il a compris que (...).*

ACTES DE PAROLE, II. Actes d'ordre (2)

+ Actes spécifiques
(s'appliquant à des actes d'ordre (1) particuliers)

+ II.10. prendre acte

+ II.10.1. d'une énonciation, en général

Mm.
+ *Oui.*
+ *Bon.*
+ *Bien.*
Ah !
Oui ?
Ah oui ?
Ah bon ?
Tiens !
Je note (que ...).
Par exemple !
Ça alors !
Je retiens (que ...).
C'est | *compris !* / *noté !*
Vu.
Je remarque que ...

+ II.10.2.-I.5. proposer à autrui de faire soi-même
I.7. proposer à autrui de faire ensemble
I.8. proposer à autrui de faire lui-même
I.9.0.4. promettre récompense
prendre au mot

o *Je vous prends au mot.*
Ce n'est pas tombé dans l'oreille d'un sourd.
(Pas) chiche ! (Fam.)
Je m'en souviendrai.
J'enregistre.

+ II.10.3.-I.9.4. demander informations factuelles
prendre acte de l'ignorance d'autrui

o *Tu ne le sais (donc) pas ?*
Tu n'étais pas au courant ?
DR : *Il l'a pris au mot.*
Il a | *noté que (...).* / *Remarqué*

+ II.11. remercier
-I.2.5. remercier

Voir I.1.5. remercier.
: rendre remerciement.
+ *Je vous en remercie.*
+ *Il n'y a pas de quoi.*
Ce n'est rien.
+ *C'est la moindre des choses.*
o *Ne me remerciez pas.*
voir aussi I.12.
Tu n'as pas à remercier.
C'est (tout à fait) normal.
Je te dois bien ça.
DR : *Il l'a remercié.*

ACTES DE PAROLE, II. Actes d'ordre (2)

+ II.12. approuver énonciation

+ II.12.1. en général

Tu fais bien de me le dire.
Tu as raison de m'avertir.
+ *Merci de* | *me le rappeler.* / *me le demander.* etc. (cf. II.11.)
Heureusement que tu me le dis. etc.
C'est bien de | *(me) l'avoir dit.* / *(m') avoir averti.* / *(me) le dire* / *(m') avertir.*

+ II.12.2.-I.1.7. donner son opinion sur la vérité d'un fait

Merci de votre | *sincérité.* / *franchise.* (cf. II.11.)
C'est bien / *Tu as raison* | *d'être franc.* / *sincère.*
Tu fais bien.
DR : *Il l'a (approuvé, remercié) de le lui avoir dit.* etc.

+ II.13. critiquer énonciation

+ II.13.1.-I.1.4. annoncer, informer d'un fait

+ *Je sais.*
Je le sais.
+ *Tu (le) savais.*
Tu ne me l'apprends pas.
Tu crois | *que je ne le savais pas ?* / *me l'apprendre ?*
Tu ne m'apprends rien !

+ II.13.2.-I.1.5. signaler, avertir

+ *Ça ne m'intéresse pas.*
+ *Ça m'est* | + *égal.* / *indifférent.*
Je ne veux pas le savoir.
Et alors ?
Qu'est-ce que tu veux que ça me fasse ?
Ça me fait une belle jambe. (Fam.)
Je m'en fous. (Fam.)
Je n'en ai rien à faire.
Tu l'as déjà dit.
Je m'en | *moque.* / *fiche.* (Fam.)

+ II.13.3.-I.1.8. présupposer qu'un fait est vrai

Tu ne | *m'as* / *m'avais* | *jamais dit que* (ppé).
Mais depuis quand (ppé) *?*
Je ne savais pas que (ppé) *!*
Parce que (ppé) *!*
(ppé) *!*
Tu aurais pu me | *dire* / *m'avertir* | *que ...*

ACTES DE PAROLE, II. Actes d'ordre (2)

+ II.13.4.-I.3.1. féliciter autrui

C'est si peu de chose.
Je n'ai aucun | mérite.
pas beaucoup de | mérite.
J'aurais pu mieux faire.
Vous êtes trop bon.
Je n'ai rien fait d'extraordinaire.
N'importe qui | aurait pu en faire autant.
| peut
| pourrait
C'est à la portée de tout le monde.
Je n'ai rien fait de spécial.
DR : *Il a refusé ses remerciements*
Il a critiqué | ses paroles
| ce qu'on lui a dit.
Il lui a reproché de (...).

+ II.14. désapprouver énonciation

Voir aussi II.2. demander de se taire.

+ II.14.1. en général

De quel droit (...) ?
° *Qui | vous permet de (...) ?*
Qu'est-ce qui | vous permet de (...) ?
° *Je n'ai pas de | conseil | à recevoir de vous.*
| ordre
| etc.
° *Je ne (vous) permets pas de (...).*
(De) quoi ?
Tu n'as | pas à me dire (...).
| rien à me dire.
° *Tu n'as pas le droit de ...*

+ II.14.2.-I.1.1. faire l'hypothèse qu'un fait est vrai

Je n'en vois pas | l'utilité.
| l'avantage.
Ça n'avance à rien.
\+ *A quoi bon ?*
\+ *C'est inutile.*
Avec des si ... (Int.)
Et puis quoi encore ?
Et alors ?
Ça ne sert à rien !
(voir aussi II.7.)

+ II.14.3.-I.2.3. se plaindre

Tu exagères.
Arrête de te plaindre.
Il n'y a pas de quoi se lamenter.
Un peu de courage (voyons).
Tu en | rajoutes.
| fais trop.
Tu n'en es pas mort !
Ne te lamente pas | comme ça !
Ne pleure | comme ça !
Ne te plains | comme ça !

ACTES DE PAROLE, II. Actes d'ordre (2)

+ II.14.4.-I.2.4. plaindre

Il ne faut pas me plaindre.
Je n'aime pas qu'on me plaigne.
+ *Je vous en prie !* (reproche)
Je ne suis pas tellement à plaindre.
J'en ai vu d'autres.
Je n'en mourrai pas.
Je n'en suis pas mort.
° *Laisse-moi (tranquille).*

+ II.14.5.-I.3.5. désapprouver une action accomplie par autrui

Je n'ai pas pu faire autrement.
+ *Je n'avais pas le choix.*
La critique est facile.
J'aurais voulu t'y voir.
Au contraire, (...).
Qu'est-ce que je pouvais faire d'autre !
Il n'y avait rien d'autre à faire.
C'est facile de critiquer.

+ II.14.6.-I.4.1. se féliciter d'une action accomplie par soi-même

Ah tu trouves ! (Int.)
Il t'en faut peu.
Il n'y a pas de quoi.
C'est toi qui le dis.
Tu n'es pas gêné.
Tu es modeste. (ironie)
Tu n'es pas modeste.
Tu te vantes.
Tu te contentes de peu !
Tu n'es pas difficile !
Si ça te suffit ...

+ II.14.7.-I.4.2. s'accuser d'une action accomplie par soi-même

Il ne faut pas (être comme ça).
Il ne faut pas | *t'en faire* / *t'inquiéter* | *pour si peu.*
Il n'y a pas de quoi.
Ce n'est pas (si) grave (que ça).
+ *Tu exagères.*
Qu'est-ce que ça peut faire ! (Int.)
Ben allons ! (Fam.)
Tu n'as pas à / *Tu ne dois pas* / *Il ne faut pas* | *le regretter.* / *t'en vouloir*
C'est fait, c'est fait ! (Int.)
Allez, | *c'est fini.* / *c'est du passé.* / *on n'en parle plus.*

+ II.14.8.-I.4.3. s'excuser d'une action accomplie

C'est / *Ce serait* | *trop facile.*
Je | *n'accepte pas* / *ne peux pas accepter* | *vos excuses.*
+ *Vous êtes impardonnable.*
Je ne veux rien | *savoir.* / *entendre.*
Tu n'as / *Il n'y a* | *aucune excuse (valable).* / *pas d'excuse (valable).*

ACTES DE PAROLE, II. Actes d'ordre (2)

+ II.15. approuver énoncé

-I.1.2.
poser un fait
comme vrai

+ II.15.1. approbation forte

+ *Oui.*
Evidemment.
Effectivement.
+ *Absolument.*
Exactement.
+ *Naturellement.*
+ *Bien sûr.*
Bien entendu.
Sans aucun doute.
C'est vrai. / exact.
+ *D'accord !*
N'est-ce pas !
Je sais.
Je le pense aussi.
° *Je suis (entièrement, tout à fait) de votre avis*
° *Vous avez (tout à fait, entièrement) raison.*
Je ne te le fais pas dire.
° *Je suis heureux de vous l'entendre dire.*
Tu peux le dire !
Ah tu vois ! (Int.)
Je te l'avais dit ! (Int.)
Ah oui, alors !
Il y a intérêt.
Ça on ne peut pas dire le contraire !
C'est sûr.
C'est certain.

+ II.15.2. approbation faible

+ *Sans doute.*
Sûrement.
Peut-être bien.
+ *C'est bien possible.*
+ *Peut-être.*
C'est possible.
En principe.
Admettons.
Je veux bien.
° *Si vous voulez.*
Je n'y avais pas pensé.
On peut dire ça.
Pourquoi pas ! (Int.)
Mouais ... (Fam.)
A la rigueur.
Si tu y tiens ...
Tu n'as peut-être pas tort.
Il y a de ça.
Si tu le dis.

DR : *Il a approuvé.*

+ II.15.3. admettre, reconnaître, avouer

J'admets que c'est vrai.
Je l'admets.
Je reconnais | *que c'est vrai.* / *les faits.*
\+ *J'avoue que c'est vrai.*
Je dois | *l'admettre.* / *le reconnaître.* / *l'avouer.*
Il faut bien | *l'admettre.* / *le reconnaître.* / *l'avouer.*
Je préférerais / *J'aurais préféré* | *le contraire.*
Je ne veux pas | *dire le contraire.* / *le cacher.* / *le nier.*
Je ne vous le cache pas.
Eh oui !
\+ *Que voulez-vous !* (Int.)
Hélas !
\+ *Malheureusement !*
Je ne m'en vante pas.
Je le regrette.
J'en suis désolé.
C'est (bien) (comme) ça ! (Int.)
Je n'en suis pas si fier (que ça) !
voir aussi II.2.3.9. à 12.
DR : *Il a (admis, reconnu, avoué) que* p.

+ II.16. critiquer énoncé

+ II.16.1.-I.1.2. poser un fait comme vrai

\+ *Pas* | *vraiment.* / + *tellement.* / + *toujours.* / + *(si) souvent.* / + *tous.* / etc.
Ce n'est pas (très) convaincant.
\+ *Je n'en suis pas* | *persuadé.* / *convaincu.*
\+ *Peut-être.*
(C'est) à voir.
J'en doute.
\+ *Oui, mais (...).*
En principe.
Seulement.
\+ *Cependant.*
Toutefois.
Plutôt.
Pourtant.
Je n'en suis pas (si) sûr (que toi).
Ce n'est pas | *sûr.* / *certain.*
A condition que ...
Et qu'est-ce que tu fais de ...
Tu oublies que ...
Tu n'as pas toujours dit cela.
A la rigueur.

ACTES DE PAROLE, II. Actes d'ordre (2)

Tu es sûr de | *toi ?*
| *ce que tu* | *dis ?*
| | *avances ?*

\+ *Quand même.*
Tout de même.
Ça n'empêche pas que (...).
Quoi qu'il en soit, (...).
En tout cas, (...).
De toute façon, (...).
Tu dis ça ! (Int.)
DR : *Il l'a critiqué.*

\+ II.16.2.-I.1.7.
donner son opinion sur la vérité d'un fait

\+ *C'est vrai ?*
\+ *Tu es* | *sérieux ?*
\+ *C'est* |
Vraiment ?
Sincèrement ?
o *Tu* | *le penses* | *vraiment ?*
| *en doutes* | *sincèrement ?*
| | *sérieusement ?*
\+ *Tu trouves ?*
Tu (ne) plaisantes (pas) ?
o *Tu (ne) te moques (pas) de moi ?*
Tu veux me faire marcher ?
Sans blague ? (Fam.)
Qu'est-ce que tu veux me faire croire ?
DR : *Il a douté de sa sincérité.*

\+ II.17. désapprouver énoncer

-I.1.2.
poser un fait comme vrai

\+ *Non.*
\+ *Si.*
C'est faux.
\+ *Ce n'est pas vrai.*
\+ *Absolument pas.*
\+ *Pas du tout.*
\+ *Sûrement pas.*
En aucun cas.
Jamais (de la vie).
Sûr que non. (Fam.)
Raison de plus !
o *Tu plaisantes.*
Tu veux rire.
o *Tu rigoles.* (Fam.)
Tu te (fiches, fous) | *du monde.* (Fam.)
o *Tu te moques* | *de moi.*
A d'autres !
Tu parles !
Depuis quand ? (Int.)
N'importe quoi ! (Fam.)
Ça, alors ! (Int.)
Ça, c'est la meilleure ! (Fam.)
Et ta soeur ? (Fam.)
Ça va pas la tête ! (Fam.)

ACTES DE PAROLE, II. Actes d'ordre (2)

reprise de l'énoncé :
Paul est venu ? (Int.) "doute"
Pas d'accord.
Pas question.
Tu n'es pas bien, | *non !* (Fam.)
Ça ne va pas, |
Tu délires.
Pour qui tu me prends ?
Où est-ce que tu as vu ça ? (Int.)
Tiens, c'est | *nouveau,* | *ça !* (Int. ironie)
| *original,* |

DR : *Il a nié que* p.

+ II.18. exprimer son ignorance

+ II.18.1.-I.1.2.
poser un fait comme vrai

+ *Je ne savais pas.*
° *Tu me l'apprends.*
+ *Tu crois ?*
+ *C'est vrai ?*
Ah bon ?
+ *Tiens !*
Ça m'étonne.
Je ne l'aurais pas cru.
J'aurais parié le contraire.
Je l'aurais | *cru.*
| *pensé.*
Je ne m'en serais jamais douté.
Je n'y aurais pas pensé.

+ II.18.2.-I.9.4.
demander informations factuelles

+ *Je ne sais pas.*
+ *Je l'ignore.*
+ *Je n'en sais rien.*
Je n'en ai | *pas la moindre* | *idée.*
| *aucune* |
Je me le demande.
Je ne me suis jamais posé la question.
Ma foi ! (Fam.)
Comment veux-tu que | *je devine ?*
| *je sache ?*
Je n'y connais rien.
Je n'y ai jamais pensé.
Mystère ! (Fam.)
Ce n'est pas mon rayon ! (Fam.)

+ II.18.3.-I.9.5.
demander propositions d'action

+ *Je ne sais* | *pas quoi* | *te dire.*
| *que* | *te conseiller.*
+ *Je ne sais pas ce qu'il vaut mieux.*
Je ne peux pas t'aider.

+ II.18.4.-I.9.6.
demander jugement sur une action accomplie par soi-même

+ *Je n'ai pas d'opinion.*
+ *Je ne sais pas quoi en penser.*
Je ne sais pas ce que j'aurais fait.
Je n'ai rien à dire là-dessus.

DR : *Il a exprimé son ignorance.*

ACTES DE PAROLE, II. Actes d'ordre (2)

+ II.19. exprimer son indécision

-I.5. proposer à autrui de faire soi-même
I.6. demander à autrui de faire soi-même
I.7. proposer à autrui de faire ensemble
I.8. proposer à autrui de faire lui-même
I.9. demander à autrui de faire lui-même

\+ *Je ne sais pas.*
Ça demande réflexion.
Je ne peux pas me décider comme ça.
\+ *Il faudrait que* | + *j'y pense.* / *j'aie* / *je prenne* | *le temps d'y* | *penser.* / *réfléchir.*
Je vais (tâcher d') y penser.
\+ *Je vais voir.*
o *Laissez-moi y penser.*
o *Laissez-moi y réfléchir.*
o *Attendez que je réfléchisse* ... (Int.)
Je me le demande.
Peut-être ?
Ça dépend.
J'irais bien, / *Je le ferais bien,* | *mais ...*
etc.
Voyons ... (Int.)
(Allez au cinéma ?) (Int.) "délibération"
voir I.10.3.1.
DR : *Il a fait part de son indécision.*

+ II.20. accepter, promettre de faire soi-même

+ II.20.1.-I.8.1.-4. suggérer, proposer, conseiller, recommander à autrui de faire lui-même

\+ *Oui, c'est une bonne idée.*
Bonne idée.
Vous avez raison.
C'est ce que je vais faire.
\+ *D'accord.*
Je m'y mets tout de suite.
Je vais essayer.

+ II.20.2.-I.8.5. déconseiller à autrui de faire lui-même

\+ *Oui,* | *ce n'est pas* / *ce ne serait pas* | *une bonne idée.*
o *Vous avez raison.*
Je ne le ferai pas.
\+ *D'accord.*
C'est vrai, il ne vaut mieux pas.
Bon, je ferai | *autrement.* / *autre chose.*

ACTES DE PAROLE, II. Actes d'ordre (2)

+ II.20.3.-I.9.0.1.
demander à autrui de faire lui-même

+ *Oui/non (,Monsieur* etc. : cf. I.2.5.*).*
+ *Bien.*
+ *Entendu.*
+ *D'accord.*
C'est entendu.
+ *Certainement.*
+ *Avec plaisir.*
Tout de suite.
o *Si vous voulez.*
Je veux bien (le faire).
Je vais faire (tout) mon possible.
o *Vous pouvez compter sur moi.*
o *Comptez sur moi.*
Je le ferai.
+ *Je n'y manquerai pas.*
J'accepte ((bien) volontiers) de le faire.
o *Je vous promets* | *de le faire.* / *d'essayer (de le faire).*
Bien sûr.
Evidemment.
Rien de plus | *facile.* / *normal.* / etc.
C'est bien parce que c'est toi.
Oui,
Je vais essayer.

+ II.20.4.-I.9.0.3.
menacer d'une sanction

+ *Bon.*
J'ai compris.
+ *Dans ce cas ...* (Int.)
Si vous le prenez sur ce ton ... (Int.)
Je n'ai pas le choix.
Ne faites pas cela ! J'accepte !
Si c'est comme ça ... (Int.)
Dans ces conditions ... (Int.)
Si tu y tiens ... (Int.)
Si tu le prends comme ça ... (Int.)
Ce n'est pas la peine de / *Inutile de* | *crier ..* / *râler ...* / *me* | *dire ça.* / *faire ça.*

+ II.20.5.-I.9.0.4.
promettre récompense

+ *Dans ce cas ...*
o *Si vous me prenez par les sentiments.* (Int.)
o *Vous êtes* / + *C'est* | *gentil.*
+ *Je ne peux (pas, plus) refuser.*
o *Je vous prends au mot !* cf. II.10.2. prendre au mot
(Pas) chiche ! (Fam.)
Dans ces conditions. (Int.)
Si tu le prends comme ça. (Int.)
Si c'est comme ça. (Int.)
Alors ...
C'est enregistré.

+ II.20.6.-I.9.0.7. prier, supplier autrui de faire lui-même

+ *Mais (oui, non) bien sûr.*
o *Rassurez-vous.*
o *N'ayez pas peur.*
o *Ne vous inquiétez pas.*
Soyez sans crainte.
o *Sois tranquille.*
Calme-toi.
Ne t'affole pas.

+ II.20.7.-I.9.2. appeler à l'aide

+ *J'arrive !*
+ *Je viens !*
o *Tenez bon !*
Tout de suite.
Je suis là.
DR : *Il a (accepté, promis) de le faire.*

+ II.21. accepter qu'autrui fasse ; accepter de faire avec autrui

-I.5. proposer à autrui de faire soi-même
I.7. proposer à autrui de faire ensemble

+ *Oui (, s'il te plaît).*
+ *(Oui), c'est une bonne idée.*
Bonne idée.
+ *D'accord.*
+ *Ça me ferait plaisir.*
o *Si tu veux.*
Pourquoi pas ?
Volontiers.
+ *Avec plaisir.*
Chiche ! (Fam.)
Chouette ! (Fam.)
C'est sympa ! (Fam.)
Ça serait sympa ! (Fam.)
Je suis pour.
Ça | *te* / *me* / *nous* | *fera du bien.*
Oh oui, alors !
Chic !

+ II.22. faire énonciation demandée

+ II.22.1. donner la parole

-I.6.1. demander la parole

+ *Oui.*
+ *Oui ?*
(Monsieur, etc., Nom, etc.*).*
o *Je vous écoute.*
o *Nous vous écoutons.*
Dites
Quoi ?
Je donne la parole à (Monsieur Nom, etc.*).*
Bon, / *D'accord,* | *vas-y.* / *à toi.*
Dis toujours !
(Monsieur, Nom, etc.*)* | *vous avez la parole.* / *la parole est à vous.*
DR : *Il lui a donné la parole.*

ACTES DE PAROLE, II. Actes d'ordre (2)

+ II.22.2. donner permission

-I.6.2. demander permission

+ *Oui.*
o *Si vous voulez.*
o *Comme vous voudrez.*
o *Faites | ce que | vous | voulez.*
| comme | | voudrez.
+ *Certainement.*
Je n'y vois pas d'inconvénients.
o *C'est à vous de | voir.*
| juger.
Je veux bien.
Tu as | ma permission.
| mon accord.
| mon autorisation.
Bien sûr que | oui
| non (réponse aux interro-négation).
Oui, bien sûr.
Non,
Si tu y tiens.
D'accord.
DR : *Il lui en a donné la permission.*
Il | l'a autorisé à ...
| a bien voulu que ...

+ II.22.3. donner dispense

-I.6.3. demander dispense

expressions, adaptées, de II.22.2.
réponses à "Faut-il que (...) ?"
" Est-ce qu'il faut ?"
" Est-ce que vous | voulez ... ?"
| tenez à ...?"
+ *Non.*
Je ne le pense pas.
Ce n'est pas | nécessaire.
| indispensable.
Mais non.
Eh bien, fais ce que tu veux !
Comme tu veux ...
DR : *Il l'en a dispensé.*

+ II.22.4. répondre à interpellation

-I.9.1. interpeller en .champ libre

+ *Oui ?*
+ *Qu'est-ce que c'est ?*
+ *Qu'est-ce que qu'il y a ?*
+ *Que voulez-vous ?*
+ *C'est à quel | sujet ?*
| propos ?
Hein ?
Quoi ?
+ *Pardon ?*
o *Qu'est-ce que vous voulez ?*

ACTES DE PAROLE, II. Actes d'ordre (2)

.téléphone
+ *Allo ?*
+ *Oui ?*
+ *J'écoute.*
+ *C'est lui-même.*
+ *C'est moi.*
+ *Quel numéro demandez-vous ?*
+ *Vous faites erreur.*
Non, | c'est ...
| je suis ...
C'est de la part de qui ?
C'est une erreur.
o *Vous vous êtes trompé de numéro.*

.correspondance
+ *J'ai bien reçu votre lettre du (date).*
+ *J'accuse réception de votre lettre du (date).*
DR : *Il lui a répondu.*

+ II.22.5. répondre affirmativement à une question positive

-I.9.4.1. demander si un fait est vrai

Réponses à "Paul est venu ?"
+ *Oui.*
+ *Oui, oui.*
+ *Mais oui.*
+ *Paul est venu.*
+ *Il est venu.*
Tu as deviné.
On ne peut rien te cacher.
Oui, bien sûr.
Bien sûr (que oui).
Evidemment.
DR : *Il lui a répondu (que oui, affirmativement).*

+ II.22.6. répondre affirmativement à une question négative

Réponses à "Paul n'est pas venu ?"
+ *Non.*
+ *Non, non.*
Eh non.
+ *Paul n'est pas venu.*
+ *Il n'est pas venu.*
Bien sûr que non.
Non, bien sûr.
DR : *Il lui a répondu (que non, négativement).*

+ II.22.7. répondre négativement à une question positive

Réponses à "Paul est venu ?"
+ *Non.*
Non, non.
Ah non.
+ *Non, il n'est pas venu.*
Bien sûr que non.
Non, bien sûr.
DR : *Il lui a répondu (que non, négativement)*

ACTES DE PAROLE, II. Actes d'ordre (2)

+ II.22.8. répondre négativement à une question négative

Réponses à "Paul n'est pas venu ?"
\+ *Si (, il est venu).*
Si, si.
\+ *Mais si.*
Bien sûr que si.
Si, bien sûr.
Oh ! que si.
DR : *Il lui a répondu que si.*

+ II.22.9. répondre en avouant qu'un fait positif est vrai

Voir aussi II.15.3.
réponses à "Vous le saviez ?"
Oui, je l'admets. (etc.)
(Oui) j'avoue que c'est vrai.
Je préférerais |
\+ *Je ne peux pas dire* | *le contraire.*
Je ne peux pas le cacher.
Je ne m'en vante pas.
Il se trouve que oui.
\+ *Hélas, oui.*
Et oui, c'est | *comme ça !*
| *ainsi.*
| *ça.*
DR : *Il a (admis, reconnu, avoué) que oui.*

+ II.22.10. répondre en avouant qu'un fait positif est faux

Voir aussi 11.15.3.
réponses à "Vous le saviez ?"
J'admets que non. (etc.)
Il se trouve que non.
\+ *Hélas, non.*
Eh non ! |
Mais non ! | *ce n'est pas ça.*
Je préférerais le contraire.
DR : *Il a avoué que non.*

+ II.22.11. répondre en avouant qu'un fait négatif est vrai

Voir aussi II.15.3.
réponses à "Vous ne le saviez pas ?"
Non, je l'admets. (etc.)
Je préférerais |
Je ne peux pas dire | *le contraire.*
Je ne peux pas le cacher.
Je ne m'en vante pas.
Il se trouve que non.
Hélas, non.
Eh non, c'est | *comme ça.*
| *ainsi.*
DR : *Il a avoué que non.*

+ II.22.12. répondre en avouant qu'un fait négatif est faux

Voir aussi II.15.3.
réponses à "Vous ne le saviez pas ?"
J'admets que si.
Je préférerais le contraire.
Il se trouve que si.
\+ *Hélas si.*
Eh si, c'est | *comme ça.*
| *ainsi.*
DR : *Il a avoué que si.*

ACTES DE PAROLE, II. Actes d'ordre (2)

+ II.22.13. répondre en exprimant l'opinion qu'un fait positif est vrai

Voir aussi I.1.7.
réponses à "Paul est venu ?"

+ *Je suis sûr que oui.*
+ *J'en suis sûr.*
+ *Je pense que oui.*

Je (le) pense.
C'est ce que je pense.
Je n'en doute pas.
J'en mettrais | *ma tête à couper.* / *ma main au feu.*
(Pour moi), c'est | *sûr.* / *certain.* / *évident.*
il est | *sûr* / *évident* | *que c'est vrai.*
C'est le contraire qui m'étonnerait.

DR : *Il a répondu qu'il le pensait.*

+ II.22.14. répondre en exprimant qu'un fait positif est faux

Voir aussi I.1.7.
réponses à "Paul est venu ?"

+ *Je suis sûr que non.*
+ *Non, j'en suis sûr.*
+ *Je pense que non.*

Je ne (le) pense pas.
J'en doute.

+ *Ça m'étonnerait (beaucoup)*

(Pour moi) | *il est* / *c'est* | *sûr* / *évident* | *que non.* / *que c'est faux.*
Je suis | *sûr* / *certain* / *convaincu* | *du contraire.*

DR : *Il a répondu qu'il ne le pensait pas.*

+ II.22.15 répondre en exprimant l'opinion qu'un fait négatif est vrai

Voir aussi I.1.7.
réponses à "Paul n'est pas venu ?"

+ *Je suis sûr que non.*
+ *J'en suis sûr.*
+ *Je pense que non.*

Je ne (le) pense pas.
Je pense.
C'est ce que je pense.
Je n'en doute pas.
Ça ne m'étonnerait pas (que ...).
Il est | *sûr* / *évident* | *que non.* / *que c'est vrai.*
J'en suis / *C'est* | *sûr.* / *certain.*

DR : *Il a répondu qu'il ne le pensait pas.*

+ II.22.16. répondre en exprimant l'opinion qu'un fait négatif est faux

Voir aussi I.1.7.
réponses à "Paul n'est pas venu ?"

+ *Je suis sûr que si.*
+ *Si, j'en suis sûr.*
+ *Je pense que si.*

Ce n'est pas ce que je pense.
J'en doute.

+ *(Pour moi)* | *il est* | *sûr* / *certain* / *évident* | *que si.* / *que c'est le contraire.* / *que c'est faux.*

Il a répondu qu'il pensait que si.

ACTES DE PAROLE, II. Actes d'ordre (2)

+ II.22.17. répondre en donnant des informations sur un fait

-I.9.4.2. demander informations sur un fait

Réponses à "A quelle heure est le train ?"
A 8 h 23.
+ *C'est celui de 8 h 23 (, je pense il me semble).*
etc. cf. I.1.7.
DR : *Il lui a répondu ...*

réponses à "Qui te l'a dit ?"
Paul.
+ *C'est Paul (, je pense)*
etc. cf. I.1.7.
Si réponse très évidente :
Devine. (Int.)
DR : *Il lui a répondu ...*

-I.9.4.3. demander opinion sur la vérité d'un fait

Voir II.2.3.5. à II.3.17.

+ II.22.18. donner son accord sur la vérité d'un fait positif

-I.9.4.4. demander accord sur la vérité d'un fait

Réponses à "Vous êtes bien (Nom) ?"
+ *(Mais) oui, bien sûr.*
Je vous le confirme.
+ *C'est vrai.*
+ *C'est exact.*
Effectivement.
Parfaitement.
° *Vous avez raison.*
° *On ne peut rien vous cacher.*
C'est (bien) cela.
C'est ça (même).
° *Vous ne vous trompez pas.*
DR : *Il le lui a confirmé.*

+ II.22.19. donner accord sur la vérité d'un fait négatif

Réponses à "Vous n'êtes pas (Nom) ?" (Int.)
+ *(Mais) non (bien sûr).*
+ *C'est vrai.*
+ *C'est exact.*
Parfaitement.
° *Vous avez raison.*
° *On ne peut rien vous cacher.*
Non, pas du tout.
Absolument pas.
° *Vous ne vous trompez pas.*
DR : *Il le lui a confirmé.*

ACTES DE PAROLE, II. Actes d'ordre (2)

+ II.22.20. divers

-I.9.5.1. demander propositions d'action pour soi-même	Voir I.8.1.	suggérer	(à) autrui de faire lui-même
	I.8.2.	proposer	
	I.8.3.	conseiller	
	I.8.4.	recommander	
	I.9.0.2.	encourager	
	I.9.0.5.	ordonner	
	et I.8.5.	déconseiller	
-I.9.5.2. demander propositions d'action pour soi-même et pour autrui	Voir I.7.1.	proposer, suggérer à autrui de faire ensemble	
-I.9.6.1. demander avis sur action accomplie par soi-même	Voir II.22.17. et I.3.		
-I.9.6.2. demander d'approuver action accomplie par soi-même	Voir I.3.1.	approuver, féliciter	
-I.9.6.3. demander de désapprouver action accomplie par soi-même	Voir I.3.5.	désapprouver	
-I.9.7.1. demander de demander pardon	Voir I.4.3.	s'excuser	
	et I.9.7.3.	demander de pardonner	
-I.9.7.2. demander de pardonner	Voir I.2.5.	remercier	

+ II.23. faire le contraire de l'énonciation demandée

+ II.23.1. refuser de donner la parole

-I.6.1. demander la parole — Voir aussi II.2. demander de se taire

Non.
Ce n'est pas votre tour.
Attendez.
(Attendez) un instant.
Tout à l'heure.
On t'a assez entendu.
Ce n'est pas le moment.
Plus tard, peut-être.
Pas tout de suite.
Il (a refusé de lui donner, ne lui a pas donné) la parole.

ACTES DE PAROLE, II. Actes d'ordre (2)

+ II.23.2. refuser permission

-I.6.2. demander permission

+ *Non (, je regrette).*
(Désolé, mais) ce n'est pas possible.
+ *Ce n'est pas possible (, je regrette).*
+ *Il n'en est pas question.*
Et puis encore quoi. (Int.)
Non mais (des fois) ! (Fam.)
Non, je ne veux pas.

Si,	*ça*	*me dérange.*
Oui,		*m'ennuie.*
		m'embête.

Quand je dis non c'est non.
J'ai dit non.
Je t'ai déjà dit non.
Voir aussi I.9.0.6. défendre, interdire
I.9.0.3. menacer d'une sanction

DR : *Il lui en a refusé la permission.*

+ II.23.3. refuser dispense

-I.6.3. demander dispense

Voir aussi II.24.2. refuser permission
réponse à "Faut-il que (...) ?" Est-ce qu'il faut que ... ?"

+ *Oui.*
Tout à fait.
+ *Absolument.*
Et comment !
N'insiste pas.
+ *Quand je dis non, c'est non.*
Je t'ai déjà répondu.
Tu as intérêt.

DR : *Il ne l'en a pas dispensé.*

+ II.23.4. réfuter vérité d'un fait positif

-I.9.4.4. demander accord sur la vérité d'un fait

Réponses à "Vous êtes bien (Nom) ?"
+ *(Mais) non (,voyons).*
C'est (tout à fait) faux.
+ *Pas du tout.*
+ *Absolument pas.*
o *Vous vous trompez.*
+ *Vous faites erreur.*
o *Je vous assure que non.*
Ce n'est pas vrai (du tout).

o *Je te*	*jure*	*que non.*
	promets	

DR : *Il (lui) a démenti* (...)

ACTES DE PAROLE, II. Actes d'ordre (2)

+ II.23.5. réfuter vérité d'un fait négatif

Réponses à "Vous n'êtes pas (Nom) ?" (Int.)
+ *(Mais) si (voyons).*
Si, c'est | vrai. / exact.
° *Vous vous trompez (, je suis* Nom*).*
°+ *Vous faites erreur.*
°+ *Je vous assure que si.*
Si, c'est | sûr. / certain.
Je te | jure / promets | que si.
DR : *Il le lui a assuré.*
Il lui a assuré que si.

+ II.23.6. désapprouver (au lieu d'approuver) action d'autrui

-I.9.6.2. demander d'approuver une action accomplie par soi-même

+ *Ça alors !*
+ *Tu exagères.*
Tu y vas un peu fort.
Tu n'es pas gêné.
Quel culot !
Ce n'est pas ça du tout.
Tu t'es (complètement) trompé.
Tu es passé | (complètement) / (totalement) | à côté. (Fam.)
Tu | sais / te rends compte de | ce que tu as fait.
Tu es complètement | fou / idiot / inconscient | (d'avoir fait cela).
Tu ne manques pas de culot !
Non, mais tu ne te rends pas compte ! (Int.)
Tu as pensé à quoi (en faisant cela) ?
Tu ne penses à rien !
Tu as réfléchi un peu (avant de faire cela) ?
voir aussi I.3.5. désapprouver une action accomplie par autrui
DR : *Il l'a désapprouvé.*

+ II.23.7. approuver (au lieu de désapprouver) action d'autrui

-I.9.6.3. demander de désapprouver une action accomplie par soi-même

Pas tant que ça.
Pas vraiment.
Il ne faut | pas / rien | exagérer.
En voilà des idées !
° *(Mais) qu'est-ce qui te fais | dire / penser | ça ?*
Mais non, ce n'est pas mal.
Mais si | ça va. / c'est très bien. etc.
Mais | si ! / non ! | (Ne t'en fais pas)

ACTES DE PAROLE, II. Actes d'ordre (2)

Qu'est-ce que tu vas | *chercher ?* / *penser ?*
Ne te pose pas tant de questions.
Ne t'inquiète donc pas (tant).
Pourquoi | *tu t'inquiètes* / *tu t'en fais* | *(c'est bien).*

DR : *Il a cherché à le rassurer.*
Il l'a approuvé.

+ II.24. refuser de faire soi-même

+ II.24.1.-I.8.1-4.
suggérer, proposer, conseiller, recommander à autrui de faire lui-même

Ça me paraît | *difficile.* / *risqué.*
Ce n'est pas possible.
C'est impossible.
Ce n'est pas sérieux.
C'est défendu.
\+ *Je ne peux pas.*
\+ *Je n'ai pas envie.*
cf. I.10. pragmatique
Quelle idée ! (Int.)
A quoi bon ! (Int.)
Je ne vois pas pourquoi je le ferais.
Je ne suis pas convaincu.
Vous n'y pensez pas !
° *Vous voulez rire !*
\+ *(Ah) non (,alors) !*
(Ça) jamais.
\+ *Jamais de la vie.*
Occupe-toi de tes oignons. (Fam.)
Je suis assez grand pour | *décider tout seul.* / *savoir ce que je dois faire.*
Je n'y vois pas.
Ça ne me | *dit rien.* / *donnera rien.* / *m'avancera à rien.*
Merci du conseil, mais ...
Ça ferait bien ! (Int.)
J'aurais l'air | *de quoi ?* / *malin* / *intelligent* / *bien* | *tiens !* (Int.)
Tu me prends pour quoi (qui) ?
Tu me connais mal.
Ça ne te regarde pas.
Ce n'est pas ton problème.
C'est mon problème.

+ II.24.2.-I.8.5.
déconseiller à autrui de faire lui-même

Voir aussi ci-dessus.
Je vais me gêner ! (ironie)
\+ *Mais si, c'est justement ce que je vais faire.*
Je n'ai pas peur.
Je n'ai rien à perdre.
Ça ne m'impressionne pas.
° *Vous ne me ferez pas changer d'avis.*

ACTES DE PAROLE, II. Actes d'ordre (2)

Je ferai ce que | *je veux.*
| *j'ai envie de faire.*
Tant pis, je le ferai quand même.
J'ai peut-être tort, mais je le ferai quand même.
Je sais ce que j'ai à faire.

+ II.24.3.-I.8.6.
permettre, autoriser
autrui à faire lui-même

Merci beaucoup, mais (...).
(je vais faire ce dont vous me dispensez)
(je ne ferai pas ce que vous me permettez)

-I.8.7. dispenser

+ II.24.4.-I.9.0.1. demander
I.9.0.5. ordonner
I.9.0.6. interdire

à autrui de faire lui-même

\+ *C'est impossible.*
\+ *C'est trop difficile.*
C'est interdit.
\+ *Je regrette, mais (...).*
\+ *Je suis désolé, mais (...).*
J'ai de bonnes raisons pour (ne pas) le faire.
Pas maintenant.
Plus tard.
\+ *Une autre fois.*
Ce n'est pas le moment.
Je refuse.
\+ *Je ne suis pas d'accord.*
° *Ne comptez pas sur moi.*
Je ne le ferai pas.
Je le ferai quand même.
° *Comptez-y !* (ironie)
\+ *Non/Si.*
Tu | *peux* / *n'as qu'à* | *le faire toi-même.*
Ce n'est pas pour moi.
Je n'en ai pas envie (du tout).
Pour moi, il n'en est pas question.
Ce n'est pas à moi de faire ça.
Tu rêves !
Tu m'as bien regardé !
Et puis quoi encore ?
Mais, tu te prends pour qui ?

+ II.25.5.-I.9.0.2. inviter,
encourager
autrui à faire
lui-même

Voir ci-dessus.
° *Je ne vous crois pas.*
° *Vous ne vous rendez pas compte.*
° *Je voudrais vous y voir.*
Si tu crois que c'est | *facile !* / *possible !* (Int.)
Tu n'es pas à ma place (, ça se voit).

ACTES DE PAROLE, II. Actes d'ordre (2)

+ II.24.6.-I.9.0.3. menacer d'une sanction

Des menaces ?
Si vous croyez me faire peur ... (Int.)
+ *Vous ne me faites pas peur.*
Je voudrais bien voir ça !
+ *C'est ce qu'on va voir.*
Essayez un peu ! (ironie)
(d'exécuter vos menaces)
C'est ça ! Mais bien sûr ! Oh ! j'ai peur. (ironie)
Je n'ai pas peur de toi.
Ce n'est pas comme ça que ...
Ça ne m'empêchera pas de ...
Cause toujours (, tu m'intéresses). (Fam.)

+ II.24.7.-I.9.0.4. promettre récompense

Ça ne m'intéresse pas.
C'est (bien) peu.
C'est tout ?
Tu me prends pour qui ?
Ce n'est pas ça qui | me fera changer d'avis.
| changera quelque chose.
Ça ne m'empêchera pas de ...
Cause toujours (, tu m'intéresses). (Fam.)
Je vaux bien plus que ça !
° *Tu m'estimes bien peu.*
Je ne suis pas intéressé.
Je n'en ai rien à faire.

+ II.24.8.-I.9.0.7. prier, supplier de faire lui-même

Voir I.9.0.1. ci-dessus.
Ce n'est pas la peine de me supplier.
+ *Inutile d'insister.*
° *N'insistez pas.*
C'est non.
Quand j'ai dit non, c'est non.
Je t'ai déjà dit non.

+ II.24.9.-I.9.1. interpeller

(Silence)
° *Je ne vous connais pas.*
+ *Vous devez faire erreur.*
+ *Laissez-moi tranquille.*
Fous-moi, fichez-moi la paix. (Fam.)
Merde ! (Fam.)

+ II.24.10.-I.9.3. demander de parler

(Silence)
Non.
Je ne dirai rien.
+ *Je n'ai rien à dire.*
(aussi II.18. ignorance)
Je ne ferai pas de commentaire.
Je ne peux rien dire.
Je préfère me taire.
Rien.
° *Je ne vous parle pas.*
° *Vous ne me ferez pas parler.*
Je n'ai pas | le temps | de parler
| envie |
Je n'ai pas | d'avis.
| d'opinion.
Ce n'est pas à moi de | parler | là-dessus.
| dire quelque chose |

ACTES DE PAROLE, II. Actes d'ordre (2)

+ II.24.11.-I.9.4.
demander informations factuelles

(Silence)
Je n'ai rien à vous dire. / répondre.
(aussi II.18. ignorance)
Je ne répondrai pas.
+ *Je ne veux pas répondre.*
Je refuse de répondre.
Ne pose pas de questions.
Tu n'as pas à me poser de questions.
+ *Ça ne te regarde pas.*
Tu n'as pas à le savoir.
o *Ce n'est pas à moi de te parler de cela.*
o *Je n'ai pas à te dire cela. / répondre.*
Qu'est-ce que ça peut te faire?
Ce n'est pas ton problème.
Tu n'as qu'à / Tu devrais le savoir.
o *Je te l'ai déjà dit.*
Devine. (Int.)

+ II.24.12.-I.9.5.1.
demander propositions d'actions pour soi-même

o *Je n'ai pas de conseil à vous donner.*
o *Ce n'est pas à moi de vous donner des conseils.*
o *C'est à vous de voir.*
Ça te regarde.
o *Ça ne regarde que vous.*
Ça ne me regarde pas.
+ *C'est votre problème.*
Chacun son problème.
Je ne veux pas m'en mêler.
Débrouille-toi (tout seul).
Tu est assez grand pour savoir ce que tu as à faire.
Je ne vois pas pourquoi / de quel droit je te donnerais des conseils.
Prends tes responsabilités.
Je n'ai rien à faire / à voir avec cela. / ce problème.

+ II.24.13.-I.9.6.
demander jugement sur action accomplie par soi-même

C'est toi qui dois savoir. / te rendre compte.
Ne pose pas de questions.
etc. cf. I.9.4. ci-dessus.
Cela ne me regarde pas.
etc. cf. I.9.5.1. ci-dessus

+ II.24.14. demander de remercier

Je ne vois pas de quoi / pourquoi je te remercierais.
Je n'ai pas à te remercier.
Je ne te dois rien.
Tu n'as rien fait de (si) spécial. / extraordinaire.

DR : *Il a refusé de (...).*

ACTES DE PAROLE, II. Actes d'ordre (2)

+ II.25. refuser de faire avec autrui

-I.7. proposer à autrui de faire ensemble

\+ *Non.*
Ce n'est pas une bonne idée.
Ce n'est pas sérieux.
Ce n'est pas le moment.
Il y (a, aurait) mieux à faire.
\+ *Je n'ai pas le temps.*
\+ *Je ne veux pas.*
Je n'ai pas envie.
Ça ne me dit rien.
\+ *Je ne peux pas.*
Ce n'est pas possible.
\+ *Je regrette, mais (...).*
\+ *Désolé, mais (...).*
\+ *Merci, mais (...).*
On aurait l'air | *de quoi ?* / *malin !* / *intelligent !* (Int.) / *bien !*
Fais-le tout seul.
Ça ferait bien.
Je n'aime pas (ça ...).
Je ne m'y vois pas (du tout).
Je n'ai pas besoin | *de toi.* / *de ton aide.*
Je n'ai pas | *besoin* / *envie* | *d'aide.* / *qu'on m'aide.*

+ II.26. refuser qu'autrui fasse

-I.5. proposer à autrui de faire soi-même

\+ *Non (,merci).*
\+ *Ce n'est pas la peine.*
° *Ne vous dérangez pas.*
Je peux le faire moi-même.
° *N'insistez pas.*
° *Laissez-moi tranquille.*
° *Je ne vous ai rien demandé.*
Fiche-moi la paix. (Fam.)
Je suis assez grand pour le faire moi-même.
Je préfère le faire moi-même.
C'est à moi seul de faire cela.

DR : *Il a refusé.*

III. ACTES SOCIAUX

+ III.1. saluer

a. + *(Tiens,) bonjour* | *(Monsieur)* / *(Madame)* / *(Mademoiselle)* / *(Jeune homme)* / *(Petit)* / *(Petite)* | (Nom)

b. + *(Tiens,)* | *bonjour* / *salut* / *salut,* | (Nom) / (Prénom) / *toi !* / *vous !*

c. + *Monsieur.*
+ *Madame.*
+ *Mademoiselle.*

NB : *bonsoir* peut remplacer *bonjour* dès la fin de l'après-midi.

d. On peut ajouter à (a) ou (b), ou ne dire que :

+ *Ça va ?*
+ *Comment ça va ?*
Comment | *vas-tu ?* / *allez-vous ?*

e. Réponses :

o pour (a), (b), (c) : même expressions, sans *Tiens.*
o pour (d) :

+ *Ça va (,merci).*
+ *Pas mal, merci.*
Bien, merci.

à quoi on peut ajouter :

+ *Et vous (même ?*

à quoi répondent :

+ *Ça va (,merci).*
+ *Pal mal, merci.*

Voir aussi IV.5.1. engager conversation.

DR : *Il l'a salué. Ils se sont salués.*
Il lui a dit bonjour. Ils se sont dit bonjour.

ACTES DE PAROLE, III. Actes sociaux

+ III.2. prendre congé

+ III.2.1. à l'oral

a. + *(Allez,) au revoir* | *(Monsieur)*
 (Madame)
 (Mademoiselle)
 (Jeune homme)
 (Petit)
 (Petite) | (Nom)

b. + *(Allez,)* | *au revoir*
 salut | (Nom)
 (Prénom)

c. + *Monsieur.*
+ *Madame.*
+ *Mademoiselle.*

d. On peut ajouter à (a) ou (b), ou ne dire que :

+ *A* | *bientôt.*
plus tard.
tout à l'heure.
demain.
(lundi, mardi ...)
l'année prochaine.
un de ces jours.
la prochaine. (Fam.)
un de ces quatre (matins). (Fam.)

On se téléphone.
Je te téléphone.
Tu me téléphones.
etc.

e. ∘ *Je vous dis au revoir.*

f. selon l'heure :

+ *(Allez,)* | *bonne journée.*
bon après-midi.
bonsoir.
bonne nuit.
bonne fin de | *semaine.*
 vacances.

∘ *Faites de beaux rêves.* cf. III.6.

g. réponses :

mêmes expressions que (a,b,c,d,e,) sans *Allez ;*
pour (d) on peut répondre :

+ *C'est ça.*
+ *Entendu.*
+ *D'accord.*

ACTES DE PAROLE, III. Actes sociaux

+ III.2.2. correspondance

+ *Amitiés.*
Amicalement.
Cordialement.
Salutations distinguées.
Veuillez agréer, | *Monsieur,* / *Madame,* / *Mademoiselle,* | (Titre)
l'expression de mes sentiments | *distingués.* / *respectueux.*

DR : *Il l'a salué. Ils se sont salués.*
Il lui a dit au revoir. Ils se sont dit au revoir.
Ils se sont fait leurs adieux.

+ III.3. présenter quelqu'un
(G. I.2.1.3.)

a. + *Je vous présente*
J'ai l'honneur | *de vous présenter*
J'ai le plaisir |

. *(Monsieur)* / *Madame* / *Mademoiselle* | (Prénom) Nom (,Titre)

. *le* / *la* | Titre, | *(Monsieur)* / *Madame* / *Mademoiselle* | (Prénom) | Nom.

b. + *(Monsieur)* | (Prénom) Nom (,Titre)
+ *Madame* | (Prénom) Nom (,Titre)
+ *Mademoiselle* |
+ *le* / + *la* | Titre etc.

c. + Prénom

d. + *Voici* (b,c)

e. *C'est* (b,c)

f. *Ça, c'est* (b,c) (Fam.)

NB : relations de parenté : +

+ mon | *père* / *mari*

+ ma | *mère* / *femme*

+ mon | *frère* / *fils*

etc.

g. ∘ *Vous connaissez (déjà)* | *Monsieur X,* (titre) *(?)*
Madame X, (titre) *(?)*
Mademoiselle X, (titre) *(?)*
∘ *Vous ne connaissez pas encore* | (Prénom) Nom, (titre) *(?)*

h. ∘ *Vous avez entendu parler* | de | *le* / *la* / *mon* / *ma* / *notre* / *votre* | titre.
∘ *Je vous ai déjà parlé* / *souvent parlé* |

Réponses :

\+ *Enchanté (de faire votre connaissance).*
\+ *Ravi de faire votre connaissance.*
\+ *Bonjour.* / *Salut.* (Fam.)
se nommer (cf. III.4.) :
\+ (Prénom) Nom (,Titre).

DR : *Il lui a présenté* Nom.
Il a fait les présentations.
Ils ont été présentés l'un à l'autre.

autres réponses possibles

∘ *Je suis* | *heureux* / *content* | *de te* | *rencontrer (enfin).* / *voir (enfin).*
∘ *Ça me fait plaisir* |

Ces réponses peuvent être précédées

à la suite de g. de – *Non, pas encore.*
– *(A partir de) maintenant, oui.*

à la suite de h. de – *Oui, bien sûr.*
– *Evidemment.*
– *Je m'en souviens (bien).*
...

NB : pour un enfant, un adolescent, le "titre" inclut la relation de parenté ou la relation hiérarchique qui le relie à une personne déjà connue de l'interlocuteur.

\+ III.4. se présenter

a. + *Je me présente :* (Prénom), Nom, (Titre).
Je m'appelle (Prénom), Nom.
Mon nom est (Prénom) Nom.
Prénom Nom (,Titre).
Nom (,Titre).
Prénom.
Je suis (Prénom), Nom, (Titre).

b. réponses : voir 3.i.

DR : *Il s'est présenté (comme (le)* Titre*).*

+ III.5. présenter sa sympathie,
ses condoléances

a.
+ *Toute ma sympathie.*
+ *Condoléances.*
° *Je suis désolé* | *pour vous.*
° *J'ai beaucoup de peine* | *pour vous.*

b. réponses :

+ *Merci.*
DR : *Il lui a présenté (sa sympathie, ses condoléances).*

+ III.6. souhaiter quelque chose
à quelqu'un

a.
+ *Bon appétit.*
+ *(Soyez le/la) bienvenu(e).*
+ *Bonne (et heureuse) année.*
+ *Bonne fête.*
+ *Joyeux anniversaire.*
+ *Joyeux Noël.*
+ *Bon week-end.*
+ *Bonne chance.*
+ *Bon voyage.*
+ *Bon courage.*
+ *Prompt rétablissement.*
Amuse-toi bien.
° *Repose-toi bien.*
Travaille bien
° *Soigne-toi bien.*
... etc. cf. III.2.1.e.

b. réponses :

+ *Merci.*
le cas échéant :
(Merci,) vous aussi.
DR : *Il lui a souhaité (bon appétit, joyeux anniversaire, etc.).*
Il lui a souhaité de bien (infinitif)

+ III.7. trinquer

a.
+ *A la vôtre !*
+ *A la tienne !*
+ *(A votre, ta) santé !*

b.
Je lève mon verre | *en l'honneur de (...).*
| *au succès de (...).*
| etc.
+ *Au succès de (...).*
etc.

c. réponses à (a) : mêmes expressions.

DR : *Ils ont trinqué.*
Il a levé son verre (...).

IV. OPERATIONS DISCURSIVES

+ IV.1. aspect référentiel

+ IV.1.1. mentir

dire le contraire de ce que l'on sait être vrai ou de ce que l'on croit être vrai (*Il est parti* au lieu de *Il n'est pas parti*), ou dire quelque chose de différent (*Il est 9 h* au lieu de *Il est 8 h*).

faire des présuppositions fausses. (I.1.8.)

DR : *Il a menti. Il a prétendu que (...).*

+ IV.1.2. deviner

en dehors de l'intuition, on peut avoir recours à un modèle de questions binaires :

C'est animé ou inanimé ? - Animé.
Humain ou animal ? - Animal.
(...)
C'est un lapin ? - Tu as deviné.
(cf. I.9.4.4. demander accord sur la vérité d'un fait).

Voir aussi *Devine qui j'ai vu !* (I.1.4. annoncer, informer d'un fait).
Devinez.
Devine.
(en réponse à une demande d'information(s) factuelle(s). cf. II.22.17. et II.24.11.

DR : *Il a deviné.*
Il lui | *a dit de deviner (...).*
| *a fait deviner (...).*

+ IV.1.3. citer

répéter mot à mot les paroles d'autrui.
Je cite : "...".
Fin de citation.
C'est de Nom.
C'est Nom *qui (a) écrit cela dans (...).*
Ce n'est pas de moi, c'est de Nom.
(...) comme on dit.
comme (dit, dirait) Nom.
C'est X qui (a) dit cela | *(hier)*
| *(quand il ...).*
Je rapporte ce que X (a) | *dit.*
| *écrit.*
Il a cité Nom.
Il (lui) a rapporté | *les paroles de X.*
| *ce que X a dit.*

+ IV.1.4. préciser

cf. II.5. demande de préciser.
Je précise : (...).
Je précise que (...).
(Plus) précisément, (...).
Précisons.
Pour être précis, | *je dirai que (...).*
Pour être clair, |
D'ailleurs, (...)
voir aussi IV.1.6.

DR : *Il a (précisé que (...), donné des précisions).*

+ IV.1.5. illustrer, exemplifier

En voici un exemple : (...).
+ *(...), par exemple, (...).*
(...) en est un (bon) exemple.
(Pour me faire comprendre,)
+ *je vais prendre un exemple.*
je prendrai l'exemple suivant : (...).
(...) illustre bien (...).
Ainsi, (...).
Si tu veux un exemple :
S'il te faut des exemples :
Avec un exemple, ...
En prenant un exemple, ...
A partir d'un exemple, ...
DR : *Il a (pris, donné) un exemple.*

+ IV.1.6. (s')expliquer

Je m'explique (tout de suite) : (...).
+ *Je veux dire que (...).*
+ *Ce que je veux dire, c'est que (...).*
C'est-à-dire
Autrement dit
Si vous voulez
° *Vous* | + *comprenez ?* / *voyez ce que je veux dire ?*
+ *C'est clair ?*
Ce qui veut dire.
Ce qui signifie
DR : *Il a expliqué que (...).*
Il s'est expliqué sur (...).

+ IV.1.7. nommer (dire le nom)

on ne sait pas le nom :

- d'une personne : + *Machin,* + *Machine.*
  le Monsieur / *l'homme* / *le type* / *la dame* / *demoiselle* / *personne* / *celui, celle* | *qui ...*

- d'une chose : + *un truc*
  un bidule (Fam.)
  un machin
  le machin / *le truc* / *le bidule* | *qui ...* / *que ...*

- d'un endroit : *là*
  où
  ici

on sait le nom :

- d'une personne : + *Il s'appelle (...).*
  C'est X.

- d'une chose : + *Ça s'appelle un(e) (...).*
  + *C'est un(e) (...).*

- nommer quelqu'un de manière allusive :

° *Vous voyez qui je veux dire.*
° *Qui vous savez.*
Suivez mon regard.
Je ne veux citer personne.
Nom, *pour ne pas le nommer.*
Celui | qui ...
Celle | que ...
etc. (cf. IV.1.7. début)
° *Tu | vois | (très bien) de qui je parle.*
| sais |
Il a nommé Nom.
Il a dit (qu'il, que ça) s'appelait (...).
Il a fait allusion à Nom.

+ IV.1.8. comparer (G. II.1.3.3.3., II.2.0.3.)

- comparaison quantitative
- comparaison qualitative

+ *On dirait*
C'est (un peu) comme si
+ *Ressembler à*
+ *Faire penser à*
Rappeler
A la manière de
De la même | manière | que
| façon |
De même que
Comparable
Commun
Semblable
Pareil
Ces deux (...) sont comparables. En effet, tous deux (...)
+ *L'un et l'autre (...)*
Lorsque l'un (...), l'autre (...)
C'est comme ...
C'est (presque) | la même chose | (que ...)
J'ai (vu) | le même |
| la même |
C'est une | espèce | de ...
| sorte |
DR : *Il a comparé (...) à (...).*
Il a fait une comparaison entre (...) et (...).

+ IV.I.9. argumenter (G. III.)

Opérations entre propositions dans un discours finalisé pour faire admettre un point de vue.

DR : *Il a fait le raisonnement suivant : (...).*

ACTES DE PAROLE, IV. Opérations discursives

+ IV.1.10. prouver, démontrer (G. III.)

types de preuves :
le nécessaire :
voir 0.3.2.1. : syllogisme
conditions matérielles nécessaires
conséquences matérielles nécessaires
expressions : I.1.2.1.-3.
(vrai, nécessaire, certain)

le possible :
voir 0.3.2.1. : conditions possibles "modales"
conditions matérielles possibles
conséquences matérielles possibles
expressions : I.1.2.4.-6.
(apparent, probable, possible)

DR : *Il a (prouvé, montré, démontré que (...).*

+ IV.I.11. juger, évaluer, apprécier (G. I.2.1.4.5.)

prédicats attributifs portant sur *la vérité* (I.1.2.), *la pragmatique* (I.10.), *l'affectivité* (I.11.), etc., présentés ou non comme une *opinion* (I.1.7.) :
(Je trouve que) c'est | *vrai.* / *faisable.* / *triste.*
etc.
voir aussi IV.1.18.
NB : *apprécier* : *I.11.1.2.

DR : *Il a porté un jugement sur (...).*
Il a estimé que (...).

+ IV.1.12. analyser

Un objet d'analyse peut être analysé par diverses opérations telles que : *définir* (IV.1.13.), *classifier* (IV.1.14.), *comparer* (IV.1.8.), *juger* (IV.1.11.), etc.

DR : *Il a analysé (...).*
Il a fait (une, l') analyse de (...).

+ IV.1.13. définir

* par *synonymie :*
"Céphalée" veut dire "mal de tête"
* en *compréhension :*
La botanique est l'étude des plantes.
* en *extension :*
La classe des cétacés comprend la baleine, le cachalot, le dauphin, le marsouin et le narval.
* par *exemplification :* (IV.1.5.)
Un cétacé c'est, par exemple, une baleine.
* par *approximation :*
. par *comparaison :*
Une hyène c'est comme un chien qui a les pattes arrières plus courtes que les pattes avant.
Une hyène c'est une espèce de chien ...
. par *élargissement :*
Un fauteuil, c'est une chaise avec des bras.
. par *restriction :*
Un tabouret, c'est une chaise sans dossier.

DR : *Il a défini (...) (comme) : (...).*

ACTES DE PAROLE, IV. Opérations discursives

+ 1.14. classifier (G. I.2.1.3.1.)

+ *La baleine est un cétacé.*
+ *Une baleine, c'est un cétacé*
appartient à la classe des
fait partie des
entre dans la classe des
C'est | *de même nature que ...* / *du même genre que ...*
(Ça) va avec les ...
C'est un type de ...

DR : *Il a dit que (...) était un (...).* etc.
Il a rangé (...) dans la classe des (...).

+ IV.1.15. décrire

- localisation spatio-temporelle.
- qualification.
- anaphoriques nominaux : *(action, but, cas, constituant, domaine, donnée, effet, endroit, ensemble, espèce, exemple, facteur, genre, matière, notion, objet, oeuvre, opération, phénomène, pièce, point de vue, principe, problème, processus, procédé, produit, propriété, qualité, quantité, raison, résultat, trait, rôle,* etc.*)*

DR : *Il a décrit (...).*
Il a fait une description de (...).
Il a raconté | *ses vacances.* / *que ...* / *comment ...*

+ IV.1.16. énumérer

+ *Il y avait Paul, Martine et Pierre, en tout et pour tout.*
+ *Il y avait Paul, Martine et Pierre* | *et c'est tout.* / *et personne (d'autre) (de plus).*
Il y avait des stylos-feutres rouges et bleus | *et c'est tout.* / *et rien* | *de plus.* / *d'autre.*
+ *Non seulement (...) mais* | *aussi ...* / *encore ...*
+ *et même*
et / *mais* | *en plus ...*
... et je n'ai pas | *tout vu.* / *vu tout le monde.*
+ *premièrement, deuxièmement, (...),* *dernièrement* / *enfin* / *finalement*
j'en passe
en tout, il y avait ...
+ *c'est tout.*
+ *ce n'est pas tout,*
etc.

DR : *Il a énuméré (...).*
Il a ajouté que (...).
Il a cité tous les ...

+ IV.1.17. raconter (G. II.1. et I.2.2. à 7.)

- relations temporelles :
  + *d'abord*, + *(et) puis*, + *alors*, + *après*, + *ensuite*,
  + *finalement*, + *avant*, + *au moment où*,
  + *pendant que*, + *dès que*.
  en fin de compte
  au début, à la fin.
  au bout d'un moment, d'un certain temps.
  quand il est arrivé ...
  en même temps (que ...)
  au même moment.

- prédicats actifs.

DR : *Il a raconté que (...).*
Il a fait le récit de (...).

+ IV.1.18. rapporter discours

Deux niveaux : résumer (IV.1.19) les *énoncés*, interpréter les *énonciations*.

a. - *niveau de l'énoncé :*

o Les relations temporelles et la déixis du discours direct subissent une translation parallèle à celle du temps de l'énonciation entre discours direct et discours rapporté.

o Le discours rapporté fait apparaître des termes métalinguistiques dont la fréquence est faible en discours direct *(Il a déclaré que/Je déclare que)*, ou qui ne peuvent se trouver en discours direct qu'avec valeur métalinguistique *(Il a conclu en ces termes/Je conclus* (ne fait qu'annoncer la conclusion et ne saurait en tenir lieu, cf. IV.6.5.)*)*, ou qui sont exclus du discours direct : ce sont des *jugements* (IV.1.11.) du locuteur du discours rapporté sur :

- les *jugements* du locuteur du discours direct *(surestimer, exagérer, se tromper, préjuger ...)* (cf. néanmoins, en discours direct, mais avec valeur métalinguistique : *je juge peut-être trop vite, j'exagère à peine, je me trompe peut-être, je ne crois pas me tromper, faire une erreur, dire une sottise ...,* qui sont des jugements que le locuteur porte sur son propre discours),

- les *opinions* (cf. I.1.7.) du locuteur du discours direct : *Il se doute que ..., il suppose que ..., il croit que ..., il pense que ..., il estime que ...,* (il croit que et je sais que), *il s'imagine que* (il croit que mais je sais que c'est faux), *il prétend que* (il croit que mais j'en doute), *il sait que* (il croit ou sait que et je sais que),

- sur l'*aspect quantitatif* du discours direct (voir IV.2.),

- sur l'*apparence* (cf. I.1.2.4. et I.1.7.3.) su locuteur du discours direct, qu'elle corresponde ou non à l'intention de ce dernier (0.1.1.),
- sur la *diction*, les *gestes*, les *mimiques* du locuteur du discours direct,

b. - *niveau de l'énonciation* : interpréter les intentions et les effets du discours direct. Voir 0.

DR : *Il a rapporté les paroles de* Nom.
Il a dit ce qu'avait dit Nom.

+ IV.1.19. résumer

On peut résumer son propre discours ou celui d'autrui (IV.1.18).
Pour résumer, je dirai que ...
Je résume | en quelques mots
| d'un mot
Ce qu'il faut en retenir, c'est que ...
retenez que ...
pour tout dire ...
en gros ...
grosso modo ...
ce qui | revient à ...
| peut se résumer | ainsi
| se résume | à cela
dans le fond, ça revient à ...

DR : *Il a résumé en disant que (...).*
Il a fait un résumé de (...).

+ IV.1.20. faire des jurons

Les jurons peuvent être ou non adressés à autrui. On en trouvera une liste sous I.11.7.13. : *irritation, indignation, exaspération.*

DR : *"Nom de Dieu !" a-t-il dit.*
Il l'a traité de salaud.

+ IV.2. aspect quantitatif

+ IV.2.1. effleurer, s'en tenir à

intention déclarée :
Je passe rapidement sur
Je ne dirai qu'un mot de
Je m'en tiens à
Je ne m'étendrai pas sur (IV.2.4.)
Je ne parlerai que | du plus important
| du plus facile
| du plus évident
A ce sujet, | je ne dirai que
De cela, | je dirai seulement

Il s'en est tenu à (...).
Il a seulement dit que (...).

+ IV.2.2. escamoter

Ne peut apparaître qu'en discours rapporté : terme péjoratif.

Je ne vous | *dis pas tout.*
| *parle pas de tout.*

Je vous passe les détails.

¤ réalisation volontairement contraire à l'intention déclarée :
Je ne parlerai pas du chat de la voisine.

DR : *Il a passé sous silence (...).*
Il a oublié de / *Il n'a pas voulu* / *Il n'a pas pensé à* | *dire que* / *parler de*
Il est passé à côté | *du problème.* / *de la question.*
Il n'a pas abordé | *le problème.* / *la question.*

+ IV.2.3. évoquer, faire allusion à

- dans la comparaison (IV.1.8.) il y a évocation du comparant.

° *rappelez-vous*
cela | *fait penser à* / *rappelle*
° *Vous* | *savez bien que*
° | *n'ignorez pas que*
entre parenthèses
° *souviens-toi*
on dirait
° *ça ne te rappelle rien*
tu n'as pas oublié ... (Int.)

- par dénégation (nommer IV.1.7.)
Nom, *pour ne pas le nommer.*

DR : *Il (a évoqué (...), fait allusion à (...)).*

+ IV.2.4. s'étendre sur

- intention déclarée :
Cela mérite un examen attentif.
Je m'arrêterai surtout sur (...).
s'appliquer à
cela demande une grande attention
Il faut | *regarder cela de (très) près.* / *s'y arrêter assez longtemps*
j'y consacrerai plusieurs cours

DR : *Il s'est étendu (longuement) sur (...).*
Il a consacré beaucoup | *d'attention* / *de temps.*

+ IV.3. aspect métalinguistique

+ IV.3.1. épeler, dicter

+ *j'épelle*

+ prononciation des lettres de l'alphabet (transcription phonétique de l'I.P.A.) :
(a, be, se, de, ə, ɛf, ʒe, aʃ, i, ʒi, ka, ɛl, ɛm, ɛn, o, pe, ky, ɛr, ɛs, te, y, v, dubl ve, iks, igrɛk, zɛd)

+ accents :
(´) accent aigu
(`) accent grave
(ˆ) accent circonflexe
ex : "a" : *a sans accent*
"à" : *à accent grave*
(¨) tréma : "ü" : *u tréma*
(¸) cédille : "ç" : *c cédille*
(ll) *deux l*
(') apostrophe : "l'en" : *l apostrophe, e, n.*
(-) trait d'union :
"compte-tours" : *compte trait d'union tours*
"compte rendu" : *en deux mots sans trait d'union*

+ épellation des noms propres :
Robertval : Robert comme le prénon, val comme un val, R comme Robert.

+ ponctuation :
(.) *point*
(?) *point d'interrogation*
(!) *point d'exclamation*
(,) *virgule*
(;) *point virgule*
(:) *deux points*
(...) *points de suspension*
(()) *parenthèses, entre parenthèses*
ouvrez la parenthèse
fermez la parenthèse
([]) *crochets, entre crochets*
(" ") *guillemets, entre guillemets*
ouvrez les guillemets
fermez les guillemets
(-) *tiret, entre tirets*
tiret, (...) tiret
point à la ligne
alinéa
majuscule
paragraphe
souligné
en italiques

DR : *Il a épelé (son nom).*
Il a dicté (le texte lettre à lettre).

ACTES DE PAROLE, IV. Opérations discursives

+ IV.3.2. syllaber

+ prononcer syllabe par syllabe
+ coupe syllabique : tendance à la syllabation ouverte (= syllabes terminées par une voyelle prononcée) :
  prɔ - nɔ̃ - se - sI - lab - par - sI - lab

DR : *Il a prononcé (...) en syllabant.*

+ IV.3.3. gloser

+ *c'est-à-dire*
+ *si vous préférez*
+ *une espèce de*
+ *une sorte de*
+ *le contraire de*
  la même chose que
  ce qui revient à dire que ...
  ce qui signifie que ...
  cf. IV.1.13. définir

DR : *Il en a donné l'équivalent suivant : (...).*

+ IV.3.4. paraphraser, expliciter

- donner un synonyme, un parasynonyme, un antonyme :
  demander la permission :
  - *demander l'autorisation* *(synonyme)*
  - *demander si on peut* *(parasynosyme)*
  - *demander une dispense* *(antonyme)*

- expressions :
  voir IV.3.3. gloser, IV.1.6. (s') expliquer

- donner l'équivalent énonciatif d'un énoncé (voir par ex. : I.9.0.2. demander)

+ *Je veux dire (que)*
° *Si vous préférez*
+ *Autrement dit*
+ *C'est-à-dire*
  ce qui signifie
  ce qui revient à dire
  ce qui veut dire

DR : comme IV.3.3.

+ IV.3.5. traduire

+ *veut dire (...) en français*
+ *se dit (...) en anglais*
  ce qui peut se dire en anglais :

Je traduis	*mot à mot*
	librement
en anglais	*on dit*
	on dirait

ça correspond à ...	*en anglais.*
on l'utilise comme	*l'expression anglaise ...*
c'est la même chose que	
c'est l'équivalent	

DR : *Il en a fait la traduction*

+ IV.4. aspect correctif

+ IV.4.1. se reprendre

+ *(...) non (...)*
+ *(...) pardon (...)*
+ *(...) - (...) pardon*
+ *(...) je veux dire (...)*
+ *(...). Je reprends : (...).*
+ *(...). Je recommence : (...).*

DR : *Il s'est repris.*

+ IV.4.2. se corriger

(...), enfin (...)
ou plutôt (...)
ou | plus précisément (...)
| pour être plus précis (...)
| plus exactement (...)
+ *je devrais dire (...)*
+ *j'aurais dû dire (...)*

Je ne sais pas si | j'ai été très clair,
| je me fais bien comprendre,
mais | je voulais dire ceci : (...).
| ce que je voulais dire,
| c'est ceci : (...).
| c'est que : (...).

DR : *Il s'est corrigé.*

+ IV.4.3. corriger autrui

reprendre l'énoncé fautif sous une forme correcte
+ *Tu veux dire :* (énoncé corrigé).
(énoncé fautif) *ou* (énoncé corrigé) *?*
+ *Non. On ne dit pas : "(...)", on dit : (...).*
Il vaut mieux dire (...)
C'est mieux de dire (...)

DR : *Il l'a repris.*
Il l'a corrigé.

+ IV.5. aspect dialogué

+ IV.5.1. engager conversation

Voir aussi I.9.1. interpeller
III.1. saluer

- avec un "sujet" de conversation :
  - ° *Je vous dérange ?*
  - ° *Est-ce que je peux vous déranger ?*
  - ° *Je peux vous déranger ?*
  - ° *Je ne vous dérange pas ?*
  - ° *Excusez-moi de vous déranger.*
  - + *Dis-donc ?*
    Au fait.
  - ° *Qu'est-ce que vous pensez de (...) ?*
  - ° *Vous avez vu ce (...) ?*
    Alors, ce (...) ?
  - ° *Je voudrais te parler de ...*
    Je peux te | prendre | quelques minutes ?
    | voler |

ACTES DE PAROLE, IV. Opérations discursives

(Est-ce que) tu as le temps de m'écouter ?
Tu as quelques instants pour ... ?
On peut te parler ?
J'ai besoin de te parler.

- sans "sujet" de conversation :
  parler du temps qu'il fait, des éléments du lieu dans lequel on se trouve, de ce qui s'y passe.

DR : *Il a engagé la conversation (en lui disant que (...))*

+ IV.5.2. prendre la parole

+ *Je* | + *veux* / *voulais* / + *voudrais* / *aurais voulu* | *dire ceci : (...).* / *que (...).* / *demander (...).*

+ *J'avais une question à poser.*
+ *(Moi) je pense que (...).*
+ *A mon avis, (...).*
Eh bien
Bon
+ *Je réponds à votre question.*
° *Je voudrais vous* | *expliquer ...* / *expliquer que ...* / *raconter ...* / *raconter que ...* / *parler de ...* / *répondre.* / *...*

DR : *Il a pris la parole.*

+ IV.6. aspect formel

+ IV.6.1. annoncer plan, points

Je traiterai n *points*
le premier
le second
premièrement
deuxièmement
nous verrons que
dernier point
d'abord
ensuite
puis
enfin
Nous | *considérerons* / *abonrderons* / *parlerons de* / *verrons* | n | *points* / *problèmes* / *questions* / *aspects* / *...*
J'aborderai
Je considérerai
Nous allons / *Je vais* | *aborder* / *considérer* / *parler de*

en premier lieu
dans un premier temps
tout d'abord
par la suite
à la fin, au début
Nous terminerons | *par*
Je terminerai |

DR : *Il a* | *annoncé son plan.*
| *donné le plan de ...*

+ IV.6.2. marquer le début d'un point

Commençons par
Je commence(rai) par
Venons-en maintenant à
\+ *En ce qui concerne*
Quant à
Pour ce qui est de
Reste
Enfin
Premier point
Premièrement
Dernier point
Dernièrement
Nous touchons ici un point | *important*
| *essentiel* (I.1.3.1.2.)
Avant toute chose
Avant de ...
Parlons d'abord de ...
Le premier problème à | *traiter* | *c'est ...*
| *régler* |
| *aborder* |

DR : *Il a (d'abord) dit que (...).*

+ IV.6.3. conclure

Pour conclure
En conclusion
Je conclus
Pour résumer et pour conclure
La conclusion (de tout cela), c'est que
Cela montre que
Donc
Ainsi
Finalement
En conséquence
En résumé
Ce qui | *permet* | *de dire pour terminer (...)*
Cela nous | | *de conclure que (...).*
Au bout du compte ...
Ce qui nous | *donne ...*
| *montre bien que ...*
Par conséquent

DR : *Il (en) a conclu que (...).*

ACTES DE PAROLE, IV. Opérations discursives

+ IV.6.4. faire une transition

C'était mon deuxième point, mon troisième point (..
(Sans transition,)
je passe au point suivant.
venons-en au | point suivant. / troisième point.
Cela nous amène tout naturellement | au point suivant. / au troisième point. / à aborder (...).
Cela / Ceci | dit, (...).
Après avoir (...), nous allons maintenant (...).
Deuxièmement ...
Parlons / Abordons | maintenant | du problème suivant. / le problème suivant.
Cela nous / Ce qui | permet de / Nous pouvons maintenant | traiter le point suivant.

DR : *Il a fait une transition.*

+ IV.6.5. faire une digression

\+ *A ce propos, sujet*
D'ailleurs,
Entre parenthèses,
Notons au passage que
Au fait,
Pendant que j'y pense,
Cela me rappelle que

DR : *Il a fait une digression*

+IV.6.6. poursuivre

Je reprends.
\+ *Je continue.*
Je ferme la parenthèse.
Cette remarque faite,
Pour en revenir à (...)
J'en reviens à (...)
\+ *Bien. Je disais donc que (...)*
Eh bien,
Reprenons
Continuons
Ça va ? / Vous y êtes ? | On continue.

Il a continué | ainsi : (...). / comme ça : (...). / en disant : (...).

+ IV.7. aspect vocal

+ IV.7.1. élever la voix

parler plus fort, soit pour *parler dans le bruit*, soit pour donner de l'importance à so discours (voir *emphase* I.1.3.), soit pour marquer son *irritation* (I.11.7.13.)

DR : *Il a élevé la voix.*
Il a parlé plus fort.
Il a (élevé, haussé) le ton.
Il s'est exclamé que (...).
Il s'est mis à crier.

+ IV.7.2. articuler

mêmes valeurs que 7.1.
voir IV.3.2. syllaber

DR : *en articulant.*

+ IV.7.3. chuchoter

parler sans voisement

DR : *Il a chuchoté.*
Il a murmuré.

G R A M M A I R E

J. COURTILLON

TABLE

GRAMMAIRE, Table

Page

GRAMMAIRE Table

GRAMMAIRE, Table

GRAMMAIRE, Table

Page

GRAMMAIRE, Table

GRAMMAIRE, Table

0. LES DOMAINES SEMANTIQUES DE LA GRAMMAIRE

ACTANCE ET DETERMINATION

0.1. *L'actance*

Le noyau de l'énoncé manifeste deux types d'opérations linguistiques fondamentales que l'on peut appeler :

- *l'attribution* ou le fait d'exprimer l'état d'être (ou de devenir) des *sujets*.

Elle peut constituer une structure linguistique simple ou transitive c'est-à-dire impliquant un actant ou un second prédicat (cf. ci-dessous I.1.1.1.)

- *l'action* ou le fait d'exprimer l'opération d'une action par un *sujet* avec ou sans incidence sur un *objet*.

Si nous avons regroupé ces deux types d'opérations sous le terme d'actance, c'est parce qu'on peut les considérer comme s'inscrivant dans une chronologie où le "faire" entraîne l'"être" : une action peut entraîner un nouvel état.

Ce domaine de l'actance peut être élargi "à gauche" et "à droite", c'est-à-dire du "causal" au "final" : "être la cause explicite de quelque chose" et "faire pour" (en vue de). Il est plus ou moins grammaticalisé selon les langues : ordre de mots, système des cas (déclinaisons). En français, il l'est très peu.

0.2. *La détermination*

L'actance peut être déterminée *temporellement* et *spatialement* puisqu'elle s'inscrit dans le temps et l'espace. Au niveau linguistique, elle se perçoit donc à l'intérieur d'un procès qui implique également des déterminations *quantitatives, qualitatives* ou *instrumentales*. La grammaire que nous avons tenté d'établir à partir d'un inventaire sémantique (1) décrit un ensemble de formes qui recouvrent le besoin

---

(1) Cet inventaire est inspiré, d'une part, de la réflexion guillaumienne sur le langage, et, d'autre part, des travaux de sémantique grammaticale de B. POTTIER.

d'expression de ces deux aspects fondamentaux de la parole - et seulement de ces deux-là (2) : le besoin d'exprimer l'être et le faire dans un réel spatio-temporel.

0.3. *Le "domaine logique"*

Un autre domaine, inséparable des deux premiers, mais constituant, en quelque sorte, une zone intermédiaire entre ceux-ci et la zone de l'énonciation personnelle du sujet parlant est celui de la *formulation des relations logiques entre propositions,* soit à l'intérieur de l'énoncé, soit au niveau supérieur à l'énoncé. Il s'agit du besoin de mettre en rapport sur le plan de la "nécessité logique" deux ou plusieurs phénomènes. Dans ce dernier domaine, nous avons distingué deux sous-ensembles :

- l'un orienté vers la *logique du raisonnement*

- l'autre vers la *"logique modale"* ou subjective.

(2) En ce qui concerne l'inventaire des formes disponibles pour l'expression de la marque personnelle du sujet parlant dans un énoncé, relevant de son attitude et de son interaction avec le milieu (domaine de l'énonciation dans une situation de communication), nous renvoyons bien entendu aux Actes de Parole.

I. ACTANCE

I.1. ACTANCE, VOIX ET DEROULEMENT

(Situation du problème et présentation des concepts opératoires)

I.1.1. Actance

En se situant à un niveau profond du langage, on constate qu'il existe des rapports d'actance fondamentaux, inhérents au lexique et qui relèvent du domaine de l'expérience : sont distingués ici trois rapports d'actance fondamentaux : "être", "faire", "causer" (au sens de "faire devenir").

I.1.1.1. "être" on peut être :

- dans la classe des .... *un homme, un imbécile*
- dans un certain état ...... *jeune, malade, fatigué* (plus ou moins permanent)
- dans une certaine circonstance .... *à la porte, au coin de la rue, en été, en France.*

Si, comme c'est le cas ici, on considère "l'avoir" comme une sous-classe de l'"être" on peut aussi : *avoir les yeux bleus, le nez long, de la chance, des enfants, un chat.*

- dans une certaine "disposition" ou "imposition" (attitude - sentiment - pensée - désir - possibilité - obligation) (1) :

vis-à-vis d'un objet (actant animé ou inanimé)
- *aimer quelqu'un* - *penser à quelque chose*
- *s'intéresser à la musique*
- *avoir de la pitié pour..*

Pierre aime | *Marie*
Pierre s'intéresse à | *la musique*

(1) C'est ainsi que nous rendons compte de la distinction classique entre proposition et modalité (dictum et modus) : au niveau de ce que nous avons appelé les opérations linguistiques fondamentales, la relation qui sous-tend la classe des termes qui rentrent dans la catégorie appelée traditionnellement modalité (savoir, penser, vouloir) est une relation d'attribution : " x veut ... = à x est attribuée la volonté de ...". Il s'agit là du domaine de l'"Etre" (cf. I.1.1.1.).

vis-à-vis d'un "être"	- *vouloir plaire, partir, réussir*
ou d'un "faire"	- *savoir nager*
(prédicat actif ou	- *penser à se marier*
attributif)	- *croire, savoir, penser que ...*

Pierre est capable de	*piloter un avion* *chanter juste* *être généreux*

Il s'agit là d'une structure attributive incomplète, impliquant un second élément : actant ou prédicat. C'est pourquoi nous avons appelé cette structure une structure attributive transitive.

I.1.1.2. "faire".

On peut accomplir ou faire une action qui s'inscrit dans une certaine circonstance sans entraîner, en chronologie, un changement d'état ni du sujet, ni de l'objet de l'action :

- *habiter rue des Saules*
- *dormir*
- *marcher sur la pelouse*
- *écouter la radio*
- *rencontrer quelqu'un*
- *lire un livre*
- *voir un film*
- *traverser la rivière à la nage*

Dans une succession temporelle chronologique, il y a bien, après le "faire", un "avoir fait" du sujet, mais on ne peut pas dire que ces actions ont entraîné un nouvel état d'être du sujet ou de l'objet. Il n'y a pas eu d'action "subie" par un objet entraînant la transformation de cet objet.

Cependant, dans certains cas, on observe des emplois attributifs (cf. I.2.1.4.) décrivant, hors chronologie, un état d'être habituel de l'objet, proche du domaine de l'adjectif :

- *Cette émission est très écoutée.*
- *Ce livre est très lu, lu par de nombreux jeunes.*
- *Ce quartier est habité par des bourgeois.*

I.1.1.3. "causer"

On peut accomplir une action qui, en chronologie, crée, détruit, transforme, c'est-à-dire cause un nouvel état d'être soit du sujet soit de l'objet. Il s'agit d'un "faire devenir" soi ou autrui.

1. "causer à soi-même"

On trouvera à l'accompli, en chronologie, un "être devenu" du sujet :

partir ——————> *être parti*

arriver ——————> *être arrivé (là)*

monter ——————> *être monté (là-haut)*

se lever ——————> *être levé (ou debout)*

se laver ——————> *être lavé (propre)*

rajeunir ——————> *avoir rajeuni (être devenu plus jeune)*

se laver les cheveux ———> *avoir les cheveux lavés (propres)*

se casser la jambe ———> *avoir la jambe cassée*

2. "causer à autrui"

On trouvera à l'accompli, en chronologie, un "être devenu" de l'objet (impliquant un "avoir fait" du sujet) :

arrêter un voleur ———> *le voleur est arrêté*

accrocher un clou ———> *le clou est accroché*

laver la vaisselle ———> *la vaisselle est lavée*

vendre un appartement ——> *l'appartement est vendu*

casser un verre ———> *le verre est cassé*

I.1.2. Voix et déroulement

I.1.2.0. Présentation

Le passage d'un objet un nouvel état d'être délimite la nature des rapports de causation entre les actants (1).

---

(1) Du point de vue de la nature des relations actancielles, on peut sans doute déterminer les degrés suivants :

1. l'Agentif fort (ou le transformatif de l'objet)

   (+ -) : Existence d'un rapport de puissance entre le sujet et l'objet
   Réversibilité de la vision actancielle : "arrêter quelqu'un".

   Selon le point de départ de l'énoncé :

   Agentif ———> Objectif = voix active fréquente

   Objectif <——— Agentif = voix passive fréquente

2. l'Agentif faible (pas de transformation de l'objet)

   (+ —> +) : Pas de rapport de puissance manifeste entre le sujet et l'objet : "rencontrer quelqu'un"

   Agentif ———> Objectif = voix active fréquente

   Objectif <——— Agentif = voix passive possible, mais peu fréquente.

3. l'Attributif transformatif (le sujet se cause à lui-même un nouvel état d'être) ou le résultatif : "partir" - "sortir".

4. l'Attributif non transformatif (l'action du sujet n'implique pas de transformation de l'état) : "dormir" - "bouger".

Cette dynamique du "faire" et de l'"être" est sans doute un processus plus ou moins universel qui s'appréhende au niveau de l'expérience et qui entretient des rapports avec le DEROULEMENT de l'action dans son entier, c'est-à-dire le passage de l'ACCOMPLISSEMENT à l'ACCOMPLI.

Mais les langues ne systématisent pas ces données de la même manière. En français, c'est un domaine très peu grammaticalisé. Et, de ce fait, la relation entre le déroulement de l'action et l'état du sujet ou de l'objet nous apparaît comme étant une source d'ambiguïté en ce qui concerne l'apprentissage des valeurs des temps au passé.

Cette ambiguïté résulte en outre du fait que ces phénomènes sont souvent décrits par des concepts grammaticaux mal définis, tels que ceux de "voix" et "d'aspect".

Nous avons donc choisi d'utiliser les concepts suivants :

I.1.2.1. Voix

Le concept de VOIX se perçoit au niveau de la forme et décrit la "vision actancielle", c'est-à-dire un certain mode de voir la relation entre les actants :

voix active : le point de départ de l'énoncé est l'agent :
Pierre a mangé la pomme.

voix passive : le point de départ de l'énoncé est le patient
La pomme a été mangée par Pierre.

voix moyenne : le point de départ de l'énoncé est le patient, l'agent étant indéterminé. Il s'agit là d'un cas particulier de passif (cf. 2.2. note)

Les pommes se mangent crues ou cuites.

voix attributive : Elle correspond au type d'opération linguistique que nous avons appelée l'attribution (cf. 0.I.) et décrit soit le *résultat* de l'action, qu'il s'agisse d'un cas d'actance passive ou active (cf. 1.2.2. le résultatif)

La pomme est mangée.

Pierre est sorti.

Soit *l'état d'être* général d'un objet (cas d'actance passive) non inscrit dans un déroulement. En discours, cette forme a une valeur descriptive (cf. 1.2.2. l'étatif).

Notons que, dans notre description, la notion de passif s'applique, d'une part, à un niveau profond du langage où elle définit un rapport de puissance entre deux actants : "qui fait quoi à qui". D'autre part, en surface, elle s'applique à la forme de l'énoncé où ce rapport de puissance est le plus marqué, c'est-à-dire dans une vision de déroulement, à l'accompli, impliquant un agent particulier ayant opéré l'action sur le patient. Si nous avons fait cette distinction entre un passif formel et un passif sémantique c'est pour éviter la confusion qui s'instaure souvent entre les rapports actanciels (passif-actif) et les valeurs de déroulement (accompli-résultatif) - cf. 1.2.2. déroulement.

I.1.2.2. Déroulement

Les concepts suivants, liés au DEROULEMENT (en chronologie et hors chronologie) se perçoivent au niveau du contenu : ils décrivent des "visions de déroulement".

Accomplissement spécifique

Le fait d'accomplir une action dans l'instant présent ou dans un instant vu comme étant "présent" dans le passé, ce qui peut entraîner en chronologie un résultat :

moment 1		moment 2
Je mange une pomme	⟶	*J'ai mangé une pomme*
ou		
Je suis en train de manger une pomme	⟶	*La pomme est mangée*
Je mangeais une pomme	⟶	*J'avais mangé une pomme*
ou		
J'étais en train de manger une pomme	⟶	*La pomme était mangée*

L'action peut être ponctuelle : *arriver, partir* ou plus ou moins durative : *dormir, habiter, vivre*. Dans le cas d'actions très ponctuelles ou suffisamment duratives : *habiter, vivre* l'utilisation du morphème "être en train de" est impossible :

⁎ *Il est en train d'arriver.*

⁎ *Il est en train d'habiter.*

C'est également le cas pour les verbes qui constituent une structure attributive incomplète ou transitive (cf. 0.1. et I.2.1.5.) :

⁎ *Il est en train d'aimer.*

⁎ *Il est en train de vouloir.*

GRAMMAIRE , I. Actance

Accomplissement générique

Il possède deux degrés :

l'habituel — Le fait d'accomplir une action en général (hors chronologie de déroulement). Nous appelons ce type d'accomplissement l'accomplissement habituel ("d'habitude, c'est ainsi")

- *Je me lève à 6 heures tous les matins.*
- *Je me levais à 6 heures tous les matins.*

l'étatif — L'état d'être plus ou moins général, hors chronologie. C'est un état qui tend vers celui que représente l'adjectif. Il s'agit d'une relation d'attribution exprimant une propriété qui peut être soit une règle générale (du discours scientifique) : "l'eau bout à 100°", soit un fait d'expérience : "ce médicament est remboursé par la Sécurité Sociale". Cette relation peut avoir une valeur descriptive : "le vin se vend bien cette année" ou prescriptive : "le Bourgogne se boit chambré".

L'étatif s'exprime par des voix différentes (Active-Attributive-Moyenne) et possède des valeurs ou effets de sens variables, selon le contenu d'expérience manifesté par le contexte (et la situation) et selon la nature des actants :

GRAMMAIRE, I. Actance

Enoncés descriptifs exprimant une loi scientifique ou un fait d'expérience

Voix	Agent	Énoncés	
		L'eau bout à 100°. *Le soleil se lève à l'est.*	**loi ou règle générale**
Voix active	**Agent défini**	*Le noir vieillit.* *La Sécurité Sociale ne rembourse pas les prothèses.*	**fait d'expérience**
	Agent indéfini	*On achève les chevaux.* *On lit toujours la Bible.*	**fait d'expérience**
Voix attributive	**Agent défini ou indéfini**	*Ce livre est très lu.* *Ce médicament est remboursé par la Sécurité Sociale.* *Le vin est vendu au litre.*	**fait d'expérience**
Voix moyenne	**Agent indéfini**	*Le vin se vend bien après les récoltes.*	**fait d'expérience**
		L'arabe se lit de droite à gauche (1).	**règle générale**

---

(1) Dans un contexte différent, les énoncés "ça ne se lit pas comme ça" ou "l'Arabe se lit de droite à gauche" seraient des énoncés prescriptifs signifiant : "il ne *faut* pas lire l'arabe comme ça" ou on *doit* lire l'arabe de droite à gauche".

GRAMMAIRE, I. Actance

énoncés <u>prescriptifs</u> ou normatifs exprimant une règle

- **voix active** — **agent indéfini**
  On boit le Bourgogne chambré.
  On lave la laine à l'eau tiède.
  On ne dit pas ça !
  On cuit les oeufs à feu doux.

- **voix moyenne** — **agent indéfini**
  Le Bourgogne se boit chambré.
  Les oeufs se cuisent à feu doux.
  Ça ne se dit pas.
  Ça ne se mange pas.

NB : Il faut noter qu'un état d'être ayant valeur de généralité peut entraîner, en diachronie, un passage du participe passé dans la classe des substantifs :

les rapatriés *les handicapés*

Il a été rapatrié en 1950.

Il est rapatrié.

C'est un rapatrié.

et inversement certaines visions de déroulement peuvent disparaître de l'usage :

C'est un député.

Il est député. **(substantif)**

* *Il a été député.*

l'accompli **Le fait d'avoir accompli une action ou le moment deux de la chronologie du déroulement :**

J'ai mangé une pomme.

La pomme a été mangée.

J'ai dormi.

Cette valeur de déroulement s'applique aux verbes de l'"être" du "faire" et du "causer".

Appliqué à l'"être" elle revêt différents effets de sens selon la valeur temporelle de l'attribution :

- Un "avoir été" peut signifier un "n'être plus" :

- *J'ai habité cette maison*	:	je n'y habite plus.
- *J'ai été jeune*	:	je ne le suis plus.
- *J'ai cru en Dieu*	:	je n'y crois plus.
- *L'Algérie a été une colonie française*	:	elle ne l'est plus.
- *Cet homme a été un grand chef d'Etat*	:	il est mort.
- *Je t'ai beaucoup aimé*	:	je ne t'aime plus.

Dans les exemples ci-dessus où l'"être" implique une certaine durée, l'accompli signifie donc nécessairement une durée d'être, mais par le fait même que cette durée a été accomplie, elle appartient au passé, elle est exclue de l'époque présente, c'est pourquoi elle entraîne comme effet de sens la cessation de l'état. Par contre, dans les exemples ci-dessous où le temps n'est impliqué que d'une manière ponctuelle, cet effet de sens "terminatif" n'e iste pas :

Il a su que je l'avais trompé.

Il a voulu que son fils continue ses études.

Il a été le meilleur, durant cette compétition.

Il a eu de la chance.

Je vous ai compris.

J'ai cru en son honnêteté : j'y crois encore ou je n'y crois plus.

mais : *J'ai cru longtemps en son honnêteté* : je n'y crois plus.

Le résultatif

Le nouvel état d'être ou le résultat dans la chronologie du déroulement :

soit du sujet : *il est parti* (il est absent)

soit de l'objet : *la pomme est mangée*

l'appartement est vendu.

Cette valeur de déroulement ne peut s'appliquer qu'aux verbes du "causer".

NB : Un même verbe peut être employé avec une valeur d'accompli ou de résultatif selon le contexte linguistique :

La marquise est sortie à 5 heures.

La marquise est sortie.

Le résultatif suppose évidemment un accompli antérieur au moment de l'énonciation.

I.1.3. Liens entre voix et déroulement

Voici à titre d'exemple, et pour rendre manifestes les définitions ci-dessus, une grille mettant en rapport les voix et les contenus de déroulement.

VOIX / DEROULEMENT	ACCOMPLISSEMENT (spécifique)	ACCOMPLI	RESULTATIF	Hors déroulement	
				ETATIF (Acct. générique)	SUBSTANTIF
VENDRE					
Active	*Pierre vend le vin de sa récolte.*	*Pierre a vendu son vin.*		*Pierre vend du vin.* (= est marchand de vin)	
Passive	∅	*Le vin a été vendu très cher.*			
Moyenne	*Le vin se vend bien en ce moment.*	*Le vin s'est bien vendu.*		*Le vin se vend au litre.*	
Attributive	∅	∅	*Le vin est vendu.*	*Le vin est vendu 10 fr. le litre.*	
BLESSER					
Active	*Pierre blesse Paul.*	*Pierre a blessé Paul.*			
Passive	∅	*Paul a été blessé par Pierre.*			
Moyenne			*Pierre est blessé.*	∅	*un blessé*

I.2. LISTE STRUCTURALE DES REALISATIONS ACTANCIELLES

I.2.0. Présentation

L'idée sous-jacente à cette présentation de la grammaire dans ses réalisations actancielles - ainsi d'ailleurs que dans ses autres aspects - est la suivante : un inventaire notionnel élaboré dans une perspective d'apprentissage d'une langue étrangère doit pouvoir être conçu d'une manière systématique. C'est pourquoi nous avons cherché à présenter les notions non pas d'une manière indépendante, autonome, mais comme des éléments d'ensembles sémantiques organisés par la langue. Nous sommes convaincus que si le méthodologue ou le pédagogue possède la connaissance des "règles de la langue", cette connaissance, au niveau explicite, n'est pas forcément cohérente (il a souvent pris sa grammaire à de nombreuses écoles grammaticales) ni exhaustive (certains domaines grammaticaux restent incomplètement perçus en tant que systèmes). Et pourtant le but visé est bien l'acquisition de la compétence grammaticale par l'élève. Nous sommes conscients du fait que ce processus d'acquisition relève d'une activité intellectuelle qui dépend du sujet apprenant, mais il nous semble néanmoins qu'il doit pouvoir être facilité par un certain type de présentation des données. Bien entendu nous ne cherchons pas à imposer aux utilisateurs de la liste ce type de présentation, nous proposons simplement un fil conducteur utile, nous semble-t-il, au niveau de l'élaboration d'exercices. La liste présentée tient compte à la fois de la structuration syntaxique inhérente au lexique et des caractéristiques sémantiques liées à l'utilisation de la voix en français. Dans l'état actuel des recherches, il ne peut s'agir d'une présentation lexicale exhaustive. Cette présentation ne vise qu'à sensibiliser les utilisateurs aux problèmes posés par l'acquisition de la compétence en ce qui concerne les emplois des verbes. Ce que nous avons cherché à mettre en évidence, ce sont les diverses solutions qu'offre la langue pour la réalisation d'une certaine "vision actancielle", laquelle est elle-même dépendante d'une "vision de déroulement". La liste comprend donc, à titre d'exemples, des réalisations structurales relatives à l'"Etre", au "Faire" et au "Causer" ainsi que des types d'"actance causale" explicite et d'"actance finale".

I.2.1. "être"

I.2.1.1. existentiel généralisant (poser l'existence de)	*Il existe ...* *Il y a des gens qui ...*
I.2.1.2. existentiel locatif (l'"être ou ne pas être là")	*Il y a quelqu'un à la porte.* *Il y a 10 élèves dans cette classe.* *Il manque* *Il reste (encore) ...* *Il n'y a plus que ...*
I.2.1.3. équatif ("l'essence") (cf. A.P. III 3)	
1. générique (l'"être dans la classe des") (cf. A.P. IV.1.1.4.)	*Paris est une capitale.* *Un trombone est un instrument de musique.* *Pierre est un voleur.*
2. défini (classe à 1 seul objet)	*Pierre est le mari d'Hélène.* *Paris est la capitale de la France.*
3. présentatif (emploi anaphorique de l'équatif)	en situation : *C'est le mari d'Hélène.* *C'est un crayon.* dans le contexte : *Le monsieur qui vient de sortir, c'est le mari d'Hélène, c'est un acteur de cinéma.*
I.2.1.4. attributif	
1. attribution d'une qualité	
a. essentielle	*Il est bleu ; carré ; haut.* *Il a les yeux bleus.* *Il a un gros nez, des yeux verts, de grosses lèvres.*
b. plus ou moins essentielle (1)	*Il est jeune, vieux.* *Il est professeur.* *Il est riche (a de l'argent).* *Il est ambitieux (a de l'ambition).*

---

(1) Souvent proche de la circonstance.

GRAMMAIRE, I. Actance

	Il est malheureux (il a des malheurs). *Il est très malade (a une grave maladie).* *Il a de la chance.* *Il a mauvais caractère.* *Il a les yeux rouges.* *Il a une jambe cassée.* *Il a froid, chaud, faim, sommeil, la fièvre.*
2. attribution d'une propriété constitutive	*Il est en métal.* *Un anneau d'or.*
3. attribution d'une circonstance	
1. spatiale	*M. Dupont est au bureau (occupation).* *M. Dupont est dans sa chambre (situation).* *Paris est en France.* *San Paolo est au Brésil.* *Ce village est situé au bord d'une rivière.*
2. temporelle	*Nous sommes en été.* *La séance est (a lieu) à 9 h.*
4. attribution d'un objet de possession	

degré +	*Il a de l'argent*	*son argent*	*cet argent est à lui*
	Il a un chat	*son chat*	*ce chat est à lui*
	Il a une voiture	*sa voiture*	*cette voiture est à lui*
degré -	*Il a une femme*	*sa femme*	Ø
	Il a des amis	*ses amis*	

5. attribution d'une "disposition" ou "imposition"	(cf. A.P.I.11.1. à 8. et A.P. IV.1.11.)
disposition vis-à-vis d'un objet	
- sentiments/attitudes	*avoir (ressentir) de la pitié, de la reconnaissance pour ...* *respecter quelqu'un ou quelque chose (être respectueux de ...)* *s'intéresser à ... (être intéressé par)* *aimer quelqu'un ou quelque chose (être amoureux de)* *désirer, avoir envie (besoin) de, vouloir quelqu'un ou quelque chose*
- pensée/savoir	*penser à quelqu'un ou quelque chose* *connaître quelqu'un ou quelque chose* *croire en Dieu* *savoir le latin*

GRAMMAIRE, I. Actance

Disposition vis-à-vis d'un prédicat

"sentir" (1) ou "éprouver"	*ressentir, éprouver, sentir une grande fatigue, de la joie, du plaisir* *sentir que, préférer que* *aimer faire quelque chose* *avoir besoin de voyager*
"vouloir"	*vouloir, désirer, avoir envie de plaire, de réussir, d'être riche* *avoir l'intention de, souhaiter, espérer, penser à se marier*
"pouvoir"	*être capable de, pouvoir, savoir nager, diriger, avoir les moyens de, la possibilité de*
"croire"	*penser, croire, trouver que, être sûr que* *ne pas savoir si, se demander si, douter de, que*

imposition

"devoir" (2)	*devoir, être obligé de partir, de payer des impôts* *falloir, avoir à* *avoir la permission (= pouvoir) sortir*

---

(1) Le verbe sentir étant l'hyperonyme de l'attributif lié aux sensations-sentiments correspond, au plan de l'expérience à la même réalité que celle qui est véhiculée par les structures attributives simples : être fatigué, en colère, avoir de la peine ... mais il nous est apparu que son emploi dans des structures actives représentait une vision linguistique différente de celle qui est véhiculée par la simple structure attributive.

(2) Les notions de probabilité, possibilité et nécessité logique n'entrent évidemment pas dans cette liste, on ne peut attribuer à un être vivant ou à un objet inanimé les notions de probabilité, de possibilité ou de nécessité. Ce sont des caractéristiques liés à l'événement, elles appartiennent donc au domaine du raisonnement logique. Comparer :

Il a dû se tromper	*Il est probable qu'il s'est trompé*
Il a dû partir	*Il a été obligé de partir*
Il n'a pas pu prendre cette route	*Cela ne lui a pas été possible*
Il n'a pas pu prendre cette route	*Il est impossible (logiquement) qu'il ait pris cette route*

cf. A.P.I.1.2.

Remarques sur la voix et les valeurs de déroulement de ce type de verbes :

Les réalisations de surface peuvent être actives : *s'intéresser à*, *pouvoir* ou attributives : *être intéressé par*, *être capable de*. Dans certains cas, une même notion peut être réalisée en surface par une structure attributive et/ou active ayant comme point de départ le sujet ou l'objet.

Pierre aime Marie.
Pierre est amoureux de Marie.
Marie est aimée de Pierre.

Tout le monde connaît cet acteur.
Cet acteur est connu de tous.

La valeur d'accomplissement est toujours générique puisqu'elle indique un état d'être. Ces verbes ne peuvent donc pas être utilisés avec la forme "en train de" caractéristique de l'aspect spécifique à l'exception toutefois de quelques verbes qui, dans certains emplois ponctuels, sont du domaine du "Faire" : *comprendre*, *penser* renvoient parfois à des actes :

Je suis en train de penser que = il me vient à l'idée
Je commence à comprendre

Ces verbes, qui ne possèdent pas le transformatif, c'est-à-dire qui n'appartiennent pas au domaine du "Causer" n'ont pas de valeur résultative. La voix attributive a donc valeur d'étatif. Comparer les séquences suivantes :

séquences de déroulement logiques	*Elle a été cassée*	*elle est cassée*
	Elle a été blessée	*elle est blessée*
séquences de déroulement illogiques	*Elle a été aimée*	*elle est aimée*
	Elle a été connue	*elle est connue*

I.2.2. "faire"

Dans cette classe de verbes, la voix attributive - quand elle existe - a une valeur d'étatif ; elle exprime un état de fait habituel et non un résultat en chronologie.

L'effet de sens est "habituellement", "c'est ainsi ... en général".

Ce livre est très lu : "on le lit beaucoup (souvent)"
Je suis incomprise : "on ne me comprend jamais".

GRAMMAIRE , I. Actance

NB : les verbes mis en regard de chaque fonctionnement syntaxico-sémantique ne représentent que quelques exemples :

DEROULEMENT	VOIX	SYNTAXE	EXEMPLES
Accompli	active	aux "avoir" 1 actant	*Il a dormi.* *Il a couru.* *Il est passé par Paris.*
	attributive	aux "être"	*Il est passé à Paris.*
Accompli	active	1 actant vb pronominaux figés (1) aux "être"	*Il s'est promené.* *Il s'est trompé.* *Il s'est dépêché.* *Il s'est tu.*
Accompli	active	2 ou 3 actants aux "avoir"	*Il a vu ce film.* *Il a lu ce livre.* *Il a compris le problème.* *Il a raconté une histoire.*
Accompli	passive	aux "être"	*Ce film a été vu par ...* *Ce livre a été lu ...* *Ceci a été compris.* *Elle a été obéie.* *Cette histoire a été racontée par ...*
Accomplissement générique	moyenne		*Ce livre se lit très vite.* *Ça se comprend aisément.* *Ça se voit.* *Ça ne sa raconte pas.*
Accompli	moyenne	aux "être"	*Ça s'est vu.* *Le vin s'est bien vendu.*
Accomplissement générique	attributive	aux "être"	*Elle est obéie.* *Ce phénomène est mal compris.* *Ce livre est très lu.* *Cette émission est très écoutée.*

NB : En ce qui concerne les verbes dits "pronominaux, c'est-à-dire les verbes utilisés avec la forme "se", nous distinguons 3 cas :

- le pronom *se* ne fonctionne plus comme un indice d'actance, donc de voix.
  se lever - s'apercevoir que - se disperser

ces réalisations sur un plan fonctionnel correspondent à la voix active (verbes intransitifs). Nous avons affaire à des *pronominaux figés*.

- le pronom *se* fonctionne comme un indice d'actance : il représente le ou les actants objets ayant le même référent que le ou les actants sujets :

  se laver - se battre - se parler.

Il s'agit d'une *voix active pronominale* (verbes transitifs directs et indirects réfléchis ou réciproques).

- le pronom *se* est l'indice d'une vision actancielle passive dont l'agent est indéterminé et dont le patient est le plus souvent inanimé. Nous réservons le terme de *voix moyenne* pour ce type de réalisation actancielle pronominale qui, du point de vue formel, n'est pas une réalisation passive mais qui, du point de vue sémantique, est un cas particulier de passif (Agentif indéterminé) :

  - *Le vin se vend bien cette année.*
  - *Les foules se manipulent aisément.*

  cf. A.P.I.10.2.

I.2.3. "causer à soi"

Dans cette classe de verbes le résultat (en chronologie) a valeur de "transformatif du sujet" et l'accompli du passé s'exprime par la voix attributive.

DEROULEMENT	VOIX	SYNTAXE	EXEMPLES
Acct. spécifique	active	1 actant	*Il part.*
Accompli	attributive	aux "être"	*Il est parti à 5 heures.*
Résultatif	attributive		*Il est parti (absent).*
Accomplissement générique (habituel)	active		*Il part tous les matins à 6 heures.*
Accompli	active pronominale	verbes pronominaux	*Il s'est levé, couché.*
Accompli	active pronominale	figés aux "être"	*Il s'est décidé.*
Résultatif	attributive	(disparition du pronom au résultatif	*Il est levé, couché.* *Il est décidé.*

I.2.4. "causer à l'objet"

Dans cette classe de verbes, on peut rencontrer toutes les valeurs de déroulement et toutes les voix.

DEROULEMENT	VOIX	SYNTAXE	EXEMPLES
Accompli	active	2 actants : aux "avoir"	*Pierre a coupé du bois.* *Il a cassé le verre.* *Elle a lavé la vaisselle.*
Accompli	passive	aux "être"	*Le bois a été coupé.* *Le verre a été cassé.* *La vaisselle a été lavée.*
Accomplissement générique	moyenne		*Le bois se coupe avec une hache.* *Le verre se casse facilement.* *La vaisselle se lave à l'eau chaude.*
Résultatif	attributive	aux "être"	*Le bois est coupé.* *Le verre est cassé.* *La vaisselle est lavée.*

GRAMMAIRE, I. Actance

DEROULEMENT	VOIX	SYNTAXE	EXEMPLES
Accompli	active pronominale	verbes pronominaux actifs (réfléchis et réciproques)	*Pierre s'est lavé.* *Il s'est battu avec Paul.*
Accompli Résultatif	passive attributive	aux "être"	*Pierre a été battu par Paul.* *Pierre est lavé, battu.*
Accompli	active	3 actants	*Pierre a vendu sa maison à Paul.*
Accompli	passive		*La maison a été vendue à Paul par une agence.*
Accompli	moyenne		*Les appartements se sont bien vendus.*
Accomplissement générique	moyenne		*Les appartements se vendent bien cette année.*
Accomplissement générique	attributive		*Les appartements sont vendus 4.000 fr. le m2.*
Résultatif	attributive		*L'appartement est vendu.*

I.2.5. Actance causale explicite (1)

I.2.5.1. constructions factitives

1. "faire être" — rendre : *rendre quelqu'un malade - heureux*
cf. AP.0.2.1. — "ir" : *embellir, vieillir, jaunir, bleuir*

Noter que seules les constructions transitives de ces verbes relèvent de l'actance causale (agentif - objectif).

le bonheur embellit les femmes
le noir vieillit
les noix jaunissent les mains

Les constructions intransitives relèvent du déroulement :

il s'agit du simple "devenir" :

accomplissement	accompli
Il vieillit	*Il a vieilli (il est devenu vieux)*
Ce papier jaunit	*Il a jauni (il est devenu jaune)*

Ce papier jaunit à l'air : réintroduit l'actance causale

"l'air fait devenir jaune le papier"

"faire avoir" *rendre quelque chose à quelqu'un*

2. "faire paraître"
cf. AP.0.1.1.1.

- faire ressembler (paraître)
  ça le fait ressembler à un Picasso
- donner (l'air)
  ça lui donne l'air triste
  10 ans de plus.

(1) Pour ce type d'actance, il ne nous a pas paru possible d'effectuer un classement en catégories sémantiques. Nous avons donc utilisé des critères syntaxiques. Mais, en ce qui concerne les sous-classements, nous avons essayé, chaque fois que cela était possible, de retrouver des critères sémantiques.

GRAMMAIRE, I. Actance

3. "faire faire" (1)
cf. AP.0.2.2.

un actant	: faire pleurer partir parler	*Il l'a fait pleurer.*
deux actants	: faire manger la soupe	*Il lui a fait manger sa soupe.*
	faire arrêter quelqu'un	*Il l'a fait arrêter par ...*
(causer à soi)	se faire raser se faire couper les cheveux	*Il s'est fait raser par ...* *Il s'est fait couper les cheveux par ...*
trois actants	: faire donner quelque chose à quelqu'un	*Il le lui a fait donner par ...*
	faire faire quelque chose par quelqu'un	*Il lui a fait faire une robe par ...*
(causer à soi)	se faire faire une robe	*Elle s'est fait faire une robe par ...*
	se faire expliquer	*Je me le suis fait expliquer par ...*

(1) En regard des exemples, nous avons indiqué la structuration actancielle inhérente au verbe lui-même. Selon la description bien connue de Tesnière (Eléments de syntaxe structurale), l'emploi de l'auxiliaire *faire* augmente la valence du verbe, c'est-à-dire permet l'utilisation d'un actant de plus :

Le garagiste répare les voitures.

réparer est un verbe possédant 2 actants

Pierre a fait réparer sa voiture par son garagiste.

on constate la présence de 3 actants dans cet énoncé.

I.2.5.2. **préposition causales** (cf. formulation des relations logiques)

à cause de	*Il l'a fait à cause de ...* *C'est à cause de ... qu'il l'a fait* *Pourquoi l'as-tu fait ? A cause de ...*
à force de	*A force de patience, il a réussi.*
(cf. la détermination instrumentale)	
pour cette raison pour cela	(emploi anaphorique)
par	*Je l'ai fait par bonté (gentillesse).*
avec	*Avec ce chapeau (tu as l'air ridicule)* *Avec ces ennuis (ce bébé), (ces voisins) je ne dors plus.*

I.2.5.3. lexique causal (cf. formulation des relations logiques)

faire	*Il lui a fait mal, plaisir, du bien.*
causer	*La pluie a causé des dégâts.*
provoquer entraîner	*Sa déclaration a provoqué (entraîné) des protestations.*
cause négative = empêcher	*Il l'a empêché de partir.*
I.2.5.4. participe présent causal	*Il s'est blessé en coupant du pain.*

I.2.6. actance finale
(cf. AP.I.10.7.)

- prépositions finales :

pour + substantif	*Je l'ai fait pour toi, pour mes enfants.*
+ (prédicat sous-jacent)	*Je l'ai fait pour son bien, le plaisir, la gloire, la libération de la femme.*

- conjonctions finales :

pour que + que phrase	*Pour qu'il soit heureux.*
afin que (+ subj.)	*Pour qu'il le sache.*

pour + infinitif afin de	*Pour arriver à l'heure* *Pour pouvoir*
- lexique final :	*Veiller à ce que ...* *Faire que (en sorte que) ...* *Insister pour obtenir que ...*
	Obtenir de quelqu'un que ... *Amener quelqu'un à ...* *Convaincre quelqu'un de ...*

I.2.7. le "cas locatif" (cf. la détermination spatiale)

I.2.8. actance inanimée

Il nous est apparu que l'on pouvait également classer les réalisations liées à l'actance dans le domaine des inanimés non humains selon les types d'actance fondamentaux décrits ci-dessus :

l'"être"

Accomplissement	**Accompli du passé**
Il y a du vent (en ce moment).	*Il y a eu du vent.*
Il pleut.	*Il a plu.*
Il fait froid - chaud	*Il a fait chaud, hier.*
soleil, jour, nuit	*Il a fait nuit à 6 heures.*

le "faire"

Accomplissement	**Accompli du passé**
Le vent souffle. **(en ce moment)**	*Le vent a soufflé.*
La pluie tombe. **(en ce moment)**	*La pluie est tombée.*
La terre tremble. **(en ce moment)**	*La terre a tremblé.*

le "causer" au sujet :

Accomplissement spécifique	**Accompli du passé**	**Résultatif**	**Etatif (descriptif) règle générale**
L'eau bout **(en ce moment).**	*L'eau a bouilli.*	*L'eau est bouillie.*	*L'eau bout à 100°.*
La nuit tombe.	*La nuit est tombée à 8 h.*	*La nuit est tombée.*	*L'hiver la nuit tombe plus tôt.*
Le soleil se lève.	*Le soleil s'est levé à 5 h.*	*Le soleil est levé.*	*Le soleil se lève à l'est.*
L'eau gèle.	*L'eau a gelé.*	*L'eau est gelée.*	*L'eau gèle à zéro degré.*

GRAMMAIRE, I. Actance

Le "causer" à l'objet :

Accomplissement spécifique	Accompli du passé	Résultatif	Etatif (descriptif) règle générale
Le vent éteint la bougie.	*... a éteint la bougie.*	*La bougie est éteinte.*	
Le soleil jaunit les rideaux.	*... a jauni les rideaux.*	*Les rideaux sont jaunis.*	*Le soleil jaunit les rideaux* ou *Les rideaux jaunissent au soleil.*
La pluie inonde les champs.	*... a inondé les champs.*	*Les champs sont inondés.*	

I.3. SYNTAXE

Il nous est apparu utile de présenter très rapidement quelques types de réalisations syntaxiques - au niveau de la langue, c'est-à-dire indépendamment d'une situation de communication - de manière à tracer des lignes générales de la compétence syntaxique à laquelle un étudiant devrait pouvoir accéder au Niveau Seuil.

Nous n'avons pas traité ici la syntaxe liée à la communication, c'est-à-dire les procédés syntaxiques qui relèvent de la fonction interpersonnelle du langage, qu'il s'agisse de procédés de la syntaxe dite "expressive" (extraction, mise en relief, etc.) ou de procédés rhétoriques.

I.3.1. Niveau de l'énoncé

I.3.1.1. interrogation (cf. AP. I.9.4.)

1. totale
- **intonation**
- *"est-ce-que"*
- **inversion (dans les cas de sujets pronominaux)**

2. partielle (cf. AP. I.8.9.)
- **adv. + est-ce-que** *Où est-ce que tu vas ?*
- **ordre normal + adv.** *Tu vas où ?*
- **inversion (dans les cas de sujets pronominaux)**

I.3.1.2. négation (cf. détermination quantitative)

I.3.1.3. interro-négation

1. totale
- **intonation** *Vous n'êtes pas allé au cinéma ?*

GRAMMAIRE, I. Actance

2. partielle (cf. AP. I.8.9.)	- *"est-ce que"* *pourquoi est-ce que vous n'êtes pas allée au cinéma ?*
I.3.1.4. transformation impersonnelle (quelques cas de transformations les plus courantes)	*Il est utile de savoir nager* ⟵ *savoir nager est utile* *C'est difficile à faire* ⟵ *faire cela est difficile*
I.3.1.5. transformation nominale (normalisation)	*Je regrette son départ* ⟵ *qu'il soit parti* *J'ai peur de sa réaction* ⟵ *qu'il ne réagisse* *Je suis content de son succès* ⟵ *qu'il ait réussi.*

I.3.2. niveau du groupe verbal

I.3.2.1. auxiliarisation

1. infinitif	
un infinitif	*Je veux partir.* *Je dois partir.* *J'ai peur de partir.* *Je suis contente de partir.* *J'ai besoin d'être seule.*
deux infinitifs	*Je crois pouvoir dire cela.* *Il faut pouvoir le faire.*
2. "que phrase"	
"que"	*Il faut qu'il vienne.* *Je pense qu'il viendra.* *J'ai peur qu'il ne vienne.* *Je suis contente qu'il vienne.* *Il me semble que ce ne sera pas nécessaire.*
"à ce que"	*Je tiens à ce qu'il le fasse.* *Je veillerai à ce qu'elle l'obtienne.*
3. infinitif + "que phrase"	*Je crois pouvoir affirmer qu'il viendra.* *Je voudrais pouvoir dire que cela est vrai.*

I.3.2.2. transformation pronominale

1. de l'actant objet

	temps simples : formes interrogative, négative, interro-négative + deux pronoms objet	*Tu ne le lui diras pas ?* *Pourquoi est-ce que tu ne le lui diras pas ?*
	temps composés : id. ci-dessus	*Tu ne le lui as pas dit ?* *Tu ne lui en as pas parlé ?* *Pourquoi (est-ce que) tu ne lui en as pas donné deux ?*
	2. de la que-phrase	*Je ne le crois pas* ←— *que cela soit vrai* *Il me l'a assuré* ←— *qu'il l'avait dit* *Il a cru qu'il le pourrait* ←— *qu'il pourrait le faire*
se	même sujet prédicat attributif dans la que-phrase	*Il se croit intelligent* ←— *qu'il est intelligent* *Il se sent utile* ←— *qu'il est utile* *Il se dit écrivain* ←— *qu'il est écrivain*

I.3.3. niveau du groupe nominal

I.3.3.1. détermination (cf. détermination des actants 2.2.1.2.)

Les combinaisons les plus courantes :

(tous) (les, ces, mes) (autres) ...
Les (trois) (derniers, premiers, meilleurs) ...
Certains (des, de ces, de mes) ...
beaucoup de ces (mes)
Beaucoup plus, bien (moins, mieux)
Quelques-uns des ...

I.3.3.2. transformation nominale (nominalisation)

Nous donnons ici quelques exemples de syntagmes où l'un des deux termes (déterminant-déterminé) est issu d'un verbe.

1. l'article est inclus dans le déterminant

le déterminant représente le sujet de la phrase de base	*la fin du monde* *la hausse des prix* *la révolte des Indiens* *la peur de Mireille* *le départ de Pierre*

le déterminant est l'objet de la phrase de base	*le respect des libertés* *la peur du gendarme* *la traduction de la poésie* *la libération de la femme (sujet ou objet)* *l'obéissance aux supérieurs* *la croyance en Dieu*
le déterminant représente le circonstant de la phrase de base	
Espace	*les accords de Yalta* *la mutinerie de la prison de Lens*
Temps	*la chaleur de l'été, du mois d'août* *la fraîcheur du soir*
2. le déterminant ne comporte pas d'article	*le besoin d'amour, de liberté* *un comportement d'adulte* *la modulation de fréquence*

I.3.3.3. syntaxe de l'adjectif

1. complémentation liée à "l'incomplétude sémique"	
- complémentation nécessaire	*capable de ... sujet à ... enclin à ...* *susceptible de ...*
- emplois anaphoriques possibles	*semblable (à) - identique (à)* *différent (de) - conforme (à)*
2. complémentation liée à l'actance. Le déterminant représente un prédicat (nominalisé ou non) dont le sujet est l'actant qualifié par l'adjectif (1)	*sûr du succès, de ses charmes* *prêt à l'action* *capable de violence* *soucieux de son apparence* *convaincu de sa bonne foi* *résolu à tout, au crime*

---

(1) Certains adjectifs peuvent admettre un prédicat dont le sujet est autre que l'actant qu'ils qualifient :

- *soucieux du bien-être d'autrui*
- *convaincu de la bonne foi du juge*

GRAMMAIRE, I. Actance

le déterminant est l'objet du verbe dont est dérivé l'adjectif	*respectueux de la loi* *amoureux de la liberté* *porteur de germes* *dévoué à une cause*
3. complémentation liée à la circonstance. Le déterminant représente une circonstance du prédicat constitué par l'adjectif	*heureux en ménage* *fort en maths* *sensible aux louanges* *propice à la méditation.*

II. DETERMINATION

II.1. DETERMINATION DU PROCES (cf. A.P. IV.1.17.)

II. 1.1. détermination temporelle

1.1.1. époque et déroulement

1. action hors époque et hors déroulement : expression d'une règle générale : l'étatif (cf. formulation des relations logiques : III.1.10. et déroulement I.1.2.2.)	*"L'eau bout à 100°* *Le vin se vend au litre*
2. époque présente	
accomplissement	
de type étatif (1)	*J'habite rue d'Italie*
de type spécifique	*Je fais la vaisselle* *Je suis en train de ....*
de type habituel	*Je fume un paquet de cigarettes par jour*
résultatif (cf. I.1.2.2.)	*Mes devoirs sont faits* *Il est parti* *Il a mangé* (2)
3. époque passée	
accomplissement	
de type étatif	*le soleil brillait* *il vendait du vin (à cette époque-là)* *j'habitais place d'Italie*

---

(1) Certains verbes, par leur sémantisme ou par leur emploi, appartiennent au domaine de l'"être" : *habiter - aimer - briller - vendre du vin* (être marchand de vin). Ils ont donc une affinité avec le générique. Cependant, ils n'expriment pas des règles générales ni des propriétés durables, mais plutôt des états d'être ayant une certaine continuité. Cet état est plus ou moins passager. C'est pourquoi il est susceptible d'appartenir à toutes les époques :

- *le soleil brille* (en ce moment)
- *le soleil brillait* (à ce moment-là)
- *le soleil brillera* (encore)

Il faut noter que l'affinité avec le générique exclut l'emploi du morphème *en train de.*

(2) Dans la séquence : - *"Est-ce que Pierre a mangé " ?*
- *Oui, il a mangé.*

GRAMMAIRE, II. Détermination

		Pierre aimait Marie. Elle ne le savait pas.
de type spécifique (cf. situation de l'action dans le temps)		*Je lisais le journal quand ...* *J'étais en train de ... quand...*
type habituel		*Je regardais la télé tous les soirs.*
accompli		
de type étatif (1)		*Il a vendu du vin pendant des années (longtemps).* *J'ai longtemps habité sous de vastes portiques.* *Je t'ai beaucoup aimé.*
de type séquentiel (2) (récit-séquence narrative)		*J'ai entendu du bruit, je suis sorti.* *Il entendit un bruit et sortit.* *J'entends du bruit, je sors.* *A midi, l'avion se posait sur la piste.*
accompli (+ probabilité)		*Il aura eu un accident.* *Il aura manqué son train.* *Elle se sera fait arrêter.*
résultatif antérieur (référence temporelle dans le passé)		*J'avais fini mon travail quand il m'a téléphoné.*
	et	*Mon travail était fini ...*
		J'avais lavé la vaisselle quand il m'a téléphoné
	et	*La vaisselle était lavée ...*
		J'avais lu sa lettre quand il m'a téléphoné.
		J'étais parti quand il est arrivé.

---

(1) En ce qui concerne ce type d'emploi étatif, l'accompli a valeur de "terminatif" c'est-à-dire de cessation de l'état.

(2) Ce type d'emploi narratif ou séquentiel implique la catégorie situation dans le temps, qu'elle soit explicite : *hier, à midi*, ou implicite c'est-à-dire présente dans le contexte :

- *Qu'est-ce que tu as fait hier ?*
- *J'ai travaillé et je suis allé au cinéma.*

On pourrait également placer dans cette liste d'accompli de type séquentiel l'imparfait à valeur d'accompli que l'on rencontre de plus en plus fréquemment de nos jours dans le discours de la presse parlée : "A midi, l'avion se posait sur la piste, le président en descendait et saluait la foule."

accompli et résultatif irréel (référence temporelle dans le passé)	*J'aurais dormi si j'avais eu le temps.* *Je l'aurais fait si vous me l'aviez demandé.* *Je serais venu si vous m'aviez téléphoné.* *Elle serait vendue si vous m'aviez écouté.* **(cf. III.1.6.)**
4. époque future	
accomplissement catégorique	
de type étatif	*Je serai aviateur quand je serai grand.* *Le soleil brillera (encore).* *Tu vendras des voitures.*
de type spécifique	*Demain à cette heure-ci, je serai en train de ...* *L'été prochain, je pars en Grèce.*
de type habituel	*Quand j'aurai le téléphone, je t'appellerai tous les soirs.*
accomplissement hypothétique (ou conditionnel) cf. III.1.6.	*Si j'avais de l'argent, je partirais demain.* *Si je partais, j'irais au Vénézuela.* *Si je pars je vais au Vénézuela.*
résultatif catégorique (référence temporelle dans le futur)	*J'aurai terminé la grammaire, dans 10 ans.* *Je serai couché quand tu rentreras.* *Dans une heure j'ai fini.*

GRAMMAIRE, II. Détermination

Dans ce tableau récapitulatif, nous avons mis en rapport les valeurs d'époque et de déroulement et les formes verbales, c'est-à-dire les temps du français qui sont susceptibles de les représenter.

Époque / Déroulement	Présente	Passée	Future
accomplissement spécifique	présent *(en train de)*	imparfait *(en train de)*	- futur simple *(en train de)* - présent
accomplissement générique	présent	imparfait	futur simple
accomplissement habituel	présent	imparfait	futur simple
accomplissement hypothétique			conditionnel présent suivi de : *si* + présent *si* + imparfait
accompli séquentiel (ou narratif)		passé composé passé simple présent de récit (imparfait)	
accompli étatif		passé composé	
accompli irréel		conditionnel passé suivi de : *si* + plus-que-parfait	
résultatif	passé composé	plus-que-parfait	futur antérieur passé composé

II.1.1.2. quantification et déroulement

Certains termes quantifient soit un aspect du déroulement, l'accomplissement : *il y a 10 minutes qu'elle chante*, le résultatif : *elle est partie depuis un quart d'heure*, soit l'entier du déroulement : *elle a chanté pendant 1 heure.* Ils peuvent aussi quantifier la durée de l'action indépendamment de son déroulement : elle chante (pendant) 1 heure tous les matins. Par ailleurs, nous indiquons dans la liste ci-dessous des termes qui ne quantifient pas le temps d'une manière directe, mais qui mettent en rapport le déroulement de deux actions : *jusqu'à ce que, tant que, avant que, depuis (1).*

Le tableau suivant, inadéquat à bien des égards, met en rapport des termes et les aspects du déroulement avec lesquels ils sont compatibles :

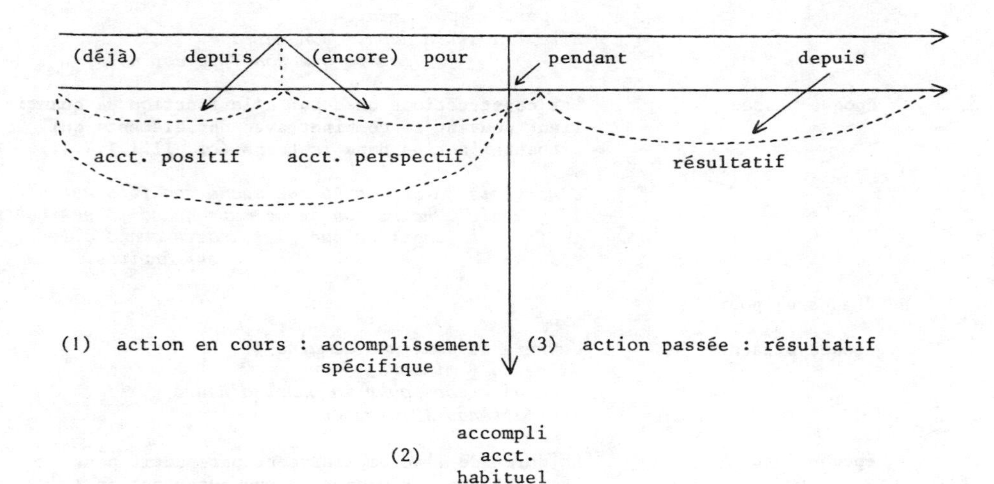

(1) *Depuis* est un déterminant temporel qui possède deux fonctions : il peut également situer le déroulement d'une action par rapport à un événement ou à un moment du temps. (cf. II.1.1.4, note 1).

GRAMMAIRE, II. Détermination

1. Action en cours : accomplissement spécifique

a. "(déjà) depuis".

époque présente

Elle dort depuis 10 ans.
Je chante depuis longtemps, quelque temps.
Il y a une heure qu'elle dort.
Il y a longtemps que j'habite ici.
Ça fait 10 ans que ça dure.

L'accomplissement peut être situé dans le temps à son point initial. Il ne s'agit pas ici de quantification.

J'habite ici depuis 1950.
Il parle depuis midi.
Elle travaille depuis son mariage.
depuis que son fils est né.

époque passée

Les constructions où *depuis* a la fonction de quantifiant peuvent se combiner avec des éléments qui situent l'action dans le temps (cf. II.1.1.4.4.).

J'habitais là depuis 10 ans quand mon fils est né.
Il y avait 1 heure que je dormais quand il est rentré.
Ça faisait longtemps que j'attendais quand elle est arrivée.

b. "(encore) pour"

époque présente

Je suis là pour une semaine.
Je reste 5 minutes.
J'en ai encore pour un quart d'heure.
Je t'attends 10 minutes.

époque future

La durée de l'accomplissement perspectif peut être définie par rapport à une autre action :

positif

Je resterai jusqu'à ce qu'il arrive.
J'attendrai aussi longtemps qu'il faudra.

négatif

Je ne partirai pas avant qu'il ne soit rentré.
Je ne partirai pas tant qu'il ne sera pas rentré.

2. Accompli/accomplissement habituel

accompli

J'ai marché pendant une heure.
J'ai habité là (pendant) 10 ans.
Ça a duré longtemps.
Elle a vécu ce que vivent les roses.
Je l'ai fait en 3 heures.

par rapport à une autre action

positive *J'ai dormi jusqu'à ce qu'il rentre.*
jusqu'à son retour.
J'ai insisté jusqu'à ce qu'il accepte.

négative *Ils ont fait grève tant qu'ils n'ont pas eu satisfaction.*
Ils ont fait grève aussi longtemps que ...

accomplissement habituel

époque présente et passée

Je marche pendant des heures tous les jours.
Je marchais pendant des heures tous les jours.

par rapport à une autre action

Je marche une heure chaque matin quand je suis à la campagne.
Je marchais une heure chaque matin après avoir fait les courses.
Je marchais une heure chaque matin avant de partir au travail.

(cf. II.1.1.4.4.)

3. Action passée : résultatif

résultatif positif

époque présente *Il est parti depuis 10 jours.*
Il y a 10 jours qu'il est parti.
Ça fait 10 jours qu'il est parti.

époque passée *Il était parti depuis 10 jours quand ...*
Il y avait 10 jours qu'il était parti quand ...
Ça faisait 10 jours qu'il était parti quand ...
Le film était commencé depuis 5 minutes quand nous sommes arrivés.
Il avait disparu depuis 20 ans quand on l'a retrouvé.

résultatif négatif

époque présente *Je n'ai pas dormi depuis 48 heures.*
Il y a 48 heures que je n'ai pas dormi.
Ça fait 48 heures que je n'ai pas dormi.

époque passée — *Je n'avais pas dormi depuis 2 jours quand j'ai eu cet accident.*
Il y avait 2 jours que je n'avais pas dormi quand j'ai eu cet accident.
Ça faisait 2 jours que je n'avais pas dormi quand j'ai eu cet accident.

époque future — *Je n'aurai pas dormi depuis 2 jours quand j'arriverai à Tokyo.*
Ça fera 2 jours que je n'aurai pas dormi quand j'arriverai à Tokyo.

II.1.1.3. Stades du déroulement (cf. AP. 1.8.5.) (cf. tableau : Stades du déroulement)

Exemples

1. imminence de l'action

Je vais bientôt partir en vacances.
Attention, tu vas tomber !
Il est sur le point de partir.
J'arrive !
Je reviens tout de suite, dans quelques instants.

2. accomplissement de l'action (et stades) (cf. AP. I.8.3.)

Il lit, il est en train de lire.
Il est toujours là, il n'est pas encore parti.
Il parle toujours, il n'a pas encore fini de parler.
Il commence à comprendre.
Elle a déjà commencé à taper la lettre.
Elle continue à écrire son roman.
Il finit de prendre son petit déjeuner.

3. accompli récent de l'action

Il vient de prendre sa douche.
Je viens de l'apercevoir dans la rue.
Je l'ai rencontré à l'instant, il y a quelques instants.

4. imminence, accompli récent et stades

Il va bientôt commencer à chanter.
Elle va bientôt s'endormir.
Elle n'a pas encore commencé à manger.
Il vient juste de commencer son discours.
Je n'ai pas encore fini de lire ce livre.
Il a (déjà) fini de se raser.

STADES DU DEROULEMENT

	imminence de l'action	accomplissement	accompli récent
expression verbale	*aller* (prés/imp.) *être sur le point de* présent (= tout de suite")	*commencer à* *continuer à* *finir de* *se mettre à* verbes en "ir" : ex.: vieillir (1)	*venir de* (prés/imp.) *avoir fini de* (prés/imp.)
expression adverbiale	*tout de suite* *bientôt* *dans quelques instants*	*en train de* *encore* *toujours* *déjà* *peu à peu*	*(venir) juste (de)* *il y a quelques instants* *à l'instant*

COMBINAISONS

(formes verbales et adverbiales)

accomplissement et stades du déroulement	vision d'acct.	*être* (prés/imp.) *(toujours, encore, déjà) en train de ...* *avoir* (prés/imp.) *(déjà, pas encore) (commencé à ... fini de)*
imminence et stades du déroulement	*Il va* (prés/imp.) *(bientôt) (chanter, commencer à chanter, finir de chanter, s'endormir)* *Il n'a pas encore* (prés/imp.) *commencé à chanter*	
accompli récent et stades du déroulement	*Il vient* (prés/imp.) *(juste) de (chanter, commencer à chanter, finir de chanter)* *Il a* (prés/imp.) *(déjà) fini de chanter.*	

(1) Cf. I.2.5.1.

II.1.1.4. Situation de l'action dans le temps

Par situation de l'action dans le temps, nous désignons la fonction circonstancielle temporelle qui consiste à préciser quand, c'est-à-dire à quel moment du temps, l'action a lieu. Nous distinguons quatre manières de situer l'action dans le temps (quatre types de situation de l'action dans le temps).

1. situation *objective* : l'action est située dans le temps d'une manière objective quand les indications temporelles données correspondent à un moment explicite du temps. C'est-à-dire qu'elles se suffisent à elles-mêmes pour que l'information soit complète. L'action dans ce cas a un référent situatif objectif :

le 1er janvier 1967   *en automne*   *tous les jours.*

2. situation *déictique-anaphorique* : cette manière de situer l'action dans le temps ne renvoie pas à un référent temporel précis : on ne peut savoir à quel jour renvoie *demain* que si on connaît le jour où l'énoncé contenant *demain* a été produit. Il en est de même pour : *cet automne* - *lundi dernier* - *dans un mois*. Les termes temporels dits déictiques ne renvoient pas au temps objectif, ils renvoient au moment de la locution.

A ce système déictique correspond un système anaphorique où les indications temporelles renvoient cette fois, au contexte de l'énoncé.

Je l'ai rencontré le 1er décembre - La veille il avait eu un accident de voiture. La *veille* renvoie au 1er décembre et a comme référent objectif le 30 novembre.

3. situation *appréciative* : il s'agit là d'une appréciation personnelle du locuteur sur la situation de l'action dans le temps.

4. situation *relative* : l'action est située par rapport à une autre action ou événement, ou par rapport à une date.

II.1.1.4. Situation de l'action dans le temps

SITUATION DE L'ACTION DANS LE TEMPS

		à / vers	au	en	le
1. objective	action unique	*à 5 heures (du matin)*	*au printemps*	*en juin*	*le 1er janvier*
		à midi (minuit)	*au mois de juin*	*en hiver*	
		à l'heure	*au XIXe siècle*	*en été*	
		à la demie	*au début de ...*	*en automne*	
		vers minuit	*à la fin de ...*	*en 1930*	
		depuis dimanche (1)	*à la Saint Médard*		
		d'ici midi (2)			

	répétition de l'action	*ne faire que - ne pas arrêter de*	*la plupart du temps - en général -*
		toujours - jamais	*d'habitude - souvent*
		toutes les heures - chaque heure	*quelquefois - parfois - de temps en temps*
		le lundi - chaque lundi	*chaque fois que ...*
		tous les jours - chaque jour	*rarement*
		tous les ans - chaque année	

	déictique		anaphorique
2. déictique anaphorique	*maintenant - en ce moment*	→	*alors, à ce moment-là*
	aujourd'hui	→	*ce jour-là*
	hier	→	*la veille*
	demain	→	*le lendemain*
	il y a dix ans	→	*dix ans avant*
	dans huit jours, d'ici une semaine	→	*huit jours après (plus tard)*
	lundi dernier	→	*le lundi d'avant (précédent)*
	l'année prochaine	→	*l'année suivante (d'après)*
	depuis hier matin	→	*depuis la veille au matin*

(1) *Depuis* a deux emplois différents : il peut situer l'action dans le temps et il peut également quantifier le déroulement (cf. II.1.1.2.). Dans la fonction de situation de l'action, il est compatible avec l'accomplissement spécifique et le résultatif : *il dort depuis midi (depuis ce matin)* et *il n'a pas dormi depuis dimanche (depuis hier matin)*. Il peut situer l'action de façon objective : *depuis midi, depuis dimanche* ou de façon déictique : *depuis ce matin, depuis hier matin.*

(2) On peut considérer *d'ici* comme participant à la fois de la fonction déictique et de la fonction objective : en effet l'action marquée par *d'ici* se situe dans l'époque future, à l'intérieur de certaines limites, la limite initiale étant le moment de la locution (c'est donc une limite déictique) et la limite finale étant soit objective : *d'ici midi*, soit déictique : *d'ici cinq minutes*.

3. appréciative *Tôt - tard (le matin, le soir ...)*

en retard *en avance* *à l'heure*

4. relative

- explicite : l'action est située par rapport à une autre action mentionnée explicitement
- anaphorique : suppose la référence à une autre action, mentionnée dans le contexte précédent.

combinaisons syntaxiques

	antériorité	simultanéité	postériorité
explicite	*avant* *avant* /+ date/ : *le 1er janvier* *avant* /+ sb/ : *la guerre* *avant* /+ nm/ : *son départ* *avant* /+ inf/ : *de partir* *avant* /que p subj./ *qu'il ne parte*	*pendant* *pendant* /+ sb/ *la guerre* *en*/+p.prés./ *écoutant la radio* *pendant*/que P *qu'il lit* prés. imp. *qu'il lisait* futur/ *qu'il lira*	*après* *après* /+ date/ *le 1er janvier* /+ sb/ *la guerre* /+ nm/ *son départ* *après* /+ inf/ *être parti* passé/ *avoir visité* /que P./ *qu'il fut parti* *qu'il eut chanté*
anaphorique	*avant*	*au même moment* *en même temps* *pendant ce temps*	*après, plus tard*

SIMULTANEITE

	Actions très ponctuelles	Actions ponctuelles et non ponctuelles	Actions impliquant une certaine durée
	au moment où	*quand*	*pendant que*
b. Combinaisons sémantiques (époque et déroulement	époque passée / acci-acci acci-acct *Au moment où Pierre est entré Jacques a pris son fusil* *Au moment où c'est arrivé je dormais* époque future/acct-acct *Au moment où tu appuieras sur la gachette, le coup partira*	époque présente/acct-acct (habituel) *Quand il fait la vaisselle, elle tricote* époque passée/acct-acci acci-acci acct-acct (habituel) *Je lisais quand il est entré* *Je suis sorti quand il est entré* *Je sortais quand elle chantait* époque future/+ acct-acct *Je laverai la vaisselle quand tu regarderas la télé*	époque présente/acct-acct (spécifique) acct-acct (habituel) *Pendant qu'il dort, nous, nous sommes en train de travailler* *Elle tricote toujours pendant qu'il regarde la télé* époque passée/acci-acci acci-acct acct-acct (habituel) *J'ai tricoté pendant que tu as dormi* *Je l'ai fait pendant que tu dormais* *Je tricotais pendant que tu dormais* époque future/acct-acct *Je tricoterai pendant que tu dormiras*
	en	*en*	*en*
	acct-acci *En ouvrant la porte j'ai aperçu une souris* acct-acct *En sortant tu fermeras le robinet*	acct-acci *En sortant j'ai rencontré Pierre* *En rangeant, j'ai découvert de vieilles photos*	acct-acct *Je travaille en écoutant la radio* acci-acct *J'ai travaillé en écoutant la radio*

ANTERIORITE

accomplissement habituel		
		Je lave toujours la vaisselle avant de me coucher. (1)
	époque présente	*Je lave (toujours) la vaisselle avant qu'il ne rentre.* (2)
	époque future	*Je laverai (toujours) la vaisselle avant que tu ne rentres.*
accomplissement spécifique		
	époque future	*Demain je laverai la vaisselle avant que tu ne rentres.*
accompli	époque passée	*J'ai lavé la vaisselle avant qu'il ne parte (son départ).*
résultatif	époque passée	*J'avais lavé la vaisselle quand il est rentré.*
	époque future	*J'aurai lavé la vaisselle quand il rentrera.*

(1) Les sujets des 2 propositions représentent le même actant

(2) Les sujets des 2 propositions représentent des actants différents.

POSTERIORITE

accomplissement

époque présente	*Je lave (toujours) la vaisselle*	*après son retour.*
		dès qu'il est rentré.
		aussitôt qu'il est rentré.
époque future	*Je laverai la vaisselle*	*quand il sera rentré.*
		dès qu'il sera rentré.
		aussitôt qu'il sera rentré.

accompli

époque passée	*J'ai lavé la vaisselle*	*après son départ.*
		dès qu'il a été parti.
		aussitôt qu'il a été parti.

GRAMMAIRE, II. Détermination

II.1.1.4. Situation de l'action dans le temps (suite)

b. exemples :

1. situation objective

Il est parti à midi.
C'est arrivé au XIXe siècle.
Il pleut toujours en automne.
Il est né le 1er mai.
Il vient chaque année, rarement.
J'aurai fini d'ici midi.
Je n'ai pas dormi depuis dimanche.

2. situation déictique anaphorique

Discours direct *Hier j'ai vu un beau film.*
Discours rapporté *(Il m'a dit que) la veille il avait vu un beau film.*
Discours direct *Je l'ai rencontré il y a 8 jours.*
Discours rapporté *(Il m'a dit qu') il l'avait rencontré 8 jours avant.*
Je partirai d'ici une semaine.
Il dort depuis hier soir.

3. situation appréciative

Il rentre toujours très tard le soir.
Demain tu seras à l'heure.

4. situation relative

antériorité *Vous devez vous inscrire avant le 1er octobre.*
Avant de partir n'oublie pas de fermer la porte.
Je rentrerai avant que tu ne partes.
J'avais lavé la vaisselle quand il est arrivé.
Il sera parti quand je rentrerai.
J'aurai fait mes devoirs quand tu arriveras.

postériorité

Après son départ, je me reposerai.
Je reviendrai ici après les vacances.
Je laverai la vaisselle quand tu seras parti.
Tu regarderas la télé après avoir fait tes devoirs.
J'ai lavé la vaisselle dès qu'il a été parti.

simultanéité

actions impliquant
une certaine durée

Il est mort pendant la guerre.
Il travaille en écoutant la musique.
Pendant qu'il dort elle travaille.
J'ai fait la vaisselle pendant que tu dormais.
Il me dérange toujours pendant que je travaille.

actions habituelles

Quand tu dors, je tricote.
Quand il sortait, je chantais.

actions ponctuelles et
non ponctuelles (selon
le déroulement)

Je lisais quand il est entré.
Je suis sorti quand je l'ai vu arriver.
Quand tu seras prêt nous partirons.

actions très ponctuelles

(Juste) au moment où (à l'instant où) Pierre est entré,
Jacques a pris son fusil.
Au moment où tu appuieras sur la gâchette, le coup partira.
Au moment où cela s'est passé, j'étais au cinéma.

II.1.2. Détermination spatiale

II.1.2.0. Présentation

Le type de détermination spatiale est lié au procès du verbe et constitue la structure casuelle appelée *locatif*.

Il semble qu'on puisse distinguer deux grandes catégories :

1. *Le cas locatif* tend vers le cas objectif : loc —> obj.
2. *Le cas locatif* est différent du *cas objectif* : loc ≠ obj.

(1) loc. —> obj.

C'est le domaine de la "transitivité locative", c'est-à-dire que le verbe est sémantiquement incomplet. Il indique un mouvement ou un déplacement dans l'espace. C'est tantôt une partie du mouvement un aspect du déroulement du mouvement exprimé par le procès :

va —> monte —> arrive —> vient de —> etc.

tantôt l'entier du déroulement :

traverser, parcourir, encercler

ceci est attesté par la paraphrase : *traverser = aller d'un côté à l'autre de la rue.*

Le *lexique verbal* spécifie donc soit un aspect du déroulement (initial ou final) soit l'entier du déroulement et la situation-location (le lieu du déroulement impliqué par le verbe) est spécifiée par *l'objet locatif* qui devient le lieu-objet de l'action. Celui-ci complète donc le sémantisme spatial du verbe.

On a affaire à une fonction d'objet locatif complétant un verbe qui est un "faire locatif". C'est pourquoi les substituts prennent la forme de pronoms dits personnels : y, en, le.

(2) loc. ≠ obj.

La situation location (situation spatiale) de l'action est une *circonstanciation du procès.* L'action spécifiée par le verbe n'implique pas la catégorie de l'espace, puisqu'elle ne désigne pas un mouvement modifiant la situation du sujet dans l'espace. Il s'agit d'un "avoir lieu quelque part".

Les substituts prennent assez rarement la forme pronominale mais plutôt la forme déictique (ici) ou anaphorique (là) de la situation dans l'espace.

Deux degrés de circonstanciation sont possibles selon que la nécessité de circonstancier spatialement le procès est plus ou moins grande (circonstanciation liée ou forte, ou déliée ou faible). Ceci semble tenir au degré d'implication spatiale de l'action

circonstanciation forte : *avoir lieu à - habiter - courir - marcher vers*

circonstanciation faible : *rencontrer quelqu'un quelque part*
prononcer un discours quelque part.

Dans le premier cas, le déplacement du circonstant est impossible.

Dans le second cas, il est possible et répond soit à des besoins stylistiques *("Dans un chemin montant, sablonneux, malaisé, six forts chevaux tiraient un coche")*, soit à la nécessité de hiérarchiser l'information à l'intérieur de l'énoncé. *("Au coin du Boulevard Raspail, j'ai vue une scène incroyable".).* Les deux types de besoins étant d'ailleurs liés.

DETERMINATION SPATIALE ET PROCES DU VERBE

loc —> obj.	objet	*dynamique*	initial / final	*aller à - monter - descendre à - entrer dans - sortir de*
interne au procès		/un "faire locatif"/ vision de déroulement	(*y - en*)	*venir de - arriver à - partir pour*
			transdéroulement (*le*)	*traverser - franchir - parcourir - encercler - entourer*
substituts		*statique*	*habiter quelque part*	*vivre quelque part* *travailler quelque part*
/*y en le*/		/un "être locatif"/ (*y / là*)	*être quelque part*	situation géographique = *dans le bureau, au coin de la rue*
				situation occupation = *au bureau, à l'usine*
			lexies spatiales :	*être situé à, en, se trouver à .*
loc ≠ obj.	circonstance	*circonstanciation forte* /un "avoir lieu qq part"/	*y avoir (un accident), se passer, se produire, arriver*	
externe au procès		/un "faire qq part"/	*marcher sur, courir autour de, se promener à travers, passer par* *skier sur les pistes rouges*	
substituts *ici là*		peu ou pas de possibilité de déplacement du circonstant	*passer ses vacances au bord de la mer*	
		circonstanciation faible /un "faire qq ch. qq part"/ (procès agentif-objectif)	*rencontrer (voir) quelqu'un (quelque chose) dans ... au ... etc.* *prononcer un discours à l'assemblée*	
		possibilité de déplacement du circonstant	*projeter un film dans un cinéma.*	

GRAMMAIRE, II. Détermination

II.1.2.2. Types de détermination spatiale

1. objective

simple — **prépositions et groupes prépositionnels relatifs à la situation dans l'espace (cf. annexe : situation dans l'espace)**

quantifiée — **id. (cf. quantification de l'espace)**

2. comparative - appréciative

loin, près (de)
plus (aussi, moins) loin que ...
à plus (moins) de 300 mètres de la gare

3. déictique anaphorique

déictique — *Il n'est pas ici (là).*
On en trouve ailleurs, dans un autre endroit.

anaphorique — *C'est là que je l'ai rencontré, à cet endroit, au même endroit.*
Elle est située (environ) à la même distance de ...

4. détermination spatiale indéfinie

On en trouve partout, quelque part, dans certains endroits.
Il n'y en a nulle part.
J'irai n'importe où, dans n'importe quel pays.
Où que ce soit.
Où qu'il aille, il lui arrive des histoires.

GRAMMAIRE, II. Détermination

Annexe

On trouvera ci-dessous une liste de termes grammaticaux (prépositions, substituts, constructions) explicitant des notions relatives à l'espace et regroupés en deux rubriques :

- situation dans l'espace
- quantification de l'espace

o situation dans l'espace

- situation de type objectif (1) - déterminée	*sur - sous - à côté de - le long de - au commencement de - au bord de - au milieu de - en face de - à droite de - à gauche de - sur le côté de - entre - devant - derrière - de chaque côté de - au-dessus de - au-dessous de - au sommet de - au fond de - dans - à l'endroit où -*
- indéterminée	*dans certains endroits - quelque part - nulle part - partout - n'importe où -*
- situation de type déictique anaphorique	*de ce côté de - de l'autre côté - du côté gauche (droit) - par ici - par là - tout droit - en face - après - avant - plus loin - à gauche - à droite - dedans - dessus - dessous - à cet endroit*
- situation de type appréciatif ou approximatif	*loin (de) - près (de) - vers - du côté de - aux environs de*

o quantification de l'espace

- mesures et dimensions d'un objet	*un écheveau de 30 mètres* *un fil de 30 cm* *Il fait 3 mètres de long.* *80 cm de large.* *2 m de haut.* *Il a 3 cm d'épaisseur (une épaisseur de 3 cm).* *10 cm de largeur (une largeur de).* *30 cm de hauteur (une hauteur de ...).* *1 m de longueur (une longueur de ...).* *10 m de profondeur (une profondeur de ...).*

(1) Ces termes peuvent s'utiliser sans référence à la deixis spatiale à condition d'être utilisés comme prépositions.

GRAMMAIRE, II. Détermination

- mesures de la taille humaine	*Il mesure 1 m 85* *Il fait 1 m 85* *Sa taille est de 1 m 85* *Elle a 70 cm de tour de taille* *90 cm de tour de poitrine*
- surface et volumes	*Cet appartement fait 90 m2* *a une surface de 90 m2* *a une superficie de 90 m2* *Sa surface est de 90 m2* *Ce réservoir fait 100 m3* *a un volume de 100 m3* *Son volume est de 100 m3*
- poids (humains et non humains)	*Il pèse 50 kilos* *Il fait 50 kilos* *Son poids est de 50 kilos*
- distance	*Une distance de 500 km* *Il y a 500 km de Paris à Lyon* *La distance de Paris à Lyon est de 500 km*

o interrogation sur

- les mesures et dimensions	*Il fait combien de large ?* *de haut ?* *de long ?* *Il a quelle épaisseur ?* *profondeur ?* *Quelle est la largeur de ... ?* *la longueur de ... ?* *la hauteur de ... ?* *l'épaisseur de ... ?* *la profondeur de ... ?* *Quelles sont les dimensions de ... ?* *Il mesure combien ?*
- les mesures de la taille humaine	*Vous mesurez combien ?* *Vous faites combien ?* (emploi anaphorique de "faire") *Quelle est votre taille ?* *Elle fait combien de tour de hanches ?*
- les surfaces et volumes	*Cet appartement fait combien de m2 ?* *Il a quelle surface ?* *Quelle est la surface (superficie) de ... ?* *Ce réservoir fait combien de m3 ?* *Quel est le volume de ce réservoir ?*
- le poids	*Il pèse (vous pesez) combien ?* *Vous faites combien ?* (emploi anaphorique de "faire") *Quel est le poids de ... ?*
- la distance	*Il y a combien de km de Paris à Lyon ?* *Quelle est la distance de ... ?*

GRAMMAIRE, II. Détermination

II.1.3. Détermination quantitative

II.1.3.1. Négation simple (prédicats actifs et attributifs)

Il ne mange pas.
Il n'est pas beau.
Il n'a pas le temps.

II.1.3.2. Négation opposition

1. **portant sur les prédicats**
   cf. AP. I.2.10 et I.1.3.2.

   Je n'ai pas mangé (mais) j'ai bu.
   Pierre n'a pas écrit, il a téléphoné.
   Elle n'est pas jolie, elle est belle.

2. **portant sur les actants**

   sujets : *Ce n'est pas Pierre qui est venu, c'est Jacques.*
   Pierre n'est pas venu, c'est Jacques qui est venu.

   objets : *Je n'ai pas bu du whisky mais de la bière.*
   Ce n'est pas de la bière que j'ai bu, mais (c'est) du whisky.

II.1.3.3. Détermination quantifiante
cf. AP. I.1.3.1.1. et 2.

prédicats actifs

1. **absolue :**

   Il parle peu, un peu, beaucoup.
   Il ne dit rien.

2. **relative appréciative**

   Il parle assez, trop, tant (tellement) que ...
   Encore (= à nouveau, une fois de plus)

3. **comparative**
   (cf. AP. IV.1.8.)

   Il parle plus, moins, mieux, plus mal, autant que ..., de plus en plus, de mieux en mieux, de moins en moins.

prédicats attributifs
cf. AP. I.1.3.1.1.

1. **absolue**

   Elle est très belle, un peu fatiguée, peu intelligente.
   Elle n'a que 10 ans.
   Ce n'est qu'une enfant.

2. relative appréciative

Elle est assez, trop, tellement, si jolie.

3. comparative

Elle est plus, moins, aussi jolie (que) ...
C'est mieux, c'est pire.
Elle est de plus en plus, de moins en moins sage.

II.1.3.4. combinaisons de déterminants

quantifiant de quantifiant

C'est un peu plus loin.
C'est beaucoup trop (plus) loin.
C'est bien mieux.
C'est beaucoup moins intéressant.
Elle est bien plus jolie que ...

négation x quantification absolue, relative ou comparative

Il ne parle pas beaucoup.
Il ne parle pas assez (tellement).
Il ne parle pas plus (mieux) que ...
Elle n'est pas plus belle que ...
Ce n'est pas si (aussi) intéressant que ...

négation x quantifiant de quantifiant

Il ne parle pas beaucoup plus que ...
Ce n'est pas beaucoup mieux, bien pire.
Ce n'est pas beaucoup plus intéressant (que)
Ce n'est pas beaucoup moins loin.

II.1.3.5. Tableau annexe récapitulatif

DETERMINATION QUANTITATIVE (négation = degré o de la quantité)

Négation quantification (à l'intérieur du prédicat)	négative simple (o)	prédicats actifs	= *ne ... pas*	*ne mange pas*
		attributifs	id	*n'est pas beau, n'a pas le temps*
	quantifiante (1) prédicats actifs	absolue	:	*peu, un peu, beaucoup, ne rien, ne que*
		relative appréciative	:	*assez, trop, tellement que, tant, encore*
		comparative	:	*plus, moins, autant (que), mieux, plus mal*
	quantifiante (2) prédicats attributifs	absolue	:	*très, peu, un peu, de plus en plus, de moins en moins*
		relative appréciative	:	*assez, trop, tellement, si*
		comparative	:	*plus, moins, aussi, mieux, pire*
	combinaisons	o x 1 =	*ne ... pas beaucoup* *assez* *trop, tellement, tant* *plus, moins, autant, mieux, plus mal, moins bien*	
		o x 2 =	*ne ... pas très* *assez, trop, tellement, si* *plus, moins, aussi, mieux, pire*	
		1 x 2 =	*beaucoup (bien) trop, assez* *plus, moins, mieux, moins bien, bien pire*	
		o x 1 x 2 =	*ne ... pas beaucoup, plus beau* *(bien) mieux, pire*	cf. combinaisons de 0 et des quantifiants des actants.

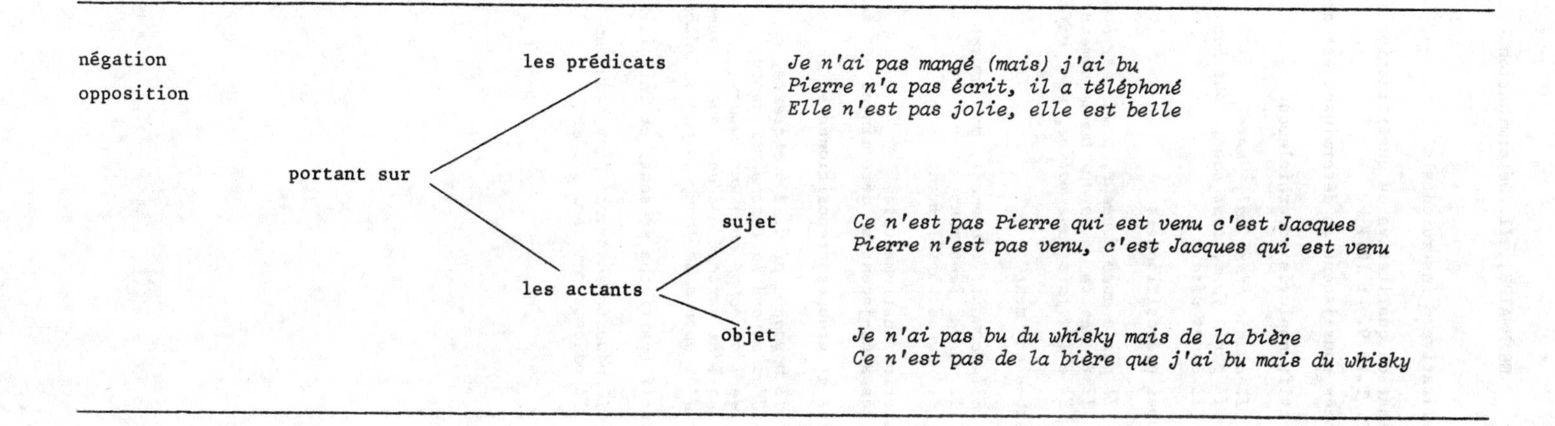
négation
opposition
portant sur
les prédicats
Je n'ai pas mangé (mais) j'ai bu
Pierre n'a pas écrit, il a téléphoné
Elle n'est pas jolie, elle est belle
les actants
sujet
Ce n'est pas Pierre qui est venu c'est Jacques
Pierre n'est pas venu, c'est Jacques qui est venu
objet
Je n'ai pas bu du whisky mais de la bière
Ce n'est pas de la bière que j'ai bu mais du whisky

II.1.4. Détermination qualitative - instrumentale

II.1.4.1. Détermination qualitative ou qualification du procès (cf. AP. I.10.9. et 10.)

(Le procès sous-jacent au déterminant est attributif)

1. adjectifs employés adverbialement

Il chante bien, mal, juste.
Il parle fort, tout haut, tout bas.
Il court vite.

2. groupes prépositionnels

Il parle avec douceur, prudence, humour, à voix basse.
Il travaille de (avec) bonne humeur.
Elle l'a fait sans malice, sans effort.

3. adverbes en "ment"

Elle conduit lentement, prudemment.
Il marche lentement.
Il réussit brillamment.

II.1.4.2. Détermination instrumentale
(Le procès sous-jacent au déterminant est actif)

1. lexies et groupes prépositionnels

Il voyage à pied, à bicyclette, en auto.
J'ai envoyé la lettre par avion.
Je l'ai coupé avec un couteau.
Je l'ai nettoyé à l'eau, sans essence.
J'ai appris le français par la méthode audio-visuelle.

2. gérondif (participe présent) et infinitif

Il réussit en travaillant beaucoup.
Il réussit sans travailler.

II.2. DETERMINATION DES ACTANTS

II.2.0. Type d'actants

II.2.0.1. Définis

objectifs (1) — **noms et prénoms**
"noms propres" géographiques historiques
"noms communs"

déictiques (2) — **"pronoms" de la 1re et de la 2e personne**

je, nous, on
tu, vous **(sing.)** *vous* **(pluriel)**
préposition + pronoms
avec (pour) moi, nous
sans toi, vous
emphase
moi je, nous nous, nous on
toi tu, vous vous

II.2.0.2. Indéfinis

génériques

positif — *chacun (chaque homme) Tout (chaque chose)*
tout le monde
on
n'importe qui, quoi
n'importe quel (homme, chose) quiconque

négatif — *personne* **(3)** *nul, rien, aucun homme, aucune chose*

ex. : *Personne n'est à l'abri de l'erreur*
On ne peut nier l'évidence

spécifiques

positif — *quelqu'un, on, quelque chose*

interrogatif — *qui, qu'est-ce que (que), quoi*

négatif — *personne, rien*

ex. : *personne n'est venu*
je n'ai rien vu
on a téléphoné pour vous

---

(1) Ils renvoient soit à un référent concret, unique (noms propres) : Paris, Pierre, la France, soit à une classe d'objets (noms communs) : la ville l'enfant, le pays.

(2) Ils ont pour référent les acteurs de la communication (le locuteur et l'auditeur) : moi, je, tu, vous, on ...

(3) La valeur spécifique ou générique de *personne*, de *rien* et de *on* dépend du contexte linguistique : énoncé d'une règle générale ou d'un cas particulier. Cf. AP. I.10.2.

II.2.0.3. Substituts (1) d'actants

degré fort (grammaticalisé)

a. substituts d'actants définis

fonction sujet : *il, elle, ils, elles, ce, cela, ça*
emphase : *lui il, eux ils, elles elles, ça ce, ça ça*

fonction objet : *le, la, les, lui, leur*
préposition + pronom : *devant lui, derrière elle (eux)*
à cause de ça

b. substituts d'actants indéfinis ou quantifiés
en tous

ex. : *il y en a quelques-uns*
j'en veux trois (beaucoup)
je les ai tous vus
je lui ai tout dit

c. substituts d'actants inanimés
y

ex. : *j'y pense*
j'y fais attention

d. substituts d'actants circonstants (cf. II.1.2.2.)
y - en

ex. : *j'en viens*
j'y vais

---

(1) Dans la catégorie substitut, nous incluons tous les termes qui renvoient à un référent précédemment mentionné dans le discours, c'est-à-dire qui fonctionnent de manière anaphorique. Nous distinguons 2 degrés :

- le degré fort ou grammaticalisé : en fonction objet le substitut fonctionne à l'intérieur du groupe verbal (le - lui - en - y)

- le degré faible : le substitut fonctionne comme un substantif en fonction sujet ou objet (certains, tous, plusieurs, aucun) certains substituts *tous* et *tout* peuvent avoir les deux types de fonctionnement (à l'intérieur et hors du groupe verbal)

Je les ai tous rencontrés et *les ai rencontrés tous*
J'ai tout dit et *je lui ai dit tout*

degré faible

a. actants indéfinis spécifiques

positif — *tous, chacun (d'eux) tout*
certains, plusieurs
trois, la moitié
les uns ... les autres, les uns et les autres
n'importe lequel

négatif — *aucun (d'eux) pas un seul*
ni l'un ni l'autre, ni les uns ni les autres

b. actants circonstants

là

c. actants comparés

le (la) même, un (une) autre
le (la) même chose, autre chose

II.2.1. Détermination simple

II.2.1.1. Détermination non quantifiante

II.2.1.1.1. classes d'objets

1. générique — *Les hommes sont mortels.*
La femme est une île.
Une femme mérite le mieux.
Toute, chaque femme a envie de plaire.
Tous les hommes sont égaux.

2. particulier (singulier ou pluriel)

indéfini — *Une femme a été blessée.*
Des enfants ont disparu.

défini

objectif — *la femme brune*
de Pierre
en rouge
qui, que, avec qui, dont ...

déictique — *ce, cet, cette, ces, ça*

anaphorique (1) — *celui de*
celle qui, que, à qui
ceux pour qui ...
celles dont etc. ...
celui-ci
celui-là

---

(1) Substituts de déterminants déictiques.

II.2.1.1.2. Un seul objet

1. valeur définie — *la Bible*, *la France*, *le Niveau-seuil*

2. valeur aléatoire (un parmi d'autres possibles)

implicite	*une Bible* *une France* *un Niveau-seuil*
explicite	*une des interprétations possibles* *un moyen parmi d'autres*

II.2.1.2. Quantifiante

II.2.1.2.1. Absolue

continus et discontinus (1)	*tous les (le), beaucoup de (des), la plupart des une certaine quantité de, peu de, un peu de, le "partitif", tant pour cent, ne ... que, pas de*
discontinus seuls	*de nombreux, certains, plusieurs, quelques, un des* *les nombres : numéraux et ordinaux*
substantifs	*un kilo, une livre de carottes* *un verre de vin* *une bouteille de lait*

II.2.1.2.2. appréciative

liée au subst.	*trop de*	*assez de*	*tant de*	
liée à l'adj.	*très*	*trop*	*assez*	*si*

II.2.1.2.3. comparative

liée au subst.	*autant de*	*moins de*	*plus de*
liée à l'adj.	*aussi (que-) plus (moins) que*		

II.2.1.2.4. combinaisons (quelques combinaisons parmi les plus courantes)

un peu plus de 3 kilos de
beaucoup trop de temps
bien plus nombreux
je n'en ai que deux

(1) Traits liés aux substantifs, non aux quantificateurs.

II.2.2. Qualification

II.2.2.1. explétive	*la ville de Paris* *la pays de Loire* *la province de Normandie*
II.2.2.2. qualité	*la robe rouge* *le chapeau de paille* *la poupée en papier* *la robe chemise* *la fille aux yeux bleus* *j'aime une fille qui a des yeux bleus*
II.2.2.3. usage	*le livre de prière* *le couteau de boucherie* *le livre du maître* *un couteau qui sert à couper le pain* *un pot à tabac* *un verre à vin*
II.2.2.4. circonstance	*l'homme de Rio* *le train de 5 heures* *la route de Nancy* *la maison de campagne* *la conférence de Paris* *la robe du soir* *la tenue de ville* *la vierge à l'Enfant* *l'homme à la Rolls* *le monsieur avec un chapeau melon* *le monsieur qui a un chapeau melon* *les passagers qui arrivent de Rio* *la route qui longe le canal*
II.2.2.5. possession degré "moins" inanimés (de + article)	*le pied de la table* *le coin de la rue* *les rues de la ville* *les tables qui ont des pieds ronds*
degré "plus" animés (de + article possessif)	*la femme du boulanger* ——> *sa femme* *le livre de Pierre* ——> *son livre* *la maison que je possède à la campagne* ——> *ma maison*
substituts	*sa femme* ——> *la sienne* *son livre* ——> *le sien* *ma maison* ——> *la mienne*

II.2.3. Détermination issue de nominalisations

cf. syntaxe : transformation nominale (niveau du groupe nominal) I.3.3.2.

II.2.4. Détermination de l'adjectif

cf. syntaxe : syntaxe de l'adjectif I.3.3.3.

III. FORMULATION DES RELATIONS LOGIQUES ENTRE PROPOSITIONS

(cf. AP. IV.1.9., 10. et 16.)

III.1. LOGIQUE DU RAISONNEMENT

III.1.1. Conjonction

III.1.1.1. de propositions ayant même prédicat

Les hommes et (aussi) les femmes sont mortels.
J'ai acheté des pommes de terre et (aussi) des carottes.
Je n'ai vu ni Pierre ni Paul (ni l'un ni l'autre).
Il n'est pas venu non plus.

III.1.1.2. de prédicats non événementiels

Il est grand et beau.
Il parle et il marche.
Il ne parle ni ne marche.

III.1.1.3. de prédicats événementiels

J'ai ouvert la porte et je suis entré.
et (alors) j'ai entendu ... et puis ... et ensuite
Je ne suis allé ni à Paris ni à Londres.

III.1.2. Disjonction

III.1.2.1. de propositions ayant même prédicat

Pierre ou Paul viendra.
J'inviterai Pierre ou Paul (l'un ou l'autre).
J'inviterai soit Pierre soit Paul.

III.1.2.2. de prédicats non événementiels

Elle est française ou belge ?

III.1.2.3. de prédicats événementiels

Tu rentres ou tu sors ?
Tu lui as parlé ou tu lui as écrit ?
Rentre ou sors !
Ou tu rentres, ou tu sors !

III.1.3. Opposition logique

III.1.3.1. de prédicats non événementiels

Elle est belle mais bête

III.1.3.2. de prédicats événementiels

Je l'ai vu mais je ne lui ai pas parlé

III.1.4. Cause-conséquence (accent sur la conséquence) (1)

III.1.4.1. marquée par l'intonation (relation implicite de cause à conséquence entre les prédicats)

Elle l'a giflé, il s'est mis à pleurer !

III.1.4.2. marquée par conjonction ou lexique verbal

alors, en conséquence, par conséquent
entraîner, produire, causer, provoquer (voix active)
Les inondations ont provoqué des glissements de terrain.
Son départ lui a causé de la peine.
résulter (voix attributive à l'accompli)
Il en est résulté quelques incidents.

au niveau de la règle générale (cf. 1.8. : la condition logique)

quand on ..., si on ..., chaque fois que ...
quand on roule trop vite, on risque l'accident

lexique verbal (au présent)

La vitesse entraîne des accidents.

III.1.5. Explication causale (accent sur la cause)
(cf. AP. I.10.6. et AP. I.1.0.13.)

III.1.5.1. cause simple

ordre chronologique

Comme elle l'a giflé, (alors) il s'est mis à pleurer.
Puisqu'elle l'a giflé, (alors) il s'est mis à pleurer.
Etant donné qu'elle l'a giflé, (alors) il s'est mis à pleurer.
Elle l'a giflé, c'est pourquoi il s'est mis à pleurer.
C'est la raison pour laquelle il s'est mis ...
C'est parce qu'elle l'a giflé qu'il s'est mis à pleurer.

---

(1) Pour l'ensemble des relations logiques liées aux rapports de cause à effet, voir le tableau annexe.

ordre inversé

Il s'est mis à pleurer parce qu'elle l'a giflé.
Il a été condamné pour meurtre, pour avoir tué sa femme.
Il a été puni à cause de sa désobéissance.
Il a été puni car il avait désobéi.

lexique

être causé (provoqué) par (voix passive et attributive)
venir de, découler de, résulter de (voix active et attributive)
sous l'action de ...
Son échec a été causé par son manque de préparation.
Son échec résulte de son manque de préparation.
Les monuments se dégradent sous l'action des intempéries.

III.1.5.2. cause multiple

comme ...
parce que ...
et que ...
puisque ...
étant donné que ...

III.1.5.3. interrogation sur la cause
(cf. AP. 2.6.)

Pourquoi ... ?
Comment se fait-il que ... ?
Pour quelle raison ... ?

III.1.6. La condition pragmatique

III.1.6.0. la "condition" et l'"hypothèse"

Les énoncés mettant en rapport 2 événements ou faits marqués par un *si alors* et relevant des catégories appelées généralement conditon ou hypothèse, véhiculent deux types de signification : une signification qui est liée au rapport de nécessité causale existant entre les 2 événements : statistiquement on constate que l'événement 1 entraîne toujours, souvent, quelquefois, ou rarement l'événement 2. Il y a donc un plus ou moins grand degré de nécessité entre ces 2 événements, le degré plus étant celui de la loi scientifique et le degré moins l'aléatoire.

L'autre type de signification est lié à la vision de déroulement de l'événement introduit par le si : sa possibilité d'accomplissement futur, d'accomplissement présent ou d'accompli passé, ou encore d'accomplissement répété (l'accomplissement générique). Cette dernière valeur d'accomplissement est celle qui est contenue dans les énoncés de type scientifique où l'on exprime des lois. Nous avons classé sous la catégorie condition logique les énoncés qui relèvent de ce type et où le *si* signifie *chaque fois que* et peut être parfois exprimé par *quand*.

Le sens principal dans ce cas est un sens lié à la condition. Nous avons appelé condition pragmatique la classe d'énoncés où les valeurs de déroulement peuvent varier en donnant les effets de sens : éventuel, irréel du présent, irréel du passé et où le *si* peut signifier *au cas où*. Les valeurs temporelles sont donc plus marquées dans ce type d'énoncé que le rapport de nécessité. Toutefois, le dosage de l'un et de l'autre peut varier en fonction de la nature des prédicats :

Si tu travaillais tu réussirais.
(condition +/éventualité-)

Si j'allais en vacances, j'irais en Grèce.
(condition-/éventualité+)

III.1.6.1. l'"éventuel" (cf. AP. I.1.1.2. et AP. 1.8.1.)

Dans les emplois comportant un verbe d'action, l'époque visée par *si* est l'époque future, il s'agit de l'accomplissement futur d'une action, d'où la notion d'éventualité qui est liée à cet emploi. Selon la forme, présent ou imparfait, deux effets de sens sont possibles : au présent l'éventualité de l'action paraît plus réelle, puisque l'action est vue comme étant actualisée, à l'imparfait elle paraît moins réelle puisqu'elle est vue comme non actuelle. C'est pourquoi à ce dernier emploi est attachée la notion d'improbabilité et parfois même d'inacceptable (1)

Action vue comme étant actuelle	*Si tu pars, où iras-tu ?* *Si je pars, il me tue.* *Si tu le veux vraiment, tu réussiras.*
Action vue comme étant non actuelle	*Si tu partais, où irais-tu ?* *Si je partais, il me tuerait.* *Si tu le voulais vraiment, tu réussirais.*

III.1.6.2. l'"irréel" (cf. AP. I.1.1.3.)

Dans cet emploi l'époque visée par *si* est l'époque présente en ce qui concerne les verbes d'état et l'époque passée en ce qui concerne les verbes d'état ou d'action. Deux formes verbales principales et deux variantes traduisent l'"irréel" : l'imparfait (et sa variante le conditionnel présent) et le plus-que-parfait (et sa variante le conditionnel passé).

l'"irréel du présent" : cet effet de sens est produit par le fait que l'hypothèse portant sur un état, annule la véracité de cet état : *si j'avais de l'argent = je n'ai pas d'argent*

l'"irréel du passé" : l'hypothèse porte sur un accompli du passé, elle signifie donc le non accompli : *si tu étais venu = tu n'es pas venu.*

---

(1) *Si mon patron me disait cela, je partirais.*

GRAMMAIRE, III. Relations logiques.

l'"irréel du présent"

Si j'avais de l'argent, je ne serais pas là.
J'aurais de l'argent, je partirais tout de suite.
Si j'étais marié ...
Si j'avais le temps ...

l'"irréel du passé"

S'il était parti, qu'est-ce que tu aurais fait ?
Si tu m'avais écouté, nous n'en serions pas là.
Si tu avais voulu, tu aurais réussi.
Si j'avais été riche, j'aurais acheté cet appartement.

III.1.7. Déduction pragmatique cf. AP. 0.3.2.1.2.1. et 2.
AP. I.1.2.2.
AP. I.10.12.

La déduction porte soit sur l'accomplissement d'une condition nécessaire, soit sur celui d'un événement de type aléatoire.

condition — *Il a téléphoné,alors il est rentré*.(intonation)
nécessaire — *Il a téléphoné,donc il est rentré.*
Puisqu'il a téléphoné,c'est qu'il est rentré.
S'il a téléphoné,c'est qu'il est rentré.
Si le voyant s'allume,c'est que le moteur tourne (en ce moment).

aléatoire — *(il n'a pas téléphoné), il aura eu un accident.*

lexique — *en conclure que - en déduire que.*

III.1.8. Déduction de la condition logique

La déduction porte toujours sur une condition nécessaire. *Si* signifie *chaque fois que.*

Si le voyant s'allume, c'est que le moteur tourne.
Si l'eau bout, c'est que sa température est de 100°.

lexique *en conclure que* - *en déduire que*

III.1.9. "Concession" cf. III.2.1.3.

III.1.10. Condition logique cf. AP.I.1.2.2.

hors déroulement

Si ..., alors ...
(temps présent)
quand ... alors ...
chaque fois que ... alors ...
Quand il pleut à la Saint Médard, il pleut quarante jours plus tard.

GRAMMAIRE, III. Relations logiques

lexique causal (temps présent)

L'abus des boissons entraîne des maladies.
L'alcool tue.

III.2. LOGIQUE "MODALE" ou "SUBJECTIVE"

III.2.1. Opposition - concession

III.2.1.1. Opposition de type affectif

mots phrases — *quand même ! tout de même !*
et pourtant !

III.2.1.2. Opposition de prédicats (intonation)

On a bavardé et on n'a pas été punis !

III.2.1.3. "Concession"

(marques linguistiques à l'intérieur d'un énoncé)

adverbes — *quand même, malgré cela*
cependant, néanmoins, pourtant

prépositions — *malgré, en dépit de*

conjonctions — *bien que ...* (+ subjonctif)
quel que soit (l'intérêt de ...)

lexique — *avoir beau, ne pas empêcher :*
Elle a beau travailler, elle ne réussit pas.
Sa paresse ne l'empêche pas de réussir.

III.2.2. Restriction-condition

III.2.2.1. Restriction

"Oui mais" et *"non mais"*

Je viendrai mais je partirai tôt.
Je ne viendrai pas mais je téléphonerai.

III.2.2.2. Condition

1. positive ("*oui, à condition que*")

Je ne viendrai que si je peux partir tôt.
Je viendrai seulement si je peux partir tôt.
Je viendrai à condition de pouvoir partir tôt,
à condition que ça ne finisse pas trop tard.

2. négative ("*non, à moins que*")

Je ne viendrai pas, à moins de pouvoir partir tôt, à moins qu'elle ne soit invitée.

Je ne viendrai pas sans ma femme, sans être invité.

Tableau des relations liées à la cause-conséquence

Nous avons regroupé dans le tableau suivant les rapports fondamentaux liés à l'expression de la cause et de la conséquence tels qu'ils apparaissent à travers les diverses réalisations linguistiques. Noter que la catégorie de la concession entre dans ce tableau sous son aspect logique - c'est-à-dire non subjectif - tel qu'il est exprimé le plus souvent par des conjonctions telles que : *bien que* - *malgré* - *si* ... - *ne pas moins*.

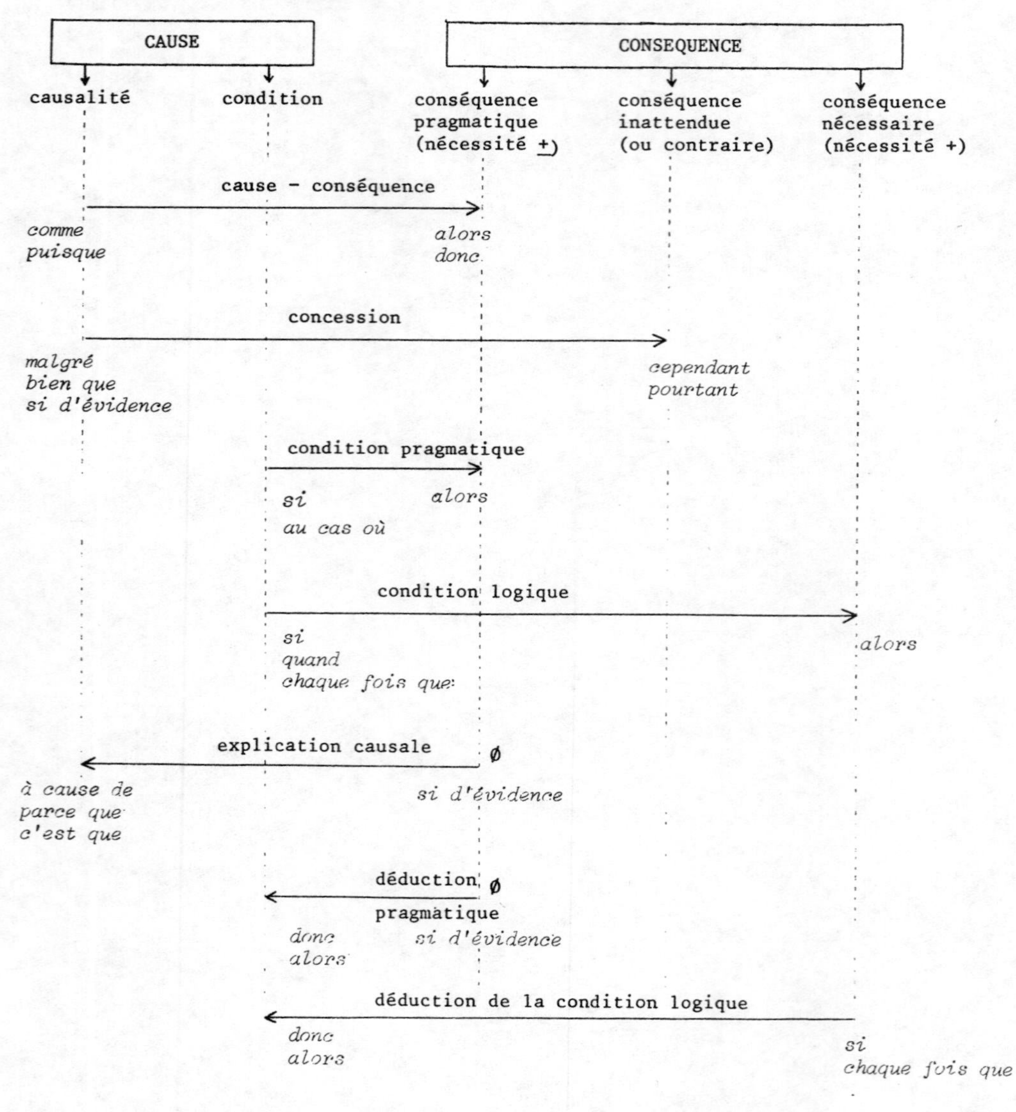

O B J E T S   E T   N O T I O N S

F. MARIET

d'après J.A. Van Ek et D. Coste

I. OBJETS ET COMPORTEMENTS

I.0. Ce chapitre reprend, en l'adaptant, le chapitre "Objets et notions" de D. Coste dans Un niveau-seuil (pages 310 à 400), chapitre qui lui-même reprenait, "avec de légères adaptations", le chapitre 8 du Threshold Level de J.A. Van Ek ("Topics : behavioural specification", pages 22 à 28).

OBJETS ET NOTIONS, I. Objets

I.1. Identification et caractérisation personnelles :

Les apprenants devraient être à même de donner (oralement et par écrit) ou de demander des informations les concernant ou concernant d'autres personnes, et relatives en particulier aux objets suivants :

I.1.1.	nom (nom de famille, prénom, en les épelant si besoin est)	
I.1.2.	adresse	
I.1.3.	numéro de téléphone	
I.1.4.	date et lieu de naissance	
I.1.5.	âge	
I.1.6.	sexe	
I.1.7.	situation familiale	
I.1.8.	nationalité	
I.1.9.	origine	
I.1.10.	activité professionnelle	(indication du métier, de l'employeur)
I.1.11.	membres de la famille	(rapports de parenté, composition de la famille)
I.1.12.	religion	
I.1.13.	goûts	(tels qu'ils s'appliquent à divers objets : intérêts, nourriture, personnes)
I.1.14.	caractère, tempérament	(qualification psychologique globale)
I.1.15.	caractéristiques physiques	

I.2. Education

Les apprenants devraient être capables de renseigner ou de se renseigner sur les points suivants ; pour les enfants de migrants, ils devraient être capable de suivre un enseignement dans la langue étrangère (comprendre les consignes et les explications données par l'enseignant, répondre à une question à propos d'un enseignement, d'une discipline donnée, demander une précision, une explication à propos du travail scolaire).

I.2.1.	école et études	(éducation reçue, conditions d'apprentissage de la langue étrangère)
I.2.2.	matière d'enseignement	(préciser les matières qu'on a travaillées ou auxquelles on s'intéresse particulièrement ; obtenir d'autrui des renseignements comparables)
I.2.3.	sanctions et qualifications	(donner ou obtenir des informations à propos des examens passés ou préparés, des échecs ou réussites, des diplômes obtenus)

I.3. Langue étrangère

Les apprenants devraient être en mesure de discuter de la connaissance et de l'utilisation d'une langue étrangère ; ils devraient aussi indiquer s'ils comprennent ou non et ce qu'ils entendent, demander à leur interlocuteur de répéter ou de reformuler, essayer eux-mêmes de se reprendre ou de se corriger quand ils sont conscients d'une erreur ou d'un lapsus.

I.3.1.	comprendre	(demander comment quelque chose se dit ou ce que signifie quelque chose ; demander qu'on parle plus lentement, qu'on répète, qu'on s'explique)

I.3.2. connaissance d'une langue, niveau d'aptitude ; correction (dire si on parle, comprend, écrit, lit bien ou non la langue étrangère ; dire si on la trouve difficile ou non ; interroger d'autres personnes sur ce même sujet, dire ou demander si telle réalisation linguistique est correcte ; demander comment prononcer un mot)

I.4. Maison et foyer

Les apprenants devraient être à même de soutenir une conversation sur leurs conditions d'habitation ou celles d'autres personnes. Seront particulièrement pris en compte les objets suivants :

I.4.1. modes et types d'habitation (indiquer où l'on habite, à quel titre, dans quel genre de logement)

I.4.2. composition de l'habitation ; pièces, etc. (décrire l'habitation dans sa composition et son agencement)

I.4.3. meubles, literie (indiquer de quels meubles et pièces de literie on dispose ou souhaite disposer)

I.4.4. vaisselle et appareils ménagers (indiquer de quels ustensiles ou appareils on dispose ou souhaite disposer)

I.4.5. énergie et entretien (sources d'énergie et commodités dont on dispose ou souhaite disposer ; opérations ménagères)

I.4.6. loyer, prix de vente, charges (demander ou indiquer combien coûte, à la location ou à la vente, une habitation)

I.4.7. qualifiants pour la maison, l'habitation (porter une appréciation globale sur l'habitation)

I.5. Environnement géographique ; faune et flore, climat et temps

Les apprenants devraient être à même de donner ou de solliciter des informations sur l'environnement géographique d'un lieu d'habitation (le leur ou celui d'autres personnes) et sur les conditions météorologiques propres au pays ou à la région d'où ils viennent, d'où viennent d'autres personnes, où ils se trouvent (ou vont se trouver) temporairement.

I.5.1. quartier, région, paysage (donner ou demander des renseignements sur ces aspects de l'environnement)

I.5.2. qualifiants pour le quartier et l'environnement (porter une appréciation globale)

I.5.3. faune et flore (donner ou demander des renseignements sur la flore et la faune d'un pays ou d'une région)

I.5.4. climat, conditions météorologiques, temps qu'il fait

I.5.5. mois et saisons, fêtes de l'année (localiser ou demander de localiser dans le temps en fonction des divisions et des rythmes de l'année)

OBJETS ET NOTIONS, I. Objets

I.6. Voyages et déplacements

Les apprenants devraient être capables de s'informer ou de renseigner à propos des différents aspects des voyages

I.6.1. consignes d'orientation, de déplacements ; indications d'itinéraires (demander ou indiquer le chemin, la distance, faire usage d'une carte ou d'un plan)

I.6.2. déplacements liés au travail, aux études, etc. (donner ou solliciter des informations à propos de ces déplacements : moyens de transports utilisés, horaires, fréquences, durées)

I.6.3. vacances et tourisme (dire ou demander où, quand et comment on passe les vacances)

I.6.4. transports publics (demander ou indiquer comment se rendre quelque part par les transports publics ; acheter des billets ; demander ou donner renseignements sur les horaires ; comprendre les annonces publiques les plus courantes)

I.6.5. transport privé (donner ou solliciter des informations sur l'itinéraire, le stationnement, les conditions et la circulation)

I.6.6. d'un pays dans un autre (faire une déclaration à la douane ; changer de l'argent)

I.6.7. documents de voyages de séjour, de résidence dans un pays étranger (demander quels documents sont requis ; combien de temps il faut pour obtenir un visa, etc.)

I.7. Le gîte et le couvert : hôtel, restaurant, etc.

Les apprenants devraient pouvoir faire les demandes et comprendre les informations leur permettant de se loger à l'hôtel, de manger au restaurant.

I.7.1. hôtel, camping (demander s'il y a une chambre ou un emplacement, préciser la nature de ce qu'on souhaite, payer, etc.)

I.7.2. types de nourritures et de boissons (demander les nourritures et les boissons les plus fréquentes ; lire un menu ; faire des achats alimentaires)

I.7.3. restaurants et cafés (commander, demander le menu, l'addition)

I.7.4. qualifiants pour les repas (porter une appréciation sur un plat, un repas)

I.7.5. souhaits et invités (inviter à boire, à manger, porter un toast)

I.8. Commerces et achats

Les apprenants doivent être en mesure de faire des achats divers dans le pays étranger et donc d'exprimer leurs desiderata et de comprendre les informations qu'on leur donne, les réponses qu'on leur fait chez les divers commerçants.

I.8.1. commerces : généralités (se renseigner ou renseigner quelqu'un à propos des lieux de vente et des types de commerces, demander un article particulier ; payer)

I.8.2. alimentation (faire des achats courants dans un magasin d'alimentation)

I.8.3. vêtements, mode (demander un vêtement particulier, l'essayer)

I.8.4. cigarettes et fumeurs (acheter des articles pour fumeurs ; demander du feu ; si on peut fumer)

I.8.5. pharmacie et médicaments (trouver un pharmacien ; acheter des médicaments courants ou prescrits)

I.8.6. prix et paiements (demander le prix ; demander quelque chose de moins cher ; payer ; demander de l'argent, de la monnaie)

I.9. Services publics et privés

Les apprenants doivent être en mesure, en tant qu'usagers de services publics ou privés, d'obtenir les renseignements ou d'effectuer les opérations qu'ils souhaitent. Tout particulièrement dans les domaines suivants :

I.9.1. poste (trouver la poste, une boîte à lettres, envoyer une lettre ou un paquet, acheter des timbres et affranchir, envoyer un mandat)

I.9.2. téléphone (téléphoner, donner un numéro de téléphone, demander un interlocuteur, passer un interlocuteur à quelqu'un d'autre, demander ou donner une identité)

I.9.3. télégraphe (envoyer un télégramme, demander durée de transmission et prix)

I.9.4. banque (changer, toucher un chèque)

I.9.5. police (appeler la police, déclarer un vol ; porter plainte, payer une amende)

I.9.6. hôpital (demander un service, préciser ou faire préciser durée d'un séjour, chambre ou lit d'un malade) voir aussi 8.4. et 8.6.

I.9.7. secours, urgences (demander du secours, signaler un danger appeler le service compétent)

I.9.8. sécurité sociale (constituer un dossier de sécurité) sociale pour demander un remboursement)

I.9.9. station-service automobile (demander de l'essence, vérification de routine)

I.9.10. réparations automobiles (chercher un garage, signaler une panne, faire remorquer véhicule)

I.10. Hygiène et santé

Les apprenants devraient être en mesure de donner ou de demander des renseignements à propos de leur santé et de leurs états physiologiques ou à propos de ceux d'autres personnes. Ils pourront se renseigner sur les (ou auprès des) services médicaux et de santé. Plus précisément, on considérera les domaines et comportements suivants :

I.10.1. parties du corps (référer à diverses parties du corps et les nommer, chez le médecin par exemple)

I.10.2. besoins et états "physiologiques" (dire ou demander comment on se sent, si on a froid, chaud, si on est fatigué, etc.)

I.10.3. hygiène (se renseigner sur la possibilité de prendre un bain, une douche, etc. ; se faire couper les cheveux ; se procurer des articles de toilette)

I.10.4. maladie, accidents (signaler un malaise, une fièvre, un accident ; dire si on a été malade, opéré ; indiquer si on prend un médicament ; raconter un accident, évoquer l'état de santé de quelqu'un)

I.10.5. assurances, sécurité (dire si on est assuré, comprendre mises en garde et consignes simples de sécurité)

I.10.6. services médicaux et de santé (se renseigner sur les services de santé ; prendre un rendez-vous ; répondre aux questions d'un médecin, lui faire comprendre ce qui ne va pas)

I.11. Positions, perceptions, opérations physiques

Les apprenants devraient pouvoir faire état de position du corps (être debout, etc.) ou de mouvements liés à des opérations physiques. Ils devraient être à même de comprendre des instructions simples quant aux opérations gestuelles à effectuer pour utiliser un appareil, faire fonctionner une machine, bricoler ou réparer quelque chose. Ils devraient pouvoir dire s'ils ont telle sensation ou telle perception.

I.11.1. positions du corps et mouvements (indiquer positions et mouvements du corps)

I.11.2. sensations, perceptions (dire si on peut voir, entendre, sentir, toucher, goûter quelque chose ; donner indications sur odeurs et goûts ; poser des questions à ce propos)

I.11.3. opérations manuelles, physiques (comprendre consignes quant aux manipulations et gestes à effectuer pour réaliser une séquence d'opérations, en suivant par exemple un mode d'emploi)

I.12. Profession, métier, occupation

Les apprenants devraient être en mesure d'avoir des échanges d'informations les professions et les conditions de travail en général. S'agissant des enfants de travailleurs migrants, ils devraient pouvoir aider leurs parents à effectuer les démarches et opérations liées à la recherche d'un emploi et à l'exercice d'un métier.

I.12.1. activité professionnelle Voir I.1.10.

I.12.2. recherche d'un emploi, chômage, licenciement (consulter petites annonces, avoir entretien d'embauche, s'inscrire dans une agence pour l'emploi, se présenter, donner des indications sur son expérience professionnelle)

I.12.3. conditions de travail (préciser les horaires, donner des indications ou se renseigner sur les congés, préciser la place dans l'entreprise)

I.12.5. organisations professionnelles, syndicats (se familiariser avec des textes syndicaux oraux et écrits ; caractériser les grandes lignes d'une action d'une organisation syndicale ; suivre le sens général d'une discussion syndicale sur un problème socio-professionnel connu)

I.12.6. formation, carrière, avenir (évoquer les conditions de formation professionnelle continue, les possibilités d'avenir et de carrière)

I.12.7. qualifiants à propos du métier (porter une appréciation globale sur le métier)

I.13. Loisirs, distraction, sports, information

Les apprenants devraient être à même de préciser à quoi ils s'intéressent et quelles sont leurs distractions. Ils devraient pouvoir interroger d'autres personnes sur ces mêmes sujets.

I.13.1. distraction, information (indiquer ses propres passe-temps, se renseigner sur ceux des autres ; dire si on aime regarder la télévision, écouter des disques, écouter la radio, quel type de programme on préfère suivre, interroger d'autres personnes sur leurs goûts en la matière)

I.13.2. sports (préciser ses préférences et se renseigner sur celles d'autres personnes ; obtenir des informations sur des événements sportifs ou en donner ; acheter des billets ; discuter un résultat)

I.13.3. cinéma, théâtre, opéra, concert (donner ou demander des renseignements quant à ce qu'on préfère, se renseigner sur les programmes, les possibilités de location ; discuter du spectacle simplement)

I.13.4. musées, expositions (se renseigner sur expositions et musées : nature, heures d'ouverture)

I.13.5. lire écrire (dire si on aime lire ou écrire ; se renseigner sur l'existence d'une bibliothèque, d'une librairie, caractériser sommairement la présentation d'un journal)

I.13.6. qualifiants à propos des spectacles et divertissements (porter une appréciation globale sur un spectacle ou un divertissement)

I.14. Relations électives ou associatives

Les apprenants devraient être capable de caractériser certains aspects des relations privées ou sociales, de dire quels types de relations eux-mêmes ou d'autres personnes entretiennent avec autrui.

I.14.1. types de relations (préciser ou se faire préciser la nature de liens relationnels)

I.14.2. invitations, rendez-vous (prendre rendez-vous, rendre visite, offrir un verre)

I.14.3. correspondance (dire avec qui on correspond, à quel propos et selon quelle fréquence ; se renseigner auprès d'autres sur des questions de même nature, demander de quoi écrire)

I.14.4. associations, sociétés (dire si on appartient à une association et de quel type ; interroger d'autres personnes à ce même propos)

OBJETS ET NOTIONS, I. Objets

I.15. Actualité, vie politique, économique et sociale

Les apprenants devraient être à même de comprendre (par la lecture d'un journal, l'audition d'une émission de radio ou de télévision) les grandes lignes d'une information sur l'actualité politique, économique ou sociale, compte tenu de l'expérience antérieure qu'ils peuvent avoir de ces différents domaines.

I.15.1.	généralités	(comprendre qu'un événement est survenu ; en identifier la nature ; repérer certaines caractérisations : problème, question, etc.)
I.15.2.	actualité politique	(comprendre globalement la nature d'une événement politique d'actualité : saisir le déroulement des événements et la nature des caractérisations auxquels ils donnent lieu)
I.15.3.	actualité économique et sociale	(mêmes types de comportements que pour l'actualité politique)
I.15.4.	qualifiants pour les événements d'actualité	(porter une appréciation globale sur les événements de l'actualité)

II. NOTIONS GENERALES

II.0. Rappelons que, dans le cadre de la construction de systèmes d'unités capitalisables pour l'apprentissage des langues vivantes, on appelle *notions générales* les notions, susceptibles de réalisations diverses selon les langues, qui, loin d'être propres à un domaine d'expérience ou à un objet de référence particulier, se retrouvent quasi inévitablement dans presque tous les champs considérés. On oppose ainsi les *notions générales* aux *notions spécifiques* (voir dans cette même section le chapitre III, et, dans la section *Approche d'un niveau-seuil,* le chapitre II). Des notions comme celles de temps, d'espace, de qualité, sous leurs divers aspects, se réalisent dans nombre d'échanges usuels ou plus spécialisés. A ce titre, elles relèvent du chapitre des notions générales. Pour la définition d'un niveau-seuil, on en reste évidemment à une liste assez réduite et relativement peu affinée de notions générales. Surtout, suivant en cela l'exemple du *Threshold Level* préparé par J.A. van Ek avec application à l'anglais, on ne retient qu'un nombre restreint de réalisations pour chacune des notions générales listées.

Comme pour le *Threshold Level,* on a divisé ce chapitre en trois grands paragraphes ; à savoir, successivement : "entités", "propriétés et qualités", "relations". Mais, étant donné que, dans un souci d'intégration plus poussé du modèle, on a tenu, d'une part, à faire figurer dans la section *Actes de parole* une liste de notions liées aux actes et, d'autre part, à regrouper, dans une section *Grammaire,* les caractéristiques sémantiques grammaticalisées que comporte en français l'expression de nombreuses notions générales, le présent chapitre inclut d'importants renvois à ces deux autres sections du document et des regroupements partiels dont témoigne par ailleurs l'index général. Ces apparentes redondances nous ont paru de nature à enrichir la consultation d'*Un niveau-seuil* en facilitant une sorte de lecture croisée et, pensons-nous, des ricochets féconds entre les différentes sections.

II.1. Notions désignant des entités

Les notions d'entités sont d'abord, entre autres, les notions spécifiques donnant lieu aux réalisations listées ci-après au chapitre III de cette même section. Ce sont aussi, d'une certaine manière, celles qui s'expriment par des noms propres. Mais il nous paraît possible par ailleurs de ranger sous le chapitre des notions générales les substituts et anaphoriques divers d'ordre lexical (*chose,* par exemple) ou traditionnellement inventoriés par la grammaire (les pronoms et les sous-catégories qu'on y distingue). Si les désignations classiques sont ici reprises, la section *Grammaire* propose une présentation plus complète et systématique (voir G.II.2.0.).

OBJETS ET NOTIONS, II. Notions générales

"pronoms personnels"

sujets	objets directs	objets indir.antéposés	objets après prép.
je	*me*	*me*	*moi*
tu, vous	*te, vous*	*te, vous*	*toi, vous*
il, elle	*le, la*	*lui*	*lui, elle*
	se	*se*	
nous	*nous*	*nous*	*nous*
vous	*vous*	*vous*	*vous*
ils, elles	*les*	*leur*	*eux, elles*
	se	*se*	
en			
y			

"pronoms possessifs"

le mien / *la mienne* / *les miens* / *les miennes*
idem pour *tien, sien, notre, votre, leur*

"démonstratifs"

ça *cela* *ceci* *ce (que)*
celui-là *celui-ci* *celui (que)*
celle(s)
ceux

"relatifs"

qui *que* *quoi* *dont*

"interrogatifs"

qui *que* *quoi*

qui est-ce qui *qu'est-ce qui*
qui est-ce que *qu'est-ce que*

lequel / *laquelle* / *lesquels* / *lesquelles*

qui est-ce ? *qu'est-ce que c'est ?*

voir aussi AP. I.9.4.2.
voir aussi, plus loin, les substituts, anaphoriques interrogatifs relatifs au temps et à l'espace ou à la quantité (ON II.2.2.1., II.2.3.)

OBJETS ET NOTIONS, II. Notions générales

"attributifs"

ex. : *le seul*
le premier
le dernier
ce dernier
le plus riche
le moins fort
le bleu
Je crois que je préfère le bleu.
Je vais vous rendre le vert. (celui qui est vert)

"indéfinis" et quantifiants

quelqu'un
personne
n'importe qui
on
tous
tout le monde
ils
quelque chose
rien
n'importe quoi
tout
ça

quelques-uns
plusieurs
chacun
aucun
la plupart (d'entre eux)
certains
l'autre / un autre / d'autres
(l')un (d'entre eux) ... l'autre
les uns ... les autres
le même / les mêmes
tous les deux / trois / etc.
en ... deux / trois / etc.
J'en veux deux
la moitié, le tiers, le double
un quart

pro-verbes et pro-propositions

y *Vous avez pensé à fermer la fenêtre ?*
Oui, j'y ai pensé.

en *Il a été question de fermer l'usine ?*
Oui, il en a été question.

le *Tu as voulu que ça se passe comme ça ?*
Oui, je l'ai voulu.

(le) faire

Il a essayé de pousser l'armoire mais il n'a pu le faire.

anaphoriques nominaux

personne *Il y a une personne qui t'a demandé(e).*

gens *Les gens ne sont pas contents.*

ils *Ils ont encore augmenté le prix des disques.*

on *On dit ça !* (voir ANS III.1.5.)

chose

machin

truc

Voir AP. IV.1.15.

NB. Pour ce qui concerne la détermination des entités, on se reportera à certaines des rubriques qui suivent et au chapitre II de la Grammaire.

II.2. Notions désignant des propriétés et qualités

II.2.1. Existence

II.2.1.1. Existence/non-existence

trouver

On trouve des champignons dans ce bois
Il y a ... / Il n'y a pas ...
exister
voir G. I.2.1.1.
AP. 1.1.1.

II.2.1.2. Présence/absence

Il y a
ici / là
Il est là
présent (pour un appel dans la classe, par exemple)

- *Dupont*
- *Présent, Monsieur.*
- *Durand Martine*
- *Elle n'est pas là/Elle est absente*

voir G.I.2.1.2.

OBJETS ET NOTIONS, II. Notions générales

II.2.1.3. disponibilité/non-disponibilité

avoir / ne pas avoir
Vous avez du sel ?

il y a / il n'y a pas
Il n'y a plus de pain.

manquer
Nous en manquons en ce moment, Madame.

rester
Il n'en reste que trois.

II.2.1.4. occurrence/non-occurrence

arriver
Il arrive qu'il soit en retard.
Qu'est-ce qui vous est arrivé ?

se passer
Ça s'est passé un dimanche.

avoir lieu
La réunion n'aura lieu que demain.

voir ON III.13.1.

II.2.2. Temps

II.2.2.1. situation dans le temps

G.II.1.1.4. et (situation relative) ON II.3.1.

heure
Quelle heure est-il ?
Tu as l'heure ?
Vous pourriez me donner l'heure, s'il vous plaît

(il est) 4 heures.
nombres de 1 à 60
quart
demie
et
moins
Il est 8 h. et quart
20 h. 15
A 16 h. 55 (5 h. moins 5)
19 h. 30 (7 h. et demie).
midi
minuit
hier
aujourd'hui
demain
ce matin/midi/soir
hier matin/midi/soir
demain matin/midi/soir
cet après-midi
avant-hier
après-demain
tout à l'heure

OBJETS ET NOTIONS, II. Notions générales

le lendemain
la veille
cette semaine/année
ce mois-ci
ce trimestre

noms des jours de la semaine
lundi, mardi, mercredi, jeudi, vendredi, samedi, dimanche

noms des mois (voir aussi ON III.3.5.)

dates
ex. : *16 décembre 1976*

siècles

ordinaux
au 19e siècle

dans
dans 6 mois

il y a
il y a juste deux ans
maintenant
alors
à ce moment-là
quand (est-ce que) ?
à quel moment ?
n'importe quand
jamais
toujours
pendant
Je l'ai vu pendant les vacances..
à
Vous pouvez me réveiller à 6 h.
avant
Il doit arriver avant 8 h. mais il ne sera pas là avant 5 h.
après
Elle viendra après Pâques.
vers
Ç'est arrivé vers minuit.

II.2.2.2. stades du déroulement dans le temps
G.II.1.1.3.

II.2.2.2.1. imminence

bientôt
aller (+ infinitif)
Je vais partir dans 5 minutes.
tout de suite
être sur le point de (+ infinitif)
Il était sur le point de changer de métier.
dans quelques instants
d'un moment à l'autre
immédiatement

OBJETS ET NOTIONS, II. Notions générales

II.2.2.2.2. commencement

commencer
de (+ indication de temps)
  Le médecin reçoit de 14 à 18 h.
depuis
  Il est parti depuis mardi.
à partir de
  Les horaires des trains changent à partir du 8.
se mettre à
  Elle s'est mise à rire.

II.2.2.2.3. continuation

continuer
  Vous continuez à faire de la gymnastique ?
encore
toujours
  Tu as toujours la même guitare ?
en train de
  Il est en train de faire sa toilette
sans cesse/sans arrêt
ne pas arrêter de

II.2.2.2.4. achèvement

finir
(s')arrêter
  Il s'est arrêté de travailler après cet accident.
à (+ indication de temps)
  Le musée est ouvert de 9 h à 17 h.
jusqu'à
  J'ai dormi jusqu'à 8 h.

II.2.2.2.5. accompli récent

venir de
  Elle vient de se marier.
il y a un instant

II.2.2.3. quantification du temps : durée et fréquence

II.2.2.3.1. fréquence

jamais
rarement
parfois
de temps en temps
régulièrement
souvent
toujours pas/pas toujours
... fois par ...
  Il va au cinéma trois fois par semaine.
le dimanche/lundi/etc.
  La maison est fermée le lundi.
tous les dimanches:Lundis, etc.
  Elle va à la piscine tous les dimanches.
chaque
  Vous recevrez un volume chaque mois.
quotidien
hebdomadaire
mensuel
en général
  En général, il part à l'heure.

une (seule) fois
Il n'est venu qu'une fois.
plusieurs fois
à nouveau
de nouveau
sans cesse

II.2.2.3.2. durée
G.II.1.1.2.

pendant
J'ai travaillé ici pendant cinq ans.
pour
Il est parti pour une quinzaine de jours.
depuis
Je le sais depuis cinq minutes.
ça fait (+ indication de durée)
Il y a longtemps que vous habitez ici ?
longtemps/pas longtemps
Ça ne va pas durer longtemps.
toujours
J'ai toujours habité Lille.
durer
année
an
mois
semaine
jour
heure
minute
en
Le tour du monde en 80 jours.
jusqu'à (ce que)
Il attendra bien jusqu'à ce que la voiture soit réparée.

D'une façon générale, pour tout ce qui concerne la détermination temporelle du procès et les notions générales qui s'y rapportent, on consultera, dans la section *Grammaire,* le paragraphe G.II.1.1. (voir aussi, pour les *Actes de parole,* AP. IV.1.17.). Rappelons, d'autre part, que ce qui a trait aux relations dans le temps est couvert *infra* dans la rubrique ON II.3.1. ; et que la notion d'âge est abordée au chapitre des notions spécifiques : ON III.1.5.

II.2.2.4. stabilité et changement

rester
C'est resté ce que c'était ; ça n'a pas changé du tout.
changer
Paris a bien changé depuis 20 ans.
changement
(se) transformer
transformation
bouger
évoluer
La situation évolue d'heure en heure.

évolution
devenir
Cette affaire devient très inquiétante.
rendre (= faire devenir)
Cet accident rend la bicyclette inutilisable.
voir aussi G.1.2.5.1.
peu à peu
Il a peu à peu changé d'opinion.
progressivement
lentement
tout à coup
soudain

II.2.3. espace

II.2.3.1. localisation dans l'espace

G.II.1.2.2. et annexe

la localisation relative dans l'espace est abordée infra (ON II.3.2.)

là
ici
quelque part
nulle part
où
où (est-ce que) ?
à cet endroit
ailleurs
partout
n'importe où
à l'intérieur
dedans
à l'extérieur
dehors
Ne restez donc pas dehors !
voir ON II.3.2.

II.2.3.2. mouvement

bouger/ne pas bouger
immobile
Restez immobile.
remuer
se déplacer
Le chat se déplace sans bruit.
s'arrêter
La voiture s'est arrêtée devant la porte.
avancer
Avancer donc par ici.
reculer
à gauche
à droite
partir
entrer
rentrer
sortir
aller
venir
monter

(*rentrer*, *sortir*, *aller*, *venir*:) avec ou sans compléments (prépositionnels ou non) relatifs au déplacement dans l'espace

descendre
marcher
courir
prépositions (voir ci-dessus II.2.3.1. et ci-après II.3.2.)
voir aussi III.9.1. (pour les mouvements du corps)
III.9.3. (opérations manuelles, physiques)
voir aussi G.II.1.2.2. et annexe

II.2.3.3. quantification de l'espace : dimensions, volume, vitesse
G.II.1.2.2. annexe

II.2.3.3.1. taille

taille
Quelle taille est-ce que vous faites ?
mesurer
Vous mesurez combien ?
faire
Ça fait combien en largeur ?
quel ... ?
combien
petit / *grand* { *taille*
large / *étroit* { *largeur*
profond / *épais* { *épaisseur*
haut / *bas* { *hauteur*
long / *court* { *longueur*
gros

NB. pour l'interrogation à propos des mesures et dimensions ainsi, en général, que pour la quantification de l'espace, voir aussi G.II.1.2.2. annexe

II.2.3.3.2. unité de mesure des distances et abréviations usuelles

kilomètre	*km*
mètre	*m*
centimètre	*cm*
millimètre	*mm*
décamètre	*dam*
décimètre	*dcm*
hectomètre	*hm*

3854548 cm = 38 km, 545 m et 48 cm

II.2.3.3.3. vitesse, accélération

vite
rapide
lent
kilomètre/heure
km/h
accélérer
ralentir
freiner

II.2.3.3.4. poids

lourd
léger
poids
peser
Ça pèse très lourd.

gramme g.
demi-livre
  Une demi-livre de beurre s'il vous plaît.
livre
kilo(gramme) kg
décagramme dag
décigramme dg
hectogramme hg
milligramme mg

II.2.3.3.5. mesure des liquides, surfaces, volumes

litre l
verre (= 3/4 l.)
bouteille
surface
m2
hectare
are
volume
cm3
m3
décalitre dal
décilitre dl
hectolitre hl
millilitre ml

II.2.3.3.6. température

température
  La température continue à s'élever.
degré
  22° à Nantes.
  Il a gelé à moins dix cette nuit.
centigrades
Farenheit
chaud
tiède
frais
froid
voir aussi ON III.3.4.

II.2.4. quantité

II.2.4.1. nombre

zéro
infini
nombre de 1 à ..
ordinaux de 1er à ...
premièrement, deuxièmement, etc.
second
autre
  Vous prendrez bien une autre tasse de café.
environ
  Il me reste environ 50 francs.
juste
  Ça fait juste trois cent grammes.
à peu près
exactement
  Au 4e top, il sera exactement 20 heures.
douzaine
  Je voudrais une demi-douzaine d'oeufs, s'il vous plaît.

II.2.4.2. quantification

II.2.4.2.1. quantification de notions réalisées par des substantifs G.II.2.1.

absolue
beaucoup de
quelques
plusieurs
quelques-uns des
certains
la plupart des
tout le / toute la
tous les / toutes les
aucun
pas de
presque pas de
un peu de
peu de
nombres (cf. II.2.3.1.)
+ groupe nominal

appréciative
trop de
pas assez de
assez de
tellement de
tant de
manque
Il me manque 2 francs.

NB. : 1. Selon les cas, ces quantificateurs s'appliquent à des entités dénombrables (*beaucoup de voitures ; quelques personnes*) et/ou non dénombrables (*beaucoup de courage ; un peu de temps*) ; voir en G.II.2.1.2.1. la (même) distinction entre substantifs continus et discontinus.

2. La quantification comparative (voir G.II.2.1.2.3.) est examinée ici dans le paragraphe consacré aux notions de relations (ON II.3.).

II.2.4.2.2. degré (quantification de notions réalisées par d'autres catégories que les substantifs)

portant sur adjectif ou adverbe G.II.2.1.2.2.

très
trop
assez
si (... que ...)
tellement (... que ...)
un peu
plutôt
presque

portant sur proces (groupe verbal)
G.II.1.3.

beaucoup
pas assez
assez
trop
tellement (... que ...)
ne ... pas
peu
un peu
presque

II.2.5. qualité

II.2.5.1. qualités physiques

II.2.5.1.1. forme

rectangulaire
triangulaire
rond
carré
forme
J'ai vu un vase qui avait une drôle de forme.
en forme de
aspect (ne concerne pas seulement la forme)

II.2.5.1.2. dimensions — voir ON II.2.3.3.

II.2.5.1.3. humidité

mouillé
humide
sec
sécher
mouiller
trempé
Je suis trempé jusqu'aux os.

II.2.5.1.4. consistance, résistance

mou
doux
dur
Ce bois est très dur.
résistant
C'est un tissu très résistant.
élastique
tendre
Est-ce que votre bifteck est tendre ?
gras
collant
piquant
solide
fragile
Attention, ces verres sont fragiles !

II.2.5.1.5. visibilité

voir
On voit bien.
se voir
Ça se voit de loin.
noir
Il fait vraiment noir.
clair
J'y vois de plus en plus clair.

II.2.5.1.6. audibilité

s'entendre
Ça s'entend !
entendre
Je n'entends rien.
fort
Vous parlez trop fort.
Cette machine ne fait pas beaucoup de bruit.

II.2.5.1.7. goût

goût
avoir du goût
Cette omelette a beaucoup de goût.
salé
sucré
amer
acide
bon
Tu trouves que le poulet a bon goût ?

II.2.5.1.8.

sentir
Ça sent drôle par ici !
Ah ! je ne sens rien.
odeur
bon
mauvais
Ça sent vraiment mauvais.
parfumé
puer
Ça pue (Fam.)

II.2.5.1.9. couleur

couleur
Son manteau est de quelle couleur ?
blanc
noir
bleu
rouge
jaune
vert
marron
gris
orange
violet
rose
clair
Une couleur claire.
bleu clair
foncé
rouge foncé
blanchir
noircir
colorier
peindre
voir aussi G.I.2.5.1.

II.2.5.1.10. matière

pierre
Un mur de pierre.
béton
métal
fer
acier
cuivre
Une lampe en cuivre.
or
argent
plastique
papier
carton
verre
coton
Une robe de coton.
tissu synthétique
cuir
bois
laine

II.2.5.2. qualités d'une personne — voir ON III.1.1.

II.2.5.3. appréciation qualitative

II.2.5.3.1. appréciation globale
AP.I.3. et AP.I.4.

bon
C'est un très bon match.
meilleur
Il a obtenu de meilleurs résultats.
bien
Il travaille bien.
mieux
Il nage mieux sur le dos.
mauvais
Ce vin est vraiment mauvais.
mal
Ça va plutôt mal
voir aussi relations comparatives (ON II.3.3.) et tenir compte des différents qualifiants apparaissant dans le chapitre consacré aux notions spécifiques (ON III.)

II.2.5.3.2. appréciation quant à l'acceptabilité
AP.I.3.5., I.10.3.6.1., I.10.3.6.2., I.14.1. à 8;

bien
C'est bien !
ça va
accepter
Je n'accepterai pas cela !
inacceptable
C'est tout à fait inacceptable !
admettre
Je n'admets pas ce genre de plaisanterie
inadmissible
Mais c'est inadmissible !

II.2.5.3.3. appréciation quant à l'adéquation

ça va
ça ira (comme ça)
c'est très bien (comme ça)
suffire
Ça ne suffit pas.
parfait
Ça n'est pas parfait !
C'est tout à fait ce qu'il fallait.

II.2.5.3.4. appréciation quant à la désirabilité
AP.I.10.3.
G.I.2.1.4.5.

souhaiter
souhaitable
Il est souhaitable que ...
aimer
J'aimerais que ça se fasse.
valoir mieux
Il vaut mieux ne pas ...
pourvu que
Pourvu qu'il n'oublie pas de venir !
vivement les vacances !

II.2.5.3.5. appréciation quant à la correction
AP.II.11., IV.4.A. à 3.

correct
Votre réponse est correcte.
juste
incorrect
faux
Ce que vous dites n'est pas faux.
vrai
c'est ça
avoir raison
avoir tort
se tromper
J'ai l'impression que je me suis trompé.
voir ON III.15.2.

II.2.5.3.6. appréciation quant à la réussite
AP.I.10.8.

réussir
Il a réussi à arriver à l'heure.
échouer
J'ai complètement échoué dans cette affaire.
rater
Elle a raté son départ plongé.
voir ON III.14.3.

II.2.5.3.7. appréciation quant à l'utilité
AP.I.10.1.6. et 7.

utile
Ce dictionnaire est très utile.
inutile
peine
Ce n'est pas la peine d'essayer.
Ça ne vaut pas le coup.

II.2.5.3.8. appréciation quant à la capacité, la compétence
AP.I.10.4. et 5.

pouvoir
Il peut facilement soulever cette valise.
savoir
Tu sais réparer un vélo ?
incapable
Elle est incapable de planter un clou.

II.2.5.3.9. appréciation quant à l'importance

important
Il a pris une décision importante.
compter
Ça compte beaucoup pour moi.
importance
Tout cela n'a vraiment pas beaucoup d'importance.

II.2.5.3.10. appréciation quant à la normalité

normal
Ça ne me paraît pas très normal.
ordinaire
étrange
bizarre
drôle (de + Nom*)*
Je trouve qu'il y a une drôle d'odeur dans cette maison.

OBJETS ET NOTIONS, II. Notions générales

II.3. notions de relations

II.3.1. relations dans le temps

Pour la situation objective dans le temps, voir ON II.2.2.1. ; pour un traitement général de la situation et des relations dans le temps voir G.II.1.1. et, en particulier, G.II.1.1.4.

II.3.1.1. référence au futur

aller (+ infinitif)
Je vais m'en occuper demain.
futur proche
futur simple
Il te donnera sans doute un rendez-vous.
bientôt
Nous arrivons bientôt.
prochain
La semaine prochaine, ça ira mieux.
dans
Dans quelques jours, rappelez-moi.
Il part dans quinze jours.
voir aussi certains éléments
de ON II.2.2.1.
et ON II.2.2.2.1.
ainsi que G.II.1.1.1.4.

II.3.1.2. référence au présent

présent
être entrain de
Il est en train de nettoyer la cuisine.
maintenant
en ce moment
voir aussi certains éléments
de ON II.2.2.1.
et ON II.2.2.2.1.
ainsi que G.II.1.1.1.2.

II.3.1.3. référence au passé

imparfait
Il habitait à Bruxelles.
passé composé
J'ai entendu du bruit, je me suis levé.
plus-que-parfait
J'avais pris le train.
voir aussi G.II.1.1.1.3.

dernier
l'an dernier, la semaine dernière
il y a
Il y a trois jours qu'il est parti.
venir (juste) de
Il vient juste de partir.
voir aussi certains éléments de ON II.2.2.1. et ON II.2.2.2.1.

II.3.1.4. hors époque

présent
L'eau gèle à 0°.
voir G.II.1.1.1.1.

II.3.1.5. avance et retard

tard
Il aime se lever tard.
Vous arrivez trop tard, il est parti.
tôt
Il est un peut tôt pour les réveiller, ils seraient trop en avance.
retard
Le train a un retard de deux heures.
en retard
Nous allons être en retard.
avance
en avance
Je préfère être en avance qu'en retard.
à l'heure
Il est arrivé juste à l'heure.

II.3.1.6. antériorité
G.II.1.1.4.

avant / avant de / avant que
Il est parti avant la fin du spectacle.
Elle est revenue avant qu'il pleuve.
Laisse-moi de l'argent avant de partir.
quant **(+ opposition de temps)**
Je serai parti quand tu arriveras.
Je venais d'arriver quand le train est parti.
J'avais déjà cette voiture quand tu as acheté la tienne.
déjà
Tu est déjà venu ici ?
encore
Il n'a pas encore fini.

II.3.1.7. simultanéité
G.II.1.1.4.

pendant / pendant que
Il a beaucoup souffert pendant sa maladie.
Je vais dormir pendant que tu liras.
quand **(+ temps parallèles)**
Quand vous faites de la musique, il n'y a plus qu'à aller se promener ailleurs.
Quand j'arriverai, il sera sur le point de partir.
en même temps
Vous lisez et vous regarder la télévision en même temps ?

II.3.1.8. postériorité
G.II.1.1.4.

après / après avoir
Il a voulu rester ici après le départ de ses enfants.
Après avoir terminé son devoir de français, elle commencera ses mathématiques.
dès / dès que
Dès son arrivée, il s'est mis au travail.
aussitôt / aussitôt que
Je finis de travailler vendredi soir et on partira aussitôt.
quand (+ opposition de temps)
Je m'en irai quand il aura fini.
plus tard
Je vais m'en occuper plus tard.

II.3.1.9. séquence de récit
AP.IV.A.17.

d'abord
D'abord, ils se sont installés à Perpignan.
ensuite
Mais ensuite ils sont partis pour Cuba.
(et) puis
et puis ils ont travaillé en Argentine.
enfin
finalement
et ils ont finalement pris leur retraite en Afrique.

II.3.2. relations dans l'espace

Pour la localisation "absolue" dans l'espace, voir ON II.2.3. ; pour un traitement général de la localisation et des relations dans l'espace voir G.II.1.2.

II.3.2.1. localisation relative dans l'espace

voir aussi 2.3.2.2.
autour (de)
Il y a des arbres tout autour de la place.
(au)-dessus (de)
Nous nous trouvons à 1.500 mètres au-dessus du niveau de la mer.
J'entends du bruit au-dessus. Ça doit être les voisins du dessus.
(au)-dessous (de)
devant
Il y a beaucoup de monde devant la porte.
derrière
Il doit être derrière le camion qui nous suit.
en face (de)
Il y a une pharmacie juste en face de la gare.
sous
Ton paquet de cigarettes est là, sous le journal.
sur
J'ai oublié mon stylo sur la table.

à côté (de)
Nous avons habité à côté d'un musée pendant des années.
de chaque côté (de)
De chaque côté de la rue, il y a une rangée d'arbres.
entre
Vous croyez que je vais pouvoir passer entre ces deux voitures ?
contre
Ne vous appuyez pas contre le mur !
le long de
Elle aime marcher le long de la rivière.
(au) milieu (de)
Ils ont fait un grand trou au milieu du jardin.
en bas (de)
en haut (de)
dans
Tu trouveras ça dans la petite armoire.
à l'intérieur (de)
J'ai laissé mes clés à l'intérieur de l'appartement
à l'extérieur (de)
à droite (de)
à gauche (de)

II.3.2.2. distance

loin (de)
C'est loin d'ici ? Non, ce n'est pas très loin.
près (de)
Non c'est tout près.
à (+ mesure)
C'est à 200 mètres.

II.3.2.3. déplacements orientés dans l'espace

aller (à)
Tu crois qu'on va aller à Lyon ?
partir (pour/à)
Il part demain pour l'Algérie
venir (de)
Le vent vient du sud.
arriver (de)
Quand est-ce que vous êtes arrivée de Strasbourg ?
passer (à côté de / devant / etc.*)*
Vous passez sous le pont et c'est à droite.
traverser
Ne jamais traverser la rue hors des clous !
longer
Il faut longer la rivière sur deux kilomètres.
suivre
Vous n'avez qu'à suivre cette avenue.

descendre (de/à/etc.)
Je vais descendre à la cave.
On a dû descendre tous les meubles du 12e étage.
monter (à/etc.)
Montez donc sur la terrasse.
se diriger vers
La tempête se dirige vers l'est.
s'éloigner (de)
Eloignez-vous ! c'est dangereux.
s'en aller (à)
Il vaudrait mieux que vous vous en alliez.
quitter
Nous devons quitter cette ville.
s'approcher
Approchez-vous, vous verrez mieux.
en haut
en bas
repartir
Ils sont repartis hier.
revenir
Revenez-nous vite !
voir aussi II.3.2.1.
II.2.3. (et en particulier les déictiques)
ainsi que III.4.1. (consignes d'orientation, de déplacements)
III.9.1. (positions du corps et mouvements)
III.9.3. (opérations manuelles, physiques)

II.3.2.4. déplacements avec une personne ou un objet

accompagner
Vous permettez que je vous accompagne, Mademoiselle ?
emmener
Tu peux emmener ton frère à l'école, ce matin ?
amener
aller chercher/attendre
Tu peux aller chercher ma tante à la gare ?
(re)conduire
Je vais vous y conduire. J'ai ma voiture.
venir (avec)
Tu viens avec nous ? On va au cinéma.
avec
Je préfère y aller avec vous.
sans
emporter
Il a oublié d'emporter ses affaires de toilette.
apporter
Je t'ai apporté ce livre.
livrer
Est-ce que ce meuble sera livré à domicile ?
transporter

II.3.3. relations dans l'accomplissement d'une action

II.3.3.1. agent de l'action — agent sujet
Pierre court.
agent introduit par *par*
Nice a été battu par Grenoble, 108 à 84.

II.3.3.2. objet de l'action — objet comme complément
Il soigne sa soeur.
objet comme sujet
Elle a été écrasée par un camion.

II.3.3.3. datif de l'action — datif comme complément
Je vous donne un pain ?
Je te prêterai mon livre de maths.

II.3.3.4. bénéficiaire de l'action

bénéficiaire comme sujet ou complément
Il a reçu un beau cadeau
Je vais acheter des fleurs pour ma grand-mère.

II.3.3.5. instrument de l'action

instrument comme complément
Il s'est servi de la clé pour ouvrir la porte.
Vous pouvez ouvrir la porte avec cette clé.
sujet
Cette clé ne marche pas.

II.3.3.6. détermination spatiale

ON II.2.3.

II.3.3.7. — ON II.2.2.

II.3.3.8. — adverbe de manière
de cette manière
comme ça
ainsi
vite
lentement
adverbes en *-ment*
autres adverbes figurant dans les listes
comment ?

OBJETS ET NOTIONS, II. Notions générales

II.3.4. relations comparatives

II.3.4.1. similitude, différence
AP. IV.1.8.

même que
C'est le même tissu.
Tu n'as pas le même que moi.
pareil (à)
différent
Ils sont très différents l'un de l'autre.
différence
Il n'y a aucune différence entre ces deux textes.
autre
Celui-là ne va pas ; donnez m'en un autre.
se ressembler
Les deux frères se ressemblent beaucoup.
ressembler (à)
Oui, ça ressemble à ce qu'on nous avait dit.
semblable
Les deux cas sont tout à fait semblables.
comme
Il est rond comme une boule.
on dirait
On dirait du vin.
aussi
Il a compris, lui aussi.

II.3.4.2. égalité, infériorité, supériorité
G.II.2.1.2.3.

aussi (+ adj. ou adv.) *que ...*
Il est aussi grand que son frère.
pas (aus)si (+ adj. ou adv.) *que ...*
Ce train ne va pas si vite que l'autre.
plus (+ adj. ou adv.) *que ...*
moins (+ adj. ou adv.) *que ...*
autant (de)
moins (de)
J'en voudrais un peu moins, s'il vous plaît.
plus (de)
S'il avait un peu plus de courage !

II.3.5. relations de possession

adjectifs et pronoms possessifs
G.II.2.2.5.
de
le livre de Jacques
avoir
J'ai une petite maison à la campagne.
posséder
Il possède une fortune.
appartenir (à)
Cette maison lui appartient.
à moi / lui / elle / etc.
Ce manteau est à vous ?

II.3.6. relations logiques

Pour un traitement développé, se reporter à G.III. ; le présent paragraphe ne fait que reprendre sommairement des éléments lexicaux apparaissant dans ce chapitre de la grammaire.

II.3.6.1. conjonction
G.III.1.1.

et
(et) aussi
Elle a un électrophone et aussi un magnétophone.
ni
Nous n'y voyons clair ni lui ni moi.
non plus
Moi non plus, je n'ai pas été remboursé.

II.3.6.2. disjonction
G.III.1.2.

ou (bien)
Tu vas à la montagne ou à la mer ?
Tu entres ou tu sors ?
soit ... soit
Ça se trouve soit dans cette rue soit dans celle d'à côté

II.3.6.3. opposition, concession
G.III.1.3.

mais
Il essaye mais il ne réussit pas.
pourtant
Elle a pris froid, et pourtant je lui avais dit de faire attention.
quand même
Je n'étais pas invitée mais je suis venue quand même.
cependant
Cependant, on doit reconnaître que ...
toutefois
Il ne fait pas beau, toutefois j'irai bien me promener.
malgré
Malgré ses efforts, il n'a pas pu le rattraper.
avoir beau
Elle aura beau insister, elle n'obtiendra rien de moi.
(ne pas) empêcher
La chaleur ne l'a pas empêcher de gagner.

II.3.6.4. inclusion, exclusion

avec
Nous irons à Paris avec lui.
sans
Je préfère sortir sans parapluie
sauf
Il a rendu tous les livres sauf un.

II.3.6.5. cause conséquence (accent sur la conséquence)
G.III.1.4.

alors
Il pleuvait, alors je ne suis pas sortie.
par conséquent
si bien que
tant ... que
Il y a tant de disques qu'il ne sait plus lequel écouter.
si ... que
Ce camion est si haut qu'il ne passe pas sous le pont.
tellement ... que
Elle a tellement travaillé qu'elle est tombée malade.
entraîner
Sa décision en a entraînés beaucoup d'autres.
produire
Tout ceci a produit les résultats qu'on sait.
causer
Ton départ lui a causé beaucoup d'inquiétude.
provoquer
Le mauvais temps a provoqué de nombreux accidents.
résulter
Il en résulte quelques difficultés.
résultat
Résultat : elle est partie. (Fam.)
permettre
Son travail lui a permis de réussir.
voir aussi AP. I.10.13. et AP. II.7.

II.3.6.6. explication causale (accent sur la cause)
G.III.1.5.

comme
puisque
parce que
pour
Il a été félicité pour sa victoire.
à cause de
J'ai fait attention à cause de ce que tu m'avait dit.
venir de
Sa réussite vient de ce qu'il était bien préparé.
résulter de
Les difficultés résultent de la politique du gouvernement
découler de

provoquer (être provoqué par)
La catastrophe a été provoquée par l'orage.
étant donné (que)
Etant donné votre âge, vous n'avez pas droit à une réduction.
que (causes multiples)
Comme il est jeune et qu'il n'a jamais travaillé, il trouvera difficilement ...
pourquoi (est-ce que) ... ?
Pourquoi a-t-il fait ça ?
raison
Pour quelle raison dit-il ceci ?
comment
Comment se fait-il que... ?
voir aussi AP.I.10.6.
I.10.12
II.6.

II.3.6.7. finalité
AP.I.10.7. et II.8.

pour
Il a fait des économies pour pouvoir acheter une montre
pour que
de façon à / que
Le gouvernement a aidé les entreprises de façon à maintenir le plein emploi.

II.3.6.8. condition
G.III.1.6. et III.2.2.2.

si
Si ça ne te convenait pas, tu pourrais refuser.
éventuel et irréel (voir aussi AP.I.1.1.2. et I.1.1.3.)
à condition que
Il ira à condition que ça en vaille la peine.
sans
Il ne fera rien sans te demander ton avis.
Sans moi, tu n'y serais pas arrivé.

II.3.6.9. déduction
G.III.1.7. et III.1.8.

donc
C'est donc que j'avais raison !
c'est que
Il n'a pas téléphoné : c'est que tout va bien.
déduire (que)
conclure (que)
J'en conclus qu'il n'y a rien de nouveau.

III . NOTIONS SPECIFIQUES

III.0. Ce chapitre est nécessairement celui qui, dans ses choix, présente le plus d'arbitraire et exige, selon les publics, le plus d'adaptations. Ce faisant, on privilégie quelque peu les champs et les objets de référence qui intéressent au premier chef les publics de touristes et voyageurs ainsi que, dans une large mesure, les enfants de migrants. La diversité des activités professionnelles, les contenus des grands moyens d'information n'ont pas été pris en compte pour cette sélection de notions spécifiques. On n'a pas cherché non plus à inventorier les ajouts et retraits concevables pour des apprenants (enfants ou adolescents) en milieu scolaire. Les chapitres de la section Publics et Domaines justifient cette orientation. Mais il reviendra là encore aux utilisateurs d'un niveau-seuil de se servir de cet instrument non comme un inventaire fermé et contraignant mais comme d'un tremplin ou d'un repoussoir dans leur propre travail.

Ceci dit, dans leur extension, les listes de notions spécifiques et de réalisations en français ont été limitées à dessein et, quelle que soit la latitude laissée aux modifications ultérieures, elles peuvent, en termes de définition d'objectif, être considérées comme représentatives du volume actuellement proposé, au niveau-seuil, pour cette composante de l'ensemble. Pour autant, on ne préjuge pas des variations dans la charge d'apprentissage, car il est clair que toutes les notions et leurs réalisations lexicales ne sont pas équivalentes pour ce qui est de la difficulté d'acquisition. Ne serait-ce qu'en raison de la plus ou moins grande cohérence des domaines de référence, d'une part, de la complexité diverse du fonctionnement des unités lexicales, d'autre part.

Sans pousser loin cette analyse, on s'est efforcé, pour certains domaines de référence, d'ajouter aux notions proprement référentielles quelques qualifiants de nature prédicative : un *loyer* de *800 F par mois* pourra ainsi être dit *raisonnable* ou *trop élevé*, une *pièce de théâtre, admirable* ou *ennuyeuse*.

Dans les pages qui suivent, comme pour les autres sections de ce document, les notions figurent à fauche et les exemples de réalisations à droite.

OBJETS ET NOTIONS, III. Notions spécifiques

III.1. Identification et caractérisation personnelles

III.1.1. nom

nom de famille	*nom (de famille)* *Votre nom, s'il vous plaît ?*
nom donné à la naissance	*prénom* *Votre prénom, c'est ... ?*
se nommer	*s'appeler* *Comment tu t'appelles ?* *Quel est votre nom ?*
documents d'identité	*papiers d'identité* *carte d'identité*
présentation, désignation	
	Monsieur *Madame* *Mademoiselle* AP.I.1.1., III.1., III.2., III.3., III.4.
lettres de l'alphabet (pour épeler)	
	AP.IV.3.1.
nommer	*appeler* *Il s'appelle Pierre mais on l'appelle toujours Pierrot.* AP.IV.1.7.
signer	*signer* *Est-ce que vous voulez bien signer ici ?*
signature	*signature*
lettre	*lettre* *La dernière lettre de votre nom, c'est un t ou un d ?*

III.1.2. adresse

adresse	*adresse* *Laissez-nous votre adresse, on vous écrira.* *habiter* *Où est-ce que vous habitez ?* *domicile* (surtout sur les formulaires) *demeurant (à)* (surtout sur les formulaires) *résidant (à)* (surtout sur les formulaires)
rue	*rue*
boulevard	*boulevard*
avenue	*avenue*
place	*place*
route	*route*
numéro de maison	*numéro* nom des nombres *J'habite (au (numéro)) 25, rue Linné.*
étage	*étage* *3e étage*
bâtiment	*bâtiment* *bâtiment 3*
escalier	*escalier* *escalier B*

unité administrative (département, code départemental	*département* *Lyon, c'est dans quel département ?* *C'est dans le Rhône.*
code postal	chiffres *42190 Charlieu* (quarante-deux mille cent quatre-vingt-dix - Charlieu) (Charlieu est le nom d'une petite ville française située dans le département de la Loire)
pays	noms de pays
III.1.3. téléphone (voir aussi II.7.2. et PA.I.9.1.2. et II.22.4.)	
téléphone	*téléphone* *Vous avez le téléphone ?*
indicatif	*numéro de téléphone* *Je vais vous donner mon numéro de téléphone.* chiffres *C'est le 225 33 24* (deux cent vingt-cinq, trente-trois, vingt-quatre)
poste intérieur	*poste* *605 23 47, poste 25*
III.1.4. date et lieu de naissance	
naître	*naître* *Il est né le 23 février 1945.*
naissance	*naissance* *date* *Votre date de naissance ?*
lieu de naissance	*né à* (Nom de lieu) *lieu de naissance* *A quel endroit êtes-vous né ?* *Où est-ce que vous êtes né ?*
géniteurs	*nom du père* *nom de la mère* *né de ... et de ...*
anniversaire	*anniversaire* *C'est bientôt ton anniversaire.*
III.1.5. âge	
âge	*âge* *Quel âge avez-vous ?*
année	*an* chiffres *J'ai dix-huit ans.*
mois	*mois* *Leur bébé vient d'avoir trois mois.*
jeune	*jeune* *Il est encore jeune*
vieillesse	*vieux* *âgé*
adulte	*adulte*
adolescent	*adolescent*
enfant	*enfant*
bébé	*bébé*
vieillard	*vieillard* *personne âgée*

OBJETS ET NOTIONS, III. Notions spécifiques

III.1.6. sexe

sexe	*sexe* *un enfant de sexe masculin* *sexe : masc.* *(rayer la mention* *fém.* *inutile)*
mâle	*homme* *mâle* (pour les animaux) *Monsieur, M.* *Messieurs* (sur les portes de toilettes *H.* publiques, par exemple) *type* (fam.) *mec* (fam.) *C'est un drôle de mec.* *lui*
femelle	*femme* *femelle* (pour les animaux) *dame(s)* (sur les portes des toilettes publiques, par exemple) *D.* (sur les portes des toilettes *F.* publiques, par exemple) *Madame, Mme* *Mademoiselle, Mlle* *Mme ...* (rayer la mention inutile) *Mlle* *fille* (fam.) *C'est une fille très intelligente.* *elle*

III.1.7. situation familiale
(voir aussi III.1.12.)

par rapport au mariage	*marié(e)* *célibataire* *divorcé(e)* *veuf / veuve*
époux	*mari* *époux* (formulaires) *conjoint* (") *femme* (") *épouse* *Masson Anne-Marie, née Leguirrec* *Anne-Marie Leguirrec, épouse Masson*
par rapport aux enfants	*enfant* *garçon* *fils* *fille*

OBJETS ET NOTIONS, III. Notions spécifiques

III.1.8. nationalité

nationalité	noms de nationalités *nationalité* *Dupont Claire de nationalité française*
étranger	*étranger* *C'est un étranger.* *Elle est étrangère.*

III.1.9. origine

lieu d'origine	*venant de ...* *D'où est-ce que vous venez ?* *en provenance de ...* *Le vol AF 687, en provenance de Madrid.*
lieu d'embarquement	*(aéro)port d'embarquement*

III.1.10. activité professionnelle (voir aussi III.8.)

profession	*profession* *Quelle est votre profession ?* *métier* *boulot* (Fam.) *travail* *travailler* *Il travaille dans la métallurgie.* noms de métiers *Elle est ingénieur.*
usine	*usine*
ouvrier	*ouvrier* *Il est ouvrier spécialisé chez Renault (O.S.)* *Elle est ouvrière professionnelle dans le textile (O.P.).*
entreprise	*entreprise*
travailleur	*travailleur*
bureau	*bureau*
employé	*employé*
ferme	*ferme*
agriculteur	*agriculteur* *Je suis dans l'agriculture.*
employeur	*employeur* *maison* *boîte* (Fam.) *patron* *Je travaille chez Berliet.* *J'ai travaillé 3 ans à la R.A.T.P.*
cadre	*cadre* *C'est un cadre moyen de l'administration.*

OBJETS ET NOTIONS, III. Notions spéciales

III.1.11. membres de la famille
(voir aussi III.1.7.)

famille	*famille*
parents	*père* *mère* *parents*
enfants	*fils* *fille* *frère* *soeur* *bébé* *petit-fils* *petite-fille* *petits-enfants*
grands-parents	*grand-père* *grand-mère*
famille élargie	*oncle* *tante* *cousin(e)* *neveu* *nièce*

III.1.12. religion

religion	*religion* noms de religions *Il est musulman/catholique/israëlite/etc.*
croyant	*croyant* *croire (en)*
lieu du culte	*église/temple/mosquée/synagogue/etc.*
office religieux	*messe/service/etc.*

III.1.13. goûts

détester	*détester*
aimer	*aimer (bien)* *ne pas aimer* *avoir horreur de* *Elle a horreur des oranges.*
objets d'intérêt	à dériver des autres objets de référence ; pour l'expression de l'affectivité. voir aussi AP.I.11.1.

III.1.14. caractère, tempérament

caractère	*caractère* *Il a un sale caractère !* (Fam.)

traits divers de caractère ou de tempérament	*courageux* *gentil* *sympathique (sympa* Fam.*)* *agréable* *aimable* *amusant* *drôle* *Il est très drôle.* *pas marrant* *casse-pied* *calme* *actif* *paresseux* *bête* *imbécile* *C'est un imbécile.*

III.1.15. quelques caractéristiques physiques

taille	*grand* *petit* *gros* *corpulent* *mince*
couleur et longueur des cheveux	*blond* *roux* *brun* *châtain* *frisé* *chauve* *cheveu* *long* *court* *raide*
port des lunettes	*lunettes* *Il a des lunettes.* *porter* *Elle ne porte pas de lunettes.* *myope* *hypermétrope,* etc.
mesurer	*mesurer* *Je mesure 1,35 m.*
peser	*peser* *Je pèse 40 kg.*

OBJETS ET NOTIONS, III. Notions spécifiques

III.2. éducation

III.2.1. école et études

voir aussi III.10.6.

école	*école*
école maternelle	*école maternelle*
école élémentaire	*école élémentaire*
inscrire un enfant	*inscrire* *Mes parents ont inscrit mon frère à l'école maternelle.*
scolaire	*scolaire*
rentrée (commencement de l'année scolaire)	*rentrée (des classes)* *Il y a toujours beaucoup d'achats à faire à la rentrée.*
élève	*élève*
maître/maîtresse	*maître/maîtresse*
instituteur/institutrice	*instituteur/institutrice*
directeur/directrice	*directeur/directrice*
fréquenter l'école	*aller à l'école*
parent d'élève	*parent d'élève* *L'association des parents d'élèves.*
cantine	*cantine* *As-tu acheté des tickets de cantine ?*
garderie	*garderie*
récréation	*récréation*
sortie	*sortie*
collège (d'enseignement secondaire)	*collège d'enseignement secondaire*
lycée	*lycée*
professeur	*professeur*
université	*université*
enseignement	*enseignement*
éducation	*éducation*
apprendre	*apprendre* *J'ai une récitation à apprendre par coeur pour demain.*
cours	*cours* *Nous avons 3 heures de cours cet après-midi.*
suivre un cours	*suivre un cours*
faire des études	*faire des études* *Il fait des études de médecine.*
étudiant	*étudiant*
cours	*cours* *Cours moyen/élémentaire/préparatoire* *Je suis au cours moyen première année (CM 1)* *6e, 5e, etc.* *A la rentrée, je passe en troisième.*
matériel scolaire	*matériel scolaire* *crayon (de papier, de couleur, feutre,* etc.*)* *stylo (à bille, à encre,* etc.*)* *cartouche* *taille crayon* *gomme* *compas* *double décimètre* *règle* *Je souligne le titre avec la règle.*

	cahiers (de textes, de brouillon, etc.*)*
	cartable
	peinture
	pinceaux
salle de classe	*salle de classe*
	tableau
	craie

III.2.2. matières d'enseignement

lecture	*lecture - livre de lecture*
écriture	*écriture*
lire	*lire*
écrire	*écrire*
calcul	*calcul*
compter	*compter*
mathématiques	*mathématiques*
histoire	*histoire*
géographie	*géographie*
sciences naturelles	*sciences naturelles*
physique	*physique*
chimie	*chimie*
langues vivantes étrangères	*langues vivantes étrangères*
langue maternelle	*langue maternelle*
	noms de langues
philosophie	*philosophie*
autres matières	*technologie*
	musique
	dessin
	économie
	noms d'autres matières

III.2.3. sanctions et qualifications

préparer (un examen)	*préparer*
se présenter à (un examen)	*se présenter (à)*
	Il se présente au baccalauréat en juin.
	être candidat (à)
passer (un examen)	*passer*
	Il a passé l'examen mais il n'a pas réussi.
examen	*examen*
concours	*concours*
réussir	*réussir*
échouer	*échouer*
contrôle	*contrôle*
bulletin scolaire	*bulletin scolaire*
	carnet de note
	carnet de correspondance, etc.
épreuve	*épreuve*
	Cet examen comporte sept épreuves écrites et cinq orales.
diplôme	*diplôme*
certificat	*certificat*
redoubler	*redoubler*
	Il redouble la 6e.
admettre	*admettre*
	Il est admis à passer dans la classe supérieure.

opération	Les 4 opérations et les énonciations correspondante *(7 + 5 = 12, 29 - 5 = 24, 8 fois 5, 12 divisé par 4*
carré	*carré / cube* $(a+b)^2 = a^2 + 2ab + b^2$
racine	$\sqrt{25} = 5$
écriture	*écriture*
lettres	*lettres*
lettres majuscules	*majuscules, minuscules* *Ecrivez le titre en majuscules.*
carte	*carte* *La carte du Bassin Parisien est page 46.*
schéma	*schéma* *Dessinez le schéma de l'appareil digestif.*
devoir	*devoir* *Tu as fait le devoir de maths pour demain ?*
exercice	*exercice*
réciter	*réciter*
copie	*copie* *Ramassez les copies !*
composition	*composition* *On a composition de maths cet après-midi.*
note	*note* *Quelle note tu as en anglais ?* *J'ai 11 sur 20 (11/20)*

III.3. langue étrangère

III.3.1. comprendre

comprendre	*comprendre* *Je ne comprends pas très bien.*
appeler	*appeler* *Comment est-ce que ça s'appelle en français ?* *dire* *Comment est-ce qu'on dit "Baum" en français ?* voir aussi AP.IV.1.7.

III.3.2. connaissance d'une langue ; niveau d'aptitude, correction

lire	*lire*
parler	*parler*
écrire	*écrire*
comprendre	*comprendre*
prononcer	*prononcer*
connaître	*connaître* *Il connaît assez bien l'allemand.* *savoir* *Tu sais parler anglais, toi ?*
bien	*bien* *un peu, pas du tout, mal*
facile	*facile*
difficile	*difficile* *Tu crois que le russe est difficile à apprendre ?*
se rappeler	*se rappeler* *Je n'arriverai jamais à me rappeler ce mot.*
oublier	*oublier* *J'ai oublié comment on dit cheval en néerlandais.*

OBJETS ET NOTIONS, III. Notions spécifiques

réussir, pouvoir	*pouvoir*
	Il peut écrire son nom en grec.
	arriver à
	Tu arrives à prononcer ce mot-là ?
accent (avoir un)	*accent*
	Il a un accent parisien quand il parle français.
	Il parle espagnol avec un accent anglais.
faute	*faute*
erreur	*erreur*
se tromper	*se tromper*
	Excusez-moi, je me suis trompé.
corriger	*corriger*
	voir AP.IV.4.
épeler	voir AP.IV.3.1.

III.4. maison et foyer

III.4.1. modes et types d'habitation

habiter	*habiter*
	J'habite Marseille (ou à Marseille).
	vivre
	Il vit en Bretagne depuis 2 ans.
maison	*maison*
appartement	*appartement*
	logement
immeuble	*immeuble*
	J'ai un appartement de trois pièces au deuxième étage d'un grand immeuble.
meublé	*meublé*
	Patricia a loué un appartement meublé dans le XVe.
louer	*louer*
locataire	*locataire*
acheter	*acheter*
propriétaire	*propriétaire*
foyer	*chez*
	Le soir, je rentre chez moi à 8 heures.
	On va chez Jacques, demain ?
	à la maison (= chez moi/chez nous)
	J'ai dû oublier mon manteau à la maison.
	voir aussi adresse (III.1.2.)
pavillon	*pavillon*
	Il habite un pavillon de banlieue.

OBJETS ET NOTIONS, III. Notions spécifiques

III.4.2. composition de l'habitation

pièce, etc.	
pièce	*pièce*
	C'est un trois-quatre pièces (deux chambres et un living double) de 80 m2, cuisine et salle de bains équipées.
cuisine	*cuisine*
salle de bains	*salle de bains*
chambre à coucher	*chambre à coucher*
salle à manger	*salle à manger*
salle de séjour	*salle de séjour*
toilettes	*toilettes*
	W.C.
	cabinets (Fam.)
couloir	*couloir*
escalier	*escalier*
ascenseur	*ascenseur*
étage	*étage*
identification des étages	*Elle habite au 4e étage*
(sauf le rez-de-chaussée)	*nombres ordinaux (premier, deuxième, troisième, etc.)*
rez-de-chaussée	*rez-de-chaussée*
cave	*cave*
cour	*cour*
jardin	*jardin*
porte	*porte*
fenêtre	*fenêtre*
grenier	*grenier*
garage	*garage*
balcon	*balcon*
localisation et surfaces	voir G.II.1.2.

III.4.3. meubles, literie

meubles	*meubles*
table	*table*
chaise	*chaise*
armoire	*armoire*
placard	*placard*
lit	*lit*
drap	*drap*
couverture	*couverture*
oreiller	*oreiller*

III.4.4. vaisselle et appareils ménagers

casserole	*casserole*
cuiller	*cuiller*
fourchette	*fourchette*
couteau	*couteau*
assiette	*assiette*
bol	*bol*
passoire	*passoire*
plat	*plat*
poêle	*poêle*
tasse	*tasse*
bouteille	*bouteille*
verre	*verre*

OBJETS ET NOTIONS, III. Notions spécifiques

réfrigérateur	*réfrigérateur*
cuisinière	*à gaz* *électrique*
machine à laver (le linge)	*machine à laver*
machine à laver (la vaisselle)	*lave-vaisselle*

III.4.5. énergie et entretien

eau (froide/chaude)	*eau chaude* *eau froide*
gaz	*gaz*
électricité	*électricité*
chauffage	*chauffage*
lampe	*lampe*
douche	*douche*
baignoire	*baignoire*
lavabo	*lavabo*
charbon	*charbon*
mazout	*mazout* *fuel*
mettre en marche	*allumer (le gaz, une lampe, le chauffage)*
ouvrir	*ouvrir (un robinet, une fenêtre)*
arrêter un appareil	*éteindre (le gaz, une lampe, le chauffage)*
fermer	*fermer (un robinet, une fenêtre)*
nettoyer	*laver* *nettoyer* *faire le ménage*
faire la cuisine (cuisiner)	*brancher*
brancher	*Brancher la machine à laver !*

III.4.6. loyer, prix de vente, charges

coûter	*coûter* *Combien est-ce que ça coûte le m2 dans ce quartier ?*
loyer	*loyer* *Le loyer de cet appartement est de 1.000 F par mois, charges comprises*
louer	*louer*
acheter	*acheter*
crédit	*crédit* *prêt* *Ils ont acheté un appartement à crédit, avec un prêt sur 15 ans.*

OBJETS ET NOTIONS, III. Notions spécifiques

III.4.7. quelques qualifiants pour la maison, l'habitation

grand	*grand*
petit	*petit*
vieux	*vieux*
ancien	*ancien*
neuf	*neuf*
récent	*récent*
moderne	*moderne*
confortable	*confortable*
agréable	*agréable*
sale	*sale*
propre	*propre*
commode	*commode* *pratique* *facile à entretenir/nettoyer* *meubler*
avantages ou inconvénients divers	*bien/mal conçu/exposé/situé* *équipé/entretenu*
beau	*beau*
laid	*moche* (Fam.) *laid*
solide	*solide*
tranquille	*calme* *tranquille*
bruyant	*bruyant*
cher	*cher* *élevé* *Maison 12 pièces sur 3.000 m2. Prix élevé.*
pas très cher	*raisonnable* *pas très/trop cher/élevé* *Le loyer n'est pas très élevé ; il est même tout à fait raisonnable pour un appartement de cette taille.*

III.5. environnement géographique ; faune et flore ; climat et temps

III.5.1. quartier, région, paysage

ville	*ville*
quartier	*quartier*
banlieue	*banlieue*
centre ville	*centre ville*
village	*village*
campagne	*campagne* *Il a quitté la campagne pour venir vivre en ville.* *De plus en plus de gens préfèrent passer leurs vacances à la campagne qu'au bord de la mer.*

OBJETS ET NOTIONS, III. Notions spécifiques

province	*province*
région	*région*
mer	*mer*
côte	*côte*
	au bord de la mer
plage	*plage*
montagne	*montagne*
colline	*colline*
fond	*fond*
sommet	*sommet*
vallée	*vallée*
	Du fond de la vallée au sommet de la montagne, il y a 1.000 mètres.
rivière	*rivière*
fleuve	*fleuve*
lac	*lac*
champ	*champ*
oasis	*oasis*
désert	*désert*
savane	*savane*
brousse	*brousse*
localisation et distance	voir G.II.1.2.
paysage	*paysage*

III.5.2. quelques qualifiants pour le quartier et l'environnement

tranquille	*calme*
	tranquille
bruyant	*bruyant*
beau	*beau*
laid	*laid*
	moche (Fam.)
par rapport au temps et au climat	*ensoleillé*
	chaud
	pluvieux
	froid
situé	*bien/mal situé*
agricole	*agricole*
industriel	*industriel*
pittoresque	*pittoresque*
sauvage	*sauvage*

III.5.3. faune, flore

plante	*plante*
arbre	*arbre*
herbe	*herbe*
fleur	*fleur*
animal	*animal*
	bête
	Vous aimez les bêtes ?
oiseau	*oiseau*
insecte	*insecte*
chien	*chien*
chat	*chat*
cheval	*cheval*
vache	*vache*

buisson	*buisson*
forêt	*forêt*
bois	*bois*
boeuf	*boeuf*
veau	*veau*
poulet	*poulet*
chameau	*chameau*
dromadaire	*dromadaire*
âne	*âne*
mulet	*mulet*
mouton	*mouton*

III.5.4. climat, conditions météorologiques, temps qu'il fait

climat	*climat*
temps	*temps*
chaud	*chaud*
	Il fait très chaud aujourd'hui.
froid	*froid*
	faire chaud/froid
agréable	*agréable*
sec	*sec*
pluvieux	*pluvieux*
humide	*humide*
beau	*beau*
mauvais	*Beau temps sur toute la Belgique*
	beau temps/mauvais temps
	mauvais
doux	*doux*
frais	
soleil	*soleil*
nuage	*nuage*
pluie	*pluie*
ombre	*ombre*
pleuvoir	*pleuvoir (il pleut)*
neige	*neige*
neiger	*neiger (il neige)*
glace	*glace*
tempête	
geler	*geler*
	Il a gelé la nuit dernière à Metz.
gelée	*gelée*
verglas	*verglas*
	Attention au verglas sur les routes !
vent	*vent*
	Il fait du vent.
température	*degré*
	centigrades
	Farenheit
	température
	au-dessus de zéro
	voir aussi ON II.2.3.3.6.

III.5.5. mois et saisons, fêtes de l'année

saisons	*saison*	
	printemps	*au printemps*
	été	*en été/automne/hiver*
	automne	
	hiver	

mois	*mois*	
	janvier	
	février	*en janvier/février/*etc.
	mars	
	avril	
	mai	
	juin	
	juillet	
	août	
	septembre	
	octobre	
	novembre	
	décembre	
Nouvel An	*au Nouvel An*	
Pentecôte	*à la Pentecôte*	
Carnaval	*Carnaval*	
Noël	*Noël*	
Pâques	*Pâques*	*à Noël/Pâques*

III.6. voyages et déplacements

III.6.1. consignes d'orientation, de déplacements ; indications d'itinéraires

carte	*carte*
	plan
se perdre	*se perdre*
	Nous nous sommes perdus.
	Pourriez-vous nous dire comment rejoindre la route de Neuchâtel ?
nord	*nord*
sud	*sud*
est	*est*
ouest	*ouest*
	Je vais dans un petit village à l'ouest de Rennes.
direction	*direction*
	C'est dans la direction de Namur.
endroit	*endroit*
droit	*droit*
continuer	*continuer*
	Vous continuez tout droit jusqu'au troisième feu rouge.
tourner	*tourner*
	Vous tournez à gauche.
prendre	*prendre*
	Vous prenez ensuite la première à droite.
à droite	*à droite*
à gauche	*à gauche*
traverser	*traverser*
passer	*passer*
suivre	*suivre*
loin	*loin*
près	*près*
à côté	*à côté*
en face	*en face*
après	*après*
avant	*avant*
	Tournez à droite avant le pont.
autres notions relatives à la direction et à la localisation et au déplacement	voir G.II.1.2.

III.6.2. déplacements liés au travail, aux études, etc.
voir aussi III.4.3. à III.4.6.

aller (quelque part)	*aller (à ... lieu)* *Je vais au bureau tous les jours.*
prendre (un moyen de transport)	*prendre* *Tu prends le train puis le métro.*
trajet	*trajet*
situation relative dans le temps	*de bonne heure* *Il faut que je me lève de très bonne heure tous les matins.* *tard* *à l'heure* *en retard* *en avance* *On n'est pas en avance !*
partir (quitter un endroit)	*partir* *Je pars de chez moi à 6 heures.*
arriver	*arriver* *Les ouvriers arrivent à 7 heures.*
rentrer	*rentrer* *Il rentre chez lui assez tard le jeudi.*
distance dans le temps/ espace	*à ... (de ...)* *Elle habite à 5 minutes de la gare.* *La boulangerie est à 500 mètres d'ici.* *Ils sont à deux heures de Paris par le train.* *loin de* *près de*
quelques qualifiants	*fatigant* *Rester debout dans le métro c'est fatigant.* *long* *Le trajet est très long.* *pratique* *Le bus passe à ma porte ; c'est très pratique.*

III.6.3. vacances et tourisme
voir aussi III.4.2., III.4.4. à III.4.7.

vacances	*vacances* *être en vacances* *être en congés*
partir	*partir* *Mon père est en congé le mois prochain et nous partirons sans doute en vacances.* *prendre* *Vous prenez vos vacances en juillet ou en septembre ?*
rentrer	*rentrer* *Nous rentrons le 1er septembre.*
saisons, mois	voir III.5.5.

OBJETS ET NOTIONS, III. Notions spécifiques

durée	*mois* *semaine* *jour* *Il me reste 15 jours de vacances à prendre.* *passer* *J'ai passé 3 semaines en Suisse.*
tourisme	*tourisme* *On a fait du tourisme en Italie du Sud pendant tout le mois d'août.* *Le tourisme s'est beaucoup développé dans le Massif central.*
touriste	*touriste*
office de tourisme	*office de tourisme*
agence de voyages	*agence de voyages*
voyage	*voyage* *J'ai horreur des voyages en groupe.*
à l'étranger	*à l'étranger* *Vous êtes allé à l'étranger l'été dernier ?*
guide (personne)	*guide* *Le guide ne manque pas d'humour.*
guide (livre)	*guide* *Le même guide existe en 18 langues.*
visiter	*visiter*
visite	*visite*
projet	*projet* *Vous avez déjà fait des projets pour les prochaines vacances ?*
quelques qualifiants pour les vacances	*magnifique* *reposant* *intéressant* *raté* *agréable* **etc.**

III.6.4. transports publics

voyageur	*voyageur* *MM. les voyageurs sont priés d'attacher leur ceinture.* *passager*
utiliser un moyen de transport	*prendre (l'autobus/le train/l'avion, etc.)*
moyens de transport public	*autobus (bus)* *car (autocar)* *train* *métro* *avion* *bateau* *taxi*
ramassage scolaire	*ramassage scolaire* *Le car de ramassage passe vers 8 h.*

OBJETS ET NOTIONS, III. Notions spécifiques

stations et points d'embarquement/débarquement	*aéroport* *aérogare* *gare* *gare routière* *arrêt (d'autobus)* *Pour la Bibliothèque Nationale, à quel arrêt est-ce que je dois descendre ?* *station (de métro)* *Vous descendez à la prochaine ?*
entrer (dans train/métro/ bus/taxi)	*monter*
sortir (du train/métro/ bus/taxi)	*descendre* *embarquement* *Vol Air Mali, à destination de Bamako, embarquement immédiat, porte 5*
point d'embarquement avion	*porte*
compagnie aérienne	*compagnie aérienne*
vol	*vol*
ligne	*ligne (aérienne, d'autobus, de métro)*
lieu d'arrivée du départ des trains	*quai* *voie* *L'express en provenance de Strasbourg est annoncé sur la voie 12.*
partir	*partir* *Le train pour Colmar part à 17 h 30 .*
départ	*départ* *Attention au départ !*
arrivée	*arrivée*
destination	*pour* *Le car pour* Cherbourg s'il vous plaît ? *à destination de*
provenance	*en provenance de* NB. *de* (destination et provenance) *le train de Paris* (soit : venant de Paris) (soit : pour Paris)
objets perdus/trouvés	*objets trouvés* *Il n'y a pas de service des objets trouvés, dans cette gare !*
accès	*accès* *L'accès aux quais est interdit aux personnes non munies d'un billet.*
information	*information* *renseignements*
entrée	*entrée*
sortie	*sortie*
consigne	*consigne*
bagages	*bagages*

OBJETS ET NOTIONS, III. Notions spécifiques

lourd	*lourd*
léger	*léger*
porter	*porter*
aider	*aider*
	Votre valise a l'air bien lourde, est-ce que je peux vous aider à la porter ?
valise	*valise*
malle	*malle*
sac	*sac*
changement de ligne	*correspondance*
	changer
	Vous prenez la direction de Neuilly et vous changez à la Concorde, Saint-Lazare est à deux stations.
transit	*transit*
billet	*billet (d'avion/de train)*
	Au-delà de cette limite, votre billet doit être validé, compostez-le.
	ticket (de métro/de bus)
	aller (simple)
	aller-retour
	Un aller-retour seconde pour Marseille, s'il vous plait (= deuxième classe)
carte	*carte*
	J'ai une carte de réduction de 30 % pour famille nombreuse
classe	*première (classe)*
	seconde/deuxième (classe)
	(classe) touriste (en avion)
acheter	*acheter*
réserver	*réservation*
	louer
	Vous avez loué vos places ?
place	*place*
position	*à l'avant*
	à l'arrière
	en tête
	en queue (pour le train)
wagon	*wagon*
compartiment	*compartiment*
wagon-restaurant	*wagon-restaurant*
couchette	*couchette*
horaire	*horaire*
enregistrer les bagages	*enregistrer les bagages*
se dépêcher	*se dépêcher*
se presser	*se presser*
	Pressez-vous un peu, on va rater la correspondance !
durer	*durer*
	Le voyage dure 6 heures.
salle d'attente	*salle d'attente*
attendre	*attendre*
	On a encore deux heures à attendre cette fichue correspondance (Fam.)
	Il vous attendra sans doute à l'arrivée.
composter	*composter*
	N'oubliez pas de composter votre billet

OBJETS ET NOTIONS, III. Notions spécifiques

manquer (le train, etc.)	*rater*
	Il a dû rater son train.
	manquer
	Il y avait tellement d'embouteillages que j'ai failli manquer l'avion.
accompagner	*accompagner*
	Tu devrais l'accompagner à la gare ; ça lui ferait plaisir.
souhaits	*(dire) au revoir*
	(souhaiter) bon voyage
quelques qualifiants pour le mode de transport	*agréable*
	confortable
	rapide
	lent
	complet
	bondé
	bruyant
	commode
	pratique, etc.

III.6.5. transport privé
voir aussi III.6.1.

automobile	*auto (mobile)*
	voiture
motocyclette	*moto*
essence	*essence*
huile	*huile*
conduire	*conduire*
conducteur	*conducteur*
	chauffeur
poste d'essence	*poste d'essence*
	station-service
garage	*garage*
	se garer
stationnement	*stationnement*
	Le stationnement est interdit tout le long de la voie : Parking à 100 m.
	parking
vitesse	*vitesse*
	limitation de vitesse
	La vitesse est limitée à 90 km/h.
contravention	*contravention*
amende	*amende*
rouler	*rouler*
	Ça roulait bien.
démarrer	*démarrer*
accélérer	*accélérer*
doubler	*doubler*
freiner	*freiner*
s'arrêter	*s'arrêter*
croiser	*croiser*

dépasser	*dépasser*
	interdiction de dépasser
assurance	*assurance*
	être assuré
	Vous êtes assuré tous risques ou seulement au tiers ?
feux tricolores	*feu (rouge)*
	C'est tout de suite à droite après le troisième feu rouge.
bicyclette	*vélo*
	faire du vélo
piéton	*piéton*
cycliste	*cycliste*
piste cyclable	*piste cyclable*
route	*route*
autoroute	*autoroute*
croisement	*croisement*
	carrefour
virage	*virage*
traverser	*traverser*
	Il s'est fait renverser en traversant la rue.
embouteillage	*embouteillage*
	bouchon
circulation	*circulation*
	Il y a beaucoup de circulation ce matin.
panneaux	**indications écrites habituelles portées sur les panneaux de circulation**
camion	*camion*
	poids-lourd
	La circulation est interdite aux poids lourds le dimanche.

III.6.6. d'un pays dans un autre

service d'immigration	*service d'immigration*
police	*police*
douane	*douane*
frontière	*frontière*
importer	*importer*
exporter	*exporter*
déclarer (en douanes	*déclarer*
	Vous avez quelque chose à déclarer ?
changer	*changer de l'argent*
	change
	Quel est le taux de change du franc belge ?
ouvrir	*ouvrir*
	Pouvez-vous m'ouvrir cette valise ?
nationalités	**noms de nationalités**
langues	**noms de langues**
lieux, environnement physique	**voir III.3.1.**
pays	**noms de pays**
	en
	Passez vos vacances en Belgique !
	à
	Etes-vous déjà allé au Sénégal ?

OBJETS ET NOTIONS, III. Notions spécifiques

III.6.7. documents de voyages, de séjour, et résidence dans un pays étranger

passeport	*passeport*
visa	*visa*
carte de séjour	*carte de séjour*
permis de travail	*permis de travail*
contrat de travail	*contrat de travail*
fiche	*fiche*
formulaire	*formulaire*
déclaration	*déclaration*
attestation	*attestation*
permis de conduire	*permis de conduire*
papiers d'identité	*papiers*
	Vous pouvez me faire voir vos papiers ?

III.7. le gîte et le couvert : hôtel, restaurant, etc.

III.7.1. hôtel, camping

hôtel	*hôtel*
réception	*réception*
réserver une chambre	*réserver une chambre*
hall	*hall*
salon	*salon*
salle à manger	*salle à manger*
escalier	*escalier*
ascenseur	*ascenseur*
chambre d'hôtel	*chambre pour une/deux personne(s)*
	avec douche
	avec salle de bains
	calme
	tranquille
	(avec vue) sur la cour/la rue
	Elle donne sur la mer
téléphoner	*téléphoner*
	Je voudrais téléphoner à l'extérieur, au numéro suivant ...
petit déjeuner	*petit déjeuner*
demi-pension	*demi-pension*
pension complète	*pension complète*
clé	*clé*
	Avez-vous laissé votre clé à la réception ?
message	*message*
	Il y a un message pour vous, Monsieur.
paiement	*régler*
moyens de règlement	*chèque*
	liquide, espèces
	Vous réglez par chèque, en liquide, ou avec une carte de crédit.

auberge	*auberge*
auberge de jeunesse	*auberge de jeunesse*
terrain de camping	*terrain de camping*
tente	*tente*
caravane	*caravane*
douche	*douche*

III.7.2. nourriture et boisson

manger	*manger*
boire	*boire*
déjeuner	*déjeuner* (repas du midi et action de prendre ce repas)
dîner	*dîner* (repas du soir et action de prendre ce repas)
petit-déjeuner	*petit-déjeuner*
repas	*repas*
soupe	*soupe*
	potage
viande	*viande*
boeuf	*boeuf*
veau	*veau*
porc	*porc*
agneau	*agneau*
griller	*griller*
rôtir	*rôtir*
frire	*frire*
bifteck	*bifteck*
poisson	*poisson*
sardine	*sardine*
sole	*sole*
morue	*morue*
thon	*thon*
poulet	*poulet*
omelette	*omelette*
jambon	*jambon*
saucisson	*sauccisson*
légumes	*légumes*
pommes de terre	*pommes de terre*
pommes de terre frites	*pommes de terre frites*
salade	*salade*
tomates	*tomates*
aubergines	*aubergines*
pois chiches	*pois chiches*
oeuf	*oeuf*
pâtes	*pâtes*
	nouilles
haricots	*haricots*
carottes	*carottes*
petits pois	*petits pois*
sel	*sel*
sucre	*sucre*
piment	*piment*
poivre	*poivre*
moutarde	*moutarde*
pain	*pain*
huile	*huile*
vinaigre	*vinaigre*
beurre	*beurre*
passer un plat ou un condiment	*passer* *Vous pouvez me passer la moutarde ?*

OBJETS ET NOTIONS, III. Notions spécifiques

rondelle	*rondelle*
	Rondelle de saucisson
tranche	*tranche*
fromage	*fromage*
dessert	*dessert*
	Qu'est-ce que vous prendrez comme dessert ?
fruit	*fruit*
pomme	*pomme*
poire	*poire*
raisin	*raisin*
clémentine	*clémentine*
datte	*datte*
figue	*figue*
citron	*citron*
ananas	*ananas*
orange	*orange*
glace	*glace*
gâteau	*gâteau*
pâtisserie	*pâtisserie*
	Je mangerais bien une pâtisserie
vin	*vin*
	rouge
	blanc
	rosé
apéritif	*apéritif*
	Tu prends l'apéro ! (Fam.)
lait	*lait*
bière	*bière*
eau	*eau*
	eau minérale
jus de fruit	*jus de fruit*
café	*café*
thé	*thé*
chocolat	*chocolat*
confiture	*confiture*
froid	*froid*
chaud	*chaud*
	Attention, c'est chaud !
salé	*salé*
sucré	*sucré*
faire la cuisine (cuisiner)	*faire la cuisine*
préparer un repas	*préparer un repas*

III.7.3. restaurants et cafés

restaurant	*restaurant*
café	*cagé*
bar	*bar*
self-service	*self-service*
table	*table*
serveur	*garçon*
	serveur
commander	*commander*
	commande
	Je prends votre commande tout de suite.
menu	*menu*
	carte
	Vous pouvez me passer la carte ?

menu (repas à prix fixe)	*menu*
	Qu'est-ce que vous avez au menu à 15 frs aujourd'hui ?
à la carte	*à la carte*
	Je vais plutôt prendre quelque chose à la carte.
plat	*plat du jour*
servir	*servir*
	Qu'est-ce que je peux vous servir, Messieurs ?
	donner
	Et avec ça, qu'est-ce que je vous donne ?
	mettre
	Mettez-nous donc une carage de rouge !
addition	*addition*
	Vous pouvez nous apporter l'addition ?
service (gratification)	*service*
	Le service est compris ?
	pourboire
	Qu'est-ce qu'il faut laisser comme pourboire ?

III.7.4. quelques qualifiants pour les repas

	copieux
	bon
	mauvais
	bien/pas assez/trop cuit
	bleu/saignant
	bien salé/assaisonné/épicé
	dur
	sucré
	fort
	léger
	Un café léger, s'il vous plaît !
	tendre
	fin
	fade
	goût
et pour les convives	*Ça n'a pas de goût.*
	faim
	J'ai une faim de loup
	soif
	Il n'a plus faim ni soif.
	affamé
	Je suis encore affamé !
	satisfait
	mécontent
	malade
	ivre
	saoul
	rassasié

III.7.5. souhaits et invites

à boire	AP.III.7. et aussi AP.I.7.
	prendre un repas
	boire un verre
	prendre/boire un verre/un pot
	Tu viens, on va prendre un pot. (Fam.)
	à votre santé !
	à la tienne/nôtre !
à manger	*bon appétit*
	reprendre
	Vous reprendrez bien une tranche de viande.

OBJETS ET NOTIONS, III. Notions spécifiques

III.8. commerce et courses

III.8.1. commerces : généralités

commerce	*commerce*
	C'est un bel appartement, bien situé, à proximité de tous commerces.
commerçant	*commerçant*
boutique, lieu de vente	*boutique*
	magasin
	supermarché
	grande surface
	centre commercial
	grand magasin
vitrine	*vitrine*
	Vous avez vu quelque chose en vitrine ?
marché	*marché*
faire des courses	*faire des courses*
	courses
	Il vaut mieux faire ses courses de bonne heure.
	J'ai fait quelques courses à Tunis.
acheter	*acheter*
	faire des achats
vendre	*vendre*
payer	*payer*
	régler
	comptant
	à crédit
	voir aussi III.6.6.
montrer	*montrer*
	faire voir
	Vous pouvez me faire voir ce que vous avez en noir ?
paquet	*paquet*
	Vous l'emportez comme ça, ou on vous fait un paquet cadeau ?
échanger	*échanger*
	échange
rembourser	*rembourser*
	Regardez, ce jouet ne marche pas ; ou bien vous me l'échangez ou bien vous me le remboursez ?

III.8.2. alimentation

voir aussi III.5.2. à III.5.5. et III.6.1.

épicier	*épicier*
épicerie	*épicerie*
boucher	*boucher*
boucherie	*boucherie*
boulanger	*boulanger*
boulangerie	*boulangerie*
	Arrête-toi à la boulangerie et prends deux pains.
charcutier	*charcutier*
pâtisserie	*pâtisserie*
poissonnerie	*poissonnerie*
marchand de légumes	*marchand de légumes*
	fruits et primeurs
alimentation	*alimentation générale*
poids et mesures	G.II.1.1.2. (annexe)

OBJETS ET NOTIONS, III. Notions spécifiques

III.8.3. vêtements - mode

vêtements	*vêtements*
robe	*robe*
costume	*costume*
tailleur	*tailleur*
sous-vêtements	*sous-vêtements*
slip	*slip*
soutien-gorge	*soutien-gorge*
collants	*collants*
lingerie	*lingerie*
pantalon	*pantalon*
veste	*veste*
chemise	*chemise*
corsage	*corsage*
jupe	*jupe*
blouson	*blouson*
anorak	*anorak*
bonnet	*bonnet*
gant	*gant*
manteau	*manteau*
chaussures	*chaussures*
chaussettes	*chaussettes*
imperméable	*imperméable*
parapluie	*parapluie*
laine	*laine*
nylon	*nylon*
coton	*coton*
tissu synthétique	*tissu synthétique*
portefeuille	*portefeuille*
portemonnaie	*portemonnaie*
taille	*taille* *Vous faites du combien ?* *grand* *petit* voir ON II. *long*
forme	ON II.
couleur	ON II.
porter	*porter*
essayer	*essayer* *Essayez-le, les retouches seront faites pour demain soir*
mettre	*mettre*
retirer	*retirer*
s'habiller	*s'habiller*
se déshabiller	*se déshabiller*
chausser	*chausser* *Vous chaussez du combien ? du 41 ?*
aller (bien mal) être à la bonne mesure	*aller* *Ce costume vous va très bien.*
quelques qualifiants	*chic* *élégant* *bien/mal habillé*

OBJETS ET NOTIONS, III. Notions spécifiques

III.8.4. cigarettes et fumeurs

tabac	*tabac*
cigarette	*cigarette*
	Tu n'as pas une cigarette à me passer ?
pipe	*pipe*
cigare	*cigare*
fumer	*fumer*
	Ça ne vous dérange pas si je fume ?
allumer	*allumer*
cendrier	*cendrier*
briquet	*briquet*
allumette	*allumette*
	feu
	Vous avez du feu s'il vous plaît ?
fumeur	*fumeur* (dans les transports publics par exemple)
non-fumeur	*non-fumeur*
bureau de tabac	*bureau de tabac*
	Est-ce qu'il y a un bureau de tabac ici ?

III.8.5. pharmacie, médicaments
voir III.8.6.

III.8.6. prix et paiement
voir aussi III.6.1.

prix	*prix*
	coûter
	Combien est-ce que ça coûte ?
cher	*cher*
	Vous n'auriez pas quelque chose de moins cher ?
raisonnable	*raisonnable*
	Voilà un article à un prix très raisonnable
déjeuner	*déjeuner*
	Combien est-ce que tu as dépensé pour faire les courses ?
unités monétaires	*franc*
	T'as pas cent balles. (Fam.)
	Il n'a plus le rond. (Fam.)
	centime
unités monétaires du pays	*unités monétaires du pays (drachme, lire, etc.)*
billet	*billet*
pièce	*pièce*
prêter	*prêter*
	Tu peux me prêter 100 francs ?
argent	*argent*
	Il a gagné beaucoup d'argent
fric	*fric*
	Je n'ai plus de fric (Fam.)
monnaie	*monnaie*
	Vous auriez la monnaie de 10 francs en pièces de 1 franc ?
rendre la monnaie	*rendre la monnaie*
	Attendez Monsieur, vous m'avez donné 50 francs. Il faut que je vous rende la monnaie.

OBJETS ET NOTIONS, III. Notions spécifiques

III.9. services publics et privés

III.9.1. poste
voir aussi A.N.S. III.

poste — *poste*
courrier — *courrier*
levée — *levée*
distribution — *distribution*
affranchissement — *affranchissement*
poster — *poster*
timbre — *timbre*
Sur cette lettre, il faut mettre un timbre à 1,50 F.
paquet — *paquet*
recommandé — *recommandé*
Pour envoyer ce paquet en recommandé, s'il vous plaît ?
lettre — *lettre*
par avion — *par avion*
guichet — *guichet*
Adressez-vous au guichet n° 2.
boîte — *boîte à lettres*
poste restante — *poste restante*
mandat — *mandat*
formulaire — *formulaire*
imprimé
Vous voulez bien remplir cet imprimé ?
facteur — *facteur*
Le facteur n'est pas encore passé.
à domicile
télégraphe, téléphone — voir III.7.2. et III.7.3.

III.9.2. téléphone

téléphoner — *téléphoner*
Je n'ai pas eu le temps de vous téléphoner.
appeler
passer un coup de fil (Fam.)
téléphoner — *téléphone*
sonner — *sonner*
Le téléphone sonne.
numéro de téléphone — *numéro (de téléphone)*
voir III.1.3.
poste intérieur — *poste*
623 41 16, poste 25
composer un numéro — *composer un numéro*
faire un numéro
jeton — *jeton*
cabine (téléphonique) — *cabine*
communication — *communication*
Vous m'avez passé la ligne, mais je n'ai pas eu la communication.
couper (perdre la ligne) — *couper*
Nous avons été coupés.
standardiste — *standardiste*
Demandez votre communication à la standardiste.

III.9.4. mettre en communication	*passer (qqn à qqn)*
	Je vais vous passer Monsieur Dupont.
monnaie	*monnaie*
raccrocher	*raccrocher*
	Ne raccrochez pas, restez en ligne.
allo	*allo*
identification (demande d')	*qui est à l'appareil ?*
	c'est de la part de qui ?
	vous êtes Monsieur ... ?
	Vous pouvez me donner votre nom ?
	voir aussi AP.I.9.1.2.
recherche de l'interlocuteur	*je voudrais parler à M ...*
	vous pouvez me passer M ... ?
entendre	*entendre*
	Je vous entends très mal.
occupé	*occupé*
	C'est occupé ? - Non, ça sonne.
III.9.3. télégraphe	
télégramme	*télégramme*
envoyer	*envoyer*
arriver	*arriver*
	Il arrivera à quelle heure ?
mot	*mot*
	C'est 2 francs par mot.
expéditeur	*expéditeur*
destinataire	*destinataire*
remplir	*remplir*
formulaire	*formulaire*
III.9.4. banque	
banque	*banque*
changer de l'argent	*changer*
	Je voudrais changer 300 florins.
chèque	*chèque*
carnet de chèques	*carnet de chèques*
	J'ai perdu mon carnet de chèques.
compte	*compte*
ouvrir un compte	*ouvrir un compte*
	Qu'est-ce qu'il faut comme papiers pour ouvrir un compte ?
emprunter	*emprunter*
emprunt	*emprunt*
prêter	*prêter*
prêt	*prêt*
intérêt	*intérêt*
taux	*taux (d'intérêt)*
	Ce prêt me serait fait à quel taux ?
virer	*virer*
virement	*virement*
	Je voudrais faire un virement sur un compte à l'étranger
cours	*cours*
	Quel est le cours de l'escudo aujourd'hui ?

OBJETS ET NOTIONS, III. Notions spécifiques

III.9.5. police

police	*police*
agent de police	*agent de police*
commissariat	*commissariat*
appeler	*appeler*
	Il faut appeler police-secours.
arrêter	*arrêter*
	Il a été arrêté par la police.
voleur	*voleur*
vol	*vol*
voler	*voler*
	On m'a volé mon portefeuille.
plainte	*plainte*
	Est-ce que vous voulez porter plainte ?
amende	*amende*

III.9.6. hôpital
voir aussi III.10.4. et III.10.6.

hôpital	*hôpital*
admission	*admission*
	Présentez-vous au service des admissions.
urgence	*urgence(s)*
maternité	*maternité*
chirurgie	*chirurgie*
lit	*lit*
chambre	*chambre*
infirmière	*infirmière*
visite	*visite* **(du médecin) (des amis)**
	Quelle est l'heure des visites ?
durée du séjour	*passer*
	Il a passé un mois à l'hôpital.
	rester

III.9.7. urgences, secours
voir aussi III.9.5. et AP.I.9.2.

feu	*feu*
	Au feu !
pompier	*pompier*
	Il faut appeler les pompiers.
secours	*au secours !*
	police-secours
ambulance	*ambulance*

III.9.8. sécurité sociale

sécurité sociale	*sécurité sociale*
cotisation	*cotisation*
feuille de maladie	*feuille de maladie*
remboursement	*remboursement*
dossier	*dossier*
ordonnance (du médecin)	*ordonnance*
arrêt de travail	*arrêt de travail*
déclaration	*déclaration*

indemnités	*indemnités*
verser	*verser*
	La Sécurité Sociale lui verse une indemnité journalière à la suite de son accident de travail.
feuille de paye	*feuille de paye*

III.9.9. station-service automobile

essence	*essence*
huile	*huile*
pneu	*pneu*
vérifier	*vérifier*
	Je vérifie la pression des pneus.
batterie (accumulateur)	*batterie*
vidange	*vidange*
graissage	*graissage*
prendre de l'essence	*faire le plein*
	prendre/donner x litres/francs d'essence
	Je vais prendre 20 litres/50 francs de super, s'il vous plaît.
essence ordinaire	*ordinaire*
essence supérieure	*super*
panne sèche (d'essence)	*panne sèche*
	Je suis en panne sèche. Vous pouvez me conduire à un garage ?

III.9.10. réparations automobiles

garage	*garage*
	Vous savez s'il y a un garage près d'ici ?
panne	*panne*
	Ma moto vient de tomber en panne.
dépannage	*dépannage*
	camion de dépannage
	remorquer
	Il va falloir vous remorquer jusqu'au garage.
fonctionner	*marcher*
	fonctionner
	Ca y est, ça marche maintenant.
moteur	*moteur*

III.10. hygiène et santé

III.10.1. parties du corps

tête	*tête*
cou	*cou*
dos	*dos*
oeil	*oeil, yeux*
nez	*nez*
bouche	*bouche*
oreille	*oreille*
bras	*bras*
estomac	*estomac*

OBJETS ET NOTIONS, III. Notions spécifiques

main	*main*
jambe	*jambe*
pied	*pied*
coeur	*coeur*
dent	*dent* (nom de dents)
cheveux	*cheveux*
ventre	*ventre*

III.10.2. besoins et états "physiologiques"

avoir faim	*avoir faim*
avoir soif	*avoir soif* *Tu as toujours soif.*
avoir froid	*avoir froid* *gelé* (Fam.) *Je suis complètement gelé.*
avoir chaud	*avoir chaud*
avoir sommeil	*avoir sommeil* *Il avait sommeil ; il est parti se coucher.*
uriner, etc.	*avoir envie de ...* *J'ai envie de pisser.* (Fam.)
rire	*rire* *Il nous a fait beaucoup rire.*
pleurer	*pleurer* *Ca m'a donné envie de pleurer.*
être fatigué	*fatigué* *Je suis très fatigué.* *fatiguer* *Tu as l'air fatigué.* *Ce voyage m'a beaucoup fatigué.* *à plat* (Fam.) *Je suis complètement à plat.* *crevé* (Fam.) *Tu as l'air crevé, mon pauvre vieux.*
avoir mal quelque part	*avoir mal* *Il a mal au pied.* *faire mal* *Ca me fait très mal.*
se sentir bien	*se sentir bien* *Je ne me sens pas très bien ces jours-ci.* *forme* *Je suis en pleine forme.* (Fam.) *Tu as l'air en forme.* *mine* *Elle a très bonne mine depuis qu'elle s'est reposée.*

III.10.3. hygiène

se laver	*se laver*
savonnette	*savonnette*
serviette	*serviette*
prendre un bain, une douche	*prendre un bain, une douche*
propre	*propre*
sale	*sale*
se brosser les dents	*se brosser les dents*
brosse à dents	*brosse à dents*
dentifrice	*dentifrice*
se brosser	*se brosser*
peigne	*peigne*
se peigner	*se peigner*
se faire couper les cheveux	*se faire couper les cheveux*
coiffeur	*coiffeur* *Je vais aller chez le coiffeur cet après-midi.*
se raser	*se raser*
rasoir	*rasoir*
laver du linge	*laver* *Il faut que je lave mes chaussettes.* *faire la lessive*
laverie	*laverie*
machine à laver	*machine à laver*

III.10.4. maladies, accidents

malade	*malade* *être malade/tomber malade*
ne pas se sentir bien	*ne pas se sentir bien* *Il est tout pâle, je crois qu'il ne se sent pas bien du tout.*
avoir mal	*avoir mal* *faire mal* *Mon bras me fait très mal et j'ai aussi mal au ventre (à la tête, aux dents, etc.).*
température	*température*
prendre la température	*prendre* *J'ai pris ma température, je n'ai pas de fièvre.*
fièvre	*fièvre* *Il a beaucoup de fièvre, je crois qu'il a plus de 39.*
santé	*santé* *bonne santé/mauvaise santé* *Depuis quelque temps, il n'est pas en très bonne santé.* *se porter* *Je me porte très bien maintenant.*
rhume	*rhume* *prendre froid* *Il a dû prendre froid, il a un gros rhume.*
accident	*accident* *Il a été blessé dans un accident.*
blessé	*blessé* *Il y a eu plusieurs blessés.*
blessure	*blessure*
opération	*opération*
piqûre	*piqûre* *L'infirmière fait des piqûres à domicile.*
extraction	*extraction* *Cette dent est irrécupérable, il faut pratiquer son extraction.*
carie	*carie* *Vous avez une petite carie.*

OBJETS ET NOTIONS, III. Notions spécifiques

opérer	*opérer* *Il va falloir qu'il se fasse opérer à la jambe.*
grave	*grave* *C'est grave docteur ?*
mort	*mort* *Il est mort.* *Il y a eu deux morts et trois blessés graves.*
mourir	*mourir* *Il sait qu'il va mourir.*
tuer	*tuer* *se tuer* *Il s'est tué en voiture.* (involontairement)
vivre	*vivre* *Il vivra.*
vivant	*vivant*
se brûler (quelque chose)	*se brûler* *Je me suis brûlée en faisant la cuisine.*
se casser (quelque chose)	*se casser* *Elle s'est cassé la jambe aux sports d'hiv*
se couper (quelque chose)	*se couper*
tomber	*tomber*
écraser	*écraser* *se faire écraser* *se faire renverser* *Il s'est fait renverser par un chariot.*

III.10.5. assurances, sécurité
voir aussi III.9.7. et III.9.8.

assuré	*assuré* *Vous êtes assuré en cas d'accident.* *Nous sommes assurés contre l'incendie.* *assurance*
sécurité sociale	*sécurité sociale*
déclaration (d'accident)	*déclaration*
accident de travail	*accident de travail*
respecter (les consignes)	*consignes de sécurité* *respecter* *Attention, respectez les consignes de sécurité !* *attention*
interdiction	*interdiction* *interdit* *défendu*

III.10.6. services médicaux et de santé
voir aussi III.9.6. et III.10.4.

médecin	*docteur*
	Bonjour, docteur.
	médecin
	Vous avez vu un médecin ?
chirurgien	*chirurgien*
malade	*malade*
	Le malade devra garder la chambre pendant une semaine.
infirmière	*infirmière*
pharmacien	*pharmacien*
pharmacie	*pharmacie*
médicament	*médicament*
	pour
	Vous avez quelque chose pour la gorge ?
	contre
	Prenez ça, c'est contre le mal de tête !
ordonnance	*ordonnance*
dentiste	*dentiste - chirurgien dentiste*
visite	*visite*
	Les visites à domicile sont remboursées.
	consultation
rendez-vous	*rendez-vous*
	Le docteur reçoit uniquement sur rendez-vous.
	Il faut que je prenne un rendez-vous chez le médecin.
maternité	*maternité*
attendre un enfant	*attendre un enfant*
	enceinte
	Elle est enceinte de trois mois.
naissance	*naissance*
	La naissance est prévue pour février.
accoucher	*accoucher*
	Elle doit accoucher d'un jour à l'autre.

III.11. positions, perceptions, opérations physiques

III.11.9. positions du corps et mouvements
voir aussi III.11.3.

debout	*debout*
assis	*assis*
couché	*couché*
	Il est couché. (= au lit)
se lever	*se lever*
s'asseoir	*s'asseoir*
	Mais asseyez-vous donc !
se coucher	*se coucher*
	Couchez-vous par terre et ne bougez plus.
marcher	*marcher*
courir	*courir*
se baisser	*se baisser*
	Je ne peux pas me baisser pour attacher mes chaussures.
se pencher	*se pencher*
	Il est défendu de se pencher par la fenêtre.
s'accroupir	*s'accroupir*
sauter	*sauter*
	Sauter à pieds joints.

OBJETS ET NOTIONS, III. Notions spécifiques

III.9.2. sensation, perception

regarder	*regarder*
voir	*voir*
bien	*bien*
	clair
	Il est bien vieux, il n'y voit plus très clair.
aveugle	*aveugle*
	Il est presque aveugle.
écouter	*écouter*
entendre	*entendre*
	J'ai très bien entendu, je ne suis pas sourd.
sourd	*sourd*
sentir (sensation tactile)	*sentir*
	Je me suis fait une bosse derrière l'oreille, tu sens, là ?
toucher	*toucher*
	Ne touche pas mes affaires !
	toucher
	Ce tissu est très doux au toucher.
goûter	*goûter*
goût	*goût*
	Tu as goûté le fromage ? Je trouve qu'il a un drôle de goût.
avoir du goût (produit)	*avoir du goût*
	Ce rôti a très bon goût.
NB. avoir du goût (savoir apprécier)	*avoir du goût*
	Leur maison est très bien décorée ; ils ont beaucoup de goût.
sentir (sensation olfactive)	*sentir*
	On dirait que ça sent le gaz.
odeur	*odeur*
	parfum

III.9.3. opérations manuelles, physiques

pousser	*pousser*
	Aidez-nous à pousser la voiture !
	tirer
	Arrête de lui tirer les cheveux !
appuyer	*appuyer (sur)*
	Pour démarrer, il faut appuyer sur ce bouton.
poser	*poser*
	Pose cette valise.
soulever	*soulever*
	Est-ce que tu peux soulever ce meuble ?
porter	*porter*
	C'est drôlement lourd à porter !
transporter	*transporter*
emporter	*emporter*
amener	*amener*
emmener	*emmener*
apporter	*apporter*
fermer	*fermer*
	N'oubliez pas de bien fermer la porte.
ouvrir	*ouvrir*
prendre	*prendre*
	Prends les tasses qui sont dans le placard.

OBJETS ET NOTIONS, III. Notions spécifiques

lâcher	*lâcher* *Ne lâche surtout pas la casserole.* *laisser tomber* *J'ai failli laisser tomber ma montre.*
ramasser	*ramasser* *Tu as ramassé ce que tu avais fait tomber par terre ?*
attraper	*attraper* *J'ai attrapé le ballon comme j'ai pu.*
lancer	*lancer*
jeter	*jeter* *Ne jetez pas de bouteilles par la fenêtre !*
rouler	*rouler*
déplacer	*déplacer* *Il faudra déplacer la table.*
tourner	*tourner* *Tourner dans le sens des aiguilles d'une montre*
remplir	*remplir* *J'ai déjà rempli deux valises.*
vider	*vider*
verser	*verser*
secouer	*secouer*
agiter	*agiter* *A agiter avant usage*
tordre	*tordre*
serrer	*serrer*
faire/défaire	*faire/défaire* *Tu m'aides à défaire ce noeud ?*
attacher	*attacher*
détacher	*détacher*
accrocher	*accrocher*
décrocher	*décrocher*
enfoncer	*enfoncer*
brancher	*brancher*
débrancher	*débrancher* *Tu as débranché la machine à laver ?*
introduire	*introduire* *Introduire le jeton dans la fente*
mettre	*mettre* *Ne mets pas tes pieds sur la table !*

NB. : 1. Cette liste intéressant des opérations physiques varie bien évidemment en fonction des domaines (sports, secteurs d'activité professionnelle ou de loisir).

2. La plupart des verbes de la colonne de droite ont en français d'autres sens que celui qu'on vise dans cette rubrique. On s'en tient ici aux exemples d'opérations manuelles, physiques.

OBJETS ET NOTIONS, III. Notions spécifiques

III.12. profession, métier, occupation

III.12.1. types d'activités professionnelles
voir III.1.10.

III.12.2. conditons de travail

horaires	*horaires* *heures* *La durée du travail est de 40 heures par semai*
durée	*semaine* *mois* *On est payé au mois.*
congés	*vacances* *congés payés* *Nous avons quatre semaines de congés payés par an.*
lieu et poste de travail	*atelier* *chantier* *bureau* *service* **voir aussi III.1.10.** *poste de travail* *à la chaîne*
production	*production* *rendement*
pièce	*pièce* *travailler aux pièces*
équipe	*équipe*
machine	*machine*
chef	*chef*
cantine	*cantine*
restaurant	*restaurant*
sécurité	**voir III.10.5.**
opérations manuelles, physiques	**voir III.11.3.**
accidents	**voir III.10.4.**
hygiène	**voir III.10.3.**
travail	*travail* *Nous avons beaucoup de travail en ce moment.*
salaire	**voir III.12.4.**

III.12.3. recherche d'un emploi ; chômage ; licenciement

emploi	*emploi* *travail* *boulot* **(Fam.)** *Je cherche du travail/un emploi.*
chercher	*chercher*
agence (d'emploi)	*agence*
bureau d'embauche	*bureau d'embauche*
embauche	*embauche*
se présenter	*se présenter*

OBJETS ET NOTIONS, III. Notions spécifiques

personnel	*personnel*
	Nous avons besoin d'embaucher du personnel
service du personnel	*service du personnel*
	Présentez-vous au service du personnel.
petite annonce	*petite annonce*
journal	*journal*
demande	*demande*
offre	*offre*
	abréviations courantes dans les petites annon
fiche	*fiche*
téléphoner	voir III.1.3. et III.9.2.
identification, caractérisation personnelle	
chômage	*chômage*
chômeur	*chômeur*
allocation	*allocation*
assurance	*assurance*
	L'assurance chômage donne droit à une allocation.
licencier	*licencier*
licenciement	*licenciement*
	50 personnes ont été licenciées pour raiso économique.
fermer	*fermer*
	L'usine est fermée.
contrat de travail	*contrat de travail*
signer	*signer*
engagement	*engagement*
engager	*engager*
	La maison Zuc engage M. Dupont à compter d 1er février 1979.
trouver du travail	*trouver*
	J'ai trouvé du travail grâce à un ami.
qualification	*qualification*
	qualifié
	observations courantes dans les grilles d'emploi
expérience	*expérience*
	bonne expérience de la gestion de stocks.

OBJETS ET NOTIONS, III. Notions spécifiques

	documents pour travailleurs étrangers	voir III.6.7.
III.10.4.	revenus, aides sociales	
	revenus	*revenus* *salaire* *paye*
	gagner	*gagner* *Il gagne à peu près 4.000 francs par mois.*
	feuille de paye	*feuille de paye*
	recevoir (une prime)	*toucher* *prime* *La prime de fin d'année a été augmentée.*
	augmentation	*augmentation*
	impôts	*impôts* *Impôts sur le revenu.*
	allocations familiales	*allocations familiales*
	cotisation	*cotisation*
III.12.5.	organisations professionnelles ; syndicats voir aussi III.15.3.	
	syndicat	*syndicat*
	militant	*militant*
	délégué	*délégué*
	réunion	*réunion* *Il y a une réunion de section ce soir.* *meeting* *Il faut appeler l'ensemble des travailleurs à participer à un meeting.*
	arrêt de travail	*arrêt de travail*
	grève	*grève*
	manifestation	*manifestation*

OBJETS ET NOTIONS, III. Notions spécifiques

revendication	*revendication* *Nos revendications portent sur les horaires et les conditions de travail.*
action	*action* *L'action syndicale a permis d'obtenir des résultats importants*
obtenir	*obtenir*
résultat	*résultat*
améliorer	*améliorer* *Il faut améliorer les conditions de travail.*
amélioration	*amélioration*
augmenter	*augmenter*
augmentation	*augmentation* *Le pouvoir d'achat des travailleurs n'a pas augmenté depuis un an.*
pouvoir d'achat	*pouvoir d'achat*
diminuer	*diminuer*
diminution	*diminution*

III.12.6. formation, carrière, avenir

apprentissage	*apprentissage*
centre d'apprentissage	*centre d'apprentissage* *formation* *formation professionnelle*
apprendre	*apprendre*
continuer	*continuer* *J'ai continué des études.*
études	*études*
cours	*cours* *Il suit des cours de mathématiques.* voir aussi III.14.
promotion	*promotion*
carrière	*carrière* *Elle a eu une très belle carrière.*
retraite	*retraite* *L'âge de la retraite a été abaissé à cinquante ans pour les femmes.*
avenir	*avenir* *Il a un bel avenir devant lui.*

III.12.7. quelques qualifiants à propos du métier

difficile
pénible
fatigant
intéressant
passionnant
ennuyeux
bien/mal payé
dangereux
malsain
sans avenir / d'avenir

III.13. loisirs, distractions, sports, information

III.13.1. distraction et information ⁎

se promener	*se promener* *faire une promenade* *Venez donc faire une promenade, ça vous changera les idées.*
lire	*lire* *J'ai lu quelques bons livres ces dernières semaines.* voir aussi III.15.5.
regarder la télévision	*télévision* *regarder*
chaîne	*chaîne* *Qu'est-ce qu'il y a sur la troisième chaîne ?*
écouter la radio	*radio* *écouter* *programme* *Et voici maintenant le programme de notre soirée.* *il y a* *Qu'est-ce qu'il y a à la télé ce soir ?* *Il y a un film.*
émission	*émission* *Tu as vu mardi l'émission sur le Chili ?*
musique	*musique*
chanson	*chanson* *A la radio, j'aime bien la musique contemporaine.* *Moi, je préfère le folklore.*
chanter	*chanter*
danser	*danser* *J'aurais pu danser toute la nuit !*
information	*information* *Et voici maintenant nos informations de 13 heures.*
collectionner	*collectionner*
collection	*collection* *Il a une belle collection de timbres.*
échanger	*échanger* *Je t'échange ce timbre contre celui-ci.*

⁎ Pour ce qui est du contenu de l'information, on peut bien entendu se reporter aux autres paragraphes de ce chapitre, et en particulier au III.15. Mais, bien souvent, ce contenu ne relève pas d'un niveau-seuil.

	nouvelles
	Quelques nouvelles de la situation en Inde à la veille des élections.
électrophone	*électrophone*
disque	*disque*
	Je cherche un 33 tours de Juliette Gréco.
cassette	*cassette*
	Voici une cassette vierge d'une heure.
enregistrer	*enregistrer*
	J'ai enregistré le récital de Maxime Leforestier sur cassette.
jouer aux cartes	*jouer (aux cartes)*
	Vous savez jouer à la belote ?
donner	*donner*
	A toi de donner.
jouer de la musique	*jouer (d'un instrument de musique)*
	Il a appris à jouer du piano à l'âge de 7 ans.
chasser	*chasser*
	aller à la chasse
pêcher	*pêcher*
	aller à la pêche
	Quand la pêche est ouverte, il y va tous les dimanches.
se distraire	*se distraire*
	On se distrait comme on peut.
jeu	*jeu*
fête	*fête*
	Il y a une fête au village.
s'ennuyer	*s'ennuyer*
	En tout cas on ne s'est pas ennuyé !

III.13.2. sports

sport	*sport*
faire du sport	*faire du sport*
	J'ai fait beaucoup de sport quand j'étais jeune.
	jouer au football/rugby/tennis/etc.
	faire de l'athlétisme/de la natation/etc.
sportif	*sportif*
	Il est très sportif
club	*club*
match	*match*
courses	*courses*
stade	*stade*
terrain	*terrain*
ballon	*ballon*
	balle
gagner	*gagner*
	Ils ont gagné (par) 33 à 12.
perdre	*perdre*
équipe	*équipe*
	Perpignan a une très bonne équipe de rugby.
s'entraîner	*s'entraîner*
joueur	*joueur*
	Un des joueurs a été blessé.
gymnastique	*gymnastique*
jouer	*jouer*
courir	*courir*

OBJETS ET NOTIONS, III. Notions spécifiques

battre (remporter la victoire)	*battre*
	On les a déjà battus trois fois l'an dernier.
nul (égalité)	*match nul*
regarder	*regarder*
spectateur	*spectateur*

III.13.3. cinéma, théâtre, opéra, concert

sortir	*sortir*
	Nous sortons beaucoup, trois ou quatre fois par semaine.
aller à un spectacle	*aller au théâtre/concert/cinéma.*
	Je ne suis pas allé au cinéma depuis quelque temps.
théâtre	*théâtre*
représentation	*représentation*
	Cette pièce a déjà eu 400 représentations.
pièce	*pièce*
	C'est une pièce de J-P. Sartre.
louer	*louer*
location	*location*
	La location est ouverte depuis 3 jours.
place	*place*
	Trois places, s'il vous plaît.
guichet	*guichet*
faire la queue	*faire la queue*
	J'ai horreur de faire la queue ; je vais plutôt louer par correspondance ou par téléphone.
vestiaire	*vestiaire*
toilettes	*toilettes*
sortie	*sortie*
sortie de secours	*sortie de secours*
entracte	*entracte*
cinéma	*cinéma*
film	*film*
jouer (un rôle)	*jouer*
	Il joue très bien.
acteur	*acteur/actrice*
rôle	*rôle*
	Ce rôle n'est pas pour lui.
chanteur	*chanteur*
opéra	*opéra*
concert	*concert*
musicien	*musicien*
	guitariste, batteur, etc.
	le premier violon
soliste	*soliste*
chef	*chef d'orchestre*
	Cette symphonie de Berlioz est dirigée par Pierre Boulez, à la tête de l'Orchestre de France.
instruments	noms des principaux instruments
silence	*silence*
	Silence, s'il vous plaît.
	se taire
	Taisez-vous !

ballet	*ballet*
danser	*danser*
danseur	*danseur*
cabaret	*cabaret*
discothèque	*discothèque*
	boîte (de nuit)
	programme
	Demandez le programme !

III.13.4. musées, expositions

musée	*musée*
galerie	*galerie*
exposition	*exposition*
tableau	*tableau*
	toile
peintre	*peintre*
sculpteur	*sculpteur*
sculpture	*sculpture*
oeuvre	*oeuvre*
ouvert	*ouvert*
	Ouvert de 10 h à 18 h.
fermé	*fermé*
	Fermé le mardi.
réduction	*réduction*
	Il y a une réduction pour les scolaires et les étudiants

III.13.5. lire, écrire

lire	*lire*
étudier	*étudier*
apprendre	*apprendre*
bibliothèque	
livre	*livre*
librairie	*librairie*
journal	*journal*
revue	*revue*
article	*article*
photo	*photo*
page	*page*
publicité	*publicité*
petite annonce	*petite annonce*
titre	*titre*
écrire	*écrire*
écrivain	*écrivain*
auteur	*auteur*
roman	*roman*
poème	*poème*
magazine	*magazine*
bandes dessinées	*bandes dessinées (B.D.)*

III.13.6. quelques qualifiants pour les spectacles et divertissements

	bon
	beau
	remarquable
	admirable
	réussi
	intéressant
	passionnant
	laid

moche (Fam.)
affreux
ennuyeux
raté
bien/mal joué
interprété
écrit
mis en scène
dessiné
amusant
drôle
triste

III.14. relations électives et associatives

III.14.1. types de relations

ami	*ami* *C'est une bonne amie de mes parents.* *petit ami* *Elle a à peine 14 ans mais elle sort avec un petit ami depuis les vacances dernières.*
camarade	*camarade* *Tiens, j'ai rencontré un camarade de classe.* *copain* *Salut, les copains !*
voisin	*voisin* *On entend toujours les voisins.*
amant	*amant*
maîtresse	*maîtresse*
fiancé	*fiancé*
se marier	*se marier* *Ils vont se marier en juin.*
fréquenter quelqu'un	*(se) fréquenter* *Nous avons arrêté de les fréquenter après cette dispute.*
se voir	*se voir* *On se voit encore de temps en temps mais ce n'est plus comme avant.*
se disputer	*se disputer*
se séparer	*se séparer* *Ça ne pouvait plus durer. Ils se sont séparés.*
aimer	*aimer* *amoureux* *Il est tombé amoureux de Marie à la première rencontre.*
s'entendre bien avec quelqu'un	*s'entendre* *On s'est toujours bien entendus.*

ensemble	*ensemble* *Ils sortent souvent ensemble en boîte.*
mariage	*mariage*
divorce	*divorce* *divorcer*

III.14.2. invitations, rendez-vous

inviter quelqu'un	*inviter* *Je l'ai invité à dîner pour demain soir.* voir aussi AP.I.7.2. ry AP.I.9.0.2.
invitation	*invitation*
rendez-vous	*rendez-vous* *Rendez-vous demain ici à midi.* *prendre rendez-vous* *avoir (un) rendez-vous* *J'ai rendez-vous à 17 heures chez le médecin.*
rendre visite à quelqu'un	*visite* *Vous nous ferez bien une petite visite un de ces jours.* *aller voir* *Je suis allé le voir à l'hôpital.* *rendre visite* *Il m'a rendu visite la semaine dernière.* *venir* *Viens chez moi lundi soir !* *passer* *Je passerai chez vous si je suis dans le quartier*
offrir une boisson	*servir* *Est-ce que je peux te servir quelque chose ?* *prendre* *Vous prendrez bien l'apéritif ?* *offrir* *Qu'est-ce que je peux vous offrir (à boire) ?*
actes sociaux	voir AP.III.
parler	*parler*
discuter	*discuter* *Nous avons discuté jusqu'à 1 h du matin.*

III.14.3. correspondance

écrire à quelqu'un	*écrire à* *Tu as écrit aux parents ?* *(s')écrire* *Nous nous écrivons trois ou quatre fois par an.*
lettre	*lettre* *Il a peut-être reçu ma lettre.*
courrier	*courrier*
envoyer	*envoyer*
recevoir	*recevoir* *avoir du courrier, une lettre* *Je crois que tu as une lettre ce matin.*
papier	*papier* *Il ne me reste plus de papier à lettre.*
enveloppe	*enveloppe*
timbre	*timbre*
carte postale	*carte postale*
adresse	*adresse* voir III.1.3.

affranchir	*affranchir*
	affranchissement
	Combien faut-il mettre sur cette lettre pour la Pologne ?
poste	*poste*
	voir III.7.1. à III.7.3.
stylo	*stylo*
crayon	*crayon*
répondre	*répondre*
	Est-ce que vous avez répondu à sa lettre ?
	réponse
formule d'adresse ou de prise de congé	voir AP.I.9.1.3. voir AP.III.2.2.

III.14.4. association, sociétés

association	*association*
	Une association de défense de l'environnement.
	société
	Une société philatélique
	club
membre	*membre*
	Il est membre d'un photo-club
adhérer	*adhérer*
être membre de	*être membre de*
	Je suis membre de cette association depuis 1980.
	appartenir à
	faire partie de
réunir	*réunir*
	se réunir
	Nous devons nous réunir dans 15 jours.
	réunion
	Vous venez à la réunion de mardi ?

III.15. actualité ; *vie politique, économique et sociale

III.15.1. généralités

avoir lieu	*avoir lieu*
	La cérémonie aura lieu demain.
	se passer
	Ça s'est passé en quelques secondes.
	se produire
	arriver
événement	*événement*

---

* Il va de soi que toutes les notions spécifiques des paragraphes qui précèdent peuvent, à un titre ou à un autre, à un moment ou à un autre, faire partie de l'actualité ou y entrer. On a regroupé ici en outre, de façon nécessairement très partielle, des concepts et des formes linguistiques qui appartiennent sans doute au fond régulier de l'information générale et au semi-quotidien de la vie économique et sociale.

OBJETS ET NOTIONS, III. Notions spécifiques

incident	*incident*
accident	*accident*
catastrophe	*catastrophe* *La catastrophe a fait 50 victimes.*
rencontre	*rencontre*
réunion	*réunion* *Au cours d'une réunion du Conseil Municipal, le Maire a déclaré ...*
entretien	*entretien* *Le président de la République a eu un entretien avec le Premier Ministre.*
déclarer	*déclarer* *déclaration*
décider	*décider* *décision*
mesure	*mesure* *Nous allons devoir prendre des mesures pour lutter contre le bruit.*
situation	*situation*
difficulté	*difficulté* *Les difficultés que nous connaissons aujourd'hui tiennent à deux raisons.*
problème	*problème* *Les problèmes économiques sont au centre de la discussion.*
question	*question* *La question de la liberté de la presse est posée.*
solution	*solution* *Les solutions que propose le Parti communiste*
réponse	*réponse* *Les syndicats ne sont pas satisfaits des réponses données par la direction.*
fait	*fait*
réalité	*réalité*
raison	*raison* *Il y a plusieurs raisons à cet état de fait.*
réaction	*réaction* *On pouvait s'attendre à cette réaction.*
évolution	*évolution*
changement	*changement*
provoquer (avoir pour conséquence)	*entraîner* *provoquer* *Cette décision a provoqué de nombreuses réactions.*

OBJETS ET NOTIONS, III. Notions spécifiques

situation dans le temps	voir G.II.
opérations discursives et en particulier celles liées à l'aspect référentiel (illustrer, exemplifier, comparer, argumenter, décrire, raconter, rapporter, discours, etc.) et à l'aspect formel (annoncer plan, faire une transition, etc.)	voir AP.IV. (et en particulier AP.IV.1. et AP.IV.6.)
relations logiques	voir G.III.

III.15.2. actualité politique

politique	*politique* *Il dit qu'il ne fait pas de politique.*
politique	*politique* *C'est une décision politique.*
élection	*élection* *Les élections législatives n'auront lieu que dans deux ans.*
électoral	*électorale*
voter	*voter*
campagne (électorale)	*campagne*
candidat	*candidat*
électeur	*électeur* *Les électeurs choisiront.*
gauche	*gauche* *La gauche devrait gagner.* *à gauche* *A gauche, on estime que ...* *de gauche* *C'est un homme de gauche.*
droite	*droite* *à droite* *de droite*
centre	*centre*
parti	*parti*
communiste	*communiste* (n. et adj.)
socialiste	*socialiste* (n. et adj.)
communisme	*communisme*
socialisme	*socialisme*
extrémiste	*extrémiste*
gauchiste	*gauchiste*
libéralisme	*libéralisme*
démocrate	*démocrate*
écologiste	*écologiste*
majorité	*majorité* *La majorité a voté le projet de loi.* *opposition*
assemblée	*assemblée*
parlement	*parlement*
loi	*loi*
législatif	*législatif*
exécutif	*exécutif*
projet	*projet/proposition*
discuter	*discuter*

OBJETS ET NOTIONS, III. Notions spécifiques

examiner	*examiner* *Après avoir été examiné en commission, le projet de loi sera discuté demain.* *gouvernement* *Le gouvernement doit se saisir de cette question.* *pouvoir* (n.) *Nous nous opposons à la politique du pouvoir.* (= du gouvernement au pouvoir)
Président	*Président de la République*
Premier Ministre	*Premier Ministre/Chancelier/Président du Conseil*
ministre	*ministre*
république	*république*
Etat	*Etat* *Cette décision a été prise dans l'intérêt de l'Etat.*
nation	*nation*
national	*national*
pays	*pays*
public	*public* *Il s'agit de rendre cette mesure publique.*
pour	*pour* *Je voterai pour.*
contre	*contre* *On ne peut pas être contre ce projet.* *anti-* *C'est de l'anticommunisme.*
démocratie	*démocratie*
démocratique	*démocratique*
position	*position* *Leur position sur ce problème est très claire.*
opinion	*opinion*
libéral	*libéral* *Il est connu pour ses opinions libérales*
programme	*programme* *Nous avons présenté un programme de gouvernement.*
populaire	*populaire* *Notre action est soutenue par un grand mouvement populaire.*
mouvement	*mouvement*
action	*action*
soutenir	*soutenir* *Nous soutiendrons l'action du gouvernement.*
guerre	*guerre*
politique étrangère	*politique étrangère*
politique intérieure	*politique intérieure*
demander	*demander*
exiger	*exiger*
refuser	*refuser*
réforme	*réforme*
révolution	*révolution*

III.15.3. actualité économique et sociale [*]

économie	*économie*
économique	*économique*
	L'évolution économique est inquiétante.
social	*social*
	Le climat social est lourd.
société	*société*
	Dans une société libérale comme la nôtre ...
système	*système*
capitalisme	*capitalisme*
communisme	*communisme*
socialisme	*socialisme*
production	*production*
produit	*produit*
consommation	*consommation*
consommateur	*consommateur*
offre	*offre*
demande	*demande*
	La demande reste forte.
hausse	*hausse*
	La hausse des prix a été de 1 %.
baisse	*baisse*
	On note une forte baisse de la consommation.
prix	*prix*
développement	*développement*
	L'énergie est un facteur important du développement économique.
	Les pays en voie de développement
progrès	*progrès*
croissance	*croissance*
	Le plan prévoit un taux de croissance de 4,5 %.
crise	*crise*
	Une crise économique peut entraîner une crise sociale.
structure	*structure*
	Tout progrès passe par le changement des structures économiques.
conjoncture	*conjoncture*
	Les difficultés de la conjoncture.
commerce	*commerce*
industrie	*industrie*
transport	*transport*
énergie	*énergie*
agriculture	*agriculture*
monnaie	*monnaie*
dévaluation	*dévaluation*
	Le Ministre des Finances a annoncé une dévaluation de 12 %.
marché	*marché*
	L'industrie française cherche de nouveaux marchés à l'étranger.
importer	*importer*
	importation

[*] Il va de soi que la distinction entre "actualité politique" d'une part, "actualité économique et sociale" d'autre part, est flottante et contestable. On la retient ici par commodité, mais les deux rubriques s'interpénètrent dans les faits et dans l'information.

exporter	*exporter*
	exportation
	Notre balance commerciale est en déséquilibre.
inflation	*inflation*
	Le taux d'inflation cette année est de 8,7 %.
plan	*plan*
résultat	*résultat*
objectif	*objectif*
budget	*budget*
	Le budget a été voté en équilibre.
plan	*plan*
	Le VIIe plan privilégie le plein-emploi.
moyen	*moyen*
	Est-ce que nous avons les moyens de continuer cette politique ?
pouvoir d'achat	*pouvoir d'achat*
	La crise a entraîné une baisse du pouvoir d'achat des salariés.
emploi	*emploi*
	Pour la défense de l'emploi, tous à la manifestation de mardi !
conflit	*conflit*
	Les conflits du travail sont de plus en plus nombreux.
patronat	*patronat*
syndicat	*syndicat*
négociation	*négociation*
	Les négociations se poursuivent entre le patronat et les syndicats.
obtenir	*obtenir*
accord	*accord*
	voir aussi III.10.5.
vie	*vie*
	La vie dans les villes devient difficile.
	conditions de vie
tendance	*tendance*
	Il y a une nette tendance à la reprise du travail.
union	*union*
	L'union de l'ensemble des travailleurs.
	unité
	Une victoire obtenue par l'unité syndicale.

III.15.4. quelques qualifiants pour les événements d'actualité

grave
important
significatif
sérieux
tragique
dramatique
curieux
étrange
inquiétant
amusant
drôle
triste
exceptionnel
extraordinaire
remarquable
attendu
inattendu

INDEX

A B R E V I A T I O N S

AP	Actes de parole
G	Grammaire
ON	Objets et notions
abr.	abréviation
aj.	adjectif
av.	adverbe
at.	article
conj.	conjonction
intj.	interjection
n.f.	nom féminin
n.m.	nom masculin
prép.	préposition
pron.	pronom
v.	verbe (si à coté d'un mot du lexique) voir (si introduisant un renvoi)
+	voir Présentation des Actes de parole
R	"en réponse à" (pour les actes d'ordre[2]) dans AP
id.	libellé identique (en tout ou en partie) à celui de la référence précédente.

P R E S E N T A T I O N

L'*Index*[*] reprend en une liste alphabétique unique quatre types d'éléments distingués formellement ici pas les caractères dans lesquels ils apparaissent et les indications et renvois dont ils sont affectés. Ces quatre types sont :

a/ les termes servant à désigner les catégories de la description ;

b/ les formes proposées comme exemples de réalisation en français de ces catégories ;

c/ des termes de métalangage non utilisés dans la description ;

d/ des termes génériques désignant un ensemble de formes possibles de réalisation en français.

Examinons-les plus en détail un à un.

A. *Les termes servant à désigner les catégories de la description*

Ce sont les termes qui donnent un nom aux actes de parole, aux notions générales ou spécifiques aux concepts utiles à la caractérisation grammaticale

Ex. : DEMANDER PROPOSITIONS D'ACTION
DIFFERENCE
FAUNE
LOCATIF

Dans le corps des sections *Actes de parole*, *Grammaire*, *Objets et notions*, ces termes sont ceux qui, pour les différentes sous-rubriques, apparaissent en caractères romains minuscules dans la partie gauche des pages et "intitulent" les catégories pour lesquelles, en regard, quelques réalisations possibles en français sont proposées.

Dans l'*Index* ces termes du métalangage utilisé pour la description sont donnés en capitales et affectés de renvois aux sections, chapitres rubriques où ils sont apparus

Ex. :			
DEMANDER PROPOSITIONS D'ACTION	AP	:	I.9.5.
DIFFERENCE	ON	:	II.3.4.1.
FAUNE	ON	:	III.3.
LOCATIF	G	:	I.2.7.
			II.1.2.1.

Ainsi, DEMANDER PROPOSITIONS D'ACTION est une catégorie de la description qui est utilisée dans la section *Actes de parole* (AP), au chapitre I, paragraphe 9, rubrique 5.

---

[*] A partir de l'index de "Un niveau-seuil", le présent index a été établi par M. HUART, F. MARIET et L. PORCHER.

B. ***Les formes proposées comme exemples de réalisation en français des catégories de la description***

Ce sont les formes qui, pour les sections *Actes de parole* (AP), *Grammaire* (G), *Objets et notions* (ON), apparaissent en italiques, généralement dans la partie droite des pages, où, en regard des catégories de la description, elles suggèrent des réalisations possibles en français.

Ex. : *à* prép.
***carrefour* n.m.**
***évident* aj.**

Ces formes figurent également en italiques dans l'*Index* et on a précisé, pour faciliter la consultation, et dissiper quelques risques d'homographie, leur catégorie grammaticale. Les renvois aux sections, chapitres, rubriques, obéissent aux mêmes conventions de présentation que pour les termes désignant les catégories mais on donne à chaque fois, en romaines, l'intitulé complet de ces rubriques*.

Ex. : *à* prép. G : I.1.1.2. et 3. : rection des verbes du "faire" et du "causer"
I.2.5.1.1. : actance causale explicite
II.1.1.4. : situation objective de l'action dans le temps
ON : II.2.2.1. : situation dans le temps
II.2.2.2.4. : achèvement
II.3.2.2. : distance
II.3.5. : relations de possession

Quand une même forme apparait, comme il n'est pas rare, dans différentes sections, on a convenu d'adopter l'ordre AP, G, ON qui correspond à celui du document : *Actes de parole, Grammaire, Objets et notions*. Cette convention vaut aussi pour les autres types d'éléments figurant dans l'*Index* mais c'est surtout pour les formes du lexique français que se manifeste cette multiplicité des renvois.

C. ***Des termes de métalangages (grammatical, linguistique) non utilisés dans la description***

On a fait figurer dans l'*Index* nombre de termes n'ayant pas servi à la description proposée mais par ailleurs familiers à nombre des utilisateurs potentiels de l'ouvrage et pouvant donc constituer pour ceux-ci d'éventuelles entrées pour des consultations et recherches ponctuelles dans *Un niveau-seuil*.

Ex. : "ADVERBE"
"PERFORMATIF"
"RELATIF"

Ces termes figurent en capitales et sont toujours placés entre guillemets. Ils sont affectés de renvois détaillés comportant le numéro et l'intitulé des rubriques où le lecteur trouvera des indications concernant la catégorie qui l'intéresse, même si cette dernière n'a pas été directement utilisée pour la description d'un niveau-seuil.

---

* La valeur des diverses abréviations donne lieu au récapitulatif qui précède immédiatement cette présentation de l'*Index*.

Ex. : "ADVERBE" ("- de lieu")

G : I.2.1.4.3.1. : attribution d'une circonstance spatiale

I.2.7. : le "cas locatif"

"PERFORMATIF"

AP : v.I. : actes d'ordre (1)

v.II.: actes d'ordre (2)

D. ***Des termes génériques désignant un ensemble de formes possibles de réalisation en français***

Il s'agit de termes qui sont proposés comme réalisations des catégories de de la description mais ont valeur générique par rapport à des occurrences concrètes **possibles en français. Il arrive aussi qu'il s'agisse de sous catégories relais pour la section *Grammaire*.**

Ex. : nombres

prénom

probabilité

Les termes de cette série apparaissent en romaines minuscules (comme dans le corps des sections en regard des catégories de la description) et sont affectés de renvois explicites aux intitulés des rubriques pertinentes.

Ex. : nombres ON : II.2.4.2.1. : quantification de notions réalisées par des substantifs

prénom AP : v.I.2.4. : plaindre

v.I.9.1.1. : interpeller en champ libre*

N.B. : ***Quelques autres conventions retenues pour l'établissement et la présentation de cette liste***

1°/ Quand **un même signifiant fonctionne à la fois comme terme de métalangage et formulation en français, on a placé l'élément de métalangage avant l'élément de lexique.**

2°/ Les lexies complexes ont en général été "éclatées" et figurent à plusieurs entrées avec rappel entre parenthèses, chaque fois que nécessaire, de l'unité complète. Pour les formes du lexique français les éléments entre parenthèses sont en italiques comme l'entrée principale. Pour tous les autres éléments (métalangages divers) les éléments entre parenthèses sont toujours en minuscules

---

* **Pour ce type de termes comme pour le précédent, les renvois relatifs à la section AP (*Actes de parole*) sont systématiquement affectés de l'indication v.(=voir). Il n'en va pas de même - par suite d'un manque d'harmonisation lors de la confection des index - pour les renvois relatifs aux autres sections. Nous prions le lecteur de ne pas tenir compte de cette disharmonie qui sera corrigée dans la prochaine version de l'ouvrage, par généralisation du v.**

romaines. Dans tous les cas, la position dans la lexie de l'élément figurant en entrée est représentée par un tiret.

3°/ Pour une entrée donnée, les renvois sont placés, à raison d'un renvoi par ligne, dans l'ordre numérique croissant des rubriques et, le cas échéant, dans l'ordre des sections du document (AP, G, ON)

4°/ Seules les sections AP, G, ON ont fait l'objet d'une indexation (voir la réserve du 5°). La section *Approche d'un niveau-seuil* et la section *Publics et domaines* n'ont pas été indexées.

5°/ Pour la section *Objets et notions*, seuls les chapitres II et III (*Notions générales* et *Notions spécifiques*) ont été indexés et, pour ce qui concerne ces Notions, seules les catégories têtes de rubrique sont indexées. *L'Index* aurait été par trop volumineux si chacune des notions spécifiques y avait été désignée comme catégorie de métalangage en plus de l'apparition d'une réalisations possible en français.

6°/ Rappelons que la présentation des *Actes de parole* comporte, dans ses derniers paragraphes, des précisions sur l'index des *Actes*, fondu ici dans l'ensemble (voir AP : Présentation, 7).

7°/ Certains termes de la liste et nombre de renvois relatifs aux *Actes de parole* sont affectés du symbole +. On trouvera dans AP : présentation, 6 l'explication de cette indication complémentaire qui, *pour ce qui concerne les actes de parole et eux seuls*, propose un certain type de sélection des catégories et des formulations. On se souviendra que cette sélection, empirique et arbitraire, ne vaut pas dans l'absolu mais compte tenu des critères assez sommaires rappelés dans le paragraphe déjà mentionné de la Présentation des *Actes*.

Remarque finale :

Pour "pratique" que soit l'*Index*, il est évident qu'il ne saurait constituer, pour des raisons maintes fois évoquées dans le corps de l'ouvrage, un contenu d'enseignement. "Sa consultation ponctuelle ne peut donc pas se substituer à une consultation dynamique des listes [et du reste du document] : elle devrait, au contraire, y inciter".

("- de temps")

	G :	I.2.1.4.3.2.	: attribution d'une circonstance temporelle
		II.1.1.2.	: quantification et déroulement
		II.1.1.3.	: stades du déroulement (déroulement et accomplissement)
		II.1.1.4.1.2. et 3.	: situation de l'action dans le temps
		II.1.1.4.4.	: situation relative de l'action dans le temps
		III.1.4.2.	: cause - conséquence
aérienne (compagnie -) n.f.			
	ON :	III.6.4.	: transports publics
aérienne (ligne -) n.f.			
	ON :	III.6.4.	: transports publics
	ON :	III.6.4.	: transports publics
aérogare n.f.	ON :	III.6.4.	: transports publics
aéroport n.m.	ON :	III.6.4.	: transports publics
aéroport d'embarquement n.m.			
	ON :	III.1.9.	: origine
affaire (avoir - à) v.			
	AP :	I.9.0.3.	: menacer d'une sanction
affamé aj.	ON :	III.7.4.	: quelques qualifiants pour les repas
AFFECTIVE (opposition -)			
	G :	III.2.1.1.	
+ AFFECTIVITE	AP :	I.11.	
		v.IV.1.11.	: juger, évaluer, apprécier
affirmativement av.	AP :	II.22.5.	: répondre affirmativement à une question positive R demander si un fait est vrai
affirmer v.	AP :	I.1.2.1.	: poser un fait comme vrai
		I.1.3.1.1.	: emphase intensive sur l'acte d'asserter
s'affoler v.	AP :	II.20.6.	: accepter, permettre de faire soi-même ; R prier, supplier autrui de faire lui-même
affranchissement n.m.			
	ON :	III.9.1.	: poste
affreux aj.	ON :	III.13.6.	: quelques qualifiants pour les spectacles et divertissements
afin de (que) conj.	G :	I.2.6.	: actance finale
AGE	ON :	III.1.5.	
âge n.m.	ON :	III.1.5.	: âge
âge aj.	ON :	III.1.5.	: âge
agence n.f.	ON :	III.12.3.	: recherche d'un emploi ; chômage ; licenciement
agence de voyages n.f.			
	ON :	III.6.3.	: vacances et tourisme

+ *aimer* v.	AP :	I.3.4.	: critiquer
		I.3.5.	: désapprouver, reprocher
		I.5.1.	: proposer à autrui de faire soi-même
		+ I.6.2.	: demander permission
		I.6.3.	: demander dispense
		I.9.0.1.a.17.	: demander à autrui de faire lui-même (...)
		+ I.9.0.1.b.17.	: *id.*
		I.9.0.1.b.18.	: *id.*
		I.9.0.1.c.3.	: *id.*
		+ I.9.0.1.c.8.	: *id.*
		I.9.0.4.	: promettre une récompense
		I.9.4.1.	: demander informations factuelles R demander si un fait est vrai ("question totale")
		+ I.9.6.1.	: demander avis sur action accomplie par soi-même
		I.10.3.3.1.	: pragmatique, volition, désir R intensité
		I.10.3.3.2.	: *id.* , *id.* , *id.* R préférence
		I.11.1.1.	: affectivité, attitude vis-à-vis d'une chose, une personne, un fait R intérêt
		I.11.1.2.	: *id.* , *id.* R appréciation
		I.11.1.6.	: *id.* , *id.* R amitié
		+ I.11.1.7.	: amour
		I.11.1.8.	: préférence
		+ I.11.1.10.	: antipathie
		+ I.11.7.5.	: déplaisir
		I.11.7.12.	: *id.* , sentiment lié à une réalité désagréable R envie, jalousie
		II.14.4.	: désapprouver énonciation R plaindre
	ON :	II.2.5.3.4.	: appréciation quant à la désirabilité
		III.14.1.	: types de relations
+ *aimer bien* v.	AP :	+ I.11.1.6.	: amitié
	ON :	III.1.13.	: goûts
+ *aimer mieux* v.	AP :	+ I.11.1.8.	: préférence
aimer (ne pas -) v.	AP :	II.25.	: refuser de faire avec autrui
	ON :	III.1.13.	: goûts
ainsi av.	AP :	II.22.9.	: faire énonciation demandée R répondre en avouant qu'un fait positif est vrai
		II.22.10.	: *id.* répondre en avouant qu'un fait positif est faux
		II.22.11.	: *id.* R répondre en avouant qu'un fait négatif est vrai
		IV.1.5.	: illustrer, exemplifier

		IV.1.19.	: aspect référentiel R résumer
		IV.6.3.	: conclure
	ON :	II.3.3.8.	: manière
+ *air (avoir l'-)* v.	AP :	+ I.1.2.4.	: poser un fait comme apparent
		I.1.7.3.	: donner son opinion sur la vérité d'un fait : opinion
air (en l'-) av.	AP :	I.11.7.7.	: affectivité, sentiment lié à une réalité désagréable R tristesse
(donner l'-)	G	I.2.5.1.2.	: faire paraître
+ AISANCE	AP :	I.10.10.1.	
à l'aise av.	AP :	I.10.4.1.	: pragmatique R compétence
ajouter v.	AP :	IV.1.16.	: énumérer
alarmer	AP :	v.0.2.3.	: faire éprouver un sentiment
aléatoire	G :	II.2.1.1.2.2.	: détermination des actants (noms propres)
ALIMENTATION	ON :	III.8.2.	
alimentation générale n.f.			
	ON :	III.8.2.	: alimentation
aller v.	AP :	I.8.6.	: proposer à autrui de faire lui-même R permettre, autoriser
		II.19.	: exprimer son indécision
aller (à) v.	G :	II.1.2.0.	: le "cas locatif"
	ON :	II.2.3.2.	: mouvement
		II.3.2.3.	: déplacements orientés dans l'espace
		III.6.2.	: déplacements liés au travail, aux études, etc.
		III.13.1.	: distractions et information
		III.13.3.	: cinéma, théâtre, opéra, concert
		III.2.1.	: écoles et études
aller (avec)	AP :	IV.1.14.	: aspect référentiel R classifier
+ *aller bien, mal* v.	AP :	I.3.5.	: désapprouver, reprocher, protester
		+ I.9.6.1.	: demander avis sur action accomplie par soi-même
		+ I.11.2.1.	: confiance
		I.11.6.1.	: affectivité, sentiment lié à une réalité agréable R satisfaction
		I.11.9.1.	: bonne humeur
		+ I.11.9.2.	: mauvaise humeur dépressive
		II.17.	: désapprouver énoncer
		II.23.7.	: faire le contraire de l'énonciation demandée : approuver (au lieu de désapprouver) action d'autrui
		+ III.1.	: saluer

	ON :	II.2.5.3.2.	: appréciation quant à l'acceptabilité
		II.2.5.3.3.	: appréciation quant à l'adéquation
		III.8.3.	: vêtements - mode
aller de soi v.	AP :	I.1.2.3.	: poser un fait comme certain
aller sans dire v.	AP :	I.1.2.3.	: poser un fait comme certain
aller (y -) v.	AP :	I.10.10.8.	: dureté, méchanceté
		II.23.6.	: faire le contraire de l'énonciation demandée : désapprouver (au lieu d'approuver) action d'autrui
aller (s'en) v.	ON :	II.3.2.3.	: déplacements orientés dans l'espace
aller voir v.	ON :	III.14.2.	: invitations, rendez-vous
aller (+ infinitif)	G :	II.1.1.3.1.2. et 4	: imminence de l'action
	ON :	II.2.2.2.1.	: imminence
		II.3.1.1.	: référence au futur
		II.3.2.4.	: déplacements avec une personne ou un objet
aller (futur)	AP :	I.11.8.1.	: affectivité ; sentiment lié aux conséquences d'une réalité désagréable R ennui, embarras
		IV.6.1.	: aspect formel R annoncer plan, points
+ *allons, allez* intj.			
	AP :	I.3.3.	: excuser, pardonner
		I.7.2.	: inviter autrui à faire ensemble
		I.9.0.1. à 2.	: demander à autrui de faire lui-même (...)
		+ I.9.0.2.	: inviter, encourager
		I.10.3.5.1.	: décision
		+ III.2.1.	: prendre congé : à l'oral v. *ben allons, vas-y*
aller (simple) n.m.	ON :	III.6.4.	: transports publics
aller-retour n.m.	ON :	III.6.4.	: transports publics
+ *allo* intj.	AP :	+ I.9.1.2.	: interpeller au téléphone
		+ II.22.4.	: faire l'énonciation demandée : répondre à interpellation
	ON :	III.9.2.	: téléphone
allocation n.f.	ON :	III.12.3.	: recherche d'un emploi, chômage ; licenciement
allocations familiales n.f.			
	ON :	III.12.4.	: revenus, aides sociales
allumer v.	ON :	III.4.5.	: énergie et entretien
		III.8.4.	: cigarettes et fumeurs
allumette n.f.	ON :	III.8.4.	: cigarettes et fumeurs
ALLUSION (faire - à)	AP :	IV.2.3.	
allusion n.f.	AP :	IV.1.7.	: nommer
		IV.2.3.	: évoquer, faire allusion à

+ *alors* av. ou conj.	AP :	I.9.0.2.	: inviter, encourager
		+ I.9.0.4.	: promettre récompense
		+ I.9.3.	: demander de parler
		I.9.4.1.	: demander si un fait est vrai
		+ I.11.5.2.	: indifférence
		II.5.	: demander de préciser
		II.7.	: demander conséquences
		II.13.2.	: critiquer énonciation R signaler, avertir
		II.14.2.	: désapprouver énonciation R faire l'hypothèse qu'un fait est vrai
		II.20.5.	: accepter, promettre de faire soi-même R promettre récompense
		+ IV.1.17.	: raconter
		IV.5.1.	: engager conversation
		v. *ça alors*	
	G :	II.1.1.4.2.	: situation anaphorique de l'action dans le temps
		III.1.4.2.	: cause-conséquence
	ON :	II.2.2.1.	: situation dans le temps
		II.3.6.5.	: cause-conséquence
alors intj.	AP :	II.15.1.	: approuver énoncé R approbation forte
		II.21.	: accepter qu'autrui fasse, accepter de faire avec autrui
+ ALTRUISME	AP :	I.10.10.9.	
amant n.m.	ON :	III.14.1.	: types de relations
AMBIGUITE	AP :	prés. 1	
ambition n.f.	AP :	I.10.9.3.	: orgueil
		I.10.9.4.	: modestie
ambulance n.f.	ON :	III.9.7.	: urgences, secours
améliorer v.	ON :	III.12.5.	: organisations professionnelles, syndicats
amende n.f.	ON :	III.6.5.	: transport privé
		III.9.5.	: police
amener v.	AP :	IV.6.4.	: faire une transition
	ON :	II.3.2.4.	: déplacements avec une personne ou un objet
		III.11.3.	: opérations manuelles, physiques
amer aj.	ON :	II.5.1.7.	: goût
+ *amie(e)* n.	AP :	+ I.9.1.3.	: interpeller : correspondance
		+ I.11.1.6.	: amitié
	ON :	III.14.1.	: types de relations
ami (être ami avec)	AP :	I.11.1.6.	: affectivité ; attitude vis-à-vis d'une chose, une personne, un fait R amitié
ami (petit -) n.m.	ON :	III.14.1.	: type de relations

anniversaire n.m. ON : III.1.4. : date et lieu de naissance
annonce (petite -) n.f.
ON : III.12.3. : recherche d'un emploi : chômage, licenciement
III.13.5. : lire, écrire
+ ANNONCER UN FAIT AP : I.1.4.
ANNONCER PLAN, POINTS
AP : IV.6.1.
+ *annoncer* v. AP : + I.1.4. : annoncer un fait
IV.6.1. : annoncer plan, points
anorak n.m. ON : III.8.3. : vêtements - mode
ANTERIORITE ON : II.3.1.6.
antériorité n.f. G : II.1.1.4.4. : situation de l'action dans le temps
anti- préfixe ON : III.15.2. : actualité politique
+ ANTIPATHIE AP : I.11.1.10.
antipathique aj. AP : I.11.1.10. : antipathie
antonyme AP : v.IV.3.4. : paraphraser, expliciter
+ ANXIETE AP : I.10.3.4.1.
anxiété n.f. AP : I.10.3.4.1. : anxiété
anxieux aj. AP : I.10.3.4.1. : anxiété
I.11.8.3. : angoisse
août n.m. ON : III.5.5. : mois et saisons fêtes de l'année
apéritif n.m. ON : III.7.2. : nourriture et boisson
apparaître v. AP : I.1.2.3. : poser un fait comme certain
appareil (qui est à l'- ?)
ON : III.9.2. : téléphone
APPAREILS (vaisselle et - ménagers)
ON : III.4.4.
apparemment av. AP : I.9.0.1.c.2. : demander à autrui de faire lui-même (...)
apparence AP : v.IV.1.18. : rapporter discours
+ APPARENT (poser un fait comme -)
AP : I.1.2.4.
appartement n.m. ON : III.4.1. : modes et types d'habitation
appartenir v. AP : I.10.2.1. : obligation
I.10.2.2. : interdiction
ON : II.3.5. : relations de possession
III.14.4. : associations, sociétés
+ APPELER A L'AIDE AP : I.9.2.
appeler v. AP : I.9.1.1. : interpeller : en champ libre
I.9.2. : appeler à l'aide
ON : III.1.1. : nom
III.3.1. : comprendre
III.9.2. : téléphone
III.9.5. : police

+ *appeler (s')* v. AP : + III.4. : se présenter
+ IV.1.7. : nommer
ON : III.1.1. : nom
"APPELLATIFS" AP : v.I.2.5. : remercier
v.II.20.3. : accepter, promettre de faire soi-même
R demander (en général) à autrui de faire lui-même
v.II.22.1. : faire l'énonciation demandée : donner la parole
v.III.1. : saluer
v.III.2.1. : prendre congé : à l'oral
v.III.2.2. : *id.* : correspondance
v.III.3. : présenter quelqu'un
v.IV.1.7. : nommer
appétit (bon) intj. ON : III.7.5. : souhaits et invites
+ APPLICATION AP : I.10.10.3.
application n.f. AP : I.10.10.3. : application
appliquer (s') v. AP : I.9.0.1.b.11. : demander à autrui de faire lui-même (...)
I.10.8.2. : tentative
I.10.10.3. : application
IV.2.4. : s'étendre sur
apporter v. AP : II.7. : demander conséquences
II.3.2.4. : déplacements avec une personne ou un objet
III.11.3. : opérations manuelles, physiques
+ APPRECIATION AP : I.11.1.2.
APPRECIATION GLOBALE ON : II.2.5.3.1.
APPRECIATION QUALITATIVE
ON : II.2.5.3.
APPRECIATION QUANT A L'ACCEPTABILITE
ON : II.2.5.3.2.
APPRECIATION QUANT A L'ADEQUATION
ON : II.2.5.3.3.
APPRECIATION QUANT A LA CAPACITE, LA COMPETENCE
ON : II.2.5.3.8.
APPRECIATION QUANT A LA CORRECTION
ON : II.2.5.3.5.
APPRECIATION QUANT A LA DESIRABILITE
ON : II.2.5.3.4.
APPRECIATION QUANT A L'IMPORTANCE
ON : II.2.4.3.9.
APPRECIATION QUANT A LA NORMALITE
ON : II.2.5.3.10.

APPRECIATION QUANT A LA REUSSITE
ON : II.2.5.3.6.
APPRECIATION QUANT A L'UTILITE
ON : II.2.5.3.7.
APPRECIATIVE (situation de l'action dans le temps)
G : II.1.1.4.3.
(détermination quantifiante)
G : II.1.3.3.2.
II.2.1.2.2.
(détermination spatiale)
G : II.1.2.2.2.
APPRECIER AP : IV.1.11.
+ *apprécier* v. AP : I.9.0.1.b.17. : demander à autrui de faire lui-même (...)
I.0.0.1.c.8. :
apprendre v. AP : I.9.8. : demander de (ne pas) transmettre
II.13.1. : critiquer énonciation R annoncer, informer d'un fait
II.18.1. : exprimer son ignorance R poser un fait comme vrai
ON : III.2.1. : école et études
III.12.6. : formation, carrière, avenir
III.13.5. : lire, écrire
apprentissage n.m. ON : III.12.6. : formation, carrière, avenir
apprentissage (centre d'-) n.m.
ON : III.12.6. : formation, carrière, avenir
approcher (s') v. ON : II.3.2.3. : déplacements orientés dans l'espace
+ APPROUVER ACTION ACCOMPLIE PAR AUTRUI
AP : I.3.1.
+ APPROUVER (AU LIEU DE DESAPPROUVER) ACTION D'AUTRUI
AP : II.23.7.
+ APPROUVER ENONCE AP : II.15.
+ APPROUVER ENONCIATION
AP : II.12.
+ APPROUVER (demander d'- action accomplie par soi-même)
AP : I.9.6.2.
approuver v. AP : I.3.1. : approuver, féliciter
I.3.5. : désapprouver, reprocher, protester
I.9.6.2. : demander d'approuver action accomplie par soi-même
II.12. : approuver énonciation

		II.15.	: approuver énoncé
		II.23.7.	: faire le contraire de l'énonciation demandée : approuver (au lieu de désapprouver) action d'autrui
approximation n.f.	AP :	IV.1.13.	: aspect référentiel R définir
appuyer sur v.	AP :	I.11.2.1.	: affectivité ; attitude vis-à-vis de l'avenir R confiance
	ON :	III.11.3.	: opérations manuelles, physiques
+ *après* prép.	AP : +	IV.1.17.	: raconter
		IV.6.4.	: faire une transition
	ON :	II.2.2.1.	: situation dans le temps
		II.3.1.8.	: postériorité
		III.6.1.	: consignes d'orientation, de déplacements
après av.	G :	II.1.1.4.2.	: situation temporelle anaphorique
conj.	G :	II.1.1.4.4.	: situation temporelle relative
av. et conj.	G :	II.1.1.2. (annexe)	: situation spatiale
après (avoir...) prép.			
	ON :	II.3.1.8.	: postériorité
après-demain av.	ON :	II.2.2.1.	: situation dans le temps
après-midi (cet -) av.			
	ON :	II.2.2.1.	: situation dans le temps
APTITUDE (connaissance d'une langue ; niveau d'- ; correction)			
	ON :	III.3.2.	
arbre n.m.	ON :	III.5.3.	: flore et faune
argent n.m.	AP :	I.11.6.1.	: satisfaction
argent n.m.	ON :	II.2.5.1.10.	: matière
		III.8.6.	: prix et paiement
argent (changer de l'-) v.			
	ON :	III.6.6.	: d'un pays à un autre
ARGUMENTER	AP :	v.0.2.1.	: faire savoir
		IV.1.9.	
armoire n.f.	ON :	III.4.3.	: meubles, literie
arranger v.	AP :	I.5.1.	: proposer à autrui de faire soi-même
		I.9.0.1.	: demander à autrui de faire soi-même
		(b.11.)	R échec, réussite
		I.10.8.1.	: pragmatique ; échec réussite R abstention
arrêt (d'autobus) n.m.			
	ON :	III.6.4.	: transports publics
arrêt de travail n.m.			
	ON :	III.9.8.	: sécurité sociale
		III.12.5.	: organisations professionnelles ; syndicats

assiette n.f. ON : II.4.4. : vaisselle et appareils ménagers
assis aj. ON : III.11.1. : positions du corps et mouvements
ASSOCIATIONS, SOCIETES
ON : III.12.4.
association n.f. ON : III.14.4. : associations, sociétés
ASSOCIATIVES (relations électives et -)
ON : III.14.
+ ASSURANCE AP : I.10.9.1.
ASSURANCES, SECURITE ON : III.10.5.
assurance n.f. AP : I.10.9.1. : assurance
ON : III.6.5. : transport privé
III.10.5. : assurances, sécurité
III.12.3. : recherche d'un emploi ; chômage ; licenciement
assuré n.m. ON : III.10.5. : assurances, sécurité
assuré (être -) v. ON : III.6.5. : transport privé
+ *assurer* v. AP : I.1.3.1.1. : insister sur un fait : emphase intensive sur l'acte d'assertion
I.1.7.2. : donner des informations factuelles ; donner son opinion sur la vérité d'un fait R conviction
I.5.2. : promettre à autrui de faire soi-même
+ II.23.4. : faire le contraire de l'énonciation demandée : réfuter vérité d'un fait positif
+ II.23.5. : *id.* réfuter vérité d'un fait négatif
atelier n.m. ON : III.12.2. : conditions de travail
athlétisme (faire de l'-) v.
ON : III.13.2. : sports
attacher v. ON : III.11.3. : opérations manuelles, physiques
attendre v. AP : I.1.5. : donner des informations factuelles R signaler, avertir, prévenir, mettre en garde
I.9.0.2. : demander à autrui de faire lui-même R inviter, encourager
I.9.7.1. : demander de demander pardon
I.10.3.3.3. : pragmatique, volition ; désir R espoir
I.10.3.3.4. : *id.* ; *id.* ; id. R désespoir
I.10.3.4.1. : *id.* ; *id.* ; crainte R anxiété
I.11.7.2. : affectivité ; sentiment lié à une réalité désagréable R déception
I.11.7.11. : désespoir
II.19 : exprimer son indécision
ON : III.6.4. : transports publics
III.10.6. : services médicaux et de sante

+ *attendre (s')* v.	AP :	+ I.11.5.1.	: surprise, étonnement
		I.11.7.1.	: insatisfaction
attendu aj.	ON :	III.15.4.	: quelques qualifiants pour les événements d'actualité
attente (salle d'-) n.f.			
	ON :	III.6.4.	: transports publics
+ *attention* n.f.	AP :	+ I.1.5.	: signaler, avertir, mettre en garde
		+ I.9.0.3.	: menacer d'une sanction
		IV.2.4.	: aspect quantitatif R s'étendre sur
	ON :	III.10.5.	: assurances, sécurité
attention (attirer l'-)			
	AP :	I.1.3.1.2.	: insister sur un fait : emphase intensive sur la proposition assertée
attention (mériter -) v.			
	AP :	I.1.3.1.2.	: insister sur un fait : emphase intensive sur la proposition assertée
attestation n.f.	ON :	III.6.7.	: documents de voyages, de séjour, de résidence dans un pays étranger
attirance n.f.	AP :	I.11.1.10.	: affectivité ; attitude vis-à-vis d'une chose, une personne, un fait R antipathie
attirant aj.	AP :	I.11.6.6.	: affectivité : sentiment lié à une réalité agréable R intérêt
attiré	AP :	I.11.1.1.	: affectivité ; attitude vi-à-vis d'une chose, une personne, un fait R intérêt
		I.11.1.5.	: *id.* R sympathie
		I.11.6.7.	: *id.* ; sentiment lié à une réalité agréable R fascination
attirer v.	AP :	v. *attention (attirer l'-)*	
		v.I.1.8.6.	: présupposer qu'un fait est vrai
		I.11.6.6.	: affectivité ; sentiment lié à une réalité agréable R intérêt
+ ATTITUDE VIS-A-VIS DE CE QU'AUTRUI NOUS A FAIT			
	AP :	I.11.3.	
+ ATTITUDE VIS-A-VIS DE L'AVENIR			
	AP :	I.11.2.	
+ ATTITUDE VIS-A-VIS D'UNE PERSONNE, UNE CHOSE, UN FAIT			
	AP :	I.11.1.	
ATTITUDE (paraître avoir une -)			
	AP :	0.1.1.2.	
attitude n.f.	G :	I.2.1.4.5.	: attribution d'une disposition
attraper v.	ON :	III.11.3.	: opérations manuelles, physiques

ATTRIBUTIF	G :	I.2.1.4.	
"ATTRIBUTIFS"	ON :	II.1.	: notions désignant des entités
ATTRIBUTION	G :	0.1.	
ATTRIBUTIVE (voix -)	G :	I.1.2.1.	
		I.2.2.3. et 4.	
auberge n.f.	ON :	III.7.1.	: hôtel, camping
auberge de jeunesse n.f.			
	ON :	III.7.1.	: hôtel, camping
aubergine n.f.	ON :	III.7.2.	: nourriture et boisson
aucun	ON :	II.2.4.2.1.	: quantification de notions réalisées par des substantifs
	G :	II.2.0.2.	: actant indéfini générique
aucun (- homme) pr.	G :	II.2.0.3.	: substitut d'actant indéfini
	ON :	II.1.	: notions désignant des entités ("indéfinis" et quantifiants)
+ AUDACE	AP :	I.10.11.6.	
audace n.f.	AP :	I.9.0.1.	: demander à autrui de faire lui-même (...)
		(b.14)	
		I.10.11.6.	: audace, témérité
audacieux aj.	AP :	I.10.11.6.	: audace, témérité
AUDIBILITE	ON :	II.2.5.1.6.	
augmentation n.f.	ON :	III.12.4.	: revenus, aides sociales
		III.12.5.	: organisations professionnelles ; syndicats
augmenter v.	ON :	III.12.5.	: organisations professionnelles, syndicats
aujourd'hui av.	G :	II.1.1.4.2.	: situation déictique de l'action dans le temps
	ON :	II.2.2.1.	: situation dans le temps
aussi av.	AP :	II.15.1.	: approuver énoncé : approbation forte
	G :	II.1.3.3.3.	: détermination comparative
	ON :	II.3.4.1.	: similitude, différence
aussi (mais -) av.	AP :	IV.1.16.	: énumérer
aussi (+ aj. ou av.) *que* ...			
	ON :	II.3.4.2.	: égalité, infériorité, supériorité
aussitôt (que) av. et conj.			
	G :	II.1.1.4.4.	: situation relative de l'action dans le temps (postériorité)
	ON :	II.3.1.8.	: postériorité
autant av.	AP :	II.13.4.	: critiquer énonciation R féliciter autrui pour son action
	G :	II.1.3.3.3.	: détermination comparative du procès
	ON :	II.3.4.2.	: égalité, infériorité, supériorité
autant de prép.	G :	II.2.1.2.3.	: détermination comparative des actants

autobus (bus) n.m.	ON :	III.6.4.	: transports publics
autobus (arrêt d'-) n.m.			
	ON :	III.6.4.	: transports publics
autobus (ligne d'-) n.f.			
	ON :	III.6.4.	: transports publics
auto(car) n.m.	ON :	III.6.4.	: transports publics
AUTOMOBILE (station-service -)			
	ON :	III.9.9.	
AUTOMOBILES (réparations -)			
	ON :	III.9.10.	
auto(mobile) n.f.	ON :	III.6.5.	: transport privé
automne n.m.	ON :	III.5.5.	: mois et saisons, fêtes de l'année
+ *autorisation* n.f.	AP :	+ I.8.6.	: autoriser autrui à faire lui-même
		+ I.10.2.3.	: permission
		II.10.2.3.	: donner permission R demander permission
+ AUTORISER AUTRUI A FAIRE LUI-MEME			
	AP :	I.8.6.	
autoriser v.	AP :	I.6.2.	: demander permission
		I.8.6.	: autoriser autrui à faire lui-même
		I.10.2.3.	: permission
		II.22.2.	: faire énonciation demandée R donner permissio
autoroute n.f.	ON :	III.6.5.	: transport public
autour (de) av. ou prép.			
	ON :	II.3.2.1.	: localisation relative dans l'espace
autre aj.	G :	II.2.0.3.	: substituts d'actants indéfinis
	ON :	II.2.4.1.	: nombre
	AP :	I.9.6.1.	: demander à autrui de faire soi-même ; demander jugement sur une action accomplie par soi-même R demander avis
		II.14.5.	: désapprouver énonciation R désapprouver une action accomplie par autrui
		IV.1.6.	: aspect référentiel R énumérer
autre (chose)	G :	II.2.0.3.	: substituts d'actants comparés
+ *autre* pron.	AP :	I.11.5.2.	: indifférence
		II.14.4.	: désapprouver énonciation R plaindre
		II.17.	: désapprouver énoncé R poser un fait comme vra
		+ IV.1.8.	: comparer
(d'-s)	ON :	II.1.	: notions désignant des entités ("indéfinis" et quantifiants)
(l'-)	ON :	II.1.	: notions désignant des entités ("indéfinis" et quantifiants)

avantage n.m.	AP :	II.7.	: demander conséquences
		II.14.2.	: désapprouver énonciation R faire l'hypothèse qu'un fait est vrai
avec prép.	AP :	+ I.10.1.6.	: utilité
		I.10.11.2.	: pragmatique, responsabilité R non-responsabilité
		II.24.12.	: refuser de faire soi-même R demander propositions d'action pour soi-même
		IV.1.5.	: aspect référentiel R illustrer, exemplifier
		IV.1.14.	: *id.* R classifier
	G :	I.2.2.(NB)	: rection des pronominaux actifs
		I.2.5.2.	: prépositions causales
		II.1.4.1.2.	: quelification du procès
		II.1.4.2.	: détermination instrumentale du procès
	ON :	II.3.2.4.	: déplacements avec une personne ou un objet
		II.3.6.4.	: inclusion, exclusion
AVENIR (formation, carrière, -)			
	ON :	III.12.6.	
avenir n.m.	ON :	III.12.6.	: formation, carrière, avenir
avenir (d'-) aj.	ON :	III.12.7.	: quelques qualifiants à propos du métier
avenir (sans -) aj.	ON :	III.12.7.	: quelques qualifiants à propos du métier
avenue n.f.	ON :	III.1.2.	: adresse
+ AVERTIR	AP :	I.1.5.	
avertir v.	AP :	I.1.5.	: avertir
		II.12.1.	: approuver énonciation R en général
		II.13.3.	: critiquer énonciation R présupposer qu'un fait est vrai
aveugle n.m., aj.	ON :	III.11.2.	: sensation, perception
avion n.m.	ON :	III.6.4.	: transports publics
avion (par -) av.	ON :	III.9.1.	: poste
+ AVIS (demander - sur une action accomplie par soi-même)			
	AP :	I.9.1.	
+ *avis* n.m.	AP :	+ I.1.7.3.	: donner son opinion sur la vérité d'un fait opinion
		I.9.0.1. (b.3.)	: demander à autrui de faire lui-même (...)
		I.9.3.	: demander de parler
		+ I.9.4.3.	: demander opinion sur la vérité d'un fait
		+ I.9.5.	: demander propositions d'action
		+ I.9.6.1.	: demander avis sur action accomplie par soi-même
		+ II.15.1.	: approuver énoncé : approbation forte

		II.24.2.	: refuser de faire soi-même R déconseiller à autrui de faire lui-même
		II.24.7.	: refuser de faire soi-même R promettre récompense
		II.24.10.	: *id.* R demander de parler
		IV.5.2.	: prendre la parole
avoir v.	G :	I.1.2.1.	: voix massive
		I.1.2.2.	: déroulement (accompli)
		I.2.1.4.1., 4. et 5.	: actante (attributive)
		I.2.2.	: "faire" (auxiliaire de l'accompli)
	ON :	II.2.1.3.	: disponibilité/non-indisponibilité
		II.3.5.	: relations de possession
+ *avoir à* v.	AP :	I.6.1.	: demander la parole
		I.8.4.	: proposer à autrui de faire lui-même R recommander
		I.8.5.	: *id.* ; R déconseiller
		I.10.2.1.	: obligation
		I.10.2.2.	: interdiction
		I.10.3.2.	: pragmatique ; volition R indifférence
		I.11.1.13.	: affectivité, attitude vis-à-vis d'une chose, une personne, un fait R dédain
		II.11.	: remercier
		II.13.2.	: critiquer énonciation R signaler, avertir
		II.14.1.	: désapprouver énonciation R en général
		II.14.7.	: *id.* ; R s'accuser d'une action accomplie par soi-même
		II.24.2.	: refuser de faire soi-même R déconseiller à autrui de faire lui-même
		II.24.4.	: refuser de faire soi-même R demander, ordonner, interdire à autrui de faire lui-même
		II.24.7.	: *id.* R promettre récompense
		II.24.14.	: *id.* R demander de remercier
		II.25.	: refuser de faire avec autrui R proposer à autrui de faire ensemble
		+ IV.5.2.	: prendre la parole
avoir (y en -) v.	AP :	I.11.7.12.	: envie, jalousie
avoir (quelqu'un) v.	AP :	I.11.3.2.	: rancune, ressentiment
avoir l'air v.	AP :	I.1.6.1.	: donner des informations factuelles, rappeler, répéter
		I.11.9.1.	: *id.* ; affectivité R bonne et mauvaise humeur

avoir mal v. ON : III.10.2. : besoins et états "physiologiques"
III.10.4. : maladies, accidents
avoir du mal à v. AP : I.1.7.4. : donner des informations factuelles ; donner son opinion sur la vérité d'un fait R doute
I.9.0.1. (a.13.) : demander à autrui de faire lui-même (dispositions objectives)
avoir peur v. AP : I.8.4. : proposer à autrui de faire lui-même R recommander
I.9.0.1. (b.7.) : demander à autrui de faire lui-même (volition)
I.11.8.3. : affectivité ; sentiments liés aux conséquences d'une réalité agréable R angoisse
II.24.6. : refuser de faire soi-même R menacer d'une sanction
avoir raison v. AP : I.4.1. : juger l'action accomplie par soi-même R se féliciter
II.12.2. : approuver énonciation R donner son opinion sur les vérités d'un fait
ON : II.2.5.3.5. : appréciation quant à la correction
avoir rendez-vous v. ON : III.14.2. : invitations, rendez-vous
avoir soif v. ON : III.10.2. : besoins et états "physiologiques"
avoir sommeil v. ON : III.10.2. : besoins et états "physiologiques"
avoir le temps v. AP : II.24.11. : refuser de faire soi-même R demander informations factuelles
IV.5.1. : aspect dialogué R engager conversation
avoir tort v. ON : II.2.5.3.5. : appréciation quant à la correction
AP : II.15.2. : approuver énoncé R approbation faible
II.24.2. : refuser de faire soi-même R déconseiller à autrui de faire lui-même

\+ AVOUER AP : I.4.2.
\+ AVOUER, EN REPONSE, QU'UN FAIT NEGATIF EST FAUX
AP : II.22.12
\+ AVOUER, EN REPONSE, QU'UN FAIT NEGATIF EST VRAI
AP : II.22.11.
\+ AVOUER, EN REPONSE, QU'UN FAIT POSITIF EST FAUX
AP : II.22.10.
\+ AVOUER, EN REPONSE, QU'UN FAIT POSITIF EST VRAI
AP : II.22.9.
\+ *avouer* v. AP : I.4.2. : s'accuser, avouer
I.10.9.6. : pragmatique, dispositions subjectives R innocence
\+ II.15.3. : approuver énoncé : admettre, reconnaître, avouer

		II.22.9.	: répondre en avouant qu'un fait positif est vrai R demander si un fait est vrai
		II.22.10.	: répondre en avouant qu'un fait positif est faux R *id.*
		II.22.11.	: répondre en avouant qu'un fait négatif est vrai R *id.*
		II.22.12.	: répondre en avouant qu'un fait négatif est faux R *id.*
avril n.m.	ON :	III.5.5.	: mois et saisons, fêtes de l'année
bagages n.m.	ON :	III.6.4.	: transports publics
bagages (enregistrer les -)	ON :	III.6.4.	: transports publics
baignoire n.f.	ON :	III.4.5.	: énergie et entretien
bain (prendre un -)	ON :	III.10.3.	: hygiène
baisse n.f.	ON :	III.15.3.	: actualité économique et sociale
baisser v.	AP :	I.10.11.8.	: pragmatique ; responsabilité R lâcheté
	ON :	III.5.4.	: climat, conditions météorologiques, temps : qu'il fait
baisser (se) v.	ON :	III.11.1.	: position du corps et mouvements
balancer (s'en) v.	AP :	I.10.3.2.	: indifférence
balcon n.m.	ON :	III.4.2.	: composition de l'habitation
balle n.f.	ON :	III.13.2.	: sports
ballet n.m.	ON :	III.13.3.	: cinéma, théâtre, opéra, concert
ballon n.m.	ON :	III.13.2.	: sports
bande dessinée n.f.	ON :	III.13.5.	: lire, écrire
banlieur n.f.	ON :	III.5.1.	: quartier, région, paysage
BANQUE	ON :	III.9.4.	
banque n.f.	ON :	III.9.4.	: banque
bar n.m.	ON :	III.7.3.	: restaurants et cafés
bas aj.	ON :	II.2.3.3.1.	: taille
bas (en -) av.	ON :	II.3.2.1.	: localisation relative dans l'espace
		II.3.2.3.	: déplacements orientés dans l'espace
bas (en - de) prép.	ON :	II.3.2.1.	: localisation relative dans l'espace
bateau n.m.	ON :	III.6.4.	: transports publics
bâtiment n.m.	ON :	III.1.2.	: adresse
batterie n.f.	ON :	III.9.9.	: station service automobile
battre v.	ON :	III.13.2.	: sports
baver v. (en baver)	AP :	I.10.10.2.	: pragmatique ; dispositions objectives R difficulté

beau aj.	AP :	I.11.1.3.	: affectivité ; attitude vis-à-vis d'une chose, une personne, un fait, R admiration
		III.5.2.	: quelques qualifiants pour le quartier et l'environnement
		III.5.4.	: climat, conditions météorologiques, temps qu'il fait
		III.13.6.	: quelques qualifiants pour les spectacles et divertissements
	ON :	III.4.7.	: quelques qualifiants pour la maison, l'habitation
beau (avoir -) v.	G :	III.4.1.3.	: concession
	ON :	II.3.6.3.	: opposition, concession
beau n.m.	AP :	I.11.9.1.	: affectivité, bonne humeur
beaucoup (de) av.	G :	II.1.3.3.1.	: détermination quantifiante du procès
		II.1.3.4.	: quantifiant de quantifiant
		II.2.1.2.1.	: détermination quantifiante des actants
	AP :	I.11.1.4.	: affectivité ; attitude vis-à-vis d'une chose, une personne, un fait R considération
		III.5.	: présenter sa sympathie, ses condoléances
		IV.2.4.	: aspect quantitatif R s'étendre sur
beaucoup	AP :	I.10.10.9.	: pragmatique ; dispositions objectives R altruisme
		I.11.1.4.	: affectivité ; attitude vis-à-vis d'une chose, une personne, un fait R considération
		I.11.1.6.	: *id.* ; *id.* R amitié
		I.11.3.1.	: *id.* ; attitude vis-à-vis de ce qu'autrui nous a fait R gratitude reconnaissance
	ON :	II.2.4.2.1.	: quantification de notions réalisées par des substantifs
		II.2.4.2.2.	: degré (quantification de notions réalisées par d'autres catégories que les substantifs)
bébé n.m.	ON :	III.1.5.	: âge
		III.1.11.	: membre de la famille
bel et bien av.	AP :	I.1.3.2.	: donner des informations factuelles ; insister sur un fait (emphase R emphase oppositive
ben allons intj.	AP :	II.14.7.	: désapprouver énonciation R s'accuser d'une action accomplie par soi-même
BENEFICIAIRE DE L'ACTION			
	ON :	II.3.3.4.	
+ *besoin* n.m.	AP : +	I.10.1.5.	: indispensabilité
		I.10.1.7.	: inutilité

BESOINS ET ETATS "PHYSIOLOGIQUES"

	ON :	III.10.2.	
bête n.f.	ON :	III.5.3.	: flore et faune
bête aj.	AP :	I.2.4.	: plaindre
		I.8.4.	: proposer à autrui de faire soi-même R recommander
		I.8.5.	: *id.* R déconseiller
		I.9.6.3.	: demander de désapprouver action accomplie par soi-même
		I.11.7.3.	: affectivité ; sentiment lié à une réalité désagréable R regret
	ON :	III.1.14.	: caractère, tempérament
bêtise n.f.	AP :	I.8.5.	: proposer à autrui de faire soi-même R déconseiller
		I.9.6.3.	: demander de désapprouver action accomplie par soi-même
béton n.m.	ON :	II.2.5.1.10.	: matière
beuark intj.	AP :	I.11.7.10.	: dégoût
beurre n.m.	ON :	III.7.2.	: nourritures et boissons
bibliothèque n.f.	ON :	III.13.5.	: lire, écrire
bidule n.m.	AP :	IV.1.7.	: nommer
+ *bien* aj.	AP :	+ I.3.1.	: approuver, féliciter
		I.3.4.	: critiquer
		+ I.9.6.1.	: demander avis sur action accomplie par soi-même
		+ I.9.6.2.	: demander d'approuver action accomplie par soi-même
		II.23.7.	: faire le contraire de l'énonciation demandée : approuver (au lieu de désapprouver) action d'autrui
	ON :	II.2.5.3.1.	: appréciation globale
		II.2.5.3.2.	: appréciation quant à l'acceptabilité
		II.2.5.3.3.	: appréciation quant à l'adéquation
+ *bien* av.	AP :	+ I.1.3.1.3.	: insister sur un fait : emphase intensive sur un constituant
		I.9.0.1. (a.14.)	: demander à autrui de faire lui-même R responsabilité
		+ I.9.4.4.	: demander accord sur la vérité d'un fait
		I.10.3.6.2.	: pragmatique, volonté R intolérance
		I.10.10.1.	: aisance
		I.11.1.2.	: affectivité, attitude vis-à-vis d'une chose, une personne, un fait R appréciation

I.11.1.3. : *id.* ; *id.* R admiration
I.11.1.4. : *id.* ; *id.* R considération
I.11.6.1. : *id.* ; sentiment lié à une réalité agréable R satisfaction
I.11.6.3. : *id.* ; *id.* ; R plaisir
I.11.9.1. : *id.* ; bonne et mauvaise humeur
+ II.10.1. : prendre acte d'une énonciation en général
II.11. : remercier
II.12.1. : approuver l'énonciation (en général)
II.12.2. : *id.* R donner son opinion sur la vérité d'un fait
II.15.2. : approuver énoncé : approbation faible
II.15.3. : *id.* admettre, reconnaître, avouer
II.17. : désapprouver énoncé
II.19. : exprimer son indécision
II.20.3. : accepter, promettre de faire soi-même R demander (en général) à autrui de faire lui-même
II.22.18. : faire énonciation demandée R donner accord sur la vérité d'un fait positif
II.24.7. : refuser de faire soi-même R promettre récompense
III.1. : saluer
III.3. : présenter quelqu'un
III.6. : souhaiter quelque chose à quelqu'un
IV.6.3. : aspect formel R conclure

v. *aimer bien ; allez bien, mal ; dire bien ; entendu (bien -) ; faire bien, mal ; faire bien de ; sembler bien ; sûr (bien -) ; tiens-tois bien ; vouloir bien*

G : II.1.3.4. : quantifiant de quantifiant
II.1.4.1.1. : qualification du procès

ON : III.4.7. : quelques qualifiants pour la maison, l'habitation
III.5.2. : quelques qualifiants pour le quartier et l'environnement
III.7.4. : quelques qualifiants pour les repas
III.8.3. : vêtements-mode
III.11.2. : sensation, perception
III.12.7. : quelques qualifiants à propos du métier
III.13.6. : quelques qualifiants pour les spectacles et divertissements
III.3.2. : connaissance d'une langue ; niveau d'aptitude ; correction

bien n.m.	AP :	I.11.6.3.	: affectivité ; sentiment lié à une réalité agréable R plaisir
bien (eh –) intj.	AP :	I.9.7.2.	: demander de remercier
		II.7.	: demander conséquences
		II.22.3.	: faire énonciation demandée R donner dispense
		IV.5.2.	: prendre la parole
		IV.6.6.	: faire une digression
bien	AP :	v. *si bien que*	
	ON :	v. *si bien que*	
bien que conj.	G :	III.2.1.3.	: concession
bien sûr av.	AP :	I.1.2.3.	: donner des informations factuelles ; poser un fait comme vrai R certain
		I.1.3.1.2.	: *id.* ; insister sur un fait (emphase) R sur la proposition assertée
		I.9.0.1. (b.2.)	: demander à autrui de faire soi-même demander R (vrai)
		I.9.6.3.	: *id.* ; demander jugement sur une action accomplie par soi-même R demander de désapprouver
		II.22.2.	: faire énonciation demandée R donner permission
		II.22.5.	: *id.* R répondre affirmativement à une question positive
		II.22.6.	: *id.* R répondre affirmativement à une question négative
		II.22.7.	: *id.* R répondre négativement à une question positive
		II.22.8.	: *id.* R répondre négativement à une question négative
		II.24.6.	: refuser de faire soi-même R menacer d'une sanction
		III.3.	: présenter quelqu'un
bientôt av.	G :	II.1.1.3.1. 2. et 4.	: imminence de l'action
	ON :	II.2.2.2.1.	: imminence
		II.3.1.1.	: référence au futur
bière n.f.	ON :	III.7.2.	: nourritures et boissons
bifteck n.m.	ON :	III.7.2.	: nourritures et boissons
bile n.f.	AP :	I.11.2.1.	: confiance
billet n.m.	ON :	III.8.6.	: prix et paiement
billet (d'avion / de train) n.m.	ON :	III.6.4.	: transports publics
bizarre aj.	ON :	II.2.5.3.10	: appréciation quant à la normalité

blague (sans -) n.f.	AP :	I.1.3.1.1.	: insister sur un fait : emphase intensive sur l'acte d'asserter
		I.11.5.1.	: surprise, étonnement
		II.16.2.	: critiquer énoncé R donner son opinion sur la vérité d'un fait
blairer v.	AP :	I.11.1.12.	: haine
blanc n.m.	ON :	III.7.2.	: nourritures et boissons
blanc aj.	ON :	II.2.5.1.9.	: couleur
blanchir v.	ON :	II.2.5.1.9.	: couleur
blessé n.m.	ON :	III.10.4.	: maladies, accidents
blesser	AP :	v.0.2.3.	: faire éprouver un sentiment
blessure n.f.	ON :	III.10.4.	: maladies, accidents
bleu aj.	ON :	II.2.5.1.9.	: couleur
		III.7.4.	: quelques qualifiants pour les repas
blond aj.	ON :	III.1.15.	: quelques caractéristiques physiques
blouson n.m.	ON :	III.8.3.	: vêtements-mode
boeuf n.m.	ON :	III.7.2.	: nourritures et boissons
		III.15.3.	: flore et faune
bof intj.	AP :	I.10.3.2.	: indifférence
boire v.	ON :	III.5.5.	: souhaits et invites
		III.7.2.	: nourritures et boissons
bois n.m.	ON :	II.2.5.1.10.	: matière
		III.5.3.	: flore et faune
BOISSONS (nourritures et -)	ON :	III.7.2.	
boîte n.f.	ON :	III.1.10.	: activité professionnelle
boîte aux lettres n.f.	ON :	III.9.1.	: poste
bol n.m.	ON :	III.4.4.	: vaisselle et appareils ménagers
bon aj.	AP :	I.9.6.3.	: demander jugement sur une action accomplie par soi-même R demander d'approuver
		I.11.1.2.	: affectivité ; attitude vis-à-vis d'une chose, une personne, un fait R appréciation
		I.11.1.5.	: *id.* ; *id.* R sympathie
		II.13.4.	: critique énonciation R féliciter autrui pour son action
		II.20.1.	: accepter, promettre de faire soi-même R suggérer, proposer, conseiller, recommander à autrui de faire lui-même
		II.20.2.	: *id.* R déconseiller à autrui de faire lui-même
		II.21.	: accepter qu'autrui fasse, de faire avec autrui
		III.2.1.	: prendre congé (à l'oral)

	ON :	II.2.5.1.7.	: goûts
		II.2.5.1.8.	: odeur
		II.2.5.3.1.	: appréciation globale
		III.7.4.	: quelques qualifiants pour les repas
		III.13.6.	: quelques qualifiants pour les spectacles et divertissements
+ *bon* av.	AP :	I.10.1.6.	: pragmatique faisabilité R utilité
		I.10.3.5.2.	: renoncement
		I.10.4.1.	: *id.* ; compétence
		I.11.1.2.	: affectivité, attitude vis-à-vis d'une chose, une personne, un fait R appréciation
		I.11.1.5.	: *id.* ; *id.* ; R sympathie
		+ II.10.1.	: prendre acte d'une énonciation en général
		+ II.20.4.	: accepter, promettre de faire soi-même R menacer d'une sanction
+ *bon (à quoi –)* intj.			
	AP :	+ II.14.2.	: désapprouver énonciation R faire l'hypothèse qu'un fait est vrai
		II.24.1.	: refuser de faire soi-même R suggérer, proposer, conseiller, recommander à autrui de faire lui-même
bon (ah –) intj.	AP :	v. *ah bon*	
bondé aj.	ON :	III.6.4.	: transports publics
+ BONHEUR	AP :	I.11.6.4.	
bonheur n.m.	AP :	I.11.6.4.	: bonheur
+ *bonjour* n.m.	AP :	+ III.1.	: saluer
bonnet n.m.	ON :	III.8.3.	: vêtements mode
+ *bonsoir* n.m.	AP :	+ III.1.	: saluer
		+ III.2.1.	: prendre congé ; à l'oral
bonté n.f.	AP :	I.10.	: pragmatique, dispositions objectives R altruisme
bord n.m. *(au – de)*	G :	II.1.2.2.	: (annexe) : situation dans l'espace
	ON :	III.5.1.	: quartier, région, paysage
bouche n.f.	ON :	III.10.1.	: parties du corps
boucher n.m.	ON :	III.8.2.	: alimentations
boucherie n.f.	ON :	III.8.2.	: alimentations
bouchon n.m.	ON :	III.6.5.	: transport privé
bouger v.	ON :	II.2.2.4.	: stabilité et changement
		II.2.3.2.	: mouvement
boulanger n.m.	ON :	III.8.2.	: alimentations
boulangerie n.f.	ON :	III.8.2.	: alimentations
boulevard n.m.	ON :	III.1.2.	: adresse

boulot n.m.	ON :	III.1.10.	: activité professionnelle
		III.12.3.	: recherche d'un emploi ; chômage ; licenciement
bouteille n.f.	ON :	II.2.3.3.5.	: mesure des liquides, surfaces, volumes
		III.4.4.	: vaisselle et appareil ménager
bout (au - de) prép.	AP :	IV.1.17.	: aspect référentiel R raconter
		IV.6.3.	: aspect formel R conclure
boutique n.f.	ON :	III.8.1.	: commerces : généralités
brancher v.	ON :	III.4.5.	: énergie et entretien
bras n.m.	ON :	III.10.1.	: parties du corps
	AP :	I.10.11.8.	: pragmatique ; responsabilité R lâcheté
		I.11.6.7.	: affectivité ; sentiment lié à une réalité agréable R fascination
+ *bravo* intj.	AP :	+ I.2.1.	: se féliciter
		+ I.3.1.	: approuver, féliciter
brio n.m.	AP :	I.10.10.1.	: aisance
briquet n.m.	ON :	III.8.4.	: cigarettes et fumeurs
brosse à dent n.f.	ON :	III.10.3.	: hygiène
brosser (se - les dents) v.	ON :	III.10.3.	: hygiène
brousse n.f.	ON :	III.5.1.	: quartier, région, paysage
bruit n.m.	ON :	II.2.5.1.6.	: audibilité
		III.7.1.	: hôtel, camping
brûler (se) v.	ON :	III.10.4.	: maladies, accidents
brun aj.	ON :	III.1.15.	: quelques caractéristiques physiques
brusquement av.	AP :	I.10.10.8.	: dureté, méchanceté
brusquerie n.f.	AP :	I.9.0.1.	: demander à autrui de faire lui-même (...) (b.13.)
		I.10.10.8.	: dureté, méchanceté
bruyant aj.	ON :	III.4.7.	: quelques qualifiants pour la maison, l'habitation
		III.5.2.	: quelques qualifiants pour le quartier et l'environnement
		III.6.4.	: transports publics
budget n.m.	ON :	III.15.3.	: actualité économique et sociale
buisson n.m.	ON :	III.5.3.	: flore et faune
bulletin n.m.	ON :	III.2.3.	: sanctions et qualifications
bureau n.m.	ON :	III.1.10.	: activité professionnelle
		III.12.2.	: conditions de travail
bureau de tabac n.m.	ON :	III.8.4.	: cigarettes et fumeurs
(bus) autobus n.m.	ON :	III.6.4.	: transports publics

+ BUT	AP :	I.10.7.	
but n.m.	AP :	I.10.7.	: but
ça pron.	AP :	I.11.7.2.	: affectivité, sentiment lié à une réalité désagréable R déception
		II.14.6.	: désapprouver énonciation R, se féliciter d'une action accomplie par soi-même
		II.15.1.	: approuver énoncé R approbation forte
		II.15.2.	: *id.* ; R approbation faible
		II.15.3.	: *id.* ; R admettre, reconnaître, avouer
		II.17.	: désapprouver énoncé
		II.19.	: exprimer son indécision
		II.20.4.	: accepter, promettre de faire soi-même R menacer d'une sanction
		II.20.5.	: *id.* ; R promettre récompense
		II.22.9.	: faire énonciation demandée R répondre en avançant qu'un fait positif est vrai
		II.22.10	: *id.* ; R répondre en avançant qu'un fait positif est faux
		II.22.11	: *id.* R répondre en avançant qu'un fait négatif est vrai
		II.22.12.	: *id.* ; R répondre en avançant qu'un fait négatif est faux
		II.22.18.	: *id.* ; R donner accord sur la vérité d'un fait positif
		II.23.2.	: faire le contraire de l'énonciation demandée R refuser permission
		II.23.6.	: *id.* ; R désapprouver (au lieu d'approuver) action d'autrui
		II.24.1.	: refuser de faire soi-même R suggérer, proposer, conseiller, recommander à autrui de faire lui-même
		II.24.4.	: *id.* ; R demander ; ordonner, interdire, à autrui de faire lui-même
		II.24.6.	: *id.* ; R menacer d'une sanction
		II.24.7.	: *id.* R promettre récompense
		II.25.	: refuser de faire avec autrui
		III.3.	: présenter quelqu'un
		IV.I.19.	: aspect référentiel R résumer
		IV.2.3.	: aspect quantitatif R évoquer ; faire allusion à
	G :	II.2.0.3.	: substitut d'actants définis

ON : II.1. : notions désignant des entités ("démonstratifs")
II.1. : notions désignant des entités ("indéfinis" et quantifiants)

+ *ça alors* intj. AP : I.3.5. : désapprouver, reprocher, protester
+ I.11.5.1. : surprise, étonnement
II.10.1. : prendre acte (d'une énonciation en général)
+ II.17. : désapprouver énoncé R poser un fait comme vrai
+ II.23.6. : faire le contraire de l'énonciation demandée : désapprouver (au lieu d'approuver) action d'autrui

ça y est AP : I.10.3.5.1. : pragmatique ; volition ; intention R décision

ça fait (+ indication de durée) av.

ça va AP : IV.6.6. : aspect formel R poursuivre
ON : II.2.2.3.2. : durée

cabaret n.m. ON : III.13.3. : cinéma, théâtre, opéra, concert

cabine n.f. ON : III.9.2. : téléphone

cabinets n.m. ON : III.4.2. : composition de l'habitation

cacher v. AP : II.15.3. : approuver énoncé ; admettre, reconnaître, avouer
II.22.5. : répondre affirmativement à une question positive R demander si un fait est vrai
II.22.9. : répondre en avouant qu'un fait positif est vrai R *id.*
II.22.11. : répondre en avouant qu'un fait négatif est vrai R *id.*
II.22.18. : donner accord sur la vérité d'un fait positif R demander opinion, accord sur la vérité d'un fait
II.22.19. : donner accord sur la vérité d'un fait négatif R *id.*

cacher (se -) v. AP : I.11.4.3. : honte

cadre n.m. ON : III.1.10. : activité professionnelle

CAFES (restaurants et -)
ON : III.7.3.

café n.m. ON : III.7.2. : nourriture et boissons

cage n.f. AP : I.11.9.3. : affectivité ; bonne et mauvaise humeur R mauvaise humeur agressive

cahier n.m. ON : III.2.1. : école et études

calcul n.m. ON : III.2.2. : matières d'enseignement

calme aj.	ON :	III.1.14.	: caractère, tempérament
		III.4.7.	: quelques quantifiants pour la maison, l'habitation
		III.5.2.	: quelques qualifiants pour le quartier et l'environnement
se calmer v.	AP :	II.20.6.	: accepter, promettre de faire soi-même R prier, supplier autrui de faire lui-même
camarade n.	ON :	III.14.1.	: types de relations
camion n.m.	ON :	III.6.5.	: transport privé
camion de dépannage n.m.			
	ON :	III.9.10.	: réparations automobiles
campagne n.f.	ON :	III.5.1.	: quartier, région, paysage
		III.15.2.	: actualité politique
CAMPING (hôtel, -)	ON :	III.7.1.	
camping (camp de -) n.m.			
	ON :	III.7.1.	: hôtel, camping
camping (terrain de -) n.m.			
	ON :	III.7.1.	: hôtel, camping
CANAL	AP :	Prés. 1	
candidat (être - à) v.			
	ON :	III.2.3.	: sanctions et qualifications
candidat n.m.	ON :	III.15.2.	: actualité politique
cantine n.f.	ON :	III.12.2.	: conditions de travail
		III.2.1.	: écoles et études
+ *capable* aj.	AP :	I.3.5.	: juger l'action accomplie par autrui R désapprouver, reprocher
		I.9.0.1. (a.8.)	: demander à autrui de faire lui-même (...)
		I.9.0.1. (b.8.)	: demander à autrui de faire lui-même R (compétence, capacité)
		+ I.10.4.1.	: compétence
		+ I.10.5.1.	: capacité
+ CAPACITE	AP :	I.10.5.	
		v. I.10.5.2.	: incapacité
capacité (appréciation quant à la -, la compétence)			
	ON :	II.2.5.3.8.	
capitalisable (untés -) n.f.			
	ON :	III.2.3.	: sanctions et qualifications
capitalisme n.m.	ON :	III.15.3.	: actualité économique et sociale
car n.m.	ON :	III.6.4.	: transports publics
car conj.	G :	III.1.5.1.	: explication causale
caravane n.f.	ON :	III.7.1.	: hôtel, camping

cas (au – où) conj. AP : I.1.1.2. : faire l'hypothèse qu'un fait est vrai : éventuel
I.1.1.3. : *id.* irréel

+ *cas (dans ce –)* conj.
AP : + II.20.4. : accepter, promettre de faire soi-même R menacer d'une sanction
+ II.20.5. : *id.* R promettre récompense

cas (en aucun –) av. AP : II.17. : désapprouver énoncé R poser un fait comme vrai

cas (en tout –) av. AP : II.16.1. : critiquer énoncé R poser un fait comme vrai

casse-pieds aj. ON : III.1.14. : tempérament, caractère

casser (se) v. ON : III.10.4. : maladies, accidents

casser (se – la tête) v.
AP : I.3.4. : juger l'action accomplie par autrui R critiquer
I.10.10.4. : pragmatique, dispositions objectives R désinvolture, insouciance

casserole n.f. ON : III.4.4. : vaisselle et appareils ménagers

cassette n.f. ON : III.13.1. : distractions et information

catastrophe n.f. AP : I.11.7.3. : affectivité ; sentiment lié à une réalité désagréable R regret
ON : III.15.1. : généralités

CAUSAL (actance –) G : I.2.5.
(explication –)
G : III.1.5.
(lexique –) G : I.2.5.3.
(participe présent –)
G : I.2.5.4.
(préposition –)
G : I.2.5.2.

causal G : O.I. : domaine de l'actance

CAUSALE (explication –)
ON : II.3.6.6.

CAUSE (– conséquence)
G : III.1.4.
ON : II.3.6.5.

cause (à – de) prép. AP : I.10.11.1. : pragmatique ; responsabilité
G : I.2.5.2. : prépositions causales
III.1.5.1. : explication causale
ON : II.3.6.6. : explication causale

centième aj.	AP :	I.1.6.2.	: donner des informations factuelles, rappeler, répéter
centigrade n.m.	ON :	II.2.3.3.6.	: température
centime n.m.	ON :	III.8.6.	: prix et paiement
centimètre n.m.	ON :	II.2.3.3.2.	: unité de mesure des distances
centre	ON :	III.15.2.	: actualité politique
centre commercial n.m.			
	ON :	III.8.1.	: commerces : généralités
centre d'apprentissage n.m.			
	ON :	III.12.6.	: formation, carrière, avenir
centre-ville n.m.	ON :	III.5.1.	: quartier, région, paysage
+ *cependant* conj.	AP :	+ II.16.1.	: critiquer énoncé R poser un fait comme vrai
	ON :	II.3.6.3.	: opposition, concession
+ CERTAIN (poser un fait comme -)			
	AP :	I.1.2.3.	
certain	AP :	v.0.1.1.1.	: paraître avoir une opinion
+ *certain* aj.	AP :	+ I.1.2.3.	: poser un fait comme certain
		I.1.3.1.2.	: insister sur un fait : emphase intensive sur la proposition assertée
		I.1.7.2.	: donner son opinion sur la vérité d'un fait : conviction
		I.1.7.4.	: donner informations factuelles ; donner son opinion sur la vérité d'un fait R doute
		I.5.2.	: promettre à autrui de faire soi-même
		II.15.1.	: approuver énoncé R approbation forte
		II.16.1.	: critiquer énoncé R poser un fait comme vrai
		II.22.13.	: faire énonciation demandée R répondre en exprimant l'opinion qu'un fait positif est vrai
		II.22.14	: *id.* R répondre en exprimant qu'un fait positif est faux
		II.22.15.	: *id.* R répondre en exprimant l'opinion qu'un fait négatif est vrai
		II.22.16.	: *id.* R répondre en exprimant l'opinion qu'un fait négatif est faux
		II.23.5.	: faire le contraire de l'énonciation demandée R réfuter vérité d'un fait négatif
			v. *sûr et certain*
certain(s) aj. et pron.			
	AP :	IV.1.17.	: aspect référentiel R raconter
	G :	II.2.0.3.	: substituts d'actants indéfinis
		II.2.1.2.1.	: détermination d'actions discontinues
	ON :	II.1.	: notions désignant des entités ("indéfinis" et quantifiants)

		II.2.4.2.1.	: quantification de notions réalisées par des substantifs
+ *certainement* av.	AP :	I.1.2.5.	: donner des informations factuelles ; poser un fait comme (vrai ... faux) R probable
		I.9.0.1. (b.2.)	: demander à autrui de faire lui-même (vrai)
		+ II.20.3.	: accepter, promettre de faire soi-même R demander (en général) à autrui de faire lui-même
		+ II.22.2.	: donner permission R demander permission
certificat n.m.	ON :	III.2.3.	: sanctions et qualifications
certitude n.f.	AP :	v.I.1.7.2.	: donner son opinion sur la vérité d'un fait : conviction
ces aj.	G :	cf. : ce	
+ *c'est* v.	AP :	+ III.3.	: présenter quelqu'un
		+ IV.1.7.	: nommer
		+ IV.1.14.	: classifier
	G :	I.2.1.3.3.	: équatif présentatif
		II.1.3.2.2.	: opposition d'actants
c'est à v.	AP :	I.10.2.2.	: interdiction
c'est ça	ON :	II.2.5.3.5.	: appréciation quant à la correction
c'est que v.	AP :	I.1.3.1.3.	: insister sur un fait : emphase intensive sur un constituant
	ON :	II.3.6.9.	: déduction
+ *c'est-à-dire* av.	AP :	+ II.5.	: demander de préciser
		IV.1.6.	: (s') expliquer
		+ IV.3.3.	: gloser
		+ IV.3.4.	: paraphraser, expliciter
cet aj.	G :	II.2.1.1.1.2.	: substitut de déterminant déictique
ceux pron.	ON :	II.2.1.1.1.2.	: substitut de déterminant déictique
	ON :	II.1.	: notions désignant des entités ("démonstratifs")
chacun pron.	G :	II.2.0.2.	: actant indéfini générique
		II.2.0.3.	: substitut d'actants indéfinis
	ON :	II.1.	: notions désignant des entités ("indéfinis" et quantifiants)
+ CHAGRIN	AP :	I.11.7.8.	
chagrin n.m.	AP :	I.11.7.8.	: chagrin
chaîne n.f.	ON :	III.13.1.	: distractions - information
chaîne (à la -)	ON :	III.12.2.	: conditions de travail
chaise n.f.	ON :	III.4.3.	: meubles, literie
chambre n.f.	ON :	III.4.2.	: composition de l'habitation
		III.7.1.	: hôtel, camping
		III.9.6.	: hôpital

chasse (aller à la -) v.			
	ON :	III.13.1.	: distractions et information
chasser v.	AP :	I.8.7.	: proposer à autrui de faire lui-même R dispenser
	ON :	III.13.1.	: distractions et information
chat n.m.	ON :	III.5.3.	: flore et faune
chaud aj.	ON :	II.2.3.3.6.	: température
		III.5.2.	: quelques qualifiants pour le quartier et l'environnement
		III.7.2.	: nourritures et boissons
chaude (eau -) n.f.	ON :	III.4.5.	: énergie et entretien
chauffage n.m.	ON :	III.4.5.	: énergie et entretien
chausser v.	ON :	III.8.3.	: vêtements mode
chaussettes n.f.	ON :	III.8.3.	: vêtements mode
chaussures n.f.	ON :	III.8.3.	: vêtements mode
chauve aj.	ON :	III.1.15.	: quelques caractéristiques physiques
chef d'orchestre	ON :	III.13.3.	: cinéma, théâtre, opéra, concert
chemise n.f.	ON :	III.8.3.	: vêtements mode
chèque n.m.	ON :	III.7.1.	: hôtel, camping
		III.9.4.	: banque
+ *cher* aj.	AP :	+ I.9.1.3.	: interpeller : correspondance
	ON :	III.4.7.	: quelques qualifiants pour la maison, l'habitation
		III.8.6.	: prix et paiement
chercher à v.	AP :	I.10.8.1.	: abstention
		II.9.	: demander intentions énonciatives
		II.23.7.	: faire le contraire de l'énonciation demandée : approuver (au lieu de désapprouver) action d'autrui
chercher v.	AP :	II.8.	: demander intentions énonciatives
	ON :	III.12.3.	: recherche d'un emploi ; chômage ; licenciement
cheval n.m.	ON :	III.5.3.	: flore et faune
cheveux n.m.	ON :	III.1.15.	: quelques caractéristiques physiques
		III.10.1.	: parties du corps
cheveux (se faire couper les -) v.			
	ON :	III.10.3.	: hygiène
chez prép.	ON :	III.4.1.	: modes et types d'habitation
chic aj.	ON :	III.8.3.	: vêtements mode
chic intj.	AP :	I.2.1.	: réagir aux faits et aux événements R se féliciter
		II.21.	: accepter qu'autrui fasse ; accepter de faire avec autrui

cigare n.m. ON : III.8.4. : cigarettes et fumeurs
CIGARETTES ET FUMEURS
ON : III.8.4.
cigarette n.f. ON : III.8.4. : cigarettes et fumeurs
CINEMA, THEATRE, OPERA, CONCERT
ON : III.13.3.
cinéma n.m. AP : I.10.9.4. : pragmatique ; dispositions subjectives
R modestie
ON : III.13.3. : cinéma, théâtre, opéra, concert
cinéma (aller au -) v.
ON : III.13.3. : cinéma, théâtre, opéra, concert
CIRCONSTANCE (attribution d'une -)
G : I.1.1.1.
I.2.1.4.3.
(qualification des actants)
G : II.2.4.
circonstanciation G : II.1.2.0.
et 1. : détermination spatiale du procès
circulation n.f. ON : III.6.5. : transports publics
citation n.f. AP : IV.1.3. : citer
CITER AP : IV.1.3.
citer v. AP : IV.1.3. : citer
IV.1.7. : nommer
IV.1.17. : aspect référentiel R raconter
citron n.m. ON : III.7.2. : nourriture et boisson
+ *clair* aj. AP : I.1.2.3. : poser un fait comme certain
II.5. : demander de préciser
IV.1.4. : préciser
+ IV.1.6. : (s')expliquer
clair aj. et av. ON : II.2.5.1.9. : couleur
II.2.5.1.5. : visibilité
III.11.2. : sensation, perception
claque n.f. AP : I.11.7.13. : irritation, indignation, exaspération
classe n.f. AP : IV.1.14. : classifier
ON : III.6.4. : transports publics
classe (rentrée des -) n.f.
ON : III.2.1. : école et études
+ CLASSIFIER AP : v.IV.1.12. : analyser
IV.1.14.
clé n.f. ON : III.7.1. : hôtel, camping
clémentine n.f. ON : III.7.2. : nourriture et boisson

Entrée		Référence	Rubrique
CLIMAT, CONDITIONS METEOROLOGIQUES, TEMPS QU'IL FAIT			
	ON :	III.5.4.	
CLIMAT (environnement géographique ; faune et flore ; - et temps)			
	ON :	III.5.	
climat n.m.	ON :	III.5.4.	: climat, conditions météorologiques, temps qu'il fait
club n.m.	ON :	III.13.2.	: sports
		III.14.4.	: associations et sociétés
cm abr.	ON :	II.2.3.3.3.2.	: unités de mesure des distances
cm3 abr.	ON :	II.2.3.3.5.	: mesure des liquides, surfaces, volumes
CODE	AP :	Prés. 1	
coeur n.m.	ON :	III.10.1.	: parties du corps
coiffeur n.m.	ON :	III.10.2.	: hygiène
colère n.f.	AP :	I.11.7.13.	: affectivité ; sentiment lié à une réalité désagréable R irritation, indignation, exaspération
collant aj.	ON :	II.2.5.1.4.	: consistance, résistance
collant n.m.	ON :	III.8.3.	: vêtements mode
collection n.f.	ON :	III.13.1.	: distractions et information
collectionner v.	ON :	III.13.1.	: distractions et information
collège n.m.	ON :	III.2.1.	: école et études
+ *collège* n.	AP :	+ I.8.1.3.	: interpeller : correspondance
colline n.f.	ON :	III.5.1.	: quartier, région, paysage
colorier v.	ON :	II.2.5.1.9.	: couleur
combien av.	ON :	II.2.3.3.1.	: taille
commande n.f.	ON :	III.7.3.	: restaurant et café
commander v.	AP :	I.9.0.1. (a.13.)	: demander à autrui de faire lui-même (...)
	ON :	III.7.3.	: restaurants et cafés
+ *comme* av., conj.	AP :	+ I.1.3.1.3.	: insister sur un fait : emphase intensive sur un constituant
		I.9.0.1. (a.15.)	: demander à autrui de faire lui-même (conséquences matérielles)
		I.9.6.1.	: demander avis sur action accomplie par soi-même
		I.9.6.3.	: demander de désapprouver action accomplie par soi-même
		I.11.7.12.	: affectivité ; sentiment lié à une réalité désagréable R envie, jalousie
		I.11.9.3.	: *id.* ; bonne et mauvaise humeur R mauvaise humeur agressive
		II.1.	: désapprouver l'expression

		II.14.3.	: désapprouver l'énonciation R se plaindre
		II.14.7.	: désapprouver énonciation R s'accuser d'une action accomplie par soi-même
		II.15.3.	: approuver énoncé R admettre, reconnaître, avouer
		II.20.4.	: accepter, promettre de faire soi-même R menacer d'une sanction
		II.20.5.	: *id.* ; R promettre récompense
		II.22.3.	: faire énonciation demandée R donner dispense
		II.22.9.	: R répondre en avouant qu'un fait positif est vrai
		II.22.11.	: *id.* R répondre en avouant qu'un fait négatif est vrai
		II.22.12.	: *id.* R répondre en avouant qu'un fait négatif est faux
		II.24.6.	: refuser de faire soi-même R menacer d'une sanction
		IV.1.3.	: citer
		IV.1.8.	: comparer
		IV.1.13.	: définir
		IV.3.5.	: traduire
	G :	III.1.5.1.	: explication causale
	ON :	II.3.4.1.	: similitude, différence
		II.3.6.6.	: explication causale
comme ça av.	ON :	II.3.3.8.	: manière
COMMENCEMENT	ON :	II.2.2.2.2.	
commencer (à) v.	AP :	IV.6.2.	: marquer le début d'un point
	G :	II.1.1.3.2.	: stades de l'accomplissement
		II.1.2.2.2.	: détermination spatiale du procès
	ON :	II.2.2.2.2.	: commencement
comme si conj.	AP :	I.11.7.3.	: regret
		IV.1.8.	: comparer
comme tout av.	AP :	I.1.3.1.3.	: insister sur un fait ; emphase intensive sur un constituant
+ *comment* av.	AP :	I.3.5.	: désapprouver, reprocher, protester
		I.9.6.1.	: demander avis sur action accomplie par soi-même
		I.10.3.3.4.	: désespoir
		+ I.11.8.1.	: ennui, embarras
		+ II.1.	: désapprouver l'expression
		II.1.15.	: aspect référentiel R décrire
	ON :	II.3.3.8.	: manière
		II.3.6.6.	: explication causale
		III.3.1.	: comprendre

comment (et -) intj. AP : II.23.3. : faire le contraire de l'énonciation demandée ; refuser dispense
commentaire n.m. AP : II.24.10. : refuser de faire soi-même R demander de parler
comment ? AP : I.2.8.2. : affectivité ; sentiment lié aux conséquences d'une réalité désagréable R inquiétude
III.1. : saluer
commerçant n.m. ON : III.8.1. : commerces ; généralités
COMMERCE ET COURSES ON : III.8.
COMMERCES : GENERALITES
ON : III.8.1.
commerce n.m. ON : III.8.1. : commerces : généralités
III.15.3. : actualité économique et sociale
commercial (centre) n.m.
ON : III.8.1. : commerces : généralités
commissariat n.m. ON : III.9.5. : police
commode aj. ON : III.4.7. : quelques qualifiants pour la maison, l'habitation
III.6.4. : transports publics
commun aj. AP : IV.1.8. : comparer
communisme n.m. ON : III.15.2. : actualité politique
III.15.3. : actualité économique et sociale
communiste n.m. ON : III.15.2. : actualité politique
communiste aj. ON : III.15.2. : actualité politique
compagnie aérienne n.-.
ON : III.6.4. : transports publics
comparable aj. AP : IV.1.8. : comparer
comparaison AP : v.IV.2.3. : évoquer, faire allusion à
comparaison n.f. AP : IV.1.8. : comparer
IV.1.13. : définir
"COMPARATIF" G : II.1.3.3.3. : détermination quantifiante du procès
II.2.1.2.3. : détermination quantifiante des actants
COMPARATIVES (relations -)
ON : II.3.4.
+ COMPARER AP : IV.1.8.
v.IV.1.12. : analyser
comparer v. AP : IV.1.8. : comparer
compartiment n.m. ON : III.6.4. : transports publics
compas n.m. ON : III.2.1. : écoles et études
+ COMPETENCE AP : I.10.4.
v.1.10.4.2. : incompétence
COMPETENCE (appréciation quant à la capacité, la -)
ON : II.2.5.3.8.

compétent aj.	AP :	I.10.4.1.	: compétence
"COMPLEMENT" ("- de nom")			
	G :	I.3.3.4.	: syntaxe du groupe nominal (détermination)
		II.2.2.	: qualification des actants
("- d'objet")			
	G :	I.2.2.3. et 4.	: réalisations actancielles du "faire" et du "causer"
("- circonstanciel")			
	G :	cf. "adverbe"	
complémentation	G :	I.3.3.3.	: syntaxe de l'adjectif
compliment n.m.	AP :	I.2.2.	: féliciter
		I.3.1.	: approuver, féliciter
complet aj.	ON :	III.6.4.	: transports publics
complètement av.	AP :	I.3.5.	: juger l'action accomplie par autrui R désapprouver, reprocher
		II.23.6.	: faire le contraire de l'énonciation demandée R désapprouver (au lieu d'approuver) action d'autrui
COMPOSITION DE L'HABITATION			
	ON :	III.4.2.	
composer (un numéro) v.			
	ON :	III.9.2.	: téléphone
composition n.f.	ON :	III.2.4.	: exercices scolaires
composter v.	ON :	III.6.4.	: transports publics
compréhensible aj.	AP :	I.10.3.6.1.	: tolérance
compréhension	AP :	v.IV.1.13.	: définir
COMPRENDRE	ON :	III.3.2.	
comprendre (faire -)	AP :	v.0.2.1.	: faire savoir
+ *comprendre* v.	AP :	I.3.3.	: excuser, pardonner
		I.10.3.6.1.	: tolérance
		I.10.4.2.	: pragmatique R compétence
		II.1.	: désapprouver l'expression
		+ II.4.	: demander de paraphraser, d'expliciter
		II.8.	: demander intentions énonciatives
		II.9.	: interpréter énonciation
		II.20.4.	: accepter, promettre de faire soi-même R menacer d'une sanction
		+ IV.1.6.	: (s')expliquer
	ON :	III.3.1.	: comprendre
		III.3.2.	: connaissance d'une langue ; niveau d'aptitude ; correction
compris	AP :	II.10.1.	: prendre acte R d'une énonciation en général

conclure v. AP : I.1.2.2. : poser un fait comme nécessaire
IV.1.18. : rapporter discours
IV.6.3. : conclure
G : III.1.7. : déduction
ON : II.3.6.9. : déduction
conclusion n.f. AP : IV.6.3. : conclure
concours n.m. ON : III.2.3. : sanctions et qualifications
conçu aj. ON : III.4.7. : quelques qualifiants pour la maison d'habitation
CONDITION G : III.1.6. et 10.
III.2.2.2.
ON : II.3.6.8.
CONDITIONS (climat, - météorologiques, temps qu'il fait)
ON : III.3.4.
CONDITIONS MATERIELLES NECESSAIRES
AP : III.2.1.2.1.
CONDITIONS MATERIELLES POSSIBLES
AP : III.2.1.2.4.
CONDITIONS POSSIBLES ("MODALES")
AP : III.2.1.2.3.
CONDITIONS DE TRAVAIL
ON : III.12.2.
condition n.f. AP : I.9.0.1. : demander à autrui de faire lui-même (...) (a.15.)
II.20.4. : accepter, promettre de faire soi-même R menacer d'une sanction
II.20.5. : *id.* R promettre récompense
condition (à - de, que) conj.
AP : II.16.1. : critiquer énoncé R poser un fait comme vrai
G : III.2.2.2.1. : condition restrective positive
ON : II.3.6.8. : condition
"CONDITIONNEL" ("présent")
G : II.1.1.1.4. : accomplissement hypothétique, époque future
III.1.6.1. : hypothèse éventuelle
("- passé")
G : II.1.1.1.4. : accompli et résultatif catégorique, époque future
III.1.6.2. : hypothèse irréelle
III.1.8. : hypothèse-déduction, liée à l'accomplissement
III.1.9. : condition événementielle, époque passée
conditionnel AP : IV.1.1.1. : faire l'hypothèse qu'un fait est vrai et *passim* (v. *si* conj.)

conditions de vie n.f.
ON : III.15.3. : actualité économique et sociale
+ CONDOLEANCES (présenter ses -)
AP : III.5.
conducteur n.m. ON : III.6.5. : transport privé
conduire v. ON : II.3.2.4. : déplacements avec une personne ou un objet
III.6.5. : transport privé
conduire (permis de -)
ON : III.6.7. : documents de voyage, de séjour, et résidence dans un pays étranger
+ CONFIANCE AP : I.11.2.1.
+ *confiance nf.* AP : I.9.0.1. : demander à autrui de faire lui-même (...)
(b.17.)
+ I.11.2.1. : confiance
+ I.11.2.2. : méfiance
confirmation n.f. AP : I.9.4.4. : demander accord sur la vérité d'un fait
confirmer v. AP : I.9.4.4. : demander accord sur la vérité d'un fait
II.22.18 : donner accord sur la vérité d'un fait positi
R demander opinion, accord sur la vérité d'un fait
II.22.19. : donner accord sur la vérité d'un fait négatif R id.
confiture n.f. ON : III.7.2. : nourritures et boissons
conflit n.m. ON : III.15.3. : actualité économique et sociale
confortable aj. ON : III.4.7. : quelques qualifiants pour la maison, l'habitation
III.6.4. : transports publics
+ CONGE (prendre -) AP : III.2.
congés n.m. ON : III.6.3. : vacances et tourisme
congés payés n.m. ON : III.12.2. : conditions de travail
conjoint n.m. ON : III.1.7. : situation familiale
CONJONCTION G : III.1.1.
ON : II.3.6.1.
"CONJONCTION" (" - de coordination")
G : II.1.3.2. : négation - opposition
III.1.1.et 2. : conjonction - disjonction
III.2.1.et 2. : opposition, concession, restriction, conditi
III.1.4.2. : cause-conséquence
("- de subordination")
G : I.2.5. et 6. : actance causale et finale
I.3.2.1.2. : que-phrase
et 3.

II.1.2.2. : quantification et déroulement en relation avec une autre action
II.1.1.4.4. : situation relative de l'action dans le temps
III.1. à 10. : relations logiques entre propositions
III.2. : logique modale

conjonctions du nécessaire
AP : v.1.1.2.2. : poser un fait comme nécessaire
v.1.1.8.10. : présupposer qu'un fait est vrai

conjoncture n.f. ON : III.15.3. : actualité économique et sociale

CONNAISSANCE D'UNE LANGUE, NIVEAU D'APTITUDE, CORRECTION
ON : III.3.2.

+ *connaissance* n.f. AP : + III.3. : présenter quelqu'un

connaître v. AP : I.1.4. : donner des informations factuelles R annoncer, informer d'un fait
I.9.7.1. : demander à autrui de faire lui-même, demander de réagir par rapport à une action accomplie R par autrui, demander de demander pardon
I.9.7.2. : *id. id.* R par soi-même, demander de remercier
II.24.1. : refuser de faire soi-même R suggérer, proposer, conseiller, recommander à autrui de faire lui-même
II.24.9. : refuser de faire soi-même R interpeller
III.3. : présenter quelqu'un
ON : III.3.2. : connaissance d'une langue, niveau d'aptitude, correction

connaître (quelque chose à)
AP : I.10.4.2. : pragmatique R compétence
II.18.2. : exprimer son ignorance R demander informations factuelles

consacrer v. AP : IV.2.4. : aspect quantitatif R s'étendre sur

conseil n.m. AP : I.8.3. : conseiller à autrui de faire lui-même
I.8.5. : déconseiller à autrui de faire lui-même
II.14.1. : désapprouver énonciation en général
II.24.1. : refuser de faire soi-même R suggérer, proposer, conseiller, recommander à autrui de faire lui-même
II.24.12. : refuser de faire soi-même R demander propositions d'actions pour soi-même

+ CONSEILLER A AUTRUI DE FAIRE LUI-MEME
AP : I.8.3.

+ *content* aj.	AP :	+ I.2.1.	: se féliciter
		+ I.3.1.	: approuver, féliciter
		+ I.4.1.	: se féliciter
		I.4.2.	: s'accuser, avouer
		I.9.0.1. (b.18.)	: demander à autrui de faire lui-même (...)
		+ I.9.0.1. (c.9.)	: *id.*
		+ I.11.6.2.	: contentement
		III.3.	: présenter quelqu'un
+ CONTENTEMENT	AP :	I.11.6.2.	
se contenter v.	AP :	II.14.6.	: désapprouver énonciation R se féliciter d'une action accomplie par soi-même
CONTEXTE SYNTAXIQUE	AP :	Prés. 1	
CONTINGENT (poser un fait comme -)	AP :	I.1.2.7.	
continu (contrôle -) n.m.	ON :	III.12.3.	: sanctions et qualifications
continu	G :	II.2.1.2.1.	: détermination quantifiante des actants
CONTINUATION	ON :	II.2.2.2.3.	
+ *continuer* v.	AP :	+ IV.6.6.	: poursuivre
	G :	II.1.1.3.2.	: stades de l'accomplissement
	ON :	II.2.2.2.3.	: continuation
		III.6.1.	: consignes d'orientation, de déplacements
		III.12.6.	: formation, carrière, avenir
contrat de travail n.m.	ON :	III.6.7.	: documents de voyage, de séjour, et résidence dans un pays étranger
		III.12.3.	: recherche d'un emploi ; chômage ; licenciement
contraindre	AP :	v.0.2.2.	: faire faire
contraindre	AP :	v.IV.1.1.	: mentir
+ CONTRAIRE (faire le - de l'énonciation demandée)	AP :	II.23.	
+ *contraire* n.m.	AP :	I.1.2.3.	: donner des informations factuelles, poser un fait comme (vrai ... faux) R certain
		I.3.5.	: juger l'action accomplie par autrui R désapprouver, reprocher
		II.15.1.	: approuver énoncé R approbation forte
		II.15.3.	: approuver énoncé : admettre, reconnaître, avouer
		+ II.22.9.	: répondre en avouant qu'un fait positif est vrai R demander si un fait est vrai

		II.22.10.	: répondre en avouant qu'un fait négatif est vrai R *id.*
		II.22.11.	: faire énonciation demandé R répondre en avouant qu'un fait positif est faux
		II.22.12.	: *id.* R répondre en avouant qu'un fait négatif est faux
		II.22.13.	: *id.* R répondre en exprimant l'opinion qu'un fait positif est vrai
		II.22.14.	: *id.* R répondre en exprimant qu'un fait positif est faux
		II.22.16.	: *id.* R répondre en exprimant l'opinion qu'un fait négatif est faux
		+ IV.3.3.	: gloser
contraire (au -) av.	AP :	II.14.5.	: désapprouver énonciation R désapprouver action accomplie par autrui
contravention n.f.	ON :	III.6.5.	: transport privé
contre	AP :	I.10.3.2.	: indifférence
		I.10.3.6.1.	: tolérance
		+ I.10.3.6.2.	: intolérance
		I.11.1.11.	: (être contre) : hostilité
	ON :	III.15.2.	: actualité politique
contremaître n.m.	ON :	III.12.2.	: conditions de travail
contrôle n.m.	ON :	III.2.3.	: sanctions et qualifications
convaincre	AP :	v.0.2.2.	: faire faire
convaincre v.	AP :	I.1.3.1.2.	: insister sur un fait : emphase intensive sur la proposition assertée
convaincu aj.	AP :	II.16.1.	: critiquer énoncé R poser un fait comme vrai
		II.22.14.	: faire énonciation demandée R répondre en exprimant qu'un fait positif est faux
+ CONVERSATION (engager -)			
	AP :	v.0.2.2.	: faire faire
		IV.5.1.	
conversation n.f.	AP :	IV.5.1.	: engager conversation
+ CONVICTION	AP :	I.1.7.2.	
conviction n.f.	AP :	I.1.7.4.	: donner son opinion sur la vérité d'un fait : doute
copain n.m.	AP :	I.11.1.5.	: affectivité ; attitude vis-à-vis d'une chose, une personne, un fait R sympathie
	ON :	III.14.1.	: types de relations
copie	ON :	III.2.4.	: exercices scolaires
copieux aj.	ON :	III.7.4.	: quelques qualifiants pour les repas
+ *cordialement* av.	AP :	+ III.2.2.	: prendre congé : correspondance

(sur le - de)	G :	II.1.2.2. (annexe)	: situation dans l'espace
(de chaque - de)	G :	II.1.2.2. (annexe)	: situation dans l'espace
	ON :	II.3.2.1.	: localisation relative dans l'espace
(du - gauche)	G :	II.1.2.2. (annexe)	: situation dans l'espace
(du - de)	G :	II.1.2.2. (annexe)	: situation dans l'espace
	AP :	II.23.6.	: faire le contraire de l'énonciation demandée R désapprouver (au lieu d'approuver) action d'autrui
		IV.2.2.	: aspect quantitatif R escamoter
cotisation n.f.	ON :	III.9.8.	: sécurité sociale
		III.12.4.	: revenus, aides sociales
coton n.m.	ON :	II.2.5.1.10.	: matière
		III.8.3.	: vêtements mode
cou n.m.	ON :	III.10.1.	: parties du corps
couché aj.	ON :	III.11.1.	: positions du corps et mouvements
coucher (se) v.	ON :	III.11.1.	: positions du corps et mouvements
couchette n.f.	ON :	III.6.4.	: transport public
COULEUR	ON :	II.2.5.1.9.	
couleur n.f.	ON :	II.2.5.1.9.	: couleur
couloir n.m.	ON :	III.4.2.	: composition de l'habitation
coup n.m.	AP :	I.1.2.2.	: poser un fait comme nécessaire
		I.8.1.	: proposer à autrui de faire lui-même R suggérer
		I.10.1.7.	: pragmatique ; faisabilité R inutilité
		I.10.4.1.	: compétence
		I.10.8.4.	: échec
		I.10.10.5.	: *id.* dispositions objectives R prudence
		I.10.11.2.	: non-responsabilité
coupable aj.	AP :	I.9.0.1. (a.12.)	: demander à autrui de faire lui-même (...)
		I.9.0.1. (b.12.)	: *id.*
		I.10.9.7.	: culpabilité subjective
		I.10.11.4.	: culpabilité objective
couper v.	AP :	II.22.13.	: faire énonciation demandée R répondre en exprimant l'opinion qu'un fait positif est vrai
	ON :	III.9.2.	: téléphone

couper (se) v.	ON :	III.10.4.	: maladies, accidents
couper (se faire - les cheveux) v.			
	ON :	III.10.3.	: hygiène
cour n.f.	ON :	III.4.2.	: composition de l'habitation
cour (sur la -)	ON :	III.7.1.	: hôtel, camping
+ COURAGE	AP :	I.10.11.7.	
+ *courage* n.m.	AP :	I.9.0.1.	: demander à autrui de faire lui-même (...)
		(a.14.)	
		I.9.0.1.	: *id.*
		(b.14.)	
		+ I.9.0.2.	: inviter, encourager
		I.10.11.6.	: audace, témérité
		+ I.10.11.7.	: courage
		+ I.10.11.8.	: lâcheté
		+ II.14.3.	: désapprouver énonciation R se plaindre
courageaux aj.	AP :	I.9.0.1.	: demander à autrui de faire lui-même (...)
		(b.14.)	
		I.10.11.7.	: courage
	ON :	III.1.14.	: caractère, tempérament
courir v.	ON :	II.2.3.2.	: mouvement
		III.11.1.	: positions du corps et mouvement
		III.13.2.	: sports
courrier n.m.	ON :	III.9.1.	: poste
		III.14.3.	: correspondance
cours n.m.	ON :	III.12.6.	: formation, carrière, avenir
		III.2.1.	: école et études
		III.9.4.	: banque
	AP :	IV.2.4.	: aspect quantitatif R s'étendre sur
cours (suivre un -) v.			
	ON :	III.2.1.	: école et études
course n.f.	ON :	III.13.2.	: sports
COURSES (commerces et -)			
	ON :	III.8.	
courses n.f.	ON :	III.8.1.	: commerces : généralités
courses (faire des -) v.			
	ON :	III.8.1.	: commerces : généralités
courses (jouer aux -) v.			
	ON :	III.13.1.	: distractions et information
court aj.	ON :	II.2.3.3.1.	: taille
cousin n.m.	ON :	III.1.11.	: membres de la famille
couteau n.m.	ON :	III.4.4.	: vaisselle et appareils ménagers

coûter v.	ON :	III.4.6.	: loyer, prix de vente, charges
		III.8.6.	: prix et paiement
couvert (le gîte et le - : hôtel restaurant, etc.)			
	ON :	III.7.	
couverture n.f.	ON :	III.4.3.	: meubles, literie
craie n.f.	ON :	III.2.1.	: école et études
craindre v.	AP :	I.1.7.3.	: donner son opinion sur la vérité d'un fait : opinion
		I.9.0.1.	: demander à autrui de faire lui-même (... (b.7.)
		I.10.3.4.	: crainte
		I.10.11.6.	: audace, témérité
+ CRAINTE	AP :	I.10.3.4.	
crainte n.f.	AP :	II.20.6.	: accepter, promettre de faire soi-même R prier, supplier autrui de faire lui-même
crâne n.m.	AP :	II.8.	: demander intentions énonciatives
crayon n.m.	ON :	III.14.3.	: correspondance
		III.2.1.	: école et études
crédit n.m.	ON :	III.4.6.	: loyer, prix de vente, charges
crédit (à -) av.	ON :	III.8.1.	: commerces, généralités
crétin n.m.	AP :	I.11.7.13.	: affectivité ; sentiment lié à une réalité désagréable R irritation, indignation, exaspération
crevé aj.	ON :	III.10.2.	: besoins et états "physiologiques"
crever v.	AP :	I.10.3.3.1.	: intensité du désir
		I.10.3.4.	: crainte
crier v.	AP :	I.9.2.	: appeler à l'aide
		II.20.4.	: accepter, promettre de faire soi-même R menacer d'une sanction
		IV.7.1.	: aspect vocal R élever la voix
crise n.f.	ON :	III.15.3.	: actualité économique et sociale
critique n.f.	AP :	II.14.5.	: désapprouver énonciation R désapprouver action accomplie par autrui
+ CRITIQUER ACTION ACCOMPLIE PAR AUTRUI			
	AP :	I.3.4.	
+ CRITIQUER ENONCE	AP :	II.16.	
+ CRITIQUER ENONCIATION			
	AP :	II.13.	
+ *critiquer* v.	AP :	I.3.4.	: critiquer action accomplie par autrui
		II.1.	: désapprouver l'expression
		+ II.13.4.	: critiquer énonciation R féliciter autrui

		II.14.5.	: désapprouver énonciation R désapprouver une action accomplie par autrui
		+ II.16.1.	: critiquer énoncé R poser un fait comme vrai
+ *croire* v.	AP :	I.1.4.	: annoncer, informer d'un fait
		+ I.1.6.1.	: donner informations factuelles ; rappeler
		I.1.7.3.	: donner son opinion sur la vérité d'un fait : opinion
		I.1.7.4.	: *id.* ; donner son opinion sur la vérité d'un fait R doute
		I.3.5.	: juger l'action accomplie par autrui R désapprouver, reprocher
		I.9.0.1. (a.7.)	: demander à autrui de faire lui-même R (compétence)
		I.9.0.1. (c.2.)	: demander à autrui de faire lui-même (...)
		I.9.4.3.	: demander opinion sur la vérité d'un fait
		I.9.4.4.	: demander accord sur la vérité d'un fait
		+ I.9.5.	: demander proposition d'action
		I.10.9.3.	: pragmatique, dispositions subjectives R orgueil
		I.11.2.1.	: affectivité ; attitude vis-à-vis de l'avenir R confiance
		I.11.5.1.	: surprise, étonnement
		I.11.7.2.	: déception
		II.7.	: demander conséquences
		II.16.2.	: critiquer énoncé R donner son opinion sur la vérité d'un fait
		+ II.18.1.	: exprimer son ignorance R poser un fait comme vrai
		II.24.5.	: refuser de faire soi-même R inviter, encourager autrui à faire lui-même
		IV.1.18.	: aspect référentiel R rapporter discours
	G :	I.2.1.4.5.	: attribution d'une disposition
	ON :	III.1.12.	: religion
croire (porter à -) v.	AP :	I.1.7.2.	: donner son opinion sur la vérité d'un fait : conviction
croisement n.m.	ON :	III.6.5.	: transport public
croiser v.	ON :	III.6.5.	: transport privé
croissance n.f.	ON :	III.15.3.	: actualité économique et sociale
+ *croyable* aj.	AP :	+ I.11.5.1.	: surprise, étonnement
croyant n.m.	ON :	III.1.12.	: religion

cube n.m.	ON :	III.2.4.	: exercices scolaires
cuiller n.f.	ON :	III.4.4.	: vaisselle et appareils ménagers
cuir n.m.	ON :	II.2.5.1.10.	: matière
cuisine n.f.	ON :	III.4.2.	: composition de l'habitation
cuisine (faire la -) v.			
	ON :	III.4.5.	: énergie et entretien
		III.7.2.	: nourritures et boissons
cuisinière n.f.	ON :	III.4.4.	: vaisselle et appareils ménagers
cuit aj.	ON :	II.5.4.	: quelques qualifiants pour les repas
cuivre n.m.	ON :	II.2.5.1.10.	: matière
culot n.m.	AP :	I.9.0.1. (b.12.)	: demander à autrui de faire lui-même R (dispositions subjectives)
		I.10.9.1.	: pragmatique ; dispositions subjectives R assurance
		I.10.11.6.	: audace, témérité
		II.23.6.	: faire le contraire de l'énonciation demandée : désapprouver (au lieu d'approuver) action d'autrui
culotté aj.	AP :	I.10.9.1.	: pragmatique ; dispositions subjectives R assurance
		I.10.11.6.	: *id.* ; responsabilité R audace, témérité
culpabiliser	AP :	V.0.2.3.	: faire éprouver un sentiment
CULPABILISER	AP :	I.10.9.7.	
		I.10.11.4.	
curieux aj.	AP :	I.11.1.1.	: intérêt
	ON :	III.15.4.	: quelques qualifiants pour les événements d'actualité
cycliste n.m.	ON :	III.6.5.	: transport public
d abr.	ON :	III.1.6.	: sexe
+ *d'abord* av.	AP :	I.10.1.5.	: pragmatique ; faisabilité R indispensabilité
		+ IV.1.17.	: raconter
		IV.6.1.	: annoncer plan, points
		IV.6.2.	: aspect formel R marquer le début d'un point
	ON :	II.3.1.9.	: séquence du récit
+ *d'accord* av.	AP :	I.3.1.	: juger l'action accomplie par autrui R approuver, féliciter
		I.3.4.	: *id.* R. critiquer
		I.3.5.	: désapprouver, reprocher, protester
		I.9.0.1. (a.6.)	: demander à autrui de faire lui-même R (volition)
		I.9.0.1. (a.17.)	: *id.* R (sentiments)

		I.9.4.4.	: demander accord sur la vérité d'un fait
		I.9.6.1.	: *id.* ; demander jugement sur une action accomplie par soi-même R demander avis
		I.9.6.2.	: *id.*, *id.*, R demander d'approuver
		I.10.2.3.	: pragmatique ; devoir R permission
		I.10.3.6.1.	: *id.* ; volition ; volonté R tolérance
		+ II.15.1.	: approuver énoncé : approbation forte
		II.17.	: désapprouver énoncé
		+ II.20.1.	: accepter, promettre de faire soi-même R suggérer, proposer, conseiller, recommander à autrui de faire lui-même
		+ II.20.2.	: *id.* R déconseiller à autrui de faire lui-même
		+ II.20.3.	: *id.* R demander (en général) à autrui de faire lui-même
		+ II.21.	: accepter qu'autrui fasse, de faire avec autrui
		II.22.1.	: faire énonciation demandée R donner la parole
		II.22.2.	: *id.* R donner permission
		+ II.24.4.	: refuser de faire soi-même R demander, ordonner, interdire à autrui de faire lui-même
		III.2.1.	: prendre congé (à l'oral)
d'ailleurs av.	AP :	IV.1.4.	: préciser
		IV.6.5.	: faire une digression
dame(s) n.f.	AP :	IV.1.7.	: aspect référentiel R nommer
	ON :	III.1.6.	: sexe
dangereux aj.	ON :	III.12.7.	: quelques qualifiants à propos du métier
dans prép.	G :	II.1.1.4.2.	: situation déictique de l'action dans le temps
		II.1.2.2. (annexe)	: situation dans l'espace
	ON :	II.2.2.1.	: situation dans le temps
		II.3.1.1.	: référence au futur
		II.3.2.1.	: situation relative dans le temps
	AP :	II.8.	: demander intentions énonciatives
dans quelques instants av.			
	G :	II.1.1.3.1.	: imminence de l'action
	ON :	II.2.2.2.1.	: imminence
danser v.	ON :	III.13.1.	: distractions et information
		III.13.3.	: cinéma, théâtre, opéra, concert
danseur n.m.	ON :	III.13.3.	: cinéma, théâtre, opéra, concert
+ *d'après* prép.	AP :	+ I.1.2.6.	: poser un fait comme possible
		I.9.4.3.	: demander à autrui de faire lui-même ; demander informations factuelles R demander opinion sur la vérité d'un fait

		III.11.5.	: assurances, sécurité
		III.15.1.	: généralités
déclarer v.	AP :	I.1.2.1.	: poser un fait comme vrai
		I.1.3.1.1.	: insister sur un fait : emphase intensive sur l'acte d'asserter
		IV.1.18.	: rapporter discours
	ON :	III.5.6.	: d'un pays dans un autre
		III.15.1.	: généralités
+ DECONSEILLER A AUTRUI DE FAIRE LUI-MEME			
	AP :	I.8.5.	
+ *déconseiller* v.	AP :	+ I.8.5.	: déconseiller à autrui de faire lui-même
découler v.	G :	III.5.1.	: explication causale
	ON :	II.3.6.6.	: explication causale
DECRIRE	AP :	IV.1.15.	
décrire v.	AP :	IV.1.15.	: décrire
décrocher v.	ON :	III.11.3.	: opérations manuelles, physiques
déçu aj.	AP :	I.11.7.2.	: déception
DEDAIN	AP :	I.11.1.13.	
dedans av.	G :	II.1.2.2. (annexe)	: situation dans l'espace
	ON :	II.2.3.1.	: localisation dans l'espace
DEDUCTION	G :	III.1.7.	
	ON :	II.3.6.9.	
déduire v.	AP :	I.1.2.2.	: poser un fait comme nécessaire
	ON :	II.3.6.9.	: déduction
	G :	III.1.7.	: déduction
défaire v.	ON :	III.11.3.	: opérations manuelles, physiques
+ DEFENDRE A AUTRUI DE FAIRE LUI-MEME			
	AP :	v.0.2.2.	: faire faire
		I.9.0.6.	
+ *défendre* v.	AP :	+ I.9.0.1. (a.1.)	: demander à autrui de faire lui-même (...)
		+ I.9.0.6.	: défendre, interdire
		I.10.2.2.	: interdiction
défendre aj.	AP :	II.24.1.	: refuser de faire soi-même R suggérer, proposer, conseiller, recommander à autrui de faire lui-même
défendu aj.	ON :	III.10.5.	: assurances, sécurité
+ *défense* n.f.	AP :	+ I.10.2.2.	: interdiction

+ *déjà* av.	AP :	I.3.3.	: juger l'action accomplie par autrui R excuser
		+ I.1.6.2.	: répéter
		I.10.1.6.	: utilité
		II.23.2.	: faire le contraire de l'énonciation demandée R refuser permission
		II.23.3.	: *id.* R refuser dispense
		II.24.8.	: refuser de faire soi-même R prier, supplier de faire lui-même
		III.3.	: présenter quelqu'un
	ON :	II.3.1.6.	: antériorité
déjeuner n.m.	ON :	III.7.2.	: nourritures et boissons
		III.8.1.	: prix et paiement
déjeuner v.	ON :	III.7.2.	: nourritures et boissons
délégué n.m.	ON :	III.12.5.	: organisations professionnelles, syndicats
délicat aj.	AP :	I.10.1.3.	: difficulté
délirer v.	AP :	II.17.	: désapprouver énoncé
demain av.	G :	II.1.1.4.2.	: situation déictique de l'action dans le temps
	ON :	II.2.2.1.	: situation dans le temps
demain matin/midi/soir av.			
	ON :	II.2.2.1.	: situation dans le temps
demande n.f.	ON :	III.12.3.	: demande d'emploi ; chômage ; licenciement
		III.15.3.	: actualité économique et sociale
+ DEMANDER (en général) A AUTRUI DE FAIRE LUI-MEME			
	AP :	I.9.0.	
+ DEMANDER A AUTRUI DE FAIRE LUI-MEME			
	AP :	v.0.2.2.	: faire faire
		I.9.0.1.	
+ DEMANDER A AUTRUI DE FAIRE SOI-MEME			
	AP :	I.6.	
+ DEMANDER ACCORD SUR LA VERITE D'UN FAIT			
	AP :	I.9.4.4.	
+ DEMANDER D'APPROUVER ACTION ACCOMPLIE PAR SOI-MEME			
	AP :	I.9.6.2.	
+ DEMANDER AVIS SUR ACTION ACCOMPLIE PAR SOI-MEME			
	AP :	I.9.6.1.	
+ DEMANDER CONSEQUENCES			
	AP :	II.7.	
DEMANDER DE DEMANDER PARDON			
	AP :	I.9.7.1.	
+ DEMANDER DE DESAPPROUVER ACTION ACCOMPLIE PAR SOI-MEME			
	AP :	I.9.6.3.	
+ DEMANDER DISPENSE	AP :	I.6.3.	

+ *demander* v.	AP :	I.5.1.	: proposer à autrui de faire soi-même
		I.6.1.	: demander la parole
		I.6.2.	: demander permission
		I.6.3.	: demander dispense
		+ I.9.0.1. (a.1.)	: demander à autrui de faire lui-même (...)
		I.9.0.1. (a.4. à + 18.)	: *id.*
		I.9.4.1.	: demander si un fait est vrai
		I.9.4.2.	: demander information sur un fait
		I.9.4.3.	: demander accord sur la vérité d'un fait
		I.9.6.1.	: demander avis sur action accomplie par soi-même
		I.9.6.2.	: demander d'approuver action accomplie par soi-même
		I.9.6.3.	: demander de désapprouver action accomplie par soi-même
		I.9.7.1.	: demander de demander pardon
		I.9.7.2.	: demander de remercier
		+ I.9.7.3.	: demander de pardonner
		+ I.9.8.	: demander de (ne pas) transmettre
		+ I.10.2.1.	: obligation
		+ I.10.2.2.	: interdiction
		I.11.6.1.	: satisfaction
		II.2.	: demander de se taire
		II.3.	: demander de répéter
		II.5.	: demander de préciser
		II.7.	: demander conséquences
		II.8.	: demander intentions énonciatives
		II.9.	: interpréter énonciation
		II.26	: refuser qu'autrui fasse R proposer à autrui de faire soi-même
		IV.2.4.	: aspect quantitatif R s'étendre sur
	ON :	III.15.2.	: actualité politique
+ *demander (se)* v.	AP :	I.1.7.5.	: donner son opinion sur la vérité d'un fait : ignorance
		I.3.5.	: désapprouver, reprocher, protester
		I.9.0.1. (b.3.)	: demander à autrui de faire lui-même (...)
		I.9.4.1.	: *id.* ; demander informations factuelles R demander si un fait est vrai
		+ I.9.5.	: demander proposition d'action
		I.10.3.1.	: pragmatique, volition R indécision

II.18.2. : exprimer son ignorance R demander informations factuelles
II.19. : exprimer son indécision
démarrer v. ON : III.6.5. : transport privé
démener (se) v. AP : I.10.10.3. : pragmatique ; dispositions objectives R application
démentir v. AP : II.23.4. : réfuter vérité d'un fait positif R demander accord sur la vérité d'un fait
demie aj. ON : II.2.2.1. : situation dans le temps
demi-livre n.f. ON : II.2.3.3.4. : poids
demi-pension n.f. ON : III.7.1. : hôtel, camping
démocrate n.m. ON : III.15.5. : actualité politique
démocratie n.m. ON : II.13.2. : actualité politique
démocratique aj. ON : III.15.2. : actualité politique
demoiselle n.f. AP : IV.1.7. : aspect référentiel R nommer
démontrer v. AP : IV.1.10. : prouver, démontrer
dénégation AP : v.IV.2.3. : évoquer, faire allusion à
dent n.f. ON : III.10.1. : parties du corps
dentifrice n.m. ON : III.10.3. : hygiène
dentiste n.m. ON : III.10.6. : services médicaux et de santé
dents (se brosser les -) v.
ON : III.10.3. : hygiène
dépannage n.m. ON : III.9.10. : réparations automobiles
dépannage (camion de -) n.m.
ON : III.9.10. : réparations automobiles
départ n.m. ON : III.6.4. : transports publics
département n.m. ON : III.1.2. : adresse
dépasser v. ON : III.6.5. : transport privé
dépêcher (se) ON : III.6.4. : transports publics
défendre AP : II.19. : exprimer son indécision
DEPIT AP : I.11.7.4.
dépit (en - de) prép. G : III.2.1.3. : concession
DEPLACEMENT AVEC UNE PERSONNE OU UN OBJET
ON : II.3.2.4.
DEPLACEMENTS LIES AU TRAVAIL, AUX ETUDES, ETC.
ON : III.6.2.
DEPLACEMENTS ORIENTES DANS L'ESPACE
ON : II.3.2.3.
DEPLACEMENTS (voyages et -)
ON : III.6.
DEPLACEMENTS (consignes d'orientation, de -, indications d'itinéraires)
ON : III.6.1.

derrière prép.	G :	II.1.2.2.	: situation dans l'espace (annexe)
	ON :	II.3.2.1.	: localisation relative dans l'espace
	AP :	II.8.	: demander intentions énonciatives
des at.	G :	II.2.1.1.12.	: détermination spécifique des actants
dès prép.	ON :	II.3.1.8.	: postériorité
dès que conj.	G :	II.1.1.4.4.	: postériorité de l'action
	ON :	II.3.1.8.	: postériorité
DESAGREABLE (sentiment lié aux conséquences d'une réalité -)			
	AP :	I.11.8.	
DESAGREABLE (sentiment lié à une réalité -)			
	AP :	I.11.7.	
désagréable aj.	AP :	I.11.7.5.	: déplaisir
+ DESAPPROUVER ACTION ACCOMPLIE PAR AUTRUI			
	AP :	I.3.5.	
+ DESAPPROUVER (AU LIEU D'APPROUVER) ACTION D'AUTRUI			
	AP :	II.23.6.	
+ DESAPPROUVER ENONCE			
	AP :	II.17.	
+ DESAPPROUVER ENONCIATION			
	AP :	II.14.	
+ DESAPPROUVER L'EXPRESSION			
	AP :	II.1.	
+ DESAPPROUVER (demander de -)			
	AP :	I.9.6.3.	
désapprouver v.	AP :	I.9.6.3.	: demander de désapprouver
		II.23.6.	: faire le contraire de l'énonciation demandée : désapprouver (au lieu d'approuver) action d'autrui
descendre v.	ON :	II.2.3.2.	: mouvement
		II.3.2.3.	: déplacements orientés dans l'espace
		III.6.4.	: transports publics
DESCRIPTIF (énoncé -)			
	G :	I.1.2.2.	
description n.f.	AP :	IV.1.15.	: décrire
désert n.m.	ON :	III.5.1.	: quartier, région, paysage
+ *désespéré* aj.	AP :	+ I.11.7.11.	: désespoir
+ DESESPOIR	AP :	I.10.3.3.4.	
		I.11.7.11.	
déshabiller (se) v.	ON :	III.8.3.	: vêtements-mode
DESHONNEUR	AP :	I.11.4.4.	
désintéressé aj.	AP :	I.10.9.4.	: modestie

+ *désintéressement* n.m.			
	AP :	+ I.10.10.9.	: altruisme
+ DESINVOLTURE	AP :	I.10.10.4.	
+ DESIR	AP :	v.0.1.1.4.	: paraître avoir une disposition face à l'action
		I.10.3.3.	
DESIRABILITE (appréciation quant à la -)			
	ON :	II.2.5.3.4.	
désirer	AP :	0.3.2.2.	: implicite de l'énonciation
+ *désirer* v.	AP :	I.3.4.	: critiquer
		I.10.3.3.1.	: intensité du désir
		I.11.6.1.	: satisfaction
		+ I.11.6.2.	: contentement
		I.11.7.1.	: insatisfaction
désobéir v.	AP :	I.10.10.12.	: désobéissance
DESOBEISSANCE	AP :	I.10.10.12.	
+ *désolé* aj.	AP :	+ I.4.3.	: s'excuser
		II.15.3.	: approuver : admettre, reconnaître, avouer
		II.23.2.	: refuser permission R demander permission
		+ II.24.4.	: refuser de faire soi-même R demander, ordonner, interdire à autrui de faire lui-même
		+ II.25.	: refuser de faire avec autrui R proposer à autrui de faire ensemble
		III.5.	: présenter sa sympathie, ses condoléances
dessert n.m.	ON :	III.7.2.	: nourritures et boissons
dessin n.m.	ON :	III.2.2.	: matières d'enseignement
dessous av.	G :	II.1.2.2. (annexe)	: situation dans l'espace
	ON :	II.3.2.1.	: localisation relative dans l'espace
dessous (au - de) prép.			
	G :	II.1.2.2. (annexe)	: situation dans l'espace
	ON :	II.3.2.1.	: localisation relative dans l'espace
		III.5.4.	: climat, condition météorologique, temps qu'il fait
dessus av.	G :	II.1.2.2. (annexe)	: situation dans l'espace
	ON :	II.3.2.1.	: localisation relative dans l'espace

(au - de) prép.			
	G :	II.1.2.2. (annexe)	: situation dans l'espace
	ON :	II.3.2.1.	: localisation relative dans l'espace
		III.5.4.	: climat, conditions météorologiques, temps qu'il fait
destinataire n.m.	ON :	III.9.3.	: télégraphe
destination (à - de) n.f.			
	ON :	III.6.4.	: transports publics
détacher v.	ON :	III.11.3.	: opérations manuelles, physiques
déterminants	AP :	v.I.1.8.8.	: présupposer qu'un fait est vrai
	G :	I.3.2.2. et 3.	: transformation nominale et syntaxe de l'adjectif
DETERMINATION	G :	0.II.	
DETERMINATION SPATIALE			
	ON :	II.3.3.6.	
DETERMINATION TEMPORELLE			
	ON :	II.3.3.7.	
déterminé	G :	II.1.2.2. (annexe)	: situation dans l'espace
+ *détester* v.	AP :	I.7.5.	: juger l'action accomplie par autrui R désapprouver, reprocher
		+ I.11.1.12.	: haine
	ON :	III.1.13.	: goûts
deuxième (classe) n.f.			
	ON :	III.6.4.	: transports publics
deuxièmement av.	AP :	IV.1.16.	: énumérer
		IV.6.1.	: annoncer plan points
deuxièmement (premièrement /-/ etc.) av.			
	AP :	IV.6.4.	: aspect formel R faire une transition
	ON :	II.2.4.1.	: nombre
dévaluation n.f.	ON :	III.15.3.	: actualité économique et sociale
devant prép.	G :	II.1.2.2. (annexe)	: situation dans l'espace
	ON :	II.3.2.1.	: localisation relative dans l'espace
développement n.m.	ON :	III.15.3.	: actualité économique et sociale
devenir v.	ON :	II.2.4.	: stabilité et changement
DEVINER	AP :	IV.1.2.	
deviner v.	AP :	I.1.4.	: annoncer, informer d'un fait
		II.18.2.	: exprimer son ignorance R demander informations factuelles

		II.22.5.	: répondre affirmativement à une question positive R demander si un fait est vrai
		II.22.17.	: faire énonciation demandée R répondre en donnant des informations sur un fait
		II.24.11.	: refuser de faire soi-même R demander informations factuelles
		IV.1.2.	: deviner
+ DEVOIR	AP :	I.10.2.	
devoir n.m.	AP :	I.10.2.1.	: obligation
	ON :	III.2.4.	: exercices scolaires
+ *devoir* v.	AP :	+ I.1.2.5.	: poser un fait comme probable
		+ I.3.4.	: critiquer
		I.3.5.	: désapprouver, reprocher, protester
		+ I.4.2.	: s'accuser, avouer
		I.6.3.	: demander dispense
		+ I.8.3.	: conseiller
		I.8.4.	: proposer à autrui de faire lui-même R recommander
		I.8.5.	: déconseiller
		I.9.0.1. (a.5.)	: demander à autrui de faire lui-même (...)
		+ I.9.0.1. (b.6.)	: *id.*
		I.9.0.1. (c.4.)	: *id.*
		+ I.9.5.	: demander proposition d'action
		I.9.6.1.	: demander à autrui de faire lui-même ; demander jugement sur une action accomplie par soi-même R demander avis
		+ I.9.6.3.	: demander de désapprouver action accomplie par soi-même
		+ I.10.1.5.	: indispensabilité
		+ I.10.2.1.	: obligation
		+ I.10.2.2.	: interdiction
		+ I.10.9.7.	: culpabilité subjective
		I.11.4.3.	: affectivité ; sentiment lié à la responsabilité R honte
		I.11.7.3.	: *id.* ; sentiment lié à une réalité désagréable R regret
		II.11.8.2.	: *id.* ; sentiment lié aux conséquences d'une réalité désagréable R inquiétude

		II.14.7.	: désapprouver énonciation R s'accuser d'une action accomplie par soi-même
		II.15.3.	: approuver énoncé : admettre, reconnaître, avouer
		II.24.1.	: refuser de faire soi-même R suggérer, proposer, conseiller, recommander à autrui de faire lui-même
		+ II.24.9.	: refuser de faire soi-même R interpeller
		II.24.11.	: *id.* ; R demander informations factuelles
		+ IV.4.2.	: se corriger
	G :	I.2.1.4.5.	: attribution d'une "imposition"
devoir (quelque chose) v.			
	AP :	I.11.3.	: attitude vis-à-vis de ce qu'autrui a fait
		II.11.	: remercier
		II.24.14.	: refuser de faire soi-même R demander de remercier
devoir (se - de)	AP :	I.10.2.1.	: obligation
+ DICTER	AP :	IV.3.1.	
dicter v.	AP :	IV.3.1.	: dicter
diction	AP :	v.IV.1.18.	: rapporter discours
dictionnaire n.m.	ON :	III.3.1.	: comprendre
DIFFERENCE (similitude, -)			
	ON :	II.3.4.1.	
différence n.f.	ON :	II.3.4.1.	: similitude, différence
différent aj.	AP :	v.IV.1.1.	: mentir
	ON :	II.3.4.1.	: similitude, différence
+ *difficile* aj.	AP :	I.9.0.1. (c.3.)	: demander à autrui de faire lui-même R (faisabilité)
		I.10.1.2.	: facilité
		+ I.10.1.3.	: difficulté
		I.10.1.6.	: utilité
		I.10.8.4.	: pragmatique ; échec, réussite R échec
		II.14.6.	: désapprouver énonciation R se féliciter d'une action accomplie par soi-même
		II.24.1.	: refuser de faire soi-même R suggérer, proposer, conseiller, recommander à autrui de faire lui-même
		+ II.24.4.	: *id.* R demander, ordonner, interdire à autrui de faire lui-même
	ON :	III.12.7.	: quelques qualifiants à propos du métier
		III.3.2.	: connaissance d'une langue ; niveau d'aptitude ; correction

	I.9.0.1.	: demander à autrui de faire lui-même (...)
	I.9.0.1. (a.1.)	: *id.*
	I.9.0.1. (b.16.)	: *id.*
+	I.9.3.	: demander de parler
.	I.9.4.1.	: demander si un fait est vrai
+	I.9.5.	: demander proposition d'action
	I.9.6.3.	: demander à autrui de faire lui-même ; demander jugement sur une action accomplie par soi-même R demander de désapprouver
	I.9.7.1.	: demander de demander pardon
+	I.9.7.2.	: demander de remercier
+	I.9.8.	: demander de (ne pas) transmettre
	I.10.2.1.	: obligation
	I.10.2.2.	: interdiction
+	I.10.10.11.	: obéissance
	I.11.2.2.	: affectivité ; attitude vis-à-vis de l'avenir R méfiance
	I.11.5.1.	: surprise, étonnement
	I.11.8.1.	: affectivité ; sentiment lié aux conséquences d'une réalité désagréable R ennui, embarras
	II.1.	: désapprouver expression
+	II.3.	: demander de répéter
	II.4.	: demander de paraphraser, d'expliciter
	II.6.	: demander raison
	II.9.	: interpréter énonciation
	II.13.2.	: critiquer énonciation R signaler, avertir
	II.13.3.	: critiquer énonciation R présupposer qu'un fait est vrai
	II.13.4.	: *id.* R féliciter autrui
	II.14.1.	: désapprouver énonciation R en général
	II.14.6.	: désapprouver énonciation R se féliciter d'une action accomplie par soi-même
	II.15.1.	: approuver énoncé : approbation forte
	II.15.2.	: *id.* approbation faible
	II.15.3.	: *id.* admettre, reconnaître, avouer
	II.16.1.	: critiquer énoncé R poser un fait comme vrai
+	II.18.3.	: exprimer son ignorance R demander proposition
	II.18.4.	: *id.* R demander jugement sur une action accomplie par soi-même
	II.20.4.	: accepter, promettre de faire soi-même R menacer d'une sanction

		II.22.1.	: donner la parole R demander la parole
		II.23.2.	: faire le contraire de l'énonciation demandée R demander permission
		II.23.7.	: faire le contraire de l'énonciation demandée : approuver (au lieu de désapprouver) action d'autrui
		II.24.1.	: refuser de faire soi-même R suggérer, proposer, conseiller, recommander à autrui de faire lui-même
		II.24.8.	: *id.*, R prier, supplier de faire lui-même
		+ II.24.10.	: refuser de faire soi-même R demander de parler
		+ II.24.11.	: *id.* R demander informations factuelles
		II.25.	: refuser de faire avec autrui R proposer à autrui de faire ensemble
		III.1.	: saluer
		+ III.2.1.	: prendre congé : à l'oral
		IV.1.2.	: aspect référentiel R deviner
		IV.1.3.	: citer
		IV.1.4.	: préciser
		IV.1.18.	: rapporter discours
		IV.1.19.	: résumer
		IV.1.20.	: faire des jurons
		IV.2.1.	: effleurer
		IV.2.2.	: escamoter
		IV.3.3.	: gloser
		IV.3.4.	: paraphraser, expliciter
		IV.3.5.	: traduire
		+ IV.4.2.	: se corriger
		+ IV.4.3.	: corriger autrui
		+ IV.5.2.	: prendre la parole
		IV.6.2.	: marquer le début d'un point
		IV.6.3.	: conclure
		+ IV.6.4.	: faire une transition
		+ IV.6.6.	: poursuivre
		IV.7.3.	: chuchoter
		v. *aller sans dire ; dit (ceci, cela -) ; on dirait ; vouloir dire, dis, dites*	
dire v.	ON :	III.3.1.	: comprendre
direction n.f.	ON :	III.2.1.	: consignes d'orientation, de déplacement ; indications d'itinéraires
directrice n.f.	ON :	III.2.1.	: école et études

diriger (se - vers) v.
ON : III.5.2.3. : déplacements orientés dans l'espace
+ *dis, dites* intj. AP : I.9.0.1. : demander à autrui de faire lui-même (...) (a.2.)
+ I.9.0.7. : prier, supplier autrui de faire lui-même
+ I.9.1.1. : interpeller : un champ libre
+ *dis, dites donc* intj.
AP : I.1.6.1. : rappeler
I.3.5. : désapprouver, reprocher, protester
+ IV.5.1. : engager conversation
discontinu G : II.2.1.2.1. : détermination quantifiante des actants
+ DISCOURS (rapporter -)
AP : IV.1.18.
+ DISCOURS RAPPORTE
AP : v.I.1. à 9. : actes d'ordres (1)
v.II. : actes d'ordre (2)
v.III. : actes sociaux
v.IV. : opérations discursives
IV.1.18.
discret aj. AP : I.10.9.4. : modestie
discuter v. ON : III.14.2. : invitation, rendez-vous
III.15.2. : actualité politique
DISJONCTION G : III.1.2.
ON : II.3.6.2.
+ DISPENSE (demander -)
AP : I.6.3.
+ DISPENSE (donner -)
AP : II.22.3.
+ DISPENSE (refuser -)
AP : II.23.3.
+ DISPENSER AUTRUI DE FAIRE LUI-MEME
AP : I.8.7.
dispenser v. AP : II.22.3. : donner dispense R demander dispense
II.23.3. : refuser dispense R demander dispense
DISPONIBILITE / NON-DISPONIBILITE
ON : II.2.1.3.
DISPOSITION (attribution d'une -)
G : I.2.1.4.5.
DISPOSITIONS FACE A L'ACTION
AP : 0.1.1.4.
+ DISPOSITIONS OBJECTIVES
AP : I.10.10.

+ DISPOSITIONS SUBJECTIVES
AP : I.10.9.
disputer (se) v. ON : III.14.1. : types de relations
disque n.m. ON : II.11.1. : distractions et information
DISTANCE ON : II.3.2.2.
DISTANCES (unités de mesure des -)
ON : II.2.3.3.2.
distance G : II.1.2.2. : quantification de l'espace
DISTRACTIONS ET INFORMATION (annexe)
ON : III.13.1.
DISTRACTIONS (loisirs, - sports, information)
ON : III.13.
distraire (se) v. ON : III.13.1. : distractions et information
distribution n.f. ON : III.9.1. : poste
+ *dit (ceci, cela -)* av.
AP : + IV.6.4. : faire une transition
DIVERTISSEMENTS (quelques qualifiants pour les spectacles et -)
ON : III.13.6.
divorce n.m. ON : III.14.1. : types de relations
divorcé aj. ON : III.1.7. : situation familiale
divorcer v. ON : III.14.1. : types de relations
+ *docteur* n.m. AP : + I.9.1.3. : interpeller : correspondance
ON : III.10.6. : services médicaux et de santé
DOCUMENTS DE VOYAGE, DE SEJOUR, ET RESIDENCE DANS UN PAYS ETRANGER
ON : III.6.7.
doigt n.m. AP : I.10.10.1. : pragmatique ; dispositions objectives R aisance
domaine (- logique) G : 0.III.
domicile n.m. ON : III.1.2. : adresse
dommage av. AP : I.11.7.3. : regret
+ *donc* av. AP : + I.7.2. : inviter autrui à faire ensemble
+ I.8.4. : recommander à autrui de faire lui-même
I.9.0.2. : inviter, encourager
+ I.9.1.1. : interpeller ; en champ libre
+ *donc* conj. AP : I.1.2.2. : poser un fait comme nécessaire
IV.6.3. : conclure
IV.6.6. : poursuivre
G : III.1.7. : déduction
ON : II.3.6.9. : déduction
donné (étant -) prép. ON : II.3.6.6. : explication causale
donné (étant - que) conj.
ON : II.3.6.6. : explication causale

+ DONNER DES INFORMATIONS FACTUELLES
AP : I.1.
+ DONNER SON OPINION SUR LA VERITE D'UN FAIT
AP : I.1.7.
+ DONNER ACCORD SUR LA VERITE D'UN FAIT NEGATIF
AP : II.22.19.
+ DONNER ACCORD SUR LA VERITE D'UN FAIT POSITIF
AP : II.22.18
+ DONNER DISPENSE AP : II.22.3.
+ DONNER PERMISSION AP : II.22.2.
+ DONNER LA PAROLE AP : II.22.1.
donner v. AP : I.1.2.2. : poser un fait comme nécessaire
I.9.5.1. : demander à autrui de faire lui-même, demander propositions d'action R pour soi-même
I.9.6.1. : demander avis action accomplie par soi-même
II.7. : demander conséquences
II.24.1. : refuser de faire soi-même R suggérer à autrui de faire lui-même
IV.6.3. : aspect formel R conclure
ON : III.7.3. : restaurants et cafés
III.9.9. : station-service automobile
III.13.1. : distractions et information
dont pron. ON : II.1. : notions désignant des entités ("relatifs")
dos n.m. ON : III.10.1. : parties du corps
dossier n.m. ON : III.9.8. : sécurité sociale
douane n.f. ON : III.6.6. : d'un pays dans un autre
double (le) ON : II.1. : notions désignant des entités ("indéfinis" et quantifiants)
double décimètre n.m. ON : III.2.1. : écoles et études
doubler v. ON : III.6.5. : transport privé
doucement v. AP : I.9.0.1. : demander à autrui de faire lui-même (...) (b.13.)
I.10.10.7. : douceur, gentillesse
+ DOUCEUR AP : I.10.10.7.
+ *douceur* n.f. AP : + I.10.10.7. : douceur, gentillesse
douche n.f. ON : III.4.5. : énergie et entretien
III.7.1. : hôtel, camping
douche (prendre une -) v.
ON : III.10.3. : hygiène
doué aj. AP : I.10.4.1. : pragmatique R compétence

+ DOUTE	AP :	+ I.1.7.4.	
doute n.m.	AP :	I.1.7.2.	: donner son opinion sur la vérité d'un fait : conviction
doute (hors de -) av.			
	AP :	I.1.2.3.	: poser un fait comme certain
+ *doute (sans -)* av.	AP :	+ I.1.2.5.	: poser un fait comme probable
		+ II.15.2.	: approuver énoncé : approbation faible
doute (sans aucun -) av.			
	AP :	I.1.2.3.	: poser un fait comme certain
		II.15.1.	: approuver énoncé : approbation forte
douter	AP :	v.0.1.1.1.	: paraître avoir une opinion
douter v.	AP :	I.1.7.4.	: donner son opinion sur la vérité d'un fait : doute
		I.5.2.	: promettre à autrui de faire soi-même
		II.16.1.	: critiquer énoncé R poser un fait comme vrai
		II.16.2.	: *id.* R donner son opinion sur la vérité d'un fait
		II.22.13.	: répondre en exprimant l'opinion qu'un fait positif est vrai R demander si un fait est vrai
		II.22.14.	: répondre en exprimant l'opinion qu'un fait négatif est vrai R *id.*
		II.22.15.	: répondre en exprimant l'opinion qu'un fait négatif est vrai R id.
		II.22.16.	: répondre en exprimant l'opinion qu'un fait négatif est faux R *id.*
douter (se) v.	AP :	II.18.1.	: exprimer son ignorance R poser un fait comme vrai
		IV.1.18.	: rapporter discours
doux aj.	ON :	II.2.5.1.4.	: consistance, résistance
		III.5.4.	: climat, conditions météorologiques, temps qu'il fait
douzaine n.f.	ON :	II.2.4.1.	: nombre
drame n.m.	AP :	I.3.3.	: excuser, pardonner
dramatique aj.	ON :	III.15.4.	: quelques qualifiants pour les événements d'actualité
drap n.m.	ON :	III.4.3.	: meubles, literie
droit	AP :	v.0.3.2.2.	: implicite de l'énonciation
droit n.m.	AP :	I.9.0.1. (a.5.)	: demander à autrui de faire lui-même R devoir
		I.9.7.2.	: *id.* ; demander de réagir par rapport à une action accomplie R par soi-même demander de remercier

		I.10.2.2.	: interdiction
		I.10.2.3.	: permission
		II.14.1.	: désapprouver énonciation en général
		II.24.12.	: refuser de faire soi-même R demander propositions d'actions pour soi-même
droite n.f.	ON :	III.15.2.	: activité politique
droit (tout -) av.	G :	II.1.2.2. (annexe)	: situation dans l'espace
droite (à -) av.	ON :	II.2.3.2.	: mouvement
		III.6.1.	: consignes d'orientation de déplacements indications d'itinéraires
		III.15.2.	: actualité politique
droite (à - de) prép.	G :	II.1.2.2. (annexe)	: situation dans l'espace
	ON :	II.3.2.1.	: localisation relative dans l'espace
droite (de -) av.	ON :	III.15.2.	: actualité politique
drôle aj.	AP :	I.2.3.	: réagir aux faits et aux événements R se plaindre
	ON :	III.1.14.	: caractère, tempérament
		III.13.6.	: quelques qualifiants pour les spectacles et divertissements
		III.15.4.	: quelques qualifiants pour les événements d'actualité
drôle (de + nom*)* aj.	ON :	II.2.5.3.10.	: appréciation quant à la normalité
drôlement av.	AP :	I.1.3.1.3.	: insister sur un fait : emphase intensive sur un constituant
		I.10.9.1.	: pragmatique ; dispositions subjectives R assurance
		I.11.1.3.	: affectivité ; attitude vis-à-vis d'une chose, une personne, un fait R admiration
dromadaire n.m.	ON :	III.5.3.	: flore et faune
D'UN PAYS DANS UN AUTRE			
	ON :	III.6.6.	
dur aj.	AP :	I.10.1.2.	: facilité
	ON :	II.2.5.1.4.	: consistance, résistance
		III.7.4.	: quelques qualifiants pour les repas
DUREE	ON :	II.2.2.3.2.	
DUREE (quantification du temps - et fréquence)			
	ON :	II.2.2.3.	
durement av.	AP :	I.10.10.8.	: dureté, méchanceté
durer v.	ON :	II.2.2.3.2.	: durée
		III.6.4.	: transports publics
+ DURETE	AP :	I.10.10.8.	
+ *dureté* n.f.	AP :	+ I.10.10.8.	: dureté, méchanceté

eau n.f.	ON :	III.7.2.	: nourritures et boissons
eau chaude n.f.	ON :	III.4.5.	: énergie et entretien
eau froide n.f.	ON :	III.4.5.	: énergie et entretien
eau minérale n.f.	ON :	III.7.2.	: nourritures et boissons
eau (point d'-)	ON :	III.7.1.	: hôtel, camping
échange n.m.	ON :	III.8.1.	: commerces : généralités
échanger v.	ON :	III.8.1.	: commerces : généralités
		III.13.1.	: distractions et information
+ ECHEC	AP :	I.10.8.	
ECHEC DE L'INTENTION ENONCIATIVE			
	AP :	0.4.	
ECHEC/REUSSITE	AP :	I.9.0.1. (a.11.) et I.9.0.1. (b.11.)	
+ *échouer* v.	AP :	+ I.10.8.4.	: échec
		II.2.5.3.6.	: appréciation quant à la réussite
		III.2.3.	: sanctions et qualifications
écoeurant aj.	AP :	I.11.7.10.	: dégoût
écoeuré aj.	AP :	I.11.1.13.	: dédain
ECOLE ET ETUDES	ON :	III.2.1.	
école n.f.	ON :	III.2.1.	: écoles et études
école (aller à -) v.	ON :	III.2.1.	: écoles et études
école élémentaire n.f.			
	ON :	III.2.1.	: écoles et études
école maternelle n.f.			
	ON :	III.2.1.	: écoles et études
écologiste n.m.	ON :	III.15.2.	: actualité politique
économie n.f.	ON :	III.15.3.	: actualité économique et sociale
		III.2.2.	: matières d'enseignement
économique aj.	ON :	III.15.3.	: actualité économique et sociale
ECONOMIQUE (activité - et sociale)			
	ON :	III.15.3.	
ECONOMIQUE (actualité ; vie politique, - sociale)			
	ON :	III.15.	
+ *écouter* v.	AP :	I.9.4.	: demander à autrui de faire lui-même R demander informations factuelles
		I.10.10.11.	: pragmatique ; dispositions objectives R obéissance
		+ II.22.1.	: donner la parole R demander la parole
		+ II.22.4.	: répondre à interpellation R interpeller au téléphone

égoïste aj.	AP :	I.9.0.1. (b.13.)	: demander à autrui de faire lui-même (...)
		I.10.10.10.	: pragmatique ; dispositions objectives R égoïsme
eh intj.	AP :	v. *bien (eh -)*	
eh bien intj.	AP :	I.11.5.1.	: affectivité ; sentiment lié à l'inattendu R surprise, étonnement
élargissement n.m.	AP :	IV.1.13.	: aspect référentiel R définir
élastique aj.	ON :	II.2.5.1.4.	: consistance, résistance
électeur n.m.	ON :	III.15.2.	: actualité politique
élection n.f.	ON :	III.15.2.	: actualité politique
ELECTIVES (relations - et associatives)	ON :	III.14.	
électricité n.f.	ON :	III.4.5.	: énergie et entretien
électrophone n.m.	ON :	III.13.1.	: distractions et informations
élégant aj.	ON :	III.8.3.	: vêtements-mode
élève n.	ON :	III.2.1.	: école et études
élevé aj.	ON :	III.4.7.	: quelques qualifiants pour la maison, l'habitation
élever (s') v.	ON :	III.5.4.	: climat, conditions météorologiques, temps qu'il fait
elle(s) pr.	G :	II.2.0.3.	: substitut d'actants définis
	ON :	II.1.	: notions désignant des entités ("pronoms personnels")
		III.1.6.	: sexe
(- elle)	G :	II.2.0.3.	: substitut d'actants définis (emphase)
éloigner (s') v.	ON :	III.6.4.	: transports publics
embarquement ((aéro)port d'-) n.m.	ON :	II.1.9.	: origine
embarquement n.m.	ON :	III.6.4.	: transports publics
EMBARRAS	AP :	I.11.8.1.	
embarrassant aj.	AP :	I.11.8.1.	: ennui, embarras
embarrasser	AP :	v.0.2.3.	: faire éprouver un sentiment
embarrasser v.	AP :	I.11.8.1.	: ennui, embarras
embauche n.f.	ON :	III.12.3.	: recherche d'un emploi ; chômage ; licencieme
embêter v.	AP :	I.2.3.	: réagir aux faits et aux événements R se plaindre
		I.2.4.	: *id.* R plaindre
		I.6.2.	: demander à autrui de faire soi-même R demander permission
		I.9.0.1. (b.18.)	: demander à autrui de faire lui-même (sentiments)

		II.1.1.4.	: situation objective de l'action dans le temps
		II.1.1.4.4.	: simultanéité de l'action
		II.1.2.1.	: détermination spatiale (tableau)
		II.1.4.2.1. et 2.	: détermination instrumentale : lexies et gérondif
	ON :	II.2.2.3.2.	: durée
		III.6.6.	: d'un pays dans un autre
en pron.	G :	II.2.0.3.	: substituts d'actants et de circonstants
	ON :	II.1.	: notions désignant des entités ("pronoms personnels")
		II.1.	: notions désignant des entités (pro-verbes et pro-propositions)
en bas av.	ON :	II.3.2.1.	: localisation relative dans l'espace
		II.3.2.3.	: déplacements orientés dans l'espace
en bas de prép.	ON :	II.3.2.1.	: situation relative dans l'espace
encore intj.	AP :	II.14.2.	: désapprouver énonciation R faire l'hypothèse qu'un fait est vrai
		II.24.4.	: refuser de faire soi-même R demander, ordonner, interdire
en ... deux/trois etc. pron.			
	ON :	II.1.	: notions désignant des entités ("indéfini" et quantifiants)
en face av.	ON :	II.3.2.1.	: localisation relative dans l'espace
en face de prép.	ON :	II.3.2.1.	: localisation relative dans l'espace
enceinte aj.	ON :	III.10.6.	: services médicaux et de santé
+ *enchanté* aj.	AP :	+ III.3.	: présenter quelqu'un
encore av.	AP :	I.9.0.2.	: inviter, encourager
		I.9.6.3.	: demander à autrui de faire lui-même ; demander jugement sur une action accomplie par soi-même R demander de désapprouver
		I.10.3.3.4.	: désespoir
		I.10.3.6.2.	: pragmatique ; volition ; volonté R intolérance
		I.11.7.1.	: insatisfaction
		II.5.	: demander de préciser
		III.3.	: présenter quelqu'un
	G :	II.1.1.3.2.	: accomplissement
		II.1.3.3.2.	: quantification relative du procès
	ON :	II.2.2.2.3.	: continuation
		II.3.1.6.	: antériorité
encore (mais -)	AP :	v. *non seulement*	

encore quoi (et puis -) intj.
AP : II.4.2. : désapprouver énonciation R faire l'hypothèse qu'un fait est vrai
II.23.2. : refuser permission R demander permission
II.24.4. : refuser de faire soi-même R demander, ordonner, interdire

+ ENCOURAGER AUTRUI A FAIRE LUI-MEME
AP : I.9.0.2.

encourager v. AP : I.9.0.2. : inviter, encourager

endroit n.m. AP : IV.1.7. : aspect référentiel R nommer
ON : III.6.1. : consignes d'orientation, de déplacements ; indications d'itinéraires

endroit n.m. *(à cet -)*
G : II.1.2.2. (annexe) : situation spatiale déictique
ON : II.2.3.1. : localisation dans l'espace

(à l'- où)
G : II.1.2.2. (annexe) : situation spatiale objective

(dans certains -)
G : II.1.2.2. (annexe) : situation spatiale indéterminée

ENERGIE ET ENTRETIEN ON : III.4.5.

énergie n.f. ON : III.15.3. : actualité économique et sociale

énerver v. AP : I.11.7.3. : affectivité ; sentiment lié à une réalité désagréable R irritation, indignation, exaspération

enfant n.m. ON : III.1.5. : âge
III.1.7. : situation familiale

enfant (attendre un -) v.
ON : III.10.6. : services médicaux et de santé

enfantin aj. AP : I.10.1.2. : pragmatique ; faisabilité R facilité

enfin av. AP : III.3. : présenter quelqu'un
IV.1.16. : énumérer
IV.4.2. : se corriger
IV.6.1. : annoncer plan, points
IV.6.2. : marquer le début d'un point
ON : II.3.1.9. : séquence du récit

enfoncer v. ON : 9.3. : opérations manuelles, physiques

engagement n.m. ON : III.12.3. : recherche d'un emploi : chômage, licenciement

+ ENGAGER CONVERSATION
AP : V.0.2.2. : faire faire
IV.5.1.

engager (s') v. AP : I.5.2. : promettre à autrui de faire soi-même
ON : III.12.3. : recherche d'un emploi ; chômage ; licenciement
AP : v.0.1.1.3. : paraître avoir un sentiment
v.0.1.11.7.13. : irritation, indignation, exaspération
enlever v. AP : I.9.0.3. : demander à autrui de faire lui-même R menacer d'une sanction
ENONCE AP : v.IV.1.18. : rapporter discours
+ ENONCER (approuver -)
AP : II.15.
+ ENONCE (critiquer -)
AP : II.16.
+ ENONCE (désapprouver -)
AP : II.17.
ENONCE (implicite de l'-)
AP : 0.3.2.1.
ENONCIATION AP : v.IV.1.18. : rapporter discours
+ ENONCIATION (approuver -)
AP : II.12.
+ ENONCIATION (critiquer -)
AP : II.13.
+ ENONCIATION (désapprouver -)
AP : II.14.
+ ENONCIATION (faire le contraire de l'- demandée)
AP : II.23.
+ ENONCIATION (faire l'- demandée)
AP : II.22.
ENONCIATION (implicite de l'-)
AP : 0.3.2.2.
+ ENONCIATION (interpréter -)
AP : II.9.
+ ENNUI AP : I.11.8.1.
ennuyer AP : v.0.2.3. : faire éprouver un sentiment
+ *ennuyer* v. AP : I.2.3. : réagir aux faits et aux événements R se plaindre
I.2.4. : *id.* R plaindre
I.6.2. : demander à autrui de faire soi-même R demander permission
I.9.0.1. (a.17.) : demander à autrui de faire lui-même (sentiments)
I.9.0.1. (b.18.) : demander à autrui de faire lui-même (...)
I.9.0.1. (c.9.) : *id.*

		II.11.7.5.	: affectivité ; sentiment lié à une réalité désagréable R déplaisir
		+ I.11.8.1.	: ennui, embarras
		II.23.2.	: faire le contraire de l'énonciation demandée R refuser permission
ennuyer (s') v.	AP :	I.11.9.2.	: mauvaise humeur dépressive
	ON :	III.13.1.	: distractions et information
+ *ennuyeux* aj.	AP :	+ I.11.8.1.	: ennui, embarras
	ON :	III.12.7.	: quelques qualifiants à propos du métier
		III.13.6.	: quelques qualifiants pour les spectacles et divertissements
enregistrer v.	ON :	III.13.1.	: distractions et information
enregistrer les bagages v.			
	ON :	III.6.4.	: transports publics
enregistré aj.	AP :	II.20.5.	: accepter, promettre de faire soi-même R promettre récompense
ENSEIGNEMENT (matières d'-)			
	ON :	III.2.2.	
enseignement n.m.	ON :	III.2.1.	: école et études
ensemble av.	ON :	III.14.1.	: types de relations
ensoleillé aj.	ON :	III.5.2.	: quelques qualifiants pour le quartier et l'environnement
ensuite av.	AP :	IV.1.17.	: raconter
		IV.6.1.	: annoncer plan, points
	G :	III.1.1.	: succession d'événements
	ON :	II.3.1.9.	: séquence de récit
ensuivre (s') v.	AP :	I.1.2.2.	: poser un fait comme nécessaire
entendre v.	AP :	I.1.2.6.	: donner des informations factuelles, poser un fait comme (vrai ... faux) R possible
		I.9.3.	: demander de parler
		I.11.5.1.	: surprise, étonnement
		II.1.	: désapprouver l'expression
		II.2.	: demander de se taire
		II.3.	: demander de répéter
		II.15.1.	: approuver énoncé : approbation forte
		II.23.1.	: faire le contraire de l'énonciation demander R refuser de donner la parole
		III.3.	: présenter quelqu'un
	ON :	II.2.5.1.6.	: audibilité
		III.9.2.	: téléphone
		III.11.2.	: sensation, perception

ENVIE, JALOUSIE AP : I.11.7.12.
+ *envie* n.f. AP : I.6.3. : demander dispense
I.9.0.1. : demander à autrui de faire lui-même (...)
(a.6.)
I.9.0.1. : *id.*
(b.7.)
I.9.0.1. *id.*
(c.7.)
I.9.0.3. *id.* R menacer d'une sanction
I.10.3.1. : indécision
+ I.10.3.3.1. : intensité du désir
I.11.7.8. : chagrin
+ I.11.9.2. : mauvaise humeur dépressive
+ II.24.1. : refuser de faire soi-même R suggérer, proposer, conseiller, recommander à autrui de faire lui-même
II.25. : refuser de faire avec autrui R proposer à autrui de faire ensemble
envier v. AP : I.11.7.12. : envie, jalousie
environ av. ON : II.2.4.1. : nombre
ENVIRONNEMENT GEOGRAPHIQUE ; FAUNE ET FLORE ; CLIMAT ET TEMPS
ON : III.5.
ENVIRONNEMENT (quelques qualifiants pour le quartier et l'-)
ON : III.5.2.
envoyer v. ON : III.9.1. : poste
III.9.3. : télégraphe
III.14.3. : correspondance
épais aj. ON : II.2.3.3.1. : taille
épaisseur n.f. ON : II.2.3.3.1. : taille
+ EPELER, DICTER AP : IV.3.1.
+ *épeler* v. AP : IV.3.1. : épeler, dicter
épicé aj. ON : III.7.4. : quelques qualifiants pour les repas
épicerie n.f. ON : III.8.2. : alimentation
épicier n.m. ON : III.8.2. : alimentation
EPOQUE G : II.1.1.1.
ON : II.3.1.4.
épouse n.f. ON : III.1.7. : situation familiale
époux n.m. ON : III.1.7. : situation familiale
épreuve n.f. ON : III.2.3. : sanctions et qualifications
érpouver v. G : I.21.4.5. : attribution d'une disposition
EQUATIF G : I.2.1.3.
équipe n.f. ON : III.12.2. : conditions de travail
III.13.2. : sports

		+ I.11.6.2.	: contentement
		I.11.7.1.	: insatisfaction
+ ESPOIR	AP :	I.10.3.3.3.	
+ *espoir* n.m.	AP :	+ I.10.3.3.3.	: espoir, souhait
		I.10.3.3.4.	: pragmatique, volition désir R désespoir
+ *essayer* v.	AP :	I.8.1.	: proposer à autrui de faire lui-même R suggérer
		I.9.0.1. (a.11.)	: demander à autrui de faire lui-même (...)
		+ I.9.0.1. (b.11.)	: *id.*
		I.9.0.3.	: menacer d'une sanction
		I.10.1.4.	: pragmatique ; faisabilité R infaisabilité
		+ I.10.8.1.	: abstention
		+ I.10.8.2.	: tentative
		I.10.11.8.	: pragmatique ; responsabilité R lâcheté
		II.9.	: interpréter énonciation
		+ II.20.3.	: accepter, promettre de faire soi-même R demander (en général) à autrui de faire lui-même
		II.24.6.	: refuser de faire soi-même R menacer d'une sanction
	ON :	III.8.3.	: vêtements-mode
essence n.f.	ON :	III.6.5.	: transport privé
		III.9.9.	: station-service automobile
essence (poste d'-)	ON :	III.6.5.	: transport privé
essentiel aj.	AP :	I.1.3.1.2.	: insister sur un fait : emphase intensive sur la proposition assertée
est n.m.	ON :	III.6.1.	: consignes d'orientation, de déplacements ; indications d'itinéraires
+ *est-ce que* av.	AP :	I.1.2.7.	: poser un fait comme contingent et + passim
	G :	I.3.1.1.	: interrogation
		I.3.1.3.	: interro-négation
estime n.f.	AP :	I.11.1.4.	: affectivité ; attitude vis-à-vis d'une chose, une personne, un fait R considération
estimer v.	AP :	I.1.2.6.	: poser un fait comme possible
		I.1.7.3.	: donner son opinion sur la vérité d'un fait : opinion
		II.24.7.	: refuser de faire soi-même R promettre récompense
		IV.1.11.	: juger, évaluer, apprécier
		IV.1.18.	: rapporter discours
estomac n.m.	ON :	III.10.1.	: parties du corps

+ *et* conj.	AP :	+ IV.1.16.	: énumérer
		et *passim* ; v. *comment (et -)*	
	G :	III.1.1.	: conjonction logique et événementielle
		III.2.1.2.	: opposition de prédicats
	ON :	II.2.2.1.	: situation dans le temps
		II.3.6.1.	: conjonction
et aussi conj.	ON :	II.3.6.1.	: conjonction
étage n.m.	ON :	III.1.2.	: adresse de l'habitation
		III.4.2.	: composition de l'habitation
étant donné (que) conj. ou prép.			
	G :	III.1.5.1.	: explication causale
	ON :	II.3.6.6.	: explication causale
ETAT	G :	I.1.1.1.	
ETATS (besoins et - "physiologiques")			
	ON :	III.10.2.	
état n.m.	AP :	I.10.5.1.	: capacité
	ON :	III.15.2.	: actualité politique
ETATIF	G :	I.1.2.2.	
etc. av.	AP :	IV.1.16.	: énumérer
été n.m.	ON :	III.3.5.	: mois et saisons, fêtes de l'année
éteindre v.	ON :	III.4.5.	: énergie et entretien
ETENDRE (s') SUR	AP :	IV.2.4.	
étendre (s') v.	AP :	IV.2.1.	: effleurer, s'en tenir à
		IV.2.4.	: s'étendre sur
étonnant aj.	AP :	I.11.5.1.	: surprise, étonnement
+ ETONNEMENT	AP :	I.11.5.1.	
étonner	AP :	v.0.2.3.	: faire éprouver un sentiment
+ *étonner* v.	AP :	I.1.4.	: annoncer, informer d'un fait
		I.1.7.3.	: donner son opinion sur la vérité d'un fait : opinion
		+ I.1.7.4.	: *id.* : doute
		+ I.11.5.1.	: surprise, étonnement
		I.11.5.2.	: indifférence
		II.18.1.	: exprimer son ignorance R poser un fait comme vrai
		II.22.13.	: répondre en exprimant l'opinion qu'un fait positif est vrai
		+ II.22.14.	: répondre en exprimant l'opinion qu'un fait positif est faux R demander si un fait est vrai
		II.22.15.	: répondre en exprimant l'opinion qu'un fait négatif est vrai

étrange aj. ON : II.2.5.3.10.: appréciation quant à la normalité
III.15.4. : quelques qualifiants pour les événements d'actualité

ETRANGER (documents de voyage, de séjour, et résidence dans un pays -)
ON : III.6.7.

étranger n.m. et aj. ON : III.1.8. : nationalité

étranger (à l'-) av. ON : III.6.3. : vacances et tourisme

ETRANGER (langue -) ON : III.3.

étrangère (politique -) n.f.
ON : III.15.2. : actualité politique

étrangères (langues -) n.f.
ON : III.2.2. : matières d'enseignement

être v. AP : I.9.0.7. : demander à autrui de faire lui-même R plier, supplier
I.9.5.1. : *id.* ; demander propositions d'action R pour soi-même
I.11.7.2. : affectivité ; sentiment lié à une réalité désagréable R déception
II.20.7. : accepter, promettre de faire soi-même R appeler à l'aide
II.21. : accepter qu'autrui fasse, accepter de faire avec autrui
III.4. : se présenter
IV.6.6. : aspect formel R poursuivre
G : I.1.2.1. : voix (attributive et passive)
I.1.2.2. : déroulement (accompli - résultatif - étatif)
II.2.1.3. et 4. : actance (équatif et attributif)
I.2.2.3. et 4. : fonction d'auxiliaire

être (il est + x heures) v.
ON : II.2.2.1. : situation dans le temps

être à v. AP : I.10.3.3.3. : espoir, souhait
II.24.4. : refuser de faire soi-même R demander, ordonner, interdire
II.24.10. : *id.* R demander de parler
II.24.11. : *id.* R demander informations factuelles
II.24.12. : refuser de faire soi-même R demander proposition d'action pour soi-même
II.26. : refuser qu'autrui fasse

être sur le point de + infinitif v.
ON : II.2.2.2.1. : imminence

évidence (de toute -) av.
AP : I.1.2.3. : poser un fait comme certain

évident aj. AP : I.1.2.3. : poser un fait comme certain
+ I.1.3.1.2. : insister sur un fait : emphase intensive sur la proposition assertée
I.9.0.1. (b.2.) : demander à autrui de faire lui-même (...)
I.10.1.3. : difficulté
II.22.13. : faire énonciation demandée R répondre en exprimant l'opinion qu'un fait positif est vrai
II.22.14. : *id.* R répondre en exprimant qu'un fait positif est faux
II.22.15. : *id.* R répondre en exprimant qu'un fait négatif est vrai
II.22.16. : *id.* R répondre en exprimant qu'un fait négatif est faux
II.22.17. : *id.* R répondre en donnant des informations sur un fait
IV.2.1. : aspect quantitatif R effleurer, s'en tenir à

éviter v. AP : I.8.5. : déconseiller
I.10.8.1. : abstention

évoluer v. ON : II.2.4. : stabilité et changement

évolution n.f. ON : II.2.2.4. : stabilité et changement
III.15.1. : généralités

EVOQUER, FAIRE ALLUSION A
AP : IV.2.3.

évoquer v. AP : IV.2.3. : évoquer, faire allusion à

+ *exact* aj. AP : II.15.1. : approuver énoncé : approbation forte
+ II.22.18. : donner accord sur la vérité d'un fait positif R demander opinion, accord sur la vérité d'un fait
+ II.22.19. : donner accord sur la vérité d'un fait négatif R *id.*
II.23.5. : réfuter vérité d'un fait négatif R demander accord sur la vérité d'un fait

+ *exactement* av. AP : + I.11.6.2. : contentement
II.15.1. : approuver énoncé : approbation forte
ON : II.2.4.1. : nombre

+ *exagérer* v. AP : + II.14.3. : désapprouver énonciation R se plaindre
+ II.14.7. : *id.* R s'accuser d'une action accomplie par soi-même

		+ II.23.6.	: faire le contraire de l'annonciation demandée : désapprouver (au lieu d'approuver) action d'autrui
		+ II.23.7.	: *id.* : approuver (au lieu de désapprouver) action d'autrui
		IV.1.18.	: rapporter discours
examen n.m.	AP :	IV.2.4.	: s'étendre sur
	ON :	III.2.3.	: sanctions et qualifications
examiner v.	ON :	III.15.2.	: activité politique
+ EXASPERATION	AP :	I.11.7.13.	
excellent aj.	AP :	I.11.1.3.	: affectivité ; attitude vis-à-vis d'une chose, une personne, un fait R admiration
exceptionnel aj.	ON :	III.15.4.	: quelques qualifiants pour les événements d'actualité
excitant aj.	AP :	I.11.6.6.	: intérêt
		IV.7.1.	: élever la voix
exclu aj.	AP :	I.1.2.9.	: poser un fait comme impossible
EXCLUSION (inclusion, -)			
	ON :	II.3.6.4.	
excuse n.f.	AP :	I.3.5.	: désapprouver, reprocher, protester
		I.9.7.1.	: demander de demander pardon
		II.14.8.	: désapprouver énonciation R s'excuser d'une action accomplie par soi-même
+ EXCUSER	AP :	I.3.3.	
+ *excuser* v.	AP :	I.3.3.	: excuser
		I.4.3.	: s'excuser
		+ I.9.1.1.	: interpeller ; en champ libre
		+ I.9.7.3.	: demander de pardonner
EXCUSER (S')	AP :	I.4.3.	
excuser (s') v.	AP :	I.4.3.	: s'excuser
		I.9.7.1.	: demander de demander pardon
exécutif aj.	ON :	III.15.2.	: actualité politique
+ *exemple* n.m.	AP :	+ IV.1.5.	: illustrer, exemplifier
+ EXEMPLIFIER	AP :	IV.1.5.	: v. IV.A.13. : *définir*
exercice n.m.	ON :	III.2.4.	: exercices scolaires
EXERCICES SCOLAIRES	ON :	III.2.4.	
exiger v.	AP :	I.3.5.	: désapprouver, reprocher, protester
		I.9.0.1.	: demander à autrui de faire lui-même (...) (b.7.)
		I.9.0.5.	: ordonner à autrui de faire lui-même
		I.9.7.1.	: demander de demander pardon
		I.10.3.6.	: volonté
	ON :	III.15.2.	: actualité politique

EXISTENCE ON : II.2.1.
EXISTENCE/NON-EXISTENCE
ON : II.2.1.1.
EXISTENTIEL G : I.2.1.1.
et 2.
exister v. G : I.2.1.1. : existentiel généralisant
ON : II.2.1.1. : existence / non-existence
expérience n.f. ON : III.12.3. : recherche d'un emploi ; chômage ; licenciement
EXPLETIF G : II.2.2.1.
EXPLICATION CAUSALE G : III.1.5.
ON : II.3.6.6.
+ EXPLICITER (demander d'-)
AP : II.4.
+ EXPLIQUER, S'EXPLIQUER
AP : v.0.2.1. : faire savoir
IV.1.6.
expliquer v. AP : II.4. : demander de paraphraser, d'expliciter
IV.1.6. : (s')expliquer
IV.5.1. : aspect dialogué R engager conversation
ON : III.3.1. : comprendre
expliquer (s') AP : II.4. : demander de paraphraser, d'expliciter
II.6. : demander raisons
IV.1.6. : (s')expliquer
exportation n.f. ON : III.15.3. : actualité économique et sociale
exporter v. ON : III.6.6. : d'un pays dans un autre
III.15.3. : actualité économique et sociale
exposé aj. ON : III.4.7. : quelques qualifiants pour la maison, l'habitation
EXPOSITIONS (musées -)
ON : III.13.4.
exposition n.f. ON : III.13.4. : musées, expositions
exprès av. AP : I.4.3. : s'excuser
+ EXPRESSION (désapprouver l'-)
AP : II.1.
+ *expression* n.f. AP : + III.2.2. : prendre congé : correspondance
IV.3.5. : aspect métalinguistique R traduire
+ EXPRIMER SON IGNORANCE
AP : II.18.
+ EXPRIMER SON INDECISION
AP : II.19.
exprimer v. AP : II.18. : exprimer son ignorance
extension AP : v.IV.1.13. : définir

Entrée		Référence	Notion
extérieur (à l'-) av.			
	ON :	II.2.3.1.	: localisation dans l'espace
extérieur (à l'- de)	ON :	II.3.2.1.	: localisation relative dans l'espace
extraction	AP :	v.I.1.3.2.	: insister sur un fait : emphase oppositive
	ON :	III.10.4.	: maladies, accidents
extraordinaire aj.	AP :	I.3.4.	: critiquer
		II.13.4.	: critiquer énonciation R féliciter autrui pour son action
		II.24.14	: refuser de faire soi-même R demander de remercier
	ON :	III.15.4.	: quelques qualifiants pour les événements d'actualité
extrémiste n.m.	ON :	III.15.2.	: actualité politique
f abr.	ON :	III.1.6.	: sexe
face (en - (de)) prép. et av.			
	G :	II.1.2.2. (annexe)	: situation dans l'espace
	ON :	II.3.2.1.	: localisation relative dans l'espace
		III.6.1.	: consignes d'orientation, de déplacements
+ *facile* aj.	AP :	+ I.10.1.2.	: facilité
		I.10.1.3.	: difficulté
		+ I.10.1.6.	: utilité
		II.14.5.	: désapprouver énonciation R désapprouver une action accomplie par autrui
		II.14.8.	: désapprouver énonciation R s'excuser d'une action accomplie par soi-même
		II.24.5.	: refuser de faire soi-même R déconseiller à autrui de faire lui-même
		IV.2.1.	: aspect quantitatif R escamoter
	ON :	III.3.2.	: connaissance d'une langue ; niveau d'aptitude ; correction
		III.4.7.	: quelques qualifiants pour la maison, l'habitation
facilement av.	AP :	I.10.1.2.	: facilité
		I.10.10.1.	: pragmatique ; dispositions objectives R aisance
+ FACILITER	AP :	I.10.1.2.	
facilité n.f.	AP :	I.10.10.1.	: aisance
faciliter v.	ON :	I.10.1.6.	: utilité
façon (de - à) prép.	ON :	II.3.6.7.	: finalité
façon (de - que) conj.	ON :	II.3.6.7.	: finalité
façon (de toute -) av.			
	AP :	II.16.1.	: critiquer énoncé R poser un fait comme vrai

facteur n.m. ON : III.9.1. : poste

FACTITIF (construction -)

G : I.2.5.1.

fade aj. ON : III.7.4. : quelques qualifiants pour les repas

+ *faillir* v. AP : I.10.8.4. : échec

faim n.f. ON : III.7.4. : quelques qualifiants pour les repas

+ FAIRE LE CONTRAIRE DE L'ENONCIATION DEMANDEE

AP : II.23.

+ FAIRE UNE DIGRESSION

AP : IV.6.5.

+ FAIRE L'ENONCIATION DEMANDEE

AP : II.22.

FAIRE FAIRE AP : 0.2.2.

G : I.2.5.1.3.

+ FAIRE L'HYPOTHESE QU'UN FAIT EST VRAI

AP : I.1.1.

FAIRE DES JURONS AP : IV.1.20.

FAIRE PARAITRE G : I.2.5.1.2.

+ FAIRE UNE TRANSITION

AP : IV.6.4.

+ *faire* v. AP : I.8.1. : proposer à autrui de faire lui-même R suggérer

I.8.2. : *id.* R proposer

I.8.3. : *id.* R conseiller

I.9.0.1. : demander à autrui de faire lui-même (...) (b.16.)

I.9.5. : demander propositions d'action

I.10. : pragmatique

I.10.3.2. : indifférence

I.10.3.6.3. : résignation

I.10.9.1. : pragmatique, dispositions subjectives R assurance

I.10.9.3. : *id.* ; *id.* R orgueil

I.10.9.4. : *id.* ; *id.* R modestie

I.10.10.2. *id.* dispositions objectives R difficulté

I.10.10.5. : *id.* ; *id.* R prudence

I.10.10.6. : *id.* ; *id.* R imprudence

I.10.10.9. : *id.* ; *id.* R altruisme

I.11.1.13. : affectivité ; attitude vis-à-vis d'une chose, une personne, un fait, R dédain

I.11.3.1. : *id.* ; attitude vis-à-vis de ce qu'autrui nous a fait R gratitude reconnaissance

I.11.4.2. : *id.* ; sentiment lié à la responsabilité R honneur
I.11.5.2. : indifférence
I.11.8.1. : ennui, embarras
I.11.9.2. : mauvaise humeur dépressive
II.4. : demander de paraphraser
II.14.3. : désapprouver énonciation R se plaindre
II.14.5. : désapprouver énonciation R désapprouver action accomplie par autrui
II.16.1. : critiquer énoncé R poser un fait comme vrai
II.16.2. : *id.* R donner son opinion sur la vérité d'un fait
II.18.4. : exprimer son ignorance R demander jugement sur action accomplie par soi-même
II.20.1. : accepter, promettre de faire soi-même R suggérer, proposer, conseiller, recommander à autrui de faire lui-même
II.20.2. : *id.* R déconseiller à autrui de faire lui-même
II.20.3. : *id.* R demander (en général) à autrui de faire lui-même
II.20.4. : accepter, promettre de faire soi-même R menacer d'une sanction
II.24.1. : refuser de faire soi-même R suggérer, proposer, conseiller, recommander à autrui de faire lui-même
II.24.2. : refuser de faire soi-même R déconseiller à autrui de faire lui-même
II.24.4. : *id.* R demander, rodonner, interdire à autrui de faire lui-même
II.24.7. : *id.* R promettre récompense
II.24.14. : *id.* R demander de remercier
II.26. : refuser qu'autrui fasse R proposer à autrui de faire soi-même
IV.1.18. : aspect référentiel R rapporter discours

G : I.2.5.1.2. : "faire paraître"
I.2.5.1.3. : "faire faire"
II.1.2.2. : quantification de l'espace : mesure et poids

ON : II.1. : notions désignant des entités ("pro-verbes et pro-propositions")
II.2.3.3.1. : taille
III.11.3. : opérations manuelles, physiques

faire (se laisser -) v.			
	AP :	I.10.9.1.	: pragmatique, dispositions subjectives R assurance
faire (- que) v.	G :	I.2.6.	: actance finale
faire (ne - que) v.	G :	II.1.1.4.1.	: action répétée
faire (ça fait ... que) v.			
	G :	II.1.1.2.	: quantification et déroulement
faire (se faire + infinitif*)*			
	G :	I.2.5.1.3.	: "faire faire"
	ON :	III.10.3.	: hygiène
		III.10.4.	: maladies, accidents
+ *faire (s'en -)* v.	AP :	I.3.3.	: excuser, pardonner
		I.9.0.1. (b.12.)	: demander à autrui de faire lui-même R (dispositions subjectives)
		+ I.10.10.4.	: désinvolture, insouciance
		+ II.14.7.	: désapprouver énonciation R s'accuser d'une action accomplie par soi-même
		II.23.7.	: faire le contraire de l'énonciation demandée R approuver (au lieu de désapprouver) action d'autrui
faire bien, mal v.	AP :	I.4.1.	: se féliciter
		I.4.3.	: s'excuser
		I.8.3.	: conseiller
		II.12.1.	: approuver énonciation en général
	ON :	III.10.2.	: besoins et états "physiologiques"
faire froid, chaud v.	ON :	III.5.4.	: climat, conditions météorologiques, temps qu'il fait
+ *faire* (+ aj) v.	AP :	+ I.1.2.4.	: poser un fait comme apparent
faire des achats, des courses v.			
	ON :	III.8.1.	: commerces : généralités
faire de l'athlétisme, du sport, du vélo v.			
	ON :	III.6.5.	: transports publics
		III.13.2.	: sports
faire attention v.	AP :	I.1.5.	: donner des informations factuelles R signaler, avertir, prévenir, mettre en garde
		I.9.0.1. (a.13.)	: demander à autrui de faire lui-même R (dispositions objectives)
		I.9.0.1. (b.13.)	: *id.*
		I.10.10.5.	: pragmatique, dispositions objectives R prudence
		I.10.10.6.	: *id.* ; *id.* ; *id.* R imprudence

faire la cuisine, la lessive, le ménage v.			
	ON :	III.4.5.	: énergie et entretien
		III.10.3.	: hygiène
faire des études v.	ON :	III.2.1.	: écoles et études
faire gaffe v.	AP :	I.10.10.5.	: pragmatique ; dispositions objectives R prudence
		I.10.10.6.	: *id.* ; *id.* R imprudence
faire un numéro v.	ON :	III.9.2.	: téléphone
faire partie de v.	ON :	III.14.4.	: associations, sociétés
faire peur v.	AP :	I.11.8.3.	: affectivité ; sentiment lié aux conséquences d'une réalité désagréable R angoisse
faire le plein v.	ON :	III.9.9.	: station-service automobile
faire (+ v)	AP :	I.1.8.	: donner des informations factuelles R présupposer qu'un fait est vrai
		II.24.7.	: refuser de faire soi-même R promettre récompense
se faire à (quelque chose) v.			
	AP :	I.10.3.6.3.	: pragmatique ; volition ; volonté R résignation
faire du bien v.	AP :	II.21.	: accepter qu'autrui fasse, accepter de faire avec autrui
faire plaisir v.	AP :	I.2.1.	: réagir aux faits et aux événements R se féliciter
		I.2.5.	: *id.* R remercier
		I.5.1.	: proposer à autrui de faire soi-même R proposer, offrir
		I.11.1.2.	: affectivité ; attitude vis-à-vis d'une chose, une personne, un fait R appréciation
		III.3.	: présenter quelqu'un
faire une promenade v.			
	ON :	III.13.1.	: distractions et information
faire la queue v.	ON :	III.15.3.	: cinéma, théâtre, opéra, concert
faisable aj.	AP :	I.10.1.1.	: faisabilité
		I.10.5.1.	: capacité
+ FAISABLE	AP :	I.10.1.	
fait n.m.	AP :	I.1.2.3.	: poser un fait comme certain
	ON :	III.15.1.	: généralités
fait (au -) av.	AP :	I.1.5.	: signaler, avertir, prévenir, mettre en garde
		IV.5.1.	: engager conversation
		IV.6.5.	: faire une digression
fait aj.	AP :	II.14.7.	: désapprouver énonciation R s'accuser d'une action accomplie par soi-même

+ *falloir* v. AP :

	I.1.2.2.	: poser un fait comme nécessaire
	I.1.2.3.	: poser un fait comme certain
	I.1.3.1.2.	: insister sur un fait ; emphase intensive sur la proposition assertée
+	I.1.4.	: annoncer, informer d'un fait
	I.1.6.2.	: répéter
	I.3.5.	: désapprouver, reprocher, protester
+	I.6.3.	: demander dispense
	I.7.2.	: inviter autrui à faire ensemble
	I.8.1.	: proposer à autrui de faire lui-même R suggérer
	I.8.3.	: *id.* R conseiller
	I.8.4.	: *id.* R recommander
	I.9.0.1. (a.5.)	: demander à autrui de faire lui-même (...)
	I.9.0.1. (b.6.)	: *id.*
	I.9.0.1. (b.15.)	: *id.*
+	I.9.0.1. (c.4.)	: *id.*
	I.9.0.4.	: promettre une récompense
+	I.9.5.	: demander propositions d'action
	I.9.7.3.	: demander de pardonner
	I.9.8.	: demander de (ne pas) transmettre
	I.10.1.3.	: difficulté
	I.10.1.4.	: infaisabilité
+	I.10.1.5.	: indispensabilité
+	I.10.2.1.	: obligation
	I.10.2.2.	: interdiction
+	I.10.3.3.3.	: espoir, souhait
	I.10.3.6.3.	: résignation
	I.10.5.1.	: pragmatique, capacité
	I.10.10.2.	: *id.* dispositions objectives R difficulté
+	I.11.2.2.	: méfiance
	II.4.	: demander de paraphraser, d'expliciter
	II.14.4.	: désapprouver énonciation R plaindre
	II.14.6.	: *id.* se féliciter d'une action accomplie par soi-même
+	II.14.7.	: *id.* : s'accuser d'une action accomplie par soi-même
	II.15.3.	: approuver énoncé R admettre, reconnaître, avouer

+ II.19 : exprimer son indécision
II.23.3. : faire le contraire de l'énonciation demandée R refuser dispense
IV.1.5. : aspect référentiel R illustrer, exemplifier
IV.2.4. : aspect quantitatif R s'étendre sur
G : I.2.1.4.5. : attribution d'une "imposition"
falloir (s'en) v. AP : I.10.8.4. : échec
+ *fameux* aj. AP : + I.3.4. : critiquer
FAMILIALE (situation -) n.f.
ON : III.1.7.
familiales (allocations -) n.f.
ON : III.12.4. : revenus, aides sociales
FAMILIER AP : Prés. 4 et *passim*
famille n.f. ON : III.1.11. : membres de la famille
FAMILLE (membres de la -)
ON : III.1.11.
famille (nom de -) n.f.
ON : III.1.1. : nom
fantastique aj. AP : I.3.1. : approuver, féliciter
fahrenheit ON : II.2.3.3.6. : température
FASCINATION AP : I.11.6.7.
fatigant aj. ON : III.6.2. : déplacements liés au travail, aux études, etc.
III.12.7. : quelques qualifiants à propos du métier
fatigué aj. ON : III.10.2. : besoins et états "physiologiques"
fatiguer v. ON : III.10.2. : besoins et états "physiologiques"
fatiguer (se) v. AP : I.3.4. : critiquer
FAUNE (environnement géographique ; - et flore ; climat et temps)
ON : III.5.
FAUNE (flore et -) ON : III.5.3.
faute n.f. AP : I.3.3. : excuser, pardonner
I.10.11.3. : pragmatique, responsabilité R innocence
I.10.11.4. : *id.* ; *id.* R culpabilité
ON : III.3.2. : connaissance d'une langue : niveau d'aptitude, correction
+ FAUX (poser un fait comme -)
AP : I.1.2.10.
+ FAUX (répondre en avouant qu'un fait négatif est -)
AP : II.22.12.
+ FAUX (répondre en avouant qu'un fait positif est -)
AP : II.22.10.
+ FAUX (répondre en exprimant l'opinion qu'un fait négatif est -)
AP : II.22.16.

+ FAUX (répondre en exprimant l'opinion qu'un fait positif est -)
AP : II.22.14.
faux aj. AP : I.1.2.10. : donner informations factuelles ; poser un fait comme (vrai ... faux) R faux
II.17. : désapprouver énoncé R poser un fait comme vrai
II.22.14. : faire énonciation demandée R répondre en exprimant qu'un fait positif est faux
II.22.16. : *id.* R répondre en exprimant l'opinion qu'un fait négatif est vrai
II.23.4. : réfuter vérité d'un fait positif R demander accord sur la vérité d'un fait
ON : II.2.5.3.5. : appréciation quant à la correction
+ *félicitations* n.f. AP : + I.2.2. : féliciter
+ I.3.1. : approuver, féliciter
+ FELICITER AP : I.2.2.
I.3.1.
féliciter v. AP : I.2.2. : féliciter
I.3.1. : approuver, féliciter
+ FELICITER (SE) AP : I.2.1. : se féliciter
I.4.1. : se féliciter
I.4.2. : s'accuser, avouer
femelle n.f. ON : III.1.6. : sexe
féminin aj. ON : III.1.6. : sexe
femme n.f. ON : III.1.6. : sexe
III.1.7. : situation familiale
fenêtre n.f. ON : III.4.2. : composition de l'habitation
fer n.m. ON : II.2.5.1.10. : matière
ferme n.f. ON : III.1.10. : activité professionnelle
fermé aj. ON : III.13.4. : musées, expositions
fermer v. ON : III.4.5. : énergie et entretien
III.11.3. : opérations manuelles, physiques
III.12.3. : recherche d'un emploi ; chômage ; licenciement
ferme (la - !) AP : II.2. : demander de se taire
FETES (mois et saisons, - de l'année)
ON : III.5.5.
fête n.f. ON : III.13.1. : distractions et information
feu n.m. AP : II.22.13. : faire énonciation demandée R répondre en exprimant l'opinion qu'un fait positif est vrai
ON : III.8.4. : cigarettes et fumeurs
III.9.7. : urgences, secours
feu (rouge) n.m. ON : III.6.5. : transport public

feuille de maladie n.f.			
	ON :	III.9.8.	: sécurité sociale
feuille de paye n.f.	ON :	III.9.8.	: sécurité sociale
		III.12.4.	: revenus, aides sociales
février n.m.	ON :	III.5.5.	: mois et saisons, fêtes de l'année
fiancé n.m.	ON :	III.14.1.	: types de relations
fiche n.f.	ON :	III.6.7.	: documents de voyage, de séjour, et résidence dans un pays étranger
		III.12.3.	: recherche d'un emploi : chômage, licenciement
ficher (se) v.	AP :	v. *foutre (se)* v.	
+ *fier* aj.	AP :	I.3.1.	: approuver, féliciter
		I.3.4.	: critiquer
		I.4.1.	: se féliciter
		I.4.2.	: s'accuser, avouer
		I.9.0.1.	: demander à autrui de faire lui-même (...)
		(b.18.)	
		I.10.11.5.	: mérite, gloire
		+ I.11.4.1.	: fierté
		I.11.4.3.	: honte
		II.15.3.	: approuver énoncé R admettre, reconnaître, avouer
fier (se - à) v.	AP :	+ I.11.2.2.	: méfiance
+ FIERTE	AP :	I.11.4.1.	
fierté n.f.	AP :	I.11.4.1.	: fierté
fièvre n.f.	ON :	III.10.4.	: maladies, accidents
figue n.f.	ON :	III.7.2.	: nourriture et boisson
figurer (se) v.	AP :	I.1.4.	: annoncer, informer d'un fait
		I.9.0.1.	: demander à autrui de faire lui-même (...)
		(c.2.)	
filer (= donner) v.	AP :	I.10.3.4.	: pragmatique ; volition R crainte
fille n.f.	ON :	III.1.6.	: sexe
		III.1.7.	: situation familiale
		III.1.11.	: membres de la famille
film n.m.	ON :	III.13.3.	: cinéma, théâtre, opéra, concert
fils n.m.	ON :	III.1.11.	: membres de la famille
fin aj.	ON :	III.7.4.	: quelques qualifiants pour les repas
fin n.f.	AP :	III.2.1.	: prendre congé (à l'oral)
à la fin av.	AP :	IV.1.17.	: aspect référentiel R raconter
		IV.6.1.	: aspect formel R annoncer plan, points
en fin de compte av.	AP :	IV.1.17.	: aspect référentiel R raconter

FINAL G : O.I.
(actance -) G : I.2.6.
(conjonction -) G : I.2.6.
(lexique -) G : I.2.6.
(préposition -) G : I.2.6.
+ *finalement* av. AP : + I.10.3.5.2. : renoncement
IV.1.16. : énumérer
IV.1.17. : raconter
IV.6.3. : conclure
ON : II.3.1.9. : séquence du récit
FINALITE ON : II.3.6.7.
+ *finir* v. AP : + I.3.5. : désapprouver, reprocher, protester
I.10.8.2. : pragmatique R échec réussite
I.10.8.3. : *id.*
ON : II.2.2.2.4. : achèvement
G : II.1.1.3.2. : stades de l'accomplissement
(avoir fini de) G : II.1.1.3.3. : accompli récent
fini aj. AP : II.14.7. : désapprouver énonciation R s'accuser d'une action accomplie par soi-même
fixe aj. AP : I.11.9.1. : affectivité R bonne et mauvaise humeur
flatter AP : v.0.2.3. : faire éprouver un sentiment
fleur n.f. ON : III.5.3. : flore et faune
fleuve n.m. ON : III.5.1. : quartier, région, paysage
FLORE (environnement géographique ; faune et - climat et temps)
ON : III.5.
FLORE ET FAUNE ON : III.5.3.
+ *foi (ma -)* intj. AP : I.1.7.5. : donner son opinion sur la vérité d'un fait : ignorance
+ I.10.3.1. : indécision
II.18.2. : exprimer son ignorance R demander informations factuelles
+ *fois* n.f. AP : + I.1.6.2. : répéter
I.3.3. : excuser, pardonner
I.6.2. : demander permission
fois (chaque - que) conj.
G : II.1.1.4.1. : situation de l'action dans le temps
III.1.10. : condition logique
... *fois par* ... av. ON : II.2.2.3.1. : fréquence
fois (une (seule) -, plusieurs -) av.
ON : II.2.2.3.1. : fréquence
foncé aj. ON : II.2.5.1.9. : couleur
fonction (de quelqu'un)
AP : v.I.9.1.3. : interpeller ; correspondance

foutre v.	AP :	I.10.10.8.	: dureté, méchanceté
		I.11.5.2.	: indifférence
		I.11.7.7.	: affectivité ; sentiment lié à une réalité désagréable R tristesse
		II.24.9.	: refuser de faire soi-même R interpeller
foutre (se) v.	AP :	II.13.2.	: critiquer énonciation R signaler, avertir
		II.17.	: désapprouver énoncé R poser un fait comme vrai
FOYER (maison et -)	ON :	III.1.2.	
fragile aj.	ON :	II.2.5.1.4.	: consistance, résistance
frais aj.	ON :	II.2.3.3.6.	: température
		III.5.4.	: climat, conditions météorologiques, temps qu'il fait
franc n.m.	ON :	III.8.6.	: prix et paiement
franc aj.	AP :	II.12.2.	: approuver énonciation R donner son opinion sur la vérité d'un fait
franchement av.	AP :	I.1.3.1.1.	: insister sur un fait : emphase intensive sur l'acte d'asserter
franchise n.f.	AP :	II.12.2.	: approuver énonciation R donner son opinion sur la vérité d'un fait
freiner v.	ON :	II.2.3.3.3.	: vitesse, accélération
		III.6.5.	: transport privé
FREQUENCE	ON :	II.2.2.3.1.	
FREQUENCE (quantification du temps : durée et -)	ON :	II.2.2.3.	
fréquenter v.	ON :	III.14.1.	: types de relations
fréquenter (se) v.	ON :	III.14.1.	: types de relations
frère n.m.	ON :	III.1.11.	: membres de la famille
fric n.m.	ON :	III.8.6.	: prix et paiement
frire v.	ON :	III.7.2.	: nourriture et boissons
frites n.f.	ON :	III.7.2.	: nourriture et boissons
froid aj.	ON :	II.2.3.3.6.	: température
		III.5.2.	: quelques qualifiants pour le quartier et l'environnement
		III.7.2.	: nourriture et boissons
froid (prendre -) v.	ON :	III.10.4.	: maladies, accidents
froide (eau)	ON :	III.4.5.	: énergie et entretien
fromage n.m.	ON :	III.7.2.	: nourriture et boissons
frontière n.f.	ON :	III.6.6.	: d'un pays dans un autre

garage n.m.	ON :	III.4.5.	: transport privé
		III.4.2.	: composition de l'habitation
		III.9.10.	: réparations automobiles
garantir v.	AP :	I.1.3.1.1.	: insister sur un fait : emphase intensive sur l'acte d'asserter
		I.5.2.	: promettre à autrui de faire soi-même
garçon n.m.	ON :	III.7.3.	: restaurants et cafés
GARDE (mettre en -)	AP :	I.1.5.	
garde (mettre en -) v.			
	AP :	I.1.5.	: mettre en garde
garderie n.f.	ON :	III.2.1.	: école et études
gare intj.	AP :	I.9.0.3.	: menacer d'une sanction
gare n.f.	ON :	III.6.4.	: transports publics
gare routière n.f.	ON :	III.6.4.	: transports publics
garer (se) v.	ON :	III.6.5.	: transport privé
gâteau n.m.	ON :	III.7.2.	: nourritures et boissons
gauche n.f.	ON :	III.15.2.	: actualité politique
gauche (à -) av.	ON :	II.2.3.2.	: mouvement
		III.6.1.	: consignes d'orientation, de déplacements, indications d'itinéraires
gauche (à - de) prép.			
	G :	II.1.2.2. (annexe)	: situation dans l'espace
	ON :	II.3.2.1.	: localisation relative dans l'espace
gauche (de -) av.	ON :	III.15.2.	: actualité politique
gauchiste n.m.	ON :	III.15.2.	: actualité politique
gaz n.m.	ON :	III.4.5.	: énergie et entretien
gelé aj.	ON :	III.10.2.	: besoins et états physiologiques
gelée n.f.	ON :	III.5.4.	: climat, conditions météorologiques, temps qu'il fait
geler v.	ON :	III.5.4.	: climat, conditions météorologiques, temps qu'il fait
gêné aj.	AP :	I.11.4.3.	: affectivité, sentiment lié à la responsabilité R honte
		II.14.6.	: désapprouver énonciation R se féliciter d'une action accomplie par soi-même
		II.23.6.	: faire le contraire de l'énonciation demandée, désapprouver (au lieu d'approuver) action d'autrui

gêner v.	AP :	I.2.3.	: réagir aux faits et aux événements R se plaindre
		I.2.4.	: *id.* R plaindre
		I.10.3.6.1.	: pragmatique ; volition ; volonté R tolérance
		I.11.7.5.	: affectivité ; sentiment lié à une réalité désagréable R déplaisir
		I.11.8.1.	: *id.* ; sentiment lié aux conséquences d'une réalité désagréable R ennui, embarras
gêner (se) v.	AP :	I.3.5.	: désapprouver, reprocher, protester
		I.9.0.2.	: inviter, encourager
		I.10.10.4.	: pragmatique ; dispositions objectives R désinvolture, insouciance
		I.10.10.8.	: *id.* ; *id.* R dureté, méchanceté
		II.24.2.	: refuser de faire soi-même R déconseiller à autrui de faire lui-même
général (en -) av.	G :	II.1.1.4.1.	: action répétée
	ON :	II.2.2.3.1.	: fréquence
générale (alimentation -) n.f.			
	ON :	III.8.2.	: alimentations
GENERALISANT (existentiel -)			
	G :	I.2.1.1.	
GENERIQUE (accomplissement -)			
	G :	I.1.2.2.	
(existentiel -)			
	G :	I.2.1.3.1.	
(détermination des actants)			
	G :	II.2.1.1.1.1.	
(types d'actants)			
	G :	II.2.0.2.	
générosité n.f.	AP :	I.10.10.9.	: pragmatique ; dispositions objectives R altruisme
génial aj.	AP :	I.3.1.	: approuver, féliciter
		I.11.1.3.	: affectivité ; attitude vis-à-vis d'une chose, une personne, un fait R admiration
		I.11.6.7.	: fascination
genre n.m.	AP :	IV.1.14.	: aspect référentiel R classifier
gens n.m.f.	ON :	II.1.	: notions désignant des entités (anaphoriques nominaux)
gentil	AP :	v.0.1.1.2.	: paraître avoir une attitude
+ *gentil* aj.	AP :	+ I.2.5.	: remercier
		+ I.9.0.1.	: demander à autrui de faire lui-même (...)
		(b.13.)	
		I.9.0.7.	: *id.* R prier, supplier

grand aj.	AP :	I.9.0.1. (b.14.)	: demander à autrui de faire lui-même (responsabilité)
		II.24.1.	: refuser de faire soi-même R suggérer, proposer, conseiller, recommander à autrui de faire lui-même
		II.26.	: refuser qu'autrui fasse
	ON :	II.2.3.3.1.	: taille
		III.1.15.	: quelques caractéristiques physiques
		III.4.7.	: quelques qualifiants pour la maison, l'habitation
		III.8.3.	: vêtements mode
grand magasin	ON :	III.8.1.	: commerces ; généralités
grand-mère n.f.	ON :	III.1.11.	: membres de la famille
grand-père n.m.	ON :	III.1.11.	: membres de la famille
grande surface n.f.	ON :	III.8.1.	: commerces ; généralités
gras aj.	ON :	II.2.5.1.4.	: consistance, résistance
+ GRATITUDE	AP :	I.11.3.	
		I.3.3.	: juger l'action accomplie par autrui R excuser, pardonner
		I.10.3.2.	: pragmatique ; volition R indifférence
grave aj.	AP :	II.14.7.	: désapprouver énonciation R s'accuser d'une action accomplie par soi-même
	ON :	III.10.4.	: maladies, accidents
		III.15.4.	: quelques qualifiants pour les événements d'actualité
gré n.m.	AP :	I.9.0.1. (b.17.)	: demander à autrui de faire lui-même (...)
grenier n.m.	ON :	III.4.2.	: composition de l'habitation
grève n.f.	ON :	III.12.5.	: organisations professionnelles, syndicats
griller v.	ON :	III.7.2.	: nourritures et boissons
gris aj.	ON :	II.2.5.1.9.	: couleur
gros aj.	ON :	II.2.3.3.1.	: taille
		III.1.15.	: quelques caractéristiques physiques
gros (en -) av.	AP :	IV.1.19.	: résumer
grosso modo av.	AP :	IV.1.19.	: résumer
guerre n.f.	ON :	III.15.2.	: actualité politique
gueule (ta -) intj.	AP :	I.11.7.13.	: irritation, indignation, exaspération
		II.2.	: demander de se taire
guichet n.m.	ON :	III.9.1.	: poste
		III.13.3.	: cinéma, théâtre, opéra, concert
guide n.m.	ON :	III.6.3.	: vacances et tourisme
gymnastique n.f.	ON :	III.13.2.	: sports

+ *hélas* intj.	AP :	I.11.7.3.	: regret
		I.11.7.6.	: malheur
		II.15.3.	: approuver énoncé : admettre, reconnaître, avouer
		+ II.22.9	: répondre en avouant qu'un fait positif est vrai R demander si un fait est vrai
		+ II.22.10.	: répondre en avouant qu'un fait positif est faux R *id.*
		+ II.22.11.	: répondre en avouant qu'un fait négatif est vrai R *id.*
		+ II.22.12.	: répondre en avouant qu'un fait négatif est faux R *id.*
+ *hep* intj.	AP :	+ I.9.1.1.	: interpeller : en champ libre
herbe n.f.	ON :	III.5.3.	: flore et faune
hésiter v.	AP :	I.1.3.1.1.	: insister sur un fait : emphase intensive sur l'acte d'asserter
		I.5.1.	: proposer, offrir à autrui de faire soi-même
		I.8.4.	: recommander
		I.9.0.2.	: inviter, encourager
heure n.f.	ON :	II.2.2.1.	: situation dans le temps
		II.2.2.3.2.	: durée
		III.12.2.	: conditions de travail
heure (à l'-) av.	G :	II.1.1.4.3.	: situation appréciative de l'action dans le temps
	ON :	II.3.1.5.	: avance et retard
		III.6.2.	: déplacements liés au travail aux études, etc.
heure (de bonne -) av.			
	ON :	III.6.2.	: déplacements liés au travail, aux études, etc.
+ *heureusement* av.	AP :	I.4.1.	: juger l'action accomplie par soi-même R se féliciter
		+ I.11.6.4.	: bonheur
		II.12.1.	: approuver énonciation en général
+ *heureux* aj.	AP :	I.2.1.	: se féliciter
		I.4.2.	: juger l'action accomplie par soi-même R s'accuser, aimer
		I.9.0.1. (a.18.)	: demander à autrui de faire lui-même (...)
		I.9.0.1. (b.18.)	: *id.*
		+ I.9.0.1. (c.9.)	: *id.*
		+ I.11.6.4.	: bonheur

huile n.f. ON : III.6.5. : transport privé
III.7.2. : nourriture et boissons
III.9.9. : station-service automobile
humanitarisme n.m. AP : I.10.10.9. : altruisme
humblement av. AP : I.9.0.1. : demander à autrui de faire lui-même (...) (a.12.)
+ HUMEUR (bonne -) AP : I.11.9.1.
+ HUMEUR (mauvaise - agressive)
AP : I.11.9.3.
+ HUMEUR (mauvaise - dépressive)
AP : I.11.9.2.
humeur n.f. AP : I.11.6.4. : bonheur
I.11.7.13. : irritation, indignation, exaspération
I.11.9.1. : bonne humeur
I.11.9.3. : mauvaise humeur agressive
humide aj. ON : II.2.5.1.2. : humidité
III.5.4. : climat, conditions météorologiques, temps
HUMIDITE ON : II.2.5.1.2.
HUMILITE AP : I.10.9.5.
ON : III.10.3.
HYGIENE ET SANTE ON : III.10.
hyperbole AP : v.I.1.3.1.3.: insister sur un fait : emphase intensive sur un constituant
HYPOTHESE G : III.1.6. : condition pragmatique
+ HYPOTHESE (faire l'- qu'un fait est vrai)
AP : I.1.1.
+ *-ible* aj. AP : I.10.1.1. : faisabilité
ici av. AP : IV.1.7. : aspect référentiel R nommer
G : II.1.2.2.3. : situation spatiale déictique
ON : II.2.1.2. : présence/absence
II.2.3.1. : localisation dans l'espace
+ *idée* n.f. AP : I.1.7.3. : donner son opinion sur la vérité d'un fait : opinion
I.3.5. : juger l'action accomplie par autrui R désapprouver, reprocher
I.9.5. : demander propositions d'action
I.10.3.5. : pragmatique ; volition R intention
I.11.1.2. : affectivité ; attitude vis-à-vis d'une chose, une personne, un fait R appréciation
I.11.6. : *id.* ; sentiment lié à une réalité agréable R satisfaction
II.6. : demander raisons

II.18.2. : exprimer son ignorance R demander informations factuelles

+ II.20.1. : accepter, promettre de faire soi-même R suggérer, proposer, conseiller, recommander à autrui de faire lui-même

+ II.20.2. : *id.* R déconseiller à autrui de faire lui-même

+ II.21. : accepter qu'autrui fasse, de faire avec autrui

II.23.7. : faire le contraire de l'énonciation demandée, approuver (au lieu de désapprouver) action d'autrui

II.24.1. : refuser de faire soi-même R suggérer, proposer, conseiller, recommander à autrui de faire lui-même

II.25. : refuser de faire avec autrui R proposer à autrui de faire ensemble

IDENTIFICATION ET CARACTERISATION PERSONNELLES
ON : III.1.

identité (carte d'-) n.f.
ON : III.1.1. : nom

identité (papiers d'-) n.f.
ON : III.1.1. : nom

idiot AP : I.11.7.13. : affectivité ; sentiment lié à une réalité désagréable R irritation ; indignation ; exaspération
II.23.6. : faire le contraire de l'énonciation demandée R désapprouver (au lieu d'approuver) action d'autrui

+ IGNORANCE AP : v.0.1.2. : se renseigner, I.1.7.5.

+ IGNORANCE (exprimer son -)
AP : II.18.

IGNORANCE (prendre acte de l'- d'autrui)
AP : II.10.3.

ignorance n.f. AP : II.18. : exprimer son ignorance

ignorer AP : v.0.1.1.1. : paraître avoir une opinion

+ *ignorer* v. AP : I.1.4. : donner informations factuelles, romancer, informer d'un fait
I.1.7.1. : donner son opinion sur la vérité d'un fait : savoir
I.1.7.5. : *id.* : ignorance

		+ II.18.2.	: exprimer son ignorance R demander informations factuelles
		IV.2.3.	: évoquer, faire allusion à
il pron.	G :	II.2.0.3.	: substitut d'actant défini
(lui, -)	G :	II.2.0.3.	: substitut d'actant défini (emphase)
	ON :	II.1.	: notions désignant des entités ("pronoms personnels")
il y a v.	AP :	I.9.5.2.	: demander à autrui de faire lui-même ; demander propositions d'action R pour autrui et pour soi-même ensemble
		I.10.3.3.3.	: pragmatique ; volition ; désir R espoir, souhait
		II.14.5.	: désapprouver énonciation R désapprouver une action accomplie par autrui
		II.14.8.	: *id.* R s'excuser d'une action accomplie
		II.15.1.	: approuver énoncé (approbation forte)
		II.15.2.	: *id.* (approbation faible)
	G :	I.2.1.1. et 2.	: existentiel généralisant et locatif
	ON :	II.2.1.1.	: existence/non-existence
		II.2.1.2.	: présence/absence
		II.2.1.3.	: disponibilité/non-disponibilité
		III.13.1.	: distraction information
il y a (- que)	G :	II.1.1.2.	: accomplissement de l'action
		II.1.1.4.2.	: situation déictique de l'action dans le temps
	ON :	II.2.2.1.	: situation dans le temps
		II.3.1.3.	: référence au passé
(quelques instants/- un instant)			
	G :	II.1.1.3.3.	: accompli récent
	ON :	II.2.2.2.5.	: accompli récent
"ILLOCUTION"	AP :	v. Prés. 2,I,II,III	
+ ILLUSTRER, EXEMPLIFIER			
	AP :	IV.1.5.	
illustrer v.	AP :	IV.1.5.	: illustrer, exemplifier
ils pron.	ON :	II.1.	: notions désignant des entités ("pronoms personnels")
		II.1.	: notions désignant des entités (anaphoriques nominaux)
+ *imaginer* v.	AP :	+ I.1.1.1.	: faire l'hypothèse qu'un fait est vrai : hypothèse simple
		I.1.7.3.	: donner son opinion sur la vérité d'un fait : opinion

impression n.f. AP : I.1.2.4. : poser un fait comme apparent
I.1.7.3. : donner son opinion sur la vérité d'un fait : opinion
impressionner v. AP : II.24.2. : refuser de faire soi-même R déconseiller à autrui de faire lui-même
imprimé n.m. ON : III.9.1. : poste
+ IMPROBABLE (poser un fait comme -)
AP : I.1.2.8.
+ *improbable* aj. AP : I.1.2.8. : poser un fait comme improbable
+ *imprudemment* av. AP : I.10.10.6. : imprudence
+ IMPRUDENCE AP : I.10.10.6.
+ *imprudence* n.f. AP : I.10.10.6. : imprudence
imprudent aj. AP : *id.*
+ *in... (-able, -ible, -uble)* aj.
AP : + I.10.1.4. : infaisabilité
inacceptable aj. ON : II.2.5.3.2. : appréciation quant à l'acceptabilité
+ *inadmissible* aj. AP : I.3.5. : désapprouver, reprocher, protester
I.10.3.6.2. : intolérance
I.11.7.13. : irritation, indignation, exaspération
ON : II.2.5.3.2. : appréciation quant à l'acceptabilité
INANIME (actance -) G : I.2.8.
INATTENDU (sentiments liés à l'-)
AP : I.11.5.
inattendu aj. ON : III.15.4. : qualifiants pour les événements d'actualité
+ *incapable* aj. AP : + I.10.5.2. : incapacité
ON : II.2.5.3.8. : appréciation quant à la capacité, la compétence
+ INCAPACITE AP : I.10.5.2.
incident n.m. ON : III.15.1. : généralités
INCLUSION, EXCLUSION ON : II.3.6.4.
+ INCOMPETENCE AP : I.10.4.2.
incomplétude (- sémique)
G : I.3.3.3. : complémentation de l'adjectif
inconscient aj. AP : II.23.6. : faire le contraire de l'énonciation demandée R désapprouver (au lieu d'approuver) action d'autrui
incontestable aj. AP : I.1.2.3. : poser un fait comme certain
+ *inconvénient* n.m. AP : I.9.0.1. : demander à autrui de faire lui-même (...) (b.16.)
+ I.10.3.6.1. : tolérance
II.22.2. : donner permission R demander permission

+ *inquiéter (s')* v. AP : I.3.3. : excuser, pardonner
I.10.10.6. : imprudence
+ I.11.2.1. : confiance
+ I.11.8.2. : inquiétude
+ II.14.7. : désapprouver énonciation R s'accuser d'une action accomplie par soi-même
+ II.20.6. : accepter, promettre de faire soi-même R prier, supplier autrui de faire lui-même
II.23.7. : faire le contraire de l'énonciation demandée R approuver (au lieu de désapprouver) action d'autrui

INQUIETUDE AP : I.11.8.2.
+ INSATISFACTION AP : I.11.7.1.
inscrire v. ON : III.2.1. : école et études
insecte n.m. ON : III.5.3. : flore et faune
+ INSISTER SUR UN FAIT
AP : v.0.2.1. : faire savoir
I.1.3.
+ *insister* v. AP : I.1.3.1.2. : insister sur un fait : emphase intensive sur la proposition assertée
I.10.8.2. : tentative
II.23.3. : faire le contraire de l'énonciation demandée R refuser dispense
+ II.24.8. : refuser de faire soi-même R prier, supplier autrui de faire lui-même
II.26. : refuser qu'autrui fasse R proposer à autrui de faire soi-même

+ INSOUCIANCE AP : I.10.10.4.
insouciance n.f. AP : I.10.10.4. : désinvolture, insouciance
inspirer v. AP : I.11.2.2. : affectivité ; attitude vis-à-vis de l'avenir R méfiance
instant n.m. AP : I.6.1.NB : redemander la parole après avoir été interrogé
IV.5.1. : aspect dialogué R engager conversation
instant (à l'-) av. G : II.1.1.3.3. : accompli récent
(il y a un (quelques) -) av.
ON : II.2.2.2.5. : accompli récent
(dans un (quelques) -) av.
ON : II.2.2.2.1. : imminence
instituteur n.m. ON : III.2.1. : école et études
INSTRUMENT DE L'ACTION
ON : II.3.3.5.

+ *interdit* aj.	AP :	I.10.2.2.	: interdiction
		II.24.4.	: refuser de faire soi-même R demander, ordonner, interdire à autrui de faire lui-même
	ON :	III.10.5.	: assurances, sécurité
+ *intéressant* aj.	AP :	+ I.11.1.1.1.	: intérêt
		I.11.6.6.	: intérêt
		+ I.11.7.1.	: insatisfaction
	ON :	III.12.7.	: quelques qualifiants à propos du métier
		III.13.6.	: quelques qualifiants pour les spectacles et divertissements
+ *intéresser* v.	AP :	I.1.4.	: donner des informations factuelles R annoncer, informer d'un fait
		I.11.1.13.	: affectivité ; attitude vis-à-vis d'une chose, d'une personne, un fait R dédain
		+ I.11.6.6.	: intérêt
		I.11.7.1.	: insatisfaction
		+ II.13.2.	: critiquer énonciation R signaler, avertir
		II.24.6.	: refuser de faire soi-même R menacer d'une sanction
		+ II.24.7.	: refuser de faire soi-même R promettre récompense
+ *intéresser (s'- à)* v.			
	AP :	+ I.11.1.1.	: intérêt
+ INTERET	AP :	I.11.1.1.	
		I.11.6.6.	
intérêt n.m.	AP :	I.8.4.	: recommander
		I.8.5.	: déconseiller
		I.10.1.6.	: utilité
		I.10.10.9.	: altruisme
		I.10.10.10.	: égoïsme
		II.15.1.	: approuver énoncé (approbation forte)
	ON :	III.9.4.	: banque
intérêt (taux d'-) n.m.			
	ON :	III.9.4.	: banque
intérieur (à l'- (de)) av. et prép.			
	ON :	II.3.1.	: localisation dans l'espace
		II.3.2.1.	: localisation relative dans l'espace
intérieur (règlement -) n.m.			
	ON :	III.12.3.	: recherche d'un emploi ; chômage ; licenciement
intérieure (politique -) n.f.			
	ON :	III.15.2.	: actualité politique

+ INTERPELLATION (répondre à -)
AP : II.22.4.
+ INTERPELLER AP : v.0.2.2. : faire faire
I.9.1.
interpeller v. AP : I.9.1. : interpeller
INTERPERSONNEL (implicite -)
AP : I.3.2.1.3.
+ INTERPRETER ENONCIATION
AP : II.9.
v.IV.1.18. : rapporter discours
INTERROGATION G : I.3.1.1.
interroger AP : v.0.1.1.1. : paraître avoir une opinion
v.0.1.2. : se renseigner
v. DEMANDER ..., QUESTION ...
INTERRO-NEGATION AP : II.22.2.
G : I.3.1.3.
intolérable aj. AP : I.10.3.6.2. : intolérance
+ INTOLERANCE AP : I.10.3.6.2.
intonation AP : Prés. 4 et *passim*
introduire v. ON : III.11.3. : opérations manuelles, physiques
+ *inutile* aj. AP : I.10.1.4. : pragmatique ; faisabilité R infaisabilité
I.10.1.7. : inutilité
+ II.14.2. : désapprouver énonciation R faire l'hypothèse qu'un fait est vrai
II.20.4. : accepter, promettre de faire soi-même R menacer d'une sanction
+ II.24.8. : refuser de faire soi-même R prier, supplier de faire lui-même
ON : II.2.5.3.7. : appréciation quant à l'utilité
+ INUTILITE AP : I.10.7.
INVITATIONS, RENDEZ-VOUS
ON : III.14.2.
invitation n.f. ON : III.14.2. : invitation, rendez-vous
invité n.m. AP : I.7.2. : inviter autrui à faire ensemble
+ INVITER AUTRUI A FAIRE ENSEMBLE
AP : I.7.2.
+ INVITER AUTRUI A FAIRE LUI-MEME
AP : I.9.0.2.
+ *inviter* v. AP : + I.7.2. : inviter autrui à faire ensemble
I.9.0.2. : inviter autrui à faire lui-même
ON : III.14.2. : invitations, rendez-vous

	G :	II.1.1.4.1.	: situation de l'action dans le temps
	ON :	II.22.1.	: situation dans le temps
		II.2.2.3.1.	: fréquence
jambe n.f.	ON :	III.10.1.	: parties du corps
jambon n.m.	ON :	III.7.2.	: nourriture et boissons
janvier n.m.	ON :	III.5.5.	: mois et saisons, fêtes de l'année
jardin n.m.	ON :	III.4.2.	: composition de l'habitation
jaune aj.	ON :	II.2.5.1.9.	: couleur
je pron.	G :	II.2.0.1.	: actant défini déictique
	ON :	II.1.	: notions désignant des entités ("pronoms personnels")
(moi, -)	G :	II.2.0.1.	: actant défini déictique (emphase)
jeter v.	ON :	III.11.3.	: opérations manuelles, physiques
jeton n.m.	ON :	III.9.2.	: téléphone
jeu n.m.	ON :	III.13.1.	: distractions et information
jeudi n.m.	ON :	III.4.2.1.	: situation dans le temps
jeune aj.	ON :	III.1.5.	: âge
+ *jeune homme* n.m.	AP :	+ I.2.5.	: remercier
		+ I.9.1.1.	: interpeller : en champ libre
		+ III.1.	: saluer
		+ III.2.1.	: prendre congé : à l'oral
jeunesse (auberge de -) n.f.			
	ON :	III.7.1.	: hôtel camping
+ JOIE	AP :	I.11.6.5.	
+ *joie* n.f.	AP :	+ I.11.6.5.	: joie
joué aj.	ON :	III.13.6.	: quelques qualifiants pour les spectacles et divertissements
	AP :	I.10.8.3.	: pragmatique, échec, réussite
jouer v.	ON :	III.13.2	: sports
		III.13.3	: cinéma, théâtre, opéra, concert
jouer à + nom de jeu v.			
	ON :	III.13.1.	: distractions et information
		III.13.2.	: sports
jouer de + nom d'un instrument v.			
	ON :	III.13.1.	: distractions et information
joueur n.m.	ON :	III.13.2.	: sports
jour n.m.	AP :	I.11.9.3.	: affectivité ; bonne et mauvaise humeur R mauvaise humeur agressive
	ON :	II.2.2.3.2.	: durée
		III.6.3.	: vacances et tourisme
jour (nom des - de la semaine)			
	ON :	II.2.2.1.	: situation dans le temps

journal n.m.	ON :	III.12.3.	: recherche d'un emploi : chômage ; licenciement
		III.13.5.	: lire, écrire
joyeux aj.	AP :	I.11.6.5.	: joie
jugement	AP :	v.IV.1.18.	: rapporter discours
+ JUGEMENT SUR UNE ACTION ACCOMPLIE PAR SOI-MEME (demander -)			
	AP :	v.0.2.2.	: faire faire
		I.9.6.	
jugement n.m.	AP :	IV.1.10.	: prouver, démontrer
JUGER, EVALUER, APPRECIER			
	AP :	IV.1.11.	
		v.IV.1.12.	: analyser
+ JUGER L'ACTION ACCOMPLIE PAR AUTRUI			
	AP :	I.3.	
+ JUGER L'ACTION ACCOMPLIE PAR SOI-MEME			
	AP :	I.4.	
juger v.	AP :	II.22.2.	: donner permission R demander permission
		IV.1.18.	: aspect référentiel R rapporter discours
juillet n.m.	ON :	III.5.5	: mois et saisons, fêtes de l'année
juin n.m.	ON :	III.5.5.	: mois et saisons, fêtes de l'année
jupe n.m.	ON :	III.8.3.	: vêtements-mode
jurer v.	AP :	I.1.3.1.1.	: donner des informations factuelles ; insister sur un fait (emphase) ; emphase intensive R sur l'acte d'asserter
		I.5.2.	: permettre à autrui de faire soi-même
		II.23.4.	: faire le contraire de l'énonciation demandée R réfuter vérité d'un fait positif
		II.23.5.	: *id.* r réfuter vérité d'un fait négatif
JURONS (faire des -)	AP :	IV.1.20.	
jus de fruit n.m.	ON :	III.7.2.	: nourriture et boissons
jusqu'à prép.	AP :	v. *aller jusqu'à* v.	
	ON :	II.2.2.2.4.	: achèvement
jusqu'à ce que conj.	G :	II.1.1.2.	: quantification et déroulement, relatif à une autre action
	ON :	II.2.2.3.2.	: durée
juste aj.	AP :	I.3.4.	: juger l'action accomplie par autrui R critiquer
		I.9.6.1.	: demander à autrui de faire lui-même ; demander jugement sur une action accomplie par soi-même R demander avis
		I.11.7.2.	: affectivité ; sentiment lié à une réalité désagréable R déception

laine n.f.	ON :	II.2.5.1.10.	: matière
		III.8.3.	: vêtements-mode
+ *laisser* v.	AP :	I.1.2.7.	: poser un fait comme contingent
		I.6.1.NB.	: redemander la parole après avoir été interrompu
		I.7.2.	: inviter à autrui à faire ensemble
		I.10.10.3.	: pragmatique ; dispositions objectives R application
		II.14.4.	: désapprouver énonciation R plaindre
		II.19.	: exprimer son indécision
		+ II.24.9.	: refuser de faire soi-même R interpeller
		+ II.26.	: refuser qu'autrui fasse R proposer à autrui de faire soi-même
laisser tomber v.	ON :	III.11.3.	: opérations manuelles physiques
lait n.m.	ON :	III.7.2.	: nourriture et boissons
lamentable aj.	AP :	I.11.7.9.	: affectivité ; sentiment lié à une réalité désagréable R pitié
lamenter (se) v.	AP :	II.14.3.	: désapprouver énonciation R se plaindre
lampe n.f.	ON :	III.4.5.	: énergie et entretien
lancer v.	ON :	III.11.3.	: opérations manuelles, physiques
LANGUE (connaissance d'une - ; niveau d'aptitude ; correction)	ON :	III.3.2.	
LANGUE ETRANGERE	ON :	III.3.	
langues (nom de -)	ON :	II.4.6.	: d'un pays dans un autre
		III.2.2.	: matières d'enseignement
langues étrangères n.f.	ON :	III.2.2.	: matières d'enseignement
langues vivantes n.f.	ON :	III.2.2.	: matières d'enseignement
large aj.	ON :	II.2.3.3.1.	: taille
largeur n.f.	ON :	II.2.3.3.1.	: taille
lavabo n.m.	ON :	III.4.5.	: énergie et entretien
laver v.	ON :	III.4.5.	: énergie et entretien
		III.10.3.	: hygiène
laver (se) v.	ON :	III.10.3.	: hygiène
laver (machine à -) n.f.	ON :	III.4.4.	: vaisselle et appareils ménagers
		III.10.3.	: hygiène
laverie n.f.	ON :	III.10.3.	: hygiène

lave-vaisselle n.m.	ON :	III.4.4.	: vaisselle et appareils ménagers
le at.	G :	II.1.1.4.	: situation objective de l'action dans le temps (date et action répétée)
		II.2.1.1.1.1	: détermination générique des actants
		II.2.1.1.1.2	: détermination spécifique des actants
		II.2.1.1.2.	: détermination définie des actants (noms propres)
le pron.	G :	I.3.2.2.1.	: transformation pronominale de l'actant objet
		I.3.2.2.2.	: transformation pronominale de la que-phrase
		II.2.0.3.	: substitut d'actants définis
	ON :	II.1.	: notions désignant des entités ("pronoms personnels")
		II.1.	: notions désignant des entités (pro-verbes et propositions)
lecture n.f.	ON :	III.2.2.	: matières d'enseignement
léger aj.	ON :	III.6.4.	: transports publics
		II.2.3.3.4.	: poids
		III.7.4.	: quelques qualifiants pour les repas
	AP :	I.10.10.4.	: pragmatique ; dispositions objectives R désinvolture, insouciance
législatif aj.	ON :	III.15.2.	: actualité politique
LE GITE, LE COUVERT : HOTEL, RESTAURANT, ETC.			
	ON :	III.7.	
légumes n.m.	ON :	III.7.2.	: nourriture et boissons
légumes (marchand de -)			
	ON :	III.8.2.	: alimentation
lendemain (le -) av.	G :	II.1.1.4.2.	: situation anaphorique de l'action dans le temps
	ON :	II.2.2.1.	: situation dans le temps
lent aj.	ON :	II.2.3.3.3.	: vitesse, accélération
		III.6.4.	: transports publics
lentement av.	ON :	II.2.2.4.	: stabilité et changement
		II.3.3.8.	: manière
		III.3.1.	: comprendre
lequel pron.	ON :	II.1.	: notions désignant des entités
(n'importe -)	G :	II.2.0.3.	: substitut d'actant indéfini
les at.	G :	II.2.1.1.1.	: détermination générique des actants
		II.2.1.1.1.2.	: détermination spécifique des actants
les pron.	G :	I.3.2.2.1.	: transformation pronominale de l'actant objet
		II.2.0.3.	: substitut d'actants définis
	ON :	II.1.	: notions désignant des entités ("pronoms personnels")

Entrée		Référence	Rubrique
lessive (faire la -) v.			
	ON :	III.10.3.	: hygiène
+ LETTRES (prononcer les -)			
	AP :	IV.3.1.	
lettre n.f.	AP :	I.10.10.1.	: pragmatique ; dispositions objectives R aisance
lettre n.f.	ON :	III.1.1.	: nom
		III.2.4.	: exercices
		III.9.1.	: poste
		III.14.3.	: correspondance
lettre majuscule/minuscule n.f.			
	ON :	III.2.4.	: exercices scolaires
lettres (boîte aux -) n.f.			
	ON :	III.9.1.	: poste
leur pron.	G :	cf. *la* pron.	
	ON :	II.1.	: notions désignant des entités ("pronoms personnels")
(le -) pron.	ON :	II.1.	: notions désignant des entités ("pronoms possessifs")
levée n.f.	ON :	III.9.1.	: poste
lever (se) v.	ON :	III.11.1.	: positions du corps et mouvements
LEXIQUE (- causal)	G :	I.2.5.3.	
(- concessif)	G :	III.2.1.3.	
(- final)	G :	I.2.6.	
libéral aj.	ON :	III.15.2.	: actualité politique
libéralisme n.m.	ON :	III.15.2.	: actualité politique
librairie n.f.	ON :	III.13.5.	: lire, écrire
libre aj.	AP :	I.7.2.	: inviter autrui à faire ensemble
LICENCIEMENT (recherche d'un emploi ; chômage ; -)			
	ON :	III.12.3.	
licenciement n.m.	ON :	III.12.3.	: recherche d'un emploi ; chômage, licenciement
licencier v.	ON :	III.12.3.	: recherche d'un emploi ; chômage, licenciement
LIEU (date et - de naissance)			
	ON :	III.1.4.	
lieu de naissance n.m.			
	ON :	III.1.1.	: nom
lieu (en premier -) av.			
	AP :	IV.6.1.	: aspect formel R annoncer plan, points
lieu (avoir -) v.	G :	I.2.1.4.3.2.	: attribution d'une circonstance temporelle
		II.1.2.0.	: le "cas locatif"
ligne n.f.	ON :	III.6.4.	: transports publics

(- du raisonnement)
G : III.1.
(- modale) G : III.2.
(condition -) G : III.1.10.
logique aj. AP : I.1.2.2. : poser un fait comme nécessaire
loi n.f. ON : III.15.2. : actualité politique
loin av. AP : I.10.8.4. : pragmatique ; échec, réussite
loin av. G : II.1.2.2.2. : situation spatiale appréciative
ON : II.3.2.2. : distance
III.6.1. : consignes d'orientation, de déplacement ; indications d'itinéraires
loin de prép. ON : II.3.2.2. : distance
III.6.2. : déplacements liés au travail, aux études, etc.
LOISIRS, DISTRACTIONS, SPORTS, INFORMATION
ON : III.13.
long aj. ON : II.2.3.3.1. : taille
III.1.15. : quelques caractéristiques physiques
III.6.2. : déplacements liés au travail, aux études, etc.
long (le - de) prép. G : II.1.2.2. : situation dans l'espace
ON : II.3.2.1. : localisation relative dans l'espace
longer v. ON : II.3.2.3. : déplacements orientés dans l'espace
longtemps av. AP : IV.2.4. : aspect quantitatif R s'étendre sur
G : II.1.1.2. : quantification et déroulement
ON : II.2.2.3.2. : durée
(il y a -) G : II.1.1.4.2. : situation déictique de l'action dans le temps
(pas -) av. ON : II.2.2.3.2. : durée
longueur n.f. ON : II.2.3.3.1. : taille
louer v. ON : III.4.1. : modes et types d'habitation
III.4.6. : loyer, prix de vente, charges
III.6.4. : transports publics
III.13.3. : cinéma, théâtre, opéra, concert
lourd aj. ON : II.2.3.3.4. : poids
III.6.4. : transports publics
LOYER, PRIX DE VENTE, CHARGES
ON : III.4.6.
loyer n.m. ON : III.4.6.
lui pron. G : cf. *la* pron.
ON : II.1. : notions désignant des entités ("pronoms personnels")
III.1.6. : sexe
(- il) G : II.2.0.1. : actant défini déictique (emphase)

lunettes n.f.	ON :	III.1.15.	: quelques caractéristiques physiques
lundi n.m.	ON :	II.2.2.1.	: situation dans le temps
lundi (le-/tous les -s) av.			
	ON :	II.2.2.3.1.	: fréquence
luné aj.	AP :	I.11.9.1.	: affectivité ; bonne et mauvaise humeur
		I.11.9.3.	: *id.*
lycée n.m.	ON :	III.2.1.	: école et études
m abrv.	ON :	II.2.3.3.2.	: unités de mesure des distances
		III.1.6.	: sexe
m^2 abrv.	ON :	II.2.3.3.5.	: mesure des liquides, surfaces, volumes
m^3 abrv.	ON :	II.2.3.3.5.	: mesure des liquides, surfaces, volumes
+ *machin(e)* n.	AP :	+ IV.1.7.	: nommer
	ON :	II.1.	: notions désignant des entités
machine n.f.	ON :	III.12.2.	: conditions de travail
machine à laver n.f.	ON :	III.4.4.	: vaisselle et appareils ménagers
		III.10.3.	: hygiène
+ *madame* n.f.	AP :	+ I.2.5.	: remercier
		+ I.9.1.1.	: interpeller ; en champ libre
		+ III.1.	: saluer
		+ III.2.1.	: prendre congé , à l'oral
		+ III.2.2.	: *id.* correspondance
		+ III.3.	: présenter quelqu'un
	ON :	III.1.	: nom
		III.1.6.	: sexe
+ *mademoiselle* n.f.	AP :	+ I.2.5.	: remercier
		+ I.9.1.1.	: interpeller ; en champ libre
		+ III.1.	: saluer
		+ III.2.1.	: prendre congé, à l'oral
		+ III.2.2.	: *id.* correspondance
		+ III.3.	: présenter quelqu'un
	ON :	III.1.1.	: nom
		III.1.6.	: sexe
magasin n.m.	ON :	III.8.1.	: commerces : généralités
magasin (grand -) n.m.			
	ON :	III.8.1.	: commerces, généralités
magazine n.m.	ON :	III.13.5.	: lire, écrire
+ *magnifique* aj.	AP :	+ I.11.1.3.	: admiration
	ON :	III.6.3.	: vacances et tourisme
mai n.m.	ON :	III.5.5.	: mois et saisons, fêtes de l'année
main n.f.	ON :	III.10.1.	: parties du corps

+ *mal* n.m.	AP :	+ I.3.3.	: excuser, pardonner
		I.10.9.6.	: innocence subjective
		+ I.10.10.2.	: difficulté
		I.10.11.3.	: innocence objective
		v. *penser à mal*	
+ *mal* aj.	AP :	+ I.3.1.	: approuver, féliciter
		I.9.6.2.	: demander d'approuver action accomplie par soi-même
		I.10.11.4.	: culpabilité objective
		II.23.7.	: faire le contraire de l'énonciation demandée : approuver (au lieu de désapprouver) action d'autrui
	ON :	II.2.5.3.	: appréciation qualitative
mal av.	AP :	I.3.4.	: juger l'action accomplie par autrui R critiquer
		I.9.6.3.	: demander de désapprouver action accomplie par soi-même
		I.11.9.3.	: affectivité ; bonne et mauvaise humeur
		II.24.1.	: refuser de faire soi-même R suggérer, proposer, conseiller, recommander à autrui de faire lui-même
		v. *aller bien, mal ; faire bien, mal*	
	G :	II.1.4.1.1.	: qualification du procès
	ON :	II.2.5.3.1.	: appréciation globale
		III.3.2.	: connaissance d'une langue ; niveau d'aptitude ; correction
		III.4.7.	: quelques qualifiants pour la maison, l'habitation
		III.5.2	: quelques qualifiants pour le quartier et l'environnement
		III.8.3.	: vêtements-mode
		III.12.7.	: quelques qualifiants à propos du métier
		III.13.6.	: quelques qualifiants pour les spectacles et divertissements
malade n.m.	ON :	III.10.6.	: services médicaux et de santé
malade aj.	ON :	III.7.4.	: quelques qualifiants pour les repas
		III.10.4.	: maladies, accidents
malade (être -) v.	ON :	III.10.4.	: maladies, accidents
malade (tomber -) v.	ON :	III.10.4.	: maladies, accidents
MALADIES, ACCIDENTS	ON :	III.10.4.	
maladies (feuille de -) n.f.	ON :	III.9.8.	: sécurité sociale

MANUELLES (opérations -, physiques)
ON : III.11.3.

marchand de légumes n.m.
ON : III.8.2. : alimentations

marché n.m. ON : III.8.1. : commerces et généralité
III.15.3. : actualité économique et sociale

marcher v. AP : I.11.9.3. : affectivité ; bonne et mauvaise humeur R mauvaise humeur agressive
ON : II.2.3.2. : mouvement
III.9.10. : réparations automobiles
III.11.1. : positions du corps et mouvements

marcher (faire -) v. AP : II.16.2. : critiquer énoncé R donner son opinion sur la vérité d'un fait

mardi n.m. ON : II.2.2.1. : situation dans le temps

mari n.m. ON : III.1.7. : situation familiale

mariage n.m. ON : III.14.1. : types de relations

marié aj. ON : III.1.7. : situation familiale

marier (se -) v. ON : III.14.1. : types de relations

+ MARQUER LE DEBUT D'UN POINT
AP : IV.6.2.

marrant (pas -) aj. ON : III.1.14. : caractère, tempérament

+ *marre (en avoir -)* v.
AP : + I.3.5. : désapprouver, reprocher, protester
+ I.11.7.13. : irritation, indignation, exaspération

marron aj. ON : II.2.5.1.9. : couleur

mars n.m. ON : III.5.5. : mois et saisons, fêtes de l'année

masculin aj. ON : III.1.6. : sexe

match n.m. ON : III.13.2. : sports

match nul n.m. ON : III.13.2. : sports

matériel n.m. ON : III.2.1. : école et études

maternelle (langue -) n.f.
ON : III.2.2. : matières d'enseignement

maternité n.f. ON : III.9.6. : hôpital

mathématiques ON : III.2.2. : matières d'enseignement

MATIERE ON : II.2.5.1.10.

MATIERES D'ENSEIGNEMENT
ON : III.2.2

matin n.m. AP : III.2.1. : prendre congé (à l'oral)

matin (ce -/hier -/demain -) av.
ON : II.2.2.1. : situation dans le temps

mauvais (avoir bon/- caractère) v.
ON : III.1.14. : caractère, tempérament

mauvais aj.	AP :	I.3.4.	: juger l'action accomplie par autrui R critiquer
	ON :	II.2.5.3.1.	: appréciation globale
		III.5.4.	: climat, conditions météorologiques, temps qu'il fait
		III.7.4.	: quelques qualifiants pour les repas
mauvais av.	ON :	II.2.5.1.8.	: odeur
mazout n.m.	ON :	III.4.5.	: énergie et entretien
me pron.	ON :	II.1.	: notions désignant des entités ("pronoms personnels")
méchamment av.	AP :	I.10.10.8.	: dureté, méchanceté
+ MECHANCETE	AP :	I.10.10.8.	
méchanceté n.f.	AP :	I.10.10.8.	: dureté, méchanceté
méchant aj.	AP :	I.7.5.	: juger l'action accomplie par autrui R désapprouver
		I.9.0.1.	: demander à autrui de faire lui-même (b.13.)
mécontent aj.	AP :	I.4.2.	: s'accuser, avouer
	ON :	III.7.4.	: quelques qualifiants pour les repas
médecin	AP :	v.I.9.1.3.	: interpeller ; correspondance
médecin n.m.	ON :	III.10.6.	: services médicaux et de santé
MEDICAMENTS (pharmacie -)			
	ON :	III.8.5.	
médicament n.m.	ON :	III.10.6.	: services médicaux et de santé
MEDICAUX (services - et de santé)			
	ON :	III.10.6.	
+ MEFIANCE	AP :	I.11.2.2.	
+ *méfier (se)* v.	AP :	+ I.11.2.2.	: méfiance
meilleur aj.	AP :	I.8.4.	: proposer à autrui de faire lui-même R recommander
	ON :	II.2.5.3.1.	: appréciation globale
meilleure n.f.	AP :	II.17.	: désapprouver énoncé R poser un fait comme vrai
mêler (se - de) v.	AP :	II.2.	: demander de se taire
		II.24.12.	: refuser de faire soi-même R demander propositions d'action pour soi-même
MEMBRES DE LA FAMILLE			
	ON :	III.1.11.	
membre n.m.	ON :	III.14.4.	: association, sociétés
membre (être - de) v.			
	ON :	III.14.4.	: associations, sociétés

même av.	AP :	I.10.11.8.	: pragmatique, responsabilité R lâcheté
		I.11.3.3.	: ingratitude
		II.22.18.	: faire énonciation demandée R donner accord sur la vérité d'un fait positif
		IV.1.8.	: comparer
		IV.1.16.	: énumérer
		v. *quand même ; tout de même*	
même aj.	AP :	IV.1.14.	: aspect référentiel R classifier
		IV.3.3.	: aspect métalinguistique R gloser
		IV.3.5.	: *id.* R traduire
	ON :	II.3.4.1.	: similitude, différence
(au – moment)	G :	II.1.1.4.4.	: situation temporelle relative : simultanéité
(en – temps)	G :	II.1.1.4.4.	: situation temporelle relative : simultanéité
	ON :	II.3.1.7.	: simultanéité
(la – chose)	G :	II.2.0.3.	: substitut d'actants comparés
même (le –) pron.	ON :	II.1.	: notions désignant des entités ("indéfinis" quantifiants)
même si conj.	AP :	I.10.1.7.	: inutilité
mémoire n.f.	AP :	I.1.6.1.	: donner des informations factuelles, rappeler, répéter
menace n.f.	AP :	II.9.	: interpréter énonciation
+ MENACER D'UNE SANCTION			
	AP :	v.0.2.2.	: faire faire
		I.9.0.3.	
menacer v.	AP :	I.9.0.3.	: menacer d'une sanction
ménage (faire le –)	ON :	III.4.5.	: énergie et entretien
MENAGERS (vaisselle et appareils –)			
	ON :	III.4.4.	
mensuel aj.	ON :	II.2.2.3.1.	: fréquence
MENTIR	AP :	v.0.3.2.2.	: implicite de l'énonciation
		IV.1.1.	
mentir v.	AP :	IV.1.1.	: mentir
menu n.m.	ON :	III.7.3.	: restaurants et cafés
MEPRIS	AP :	I.11.1.14.	
mépris n.m.	AP :	I.11.1.14.	: mépris
méprisable aj.	AP :	I.11.1.14.	: mépris
mépriser v.	AP :	I.11.1.14.	: mépris
mer n.f.	ON :	III.5.1.	: quartier, région, paysage
+ *merci* n.m.	AP :	+ I.2.5.	: remercier
		+ I.9.7.2.	: demander de remercier
		+ II.12.1.	: approuver énonciation : en général
		II.12.2.	: *id.* R donner son opinion sur la vérité d'un fait

+ II.24.3. : refuser de faire soi-même R permettre, autoriser, dispenser autrui de faire lui-même
+ II.25. : refuser de faire avec autrui R proposer à autrui de faire ensemble
II.26. : refuser qu'autrui fasse R proposer à autrui de faire soi-même
+ III.1. : saluer
+ III.5. : présenter sa sympathie, ses condoléances
+ III.6. : souhaiter quelque chose à quelqu'un

mercredi n.m. ON : II.2.2.1. : situation dans le temps
merde n.f. AP : I.11.7.13. : irritation, indignation, exaspération
II.24.9. : refuser de faire soi-même R interpeller
mère n.f. ON : III.1.11. : membres de la famille
mère (nom de la -) n.f.
ON : III.1.4. : date et lieu de naissance
MERITE AP : I.10.11.5.
mérite n.m. AP : I.9.0.1. : *id.*
(b.14.)
I.10.11.5. : mérite, gloire
II.13.4. : critiquer énonciation R féliciter autrui pour son action
mériter v. AP : I.10.11.5. : mérite, gloire
v. *attention (mériter -)*
merveilleux aj. AP : I.11.1.3. : affectivité ; attitude vis-à-vis d'une chose, une personne, un fait R admiration
I.11.6.7. : *id.* ; sentiment lié à une réalité agréable R fascination
message n.m. ON : III.7.1. : hôtel, camping
messe n.m. ON : III.1.12. : religion
messieurs n.m. ON : III.1.6. : sexe
MESURE (unités de - des distances)
ON : II.2.3.3.2.
MESURE DES LIQUIDES, SURFACES, VOLUMES
ON : II.2.3.3.5.
mesure G : II.1.2.2. : quantification de l'espace
(annexe)
ON : III.15.1. : généralités
mesurer v. ON : II.2.3.3.1. : taille
III.1.15. : caractéristiques physiques
métal n.m. ON : II.2.5.1.10.: matière

		I.9.0.2.	: inviter, encourager
		I.9.5.1.	: demander à autrui de faire lui-même, demander propositions d'actions R pour soi-même
		I.10.3.3.2.	: pragmatique ; volition ; désir R préférence
		IV.4.3.	: aspect correctif R corriger autrui
		v. *aimer mieux ; valoir mieux*	
	G :	II.1.3.3.3.	: détermination quantifiante comparative
	ON :	II.2.5.3.1.	: appréciation globale
+ *mieux* n.m.	AP :	+ I.10.10.3.	: application
mijoter v.	AP :	II.8.	: demander intentions énonciatives
milieu prép. *(au - de)*			
	G :	II.1.2.2. (annexe)	: situation dans l'espace
	ON :	II.3.2.1.	: situation relative dans l'espace
militaires (obligations -) n.f.			
	ON :	III.12.3.	: recherche d'un emploi ; chômage ; licenciement
militaire (service -) n.m.			
	ON :	III.12.3.	: recherche d'un emploi ; chômage ; licenciement
militant n.m.	ON :	III.12.5.	: organisations professionnelles ; syndicats
mm intj.	AP :	II.10.1.	: prendre acte d'une énonciation : en général
mimiques	AP :	v.IV.1.18.	: rapporter discours
minable aj.	AP :	I.11.7.1.	: affectivité ; sentiment lié à une réalité désagréable R insatisfaction
mince aj.	ON :	III.1.15.	: quelques caractéristiques physiques
mine n.f.	ON :	III.10.2.	: besoins et états "physiologiques"
minérale (eau -) n.f.			
	ON :	III.7.2.	: nourriture et boissons
ministre n.m.	ON :	III.15.2.	: actualité politique
minuit n.m.	ON :	II.2.2.1.	: situation dans le temps
minute n.f.	AP :	IV.5.1.	: aspect dialogué R engager conversation
	ON :	II.2.2.3.2.	: durée
mlle abrv.	ON :	III.1.6.	: sexe
mme abrv.	ON :	III.1.6.	: sexe
moche	AP :	I.11.7.10.	: affectivité ; sentiment lié à une réalité désagréable R dégoût
	ON :	III.4.7.	: quelques qualifiants pour la maison, l'habitation
		III.5.2.	: quelques qualifiants pour le quartiers et l'environnement
		III.13.6.	: quelques qualifiants pour les spectacles et divertissements

+ *mon, ma, mes* aj. AP : + I.9.1.3. : interpeller : correspondance
v. *sens (à mon -)*

+ *Mon Dieu* intj. AP : I.2.3. : se plaindre
+ I.10.3.4.1. : anxiété

monnaie n.f. ON : III.8.6. : prix et paiement
III.9.2. : téléphone
III.13.3. : actualité économique et sociale

monnaie (rendre la -) v.
ON : III.8.6. : prix et paiement

+ *monsieur* AP : + I.2.5. : remercier
+ I.9.1.1. : interpeller : en champ libre
+ I.9.1.3. : *id.* : correspondance
+ III.1. : saluer
+ III.2.1. : prendre congé : à l'oral
+ III.2.2. : *id.* : correspondance
+ III.3. : présenter quelqu'un
IV.1.7. : aspect référentiel ; nommer
ON : III.1.1. : nom
III.1.6. : sexe
III.9.2. : téléphone

montagne n.f. ON : III.5.1. : quartier, région, paysage

monter v. ON : II.2.3.2. : mouvement
II.3.2.3. : déplacement orienté dans l'espace
III.6.4. : transports publics

montrer v. AP : I.1.2.2. : poser un fait comme nécessaire
IV.1.10. : prouver, démontrer
IV.6.3. : conclure
ON : III.8.1. : commerces : généralités

montrer (se) v. AP : I.10.9.4. : pragmatique ; dispositions subjectives R modestie

moquer (se) v. AP : I.3.5. : juger l'action accomplie par autrui R désapprouver, reprocher
I.10.3.2. : pragmatique ; volition R indifférence
II.13.2. : critiquer énonciation R signaler, avertir
II.16.2. : critiquer énoncé R donner son opinion sur la vérité d'un fait

moral n.m. AP : I.11.7.7. : affectivité ; sentiment lié à une réalité désagréable R tristesse
I.11.9.1. : *id.* ; bonne et mauvaise humeur
I.11.9.2. : *id.*

morphèmes AP : v. Prés. 7.

mort n.m. AP : I.10.3.4. : pragmatique ; volition R crainte
II.14.3. : désapprouver énonciation R se plaindre
II.14.4. : *id.* R plaindre
ON : III.10.4. : maladies, accidents
mort aj. ON : III.10.4. : maladies, accidents
morue n.f. ON : III.7.2. : nourriture et boissons
mosquée n.f. ON : III.1.12. : religion
mot n.m. AP : I.6.1. : demander la parole
I.9.8. : demander de (ne pas) transmettre
IV.1.19. : résumer
IV.2.1. : effleurer, s'en tenir à
ON : III.9.3. : télégraphe
MOT (prendre au -) AP : II.10.2.
mot (prendre au -) v. AP : II.10.2. : prendre au mot
II.20.5. : accepter, promettre de faire soi-même R promettre récompense
+ *mot à mot* av. AP : + IV.3.5. : traduire
moteur n.m. ON : III.9.10. : réparations automobiles
+ MOTIVATION AP : I.10.6.
moto n.f. ON : III.6.5. : transport privé
mou aj. ON : II.2.5.1.4. : consistance, résistance
mouais intj. AP : II.15.2. : approuver énoncé : approbation faible
mouillé aj. ON : II.2.5.1.2. : humidité
mouiller v. ON : II.2.5.1.2. : humidité
mourir v. ON : I.10.3.3.1. : pragmatique ; volition ; désir R préférence
II.14.4. : désapprouver énonciation R plaindre
III.10.4. : maladies, accidents
moutarde n.f. ON : III.7.2. : nourriture et boissons
mouton n.m. ON : III.5.3. : flore et faune
MOUVEMENT ON : II.2.3.2.
mouvement n.m. ON : III.15.2. : actualité politique
MOUVEMENTS (positions du corps et -)
ON : III.11.1.
"MOYEN" ("complément de -")
G : II.1.4.2. : détermination instrumentale
moyen n.m. AP : I.8.4. : proposer à autrui de faire lui-même R recommander
I.9.0.1. (c.3.) : demander (en général) à autrui de faire lui-même (...)
I.10.1.1. : faisabilité
I.10.1.4. : infaisabilité
I.10.5.2. : pragmatique ; capacité R incapacité
ON : III.15.3. : actualité économique et sociale

		II.14.7.	: désapprouver énonciation R s'accuser d'une action accomplie par soi-même
ne ... que av.	G :	II.2.1.2.1.	: détermination quantifiante des actants
ne ... que conj.	AP :	I.11.7.2.	: affectivité ; sentiment lié à une réalité désagréable R déception
		IV.2.1.	: aspect quantitatif R effleurer, s'en tenir à
	G :	II.2.2.2.1.	: condition restrictive positive
né à aj.	ON :	III.1.4.	: date et lieu de naissance
né de ... et de ... aj.			
	ON :	III.1.4.	: date et lieu de naissance
nécessaire (conjonctions du -)			
	AP :	v.I.1.8.10.	: présupposer qu'un fait est vrai
+ NECESSAIRE (poser un fait comme -)			
	AP :	I.1.2.2.	
		v.IV.1.10.	: prouver, démontrer
nécessaire aj.	AP :	I.10.1.5.	: indispensabilité
		I.10.1.7.	: inutilité
		I.10.2.1.	: obligation
		II.22.3.	: donner dispense R demander dispense
nécessité	G :	I.2.1.4.5.	: attribution d'une disposition (note)
nécessiter v.	AP :	I.1.2.2.	: donner des informations factuelles, poser un fait comme ... R nécessaire
		I.10.1.5.	: pragmatique ; faisabilité R indispensabilité
NEGATION	G :	I.3.1.2.	
		II.1.3.1., 2. et 5.	
négation	AP :	v. Prés. 4, 7 et *passim*	
négativement av.	AP :	II.22.6.	: répondre affirmativement à question négative
		II.22.7.	: répondre négativement à une question positive
négociation n.f.	ON :	III.15.5.	: actualité économique et sociale
neige n.f.	ON :	III.5.4.	: climat, conditions météorologiques, temps qu'il fait
neige (il -) v.	ON :	III.5.4.	: climat, conditions météorologiques, temps qu'il fait
neiger v.	ON :	III.5.4.	: climat, conditions météorologiques, temps qu'il fait
+ *n'est-ce pas* v.	AP :	+ I.9.4.4.4.	: demander accord sur la vérité d'un fait
		+ I.9.6.2.	: demander d'approuver action accomplie par soi-même
		+ I.9.6.3.	: demander de désapprouver action accomplie par soi-même
		II.15.1.	: approuver énoncé : approbation forte

nettoyer v.	ON :	III.4.5.	: énergie et entretien
		III.4.7.	: quelques qualifiants pour la maison, l'habitation
+ *neuf* aj.	AP :	+ I.9.3.	: demander de parler
		I.9.4.1.	: demander si un fait est vrai
	ON :	III.4.7.	: quelques qualifiants pour la maison, l'habitation
neveu n.m.	ON :	III.1.11.	: membres de la famille
nez n.m.	AP :	I.10.10.1.	: pragmatique ; dispositions subjectives : R silence
	ON :	III.10.1.	: parties du corps
ni conj.	G :	III.1.2.	: conjonction logique
	ON :	II.3.6.1.	: conjonction
nièce n.f.	ON :	III.1.11.	: membres de la famille
nier v.	AP :	I.1.2.3.	: poser un fait comme certain
		I.1.2.10.	: poser un fait comme faux
		II.15.3.	: approuver énoncé, admettre, reconnaître, avouer
		II.17.	: désapprouver énoncé
n'importe lequel pron.			
	G :	II.2.0.3.	: substitut d'actants indéfinis
n'importe où av.	G :	II.1.2.2.4.	: détermination spatiale indéfinie
	ON :	II.1.	: notions désignant des entités ("indéfinis" et quantifiants)
n'importe quand av.	ON :	II.1.	: notions désignant des entités ("indéfinis" et quantifiants)
n'importe quel aj.	G :	II.2.0.2.	: actant indéfini générique
n'importe qui pron.	AP :	I.10.1.2.	: pragmatique ; faisabilité R facilité
		II.2.0.2.	: actant indéfini générique
	ON :	II.1.	: notions désignant des entités ("indéfinis" et quantifiants)
n'importe quoi pron.	AP :	II.17.	: désapprouver énoncé
	G :	II.20.2.	: actant indéfini générique
	ON :	II.1.	: notions désignant des entités ("indéfinis" et quantifiants)
NIVEAU (connaissance d'une langue ; - d'aptitude ; correction)			
	ON :	III.3.2.	
Noël n.m.	ON :	III.5.5.	: mois et saisons, fêtes de l'année
noir aj.	ON :	II.2.5.1.5.	: visibilité
		II.2.5.1.9.	: couleur
noircir v.	ON :	II.2.5.1.9.	: couleur

NOMINALE (transformation -)
G : I.3.1.5.
I.3.2.2.
NOMINALISATION G : cf. NOMINALE
NOMINAUX (anaphoriques -)
ON : II.1. : notions désignant des entités
+ NOMMER AP : IV.1.7.
nommer v. AP : IV.1.7. : nommer
IV.2.3. : évoquer, faire allusion à
nommer (se) AP : v.III.3. : présenter quelqu'un
v.III.4. : se présenter
+ *non* av. AP : I.9.0.1. (c.3.) : demander (en général) à autrui de faire lui-même (...)
I.9.4.4. : demander accord sur la vérité d'un fait
+ I.9.6.2. : demander d'approuver action accomplie par soi-même
+ I.9.6.3. : demander de désapprouver action accomplie par soi-même
I.9.7.2. : demander de remercier
II.1. : désapprouver l'expression
+ II.17. : désapprouver énoncé
+ II.20.3. : accepter, promettre de faire soi-même R demander (en général) à autrui de faire lui-même
+ II.20.6. : *id.* R prier, supplier autrui de faire lui-même
II.22.2. : faire l'énonciation demandée R donner permission
+ II.22.3. : donner dispense R demander dispense
II.22.4. : faire énonciation demandée R répondre à interpellation
+ II.22.6. : répondre affirmativement à une question négative
+ II.22.7. : répondre négativement à une question positive
+ II.22.10. : répondre en avouant qu'un fait positif est faux
+ II.22.11. : répondre en avouant qu'un fait négatif est vrai
+ II.22.14. : répondre en exprimant l'opinion qu'un fait positif est faux
+ II.22.15. : répondre en exprimant l'opinion qu'un fait négatif est vrai

		+ II.22.19.	: donner accord sur la vérité d'un fait négatif
		+ II.23.1.	: refuser de donner la parole R demander la parole
		+ II.23.2.	: refuser permission R demander permission
		+ II.23.4.	: réfuter vérité d'un fait positif
		II.23.7.	: approuver (au lieu de désapprouver) action d'autrui
		+ II.24.1.	: refuser de faire soi-même R suggérer, proposer, conseiller, recommander à autrui de faire lui-même
		+ II.24.4.	: *id.* R demander, ordonner, interdire à autrui de faire lui-même
		II.24.8.	: *id.* R prier, supplier autrui de faire lui-même
		+ II.24.10.	: *id.* R demander de parler
		+ II.25.	: refuser de faire avec autrui R proposer à autrui de faire ensemble
		+ II.26.	: refuser qu'autrui fasse R proposer à autrui de faire soi-même
		III.3.	: présenter quelqu'un
		+ IV.4.1.	: se reprendre
		+ IV.4.3.	: corriger autrui
		v. *ah non ; eh non ; mais non*	
non fumeur n.m.	ON :	III.8.4.	: cigarettes et fumeurs
non mais av.	AP :	I.3.5.	: désapprouver, reprocher, protester
		II.23.2.	: refuser permission R demander permission
non plus av.	ON :	II.3.6.1.	: conjonction
+ *non seulement ... mais aussi, encore* conj.			
	AP :	+ IV.1.16.	: énumérer
+ NON-RESPONSABILITE	AP :	I.10.11.2.	
		v.I.10.11.3.	: innocence
nord n.m.	ON :	III.6.1.	: consignes d'orientation, de déplacement ; indications d'itinéraires
normal aj.	AP :	I.11.7.2.	: affectivité, sentiment lié à une réalité désagréable R déception
		II.11.	: remercier
	ON :	II.2.5.3.10.	: appréciation quant à la normalité
NORMALITE (appréciation quant à la -)			
	ON :	II.2.5.3.10.	:
note n.f.	AP :	II.10.1.	: prendre acte d'une énonciation : en général
	ON :	III.2.4.	: exercices scolaires
noter v.	AP :	I.1.2.3.	: poser un fait comme certain

obtenir v.	ON :	III.12.5.	: organisations professionnelles ; syndicats
		III.15.3.	: actualité économique et sociale
OCCUPATION (profession, métier, -)			
	ON :	III.12.	
occupé aj.	ON :	III.9.2.	: téléphone
occuper (s'- de) v.	AP :	I.11.1.13.	: affectivité ; attitude vis-à-vis d'une chose, une personne, un fait R dédain
	AP :	II.2.	: demander de se taire
OCCURRENCE/NON-OCCURRENCE			
	ON :	II.2.1.4.	
octobre n.m.	ON :	III.5.5.	: mois et saisons, fêtes de l'année
ODEUR	ON :	II.2.5.1.8.	
odeur n.f.	ON :	II.2.5.1.8.	: odeur
		III.11.2.	: sensation, perception
oeil, yeux n.m.	ON :	III.10.1.	: parties du corps
oeuf n.m.	ON :	III.7.2.	: nourriture et boissons
oeuvre n.f.	ON :	III.13.4.	: musées, expositions
office de tourisme n.m.			
	ON :	III.6.3.	: vacances et tourisme
offre n.f.	ON :	III.12.3.	: recherche d'un emploi ; chômage ; licenciement
		III.15.3.	: actualité économique et sociale
+ OFFRIR A AUTRUI DE FAIRE SOI-MEME			
	AP :	I.5.1.	
offrir v.	ON :	III.14.2.	: invitations, rendez-vous
oh intj.	AP :	+ I.11.1.3.	: admiration
		II.22.8.	: faire énonciation demandée R répondre négativement à une question négative
		II.24.6.	: refuser de faire soi-même R menacer d'une sanction
oh la la intj.	AP :	I.2.3.	: se plaindre
oignons n.m.	AP :	II.24.1.	: refuser de faire soi-même R suggérer, proposer, conseiller, recommander à autrui de faire lui-même
oiseau n.m.	ON :	III.5.3.	: flore et faune
ombre n.f.	ON :	III.5.4.	: climat, conditions météorologiques temps qu'il fait
omelette			
omelette n.f.	ON :	III.7.2.	: nourriture et boissons
+ *on* pron.	AP :	I.9.0.1. (c.4.)	: demander (en général) à autrui de faire lui-même (...)
		+ I.10.2.1.	: obligations
		I.10.2.2.	: interdiction

		II.23.1.	: faire le contraire de l'énonciation demandée R refuser de donner la parole
		IV.4.3.	: corriger autrui
	G :	II.20.2.	: actant indéfini générique et spécifique
	ON :	II.1.	: notions désignant des entités ("indéfinis" et quantifiants)
		II.1.	: notions désignant des entités (anaph. nominaux)
(nous -)	G :	II.2.0.1.	: actant défini déictique (emphase)
+ *on dirait* v.	AP :	+ I.2.4.	: poser un fait comme apparent
		I.1.6.1.	: donner des informations factuelles ; rappeler, répéter
		I.9.0.1.	: demander à autrui de faire lui-même (c.2.)
		+ IV.1.8.	: comparer
		IV.2.3.	: aspect quantitatif R évoquer, faire allusion à
	ON :	II.3.4.1.	: similitude, différence
on dit que v.	AP :	I.1.2.6.	: donner des informations factuelles, poser un fait comme R possible
oncle n.m.	ON :	III.1.11.	: membres de la famille
OPERA (cinéma, théâtre, -, concert)			
	ON :	III.13.3.	
opéra n.m.	ON :	III.13.3.	: cinéma, théâtre, opéra, concert
opération n.f.	ON :	III.2.4.	: exercices scolaires
OPERATIONS (positions, perceptions, - physiques)			
	ON :	III.11.	
OPERATIONS MANUELLES, PHYSIQUES			
	ON :	III.11.3.	
opération n.f.	ON :	III.10.4.	: maladies, accidents
opérer v.	ON :	III.10.4.	: maladies, accidents
+ OPINION	AP :	I.1.7.3.	
		v.I.1.7.4.	: donner son opinion sur un fait : doute
		v.I.10.3.4.	: crainte
		v.IV.1.11.	: juger, évaluer, apprécier
		v.IV.1.18.	: rapporter discours
+ OPINION SUR LA VERITE D'UN FAIT (demander -)			
	AP :	I.9.4.3.	
+ OPINION SUR LA VERITE D'UN FAIT (donner son -)			
	AP :	I.1.7.	
OPINION (paraître avoir une -)			
	AP :	0.1.1.1.	

+ OPINION (répondre en exprimant l'- qu'un fait négatif est faux)
AP : II.22.16.
+ OPINION (répondre en exprimant l'- qu'un fait négatif est vrai)
AP : II.22.15.
+ OPINION (répondre en exprimant l'- qu'un fait positif est faux)
AP : II.22.14.
+ OPINION (répondre en exprimant l'- qu'un fait positif est vrai)
AP : II.22.13.
+ *opinion* n.f. AP : I.1.7.3. : donner son opinion sur la vérité d'un fait : opinion
I.9.3. : demander de parler
I.9.6.1. : demander avis sur action accomplie par soi-même
+ II.18.4. : exprimer son ignorance R demander jugement sur action accomplie par soi-même
II.24.10. : refuser de faire soi-même R demander de parler
ON : III.15.2. : actualité politique
opposer (s'- à) v. AP : I.10.2.2. : interdiction
I.10.3.6.1. : tolérance
I.11.1.11. : affectivité ; attitude vis-à-vis d'une chose, une personne, un fait R hostilité
OPPOSITION (négation -)
G : II.1.3.2.
(- logique)
G : III.1.3.
(- concession
G : III.2.1.
ON : II.3.6.3.
opposition n.f. ON : III.15.2. : actualité politique
or n.m. ON : II.2.5.1.10.: matière
orange n.m. ON : III.7.2. : nourriture et boissons
orange aj. ON : II.2.5.1.9. : couleur
ordinaire aj. ON : II.2.5.3.10. : appréciation quant à la normalité
III.9.9. : station-service automobile
ordinaux ON : II.2.2.1. : situation dans le temps
II.2.4.1. : nombre
III.4.2. : composition de l'habitation
ordonnance n.f. ON : III.9.8. : sécurité sociale
III.10.6. : services médicaux et de santé
ORDONNER AP : v.0.2.2. : faire faire
I.9.0.5.

ordonner v.	AP :	I.9.0. (a.1.)	: demander (en général) à autrui de faire lui-même (...)
		I.9.0.5.	: ordonner à autrui de faire lui-même
		I.10.2.1.	: obligation
		I.10.2.2.	: interdiction
"ORDRE" DE L'ACTE DE PAROLE			
	AP :	Prés. 1.	
ordre n.m.	AP :	I.9.0.1. (a.1.)	: demander à autrui de faire lui-même
		I.9.0.5.	: ordonner à autrui de faire lui-même
		I.9.0.6.	: défendre, interdire
		I.10.2.1.	: obligation
		I.10.2.2.	: interdiction
		II.9.	: interpréter énonciation
		II.14.1.	: désapprouver énonciation ; en général
oreille n.f.	ON :	III.10.1.	: parties du corps
oreiller n.m.	ON :	III.4.3.	: meubles, literie
ORGANISATIONS PROFESSIONNELLES ; SYNDICATS			
	ON :	III.12.5.	
+ ORGUEIL	AP :	I.10.9.3.	
orgueil n.m.	AP :	I.10.9.3.	: orgueil
ORIENTATION (consignes d'-, de déplacements ; indications d'itinéraires)			
	ON :	III.6.1.	
ORIGINE	ON :	III.1.9.	
original aj.	AP :	II.17.	: désapprouver énoncé
+ *oser* v.	AP :	I.3.5.	: désapprouver, reprocher, protester
		I.9.0.1. (a.12.)	: demander à autrui de faire lui-même (dispositions subjectives)
		+ I.10.9.2.	: timidité
		+ I.10.11.6.	: audace, témérité
		I.11.4.3.	: honte
		II.14.1.	: désapprouver énonciation : en général
ou (bien) conj.	G :	III.1.2.	: disjonction logique
	ON:	II.3.6.2.	: disjonction
où pron.	ON :	II.2.3.1.	: localisation dans l'espace
où (est-ce que ?) av.	ON :	II.3.1.	: localisation dans l'espace
ouais intj.	AP :	I.3.1.	: approuver ; féliciter
+ *oublier* v.	AP :	I.1.3.1.2.	: insister sur un fait : emphase intensive sur la proposition assertée
		+ I.1.6.1.	: rappeler
		I.1.7.1.	: donner son opinion sur la vérité d'un fait : savoir, se souvenir, se rappeler

I.3.3. : excuser, pardonner
I.8.4. : proposer à autrui de faire lui-même R recommander
I.9.0.1. : demander à autrui de faire lui-même (a.2.)
I.11.3.2. : rancune, ressentiment
I.11.3.3. : affectivité ; attitude vis-à-vis de ce qu'autrui nous a fait R ingratitude
II.6.1. : critique énoncé R poser un fait comme vrai
IV.2.2. : aspect quantitatif R escamoter
IV.2.3. : *id.* R évoquer, faire allusion à
ON : III.13.2. : connaissance d'une langue ; niveau d'aptitude ; correction

ouest n.m. ON : III.6.1. : consignes d'orientation, de déplacements ; indications d'itinéraires

+ *oui* av. AP : + I.9.0.1. : demander à autrui de faire lui-même (...) (b.4.)
+ II.10.1. : prendre acte d'une énonciation : en général
+ II.15.1. : approuver énoncé : approbation forte
+ II.20.3. : accepter, promettre de faire soi-même R demander (en général) à autrui de faire lui-même
+ II.20.6. : *id.* R prier, supplier autrui de faire lui-même
+ II.21. : accepter qu'autrui fasse, de faire avec autrui R proposer de faire soi-même, de faire ensemble
+ II.22.1. : donner la parole R demander la parole
+ II.22.2. : donner permission R demander permission
+ II.22.4. : répondre à interpellation
+ II.22.5. : répondre affirmativement à une question positive
+ II.22.9. : répondre en avouant qu'un fait positif est vrai
+ II.22.13. : répondre en exprimant l'opinion qu'un fait positif est vrai
+ II.22.18. : donner accord sur la vérité d'un fait positif
II.23.2. : faire le contraire de l'énonciation demandée R refuser permission
+ II.23.3. : refuser dispense R demander dispense
III.3. : présenter quelqu'un

(- ici, là) av.	G :	II.1.2.2. (annexe)	: situation spatiale de type déictique
PARAITRE AVOIR UNE OPINION, UNE ATTITUDE, UN SENTIMENT, UNE DISPOSITION FACE A L'ACTION			
	AP :	0.1.1.	
+ *paraître* v.	AP :	I.1.2.4.	: poser un fait comme apparent
		+ I.1.2.6.	: poser un fait comme possible
		I.10.5.1.	: capacité
+ PARAPHRASER	AP :	IV.3.4.	
+ PARAPHRASER (demander de -)			
	AP :	II.4.	
parapluie n.m.	ON :	III.8.3.	: vêtements-mode
parasynonyme	AP :	v.IV.3.4.	: paraphraser, expliciter
parce que conj.	AP :	I.9.0.1. (a.9.)	: demander (en général) à autrui de faire lui-même (...)
		I.10.6.	: motivation
		II.13.3.	: critiquer énonciation R présupposer qu'un fait est vrai
	G :	III.1.5.1.	: explication causale
	ON :	II.3.6.6.	: explication causale
(c'est -)	G :	III.1.5.4.	: explication causale
PARDON (demander de demander -)			
	AP :	I.9.7.1.	
+ *pardon* n.m. et intj.			
	AP :	+ I.9.1.1.	: interpeller : en champ libre
		I.9.7.1.	: demander de demander pardon
		+ I.9.7.3.	: demander de pardonner
		+ II.1.	: désapprouver l'expression
		+ II.3.	: demander de répéter
		+ II.4.	: demander de paraphraser, d'expliciter
		+ II.22.4.	: répondre à interpellation R interpeller
		+ IV.4.1.	: se reprendre
	ON :	III.3.1.	: comprendre
+ PARDONNER	AP :	I.3.3.	
+ PARDONNER (demander de -)			
	AP :	I.9.7.3.	
+ *pardonner* v.	AP :	I.3.3.	: excuser, pardonner
		I.9.7.3.	: demander de pardonner
		+ I.11.3.2.	: rancune, ressentiment
pareil aj.	AP :	I.9.6.2.	: demander d'approuver action accomplie par soi-même
		IV.1.8.	: comparer
	ON :	II.3.4.1.	: similitude, différence

parent d'élève n.m.	ON :	III.2.1.	: école et études
parenté	AP :	v.III.3.	: présenter quelqu'un
+ *parents* n.m.	AP :	+ I.9.1.3.	: interpeller : correspondance
	ON :	III.1.11.	: membres de la famille
parenthèse n.f.	AP :	IV.6.6.	: poursuivre
parenthèses (entre -) av.			
	AP :	IV.2.3.	: évoquer, faire allusion à
		IV.6.5.	: faire une digression
paresseux aj.	ON :	III.1.14.	: caractère, tempérament
parfait aj.	ON :	II.2.5.3.3.	: appréciation quant à l'adéquation
parfaitement av.	AP :	I.10.5.1.	: pragmatique ; capacité
	AP :	II.22.18.	: donner accord sur la vérité d'un fait positi
		II.22.19.	: donner accord sur la vérité d'un fait négati
parfois av.	G :	II.1.1.4.1.	: situation de l'action dans le temps
	ON :	II.2.2.3.1.	: fréquence
parfum n.m.	ON :	III.11.2.	: sensation, perception
parfumé aj.	ON :	II.2.5.1.8.	: odeur
parier v.	AP :	II.18.1.	: exprimer son ignorance R poser un fait comme vrai
	ON :	III.13.1.	: distractions et information
parking n.m.	ON :	III.6.5.	: transport privé
parlement n.m.	ON :	III.15.2.	: actualité politique
+ PARLER (demander de -)			
	AP :	v.0.2.2.	: faire faire
		I.9.3.	
parler (faire -)	AP :	v.0.2.2.	: faire faire
+ *parler* v.	AP :	+ I.3.3.	: excuser, pardonner
		I.6.1.	: demander la parole
		+ I.9.1.2.	: interpeller : au téléphone
		I.9.3.	: demander de parler
		II.1.	: désapprouver l'expression
		II.2.	: demander de se taire
		II.3.	: demander de répéter
		II.14.7.	: désapprouver énonciation R s'accuser d'une action accomplie par soi-même
		II.17.	: désapprouver énoncé
		II.24.10.	: refuser de faire soi-même R demander de parler
		II.24.1.	: refuser de faire soi-même R suggérer, proposer, conseiller, recommander à autrui de faire lui-même
		III.3.	: présenter quelqu'un

		IV.1.7.	: aspect référentiel R nommer
		IV.2.1.	: aspect quantitatif R effleurer, s'en tenir à
		IV.2.2.	: *id.* R escamoter
		IV.5.1.	: aspect dialogué R engager conversation
		IV.5.2.	: *id.* R prendre la parole
		IV.6.1.	: aspect formel R annoncer plan, points
		IV.6.4.	: *id.* R faire une transition
		IV.7.1.	: élever la voix
	ON :	III.9.2.	: téléphone
		III.3.2.	: connaissance d'une langue ; niveau d'aptitude ; correction
		III.14.2.	: invitations, rendez-vous
parler (faire -) v.	AP :	II.24.10.	: refuser de faire soi-même R demander de parler
+ PAROLE (demander la -)			
	AP :	I.6.1.	
+ PAROLE (donner la -)			
	AP :	II.22.1.	
+ PAROLE (prendre la -)			
	AP :	IV.5.2.	
+ PAROLE (redemander la - après avoir été interrompu)			
	AP :	I.6.1.NB.	
+ PAROLE (refuser de donner la -)			
	AP :	II.23.1.	
parole n.f.	AP :	I.1.3.1.1.	: insister sur un fait : emphase intensive sur l'acte d'asserter
		I.5.2.	: promettre à autrui de faire soi-même
		I.6.1.	: demander la parole
		I.6.1.NB.	: redemander la parole après avoir été interrompu
		I.9.3.	: demander de parler
		I.11.5.1.	: surprise, étonnement
		II.13.4.	: critiquer énonciation R féliciter autrui
		II.22.1.	: donner la parole R demander la parole
		II.23.1.	: refuser de donner la parole R demander la parole
		IV.1.3.	: aspect référentiel R citer
		IV.5.2.	: prendre la parole
parole d'honneur av.	AP :	I.5.2.	: promettre à autrui de faire soi-même
part (faire - de) v.	AP :	II.19.	: exprimer son indécision

passer (qqn à qqn) v. ON : III.9.2. : téléphone

passer (se) v. ON : II.2.1.4. : occurrence/non-occurrence

III.15.1. : généralités

passionnant aj. ON : III.12.7. : quelques qualifiants à propos du métier

III.13.6. : quelques qualifiants pour les spectacles et divertissements

passionné aj. AP : I.11.1.7. : affectivité ; attitude vis-à-vis d'une chose, une personne, un fait R amour

PASSIVE (voix) G : I.1.2.1.

I.2.2., 3. et 4.

passoire n.f. ON : III.4.4. : vaisselle et appareils ménagers

pâtes n.f. ON : III.7.2. : nourritures et boissons

pâtisserie n.m. ON : III.7.2. : nourritures et boissons

III.8.2. : alimentation

patron n.m. ON : III.1.10. : activité professionnelle

patronat n.m. ON : III.15.3. : actualité économique et sociale

\+ *pauvre* aj., n.m. AP : + I.2.4. : plaindre

I.11.7.13. : irritation, indignation, exaspération

pavillon n.m. ON : III.4.1. : modes et types d'habitation

pavoiser v. AP : I.3.4. : critiquer

paye n.f. ON : III.12.4. : revenus, aides sociales

paye (feuille de -) n.f.

ON : III.9.8. : sécurité sociale

III.12.4. : revenus, aides sociales

payé aj. ON : III.12.7. : quelques qualifiants à propos du métier

payer v. ON : III.8.1. : commerces : généralités

payés (congés -) n.m.

ON : III.12.2. : conditions de travail

PAYS (documents de voyage, de séjour, et résidence dans un - étranger)

ON : III.6.7.

PAYS (d'un - dans un autre)

ON : III.6.6.

pays (nom de -) ON : III.1.2. : adresse

III.6.6. : d'un pays dans un autre

pays n.m. ON : III.15.2. : actualité politique

PAYSAGE (quartier, région, -)

ON : III.5.

paysage n.m. ON : III.5.1. : quartier, région, paysage

pêche (aller à la -) v.

ON : III.13.1. : distractions et information

pêcher v. ON : III.13.1. : distractions et information

peigne n.m.	ON :	III.10.3.	: hygiène
peigner (se)	ON :	III.10.3.	: hygiène
peindre v.	ON :	II.2.5.1.9.	: couleur
peine (faire de la -)	AP :	v.0.2.3.	: faire éprouver un sentiment
+ *peine* n.f.	AP :	I.2.3.	: se plaindre
		I.8.1.	: proposer à autrui de faire lui-même R suggérer
		I.8.5.	: *id.* R déconseiller
		+ I.8.7.	: dispenser
		I.9.0.1. (b.11.)	: demander (en général) à autrui de faire lui-même (...)
		I.9.7.1.	: demander à autrui de faire lui-même ; demander de réagir par rapport à une action accomplie R par autrui ; demander de demander pardon
		I.9.7.2.	: *id.* ; *id.* R par soi-même : demander de remercier
		I.10.1.6.	: pragmatique ; faisabilité R utilité
		I.10.1.7.	: inutilité
		I.10.8.1.	: abstention
		+ I.10.8.2.	: tentative
		+ I.11.7.8.	: chagrin
		II.20.4.	: accepter, promettre de faire soi-même R menacer d'une sanction
		II.24.8.	: refuser de faire soi-même R prier, supplier autrui de faire lui-même
		+ II.26.	: refuser qu'autrui fasse R proposer à autrui de faire lui-même
		+ II.26.	: refuser qu'autrui fasse R proposer à autrui de faire soi-même
		III.5.	: présenter sa sympathie, ses condoléances
	ON :	II.2.5.3.7.	: appréciation quant à l'utilité
peine (à -) av.	AP :	I.9.0.1. (a.12.)	: demander à autrui de faire lui-même (dispositions subjectives)
		I.11.4.3.	: honte
peintre n.m.	ON :	III.13.4.	: musées, expositions
peinture n.f.	ON :	III.2.1.	: école et études
pencher (se) v.	ON :	III.11.1.	: positions du corps et mouvements
pendant (que) prép. ou conj.			
	G :	II.1.1.2.2.	: quantification et déroulement
		II.1.1.4.4.	: situation de l'action dans le temps : simultanéité

	ON :	II.2.2.1.	: situation dans le temps
		II.2.2.3.2.	: durée
		II.3.1.7.	: simultanéité
pénible aj.	AP :	I.10.10.2.	: difficulté
		I.11.7.13.	: affectivité ; sentiment lié à une réalité désagréable R irritation, indignation ; exaspération
		I.11.9.3.	: *id.* ; donne et mauvaise humeur R mauvaise humeur agressive
	ON :	III.12.7.	: quelques qualifiants à propos du métier
penser	AP :	v.0.1.1.1.	: paraître avoir une opinion
+ *penser* v.	AP :	I.1.2.6.	: poser un fait comme possible
		I.1.2.7.	: poser un fait comme contingent
		+ I.1.7.3.	: donner son opinion sur la vérité d'un fait : opinion
		+ I.1.7.4.	: *id.* ; doute
		I.3.3.	: excuser, pardonner
		I.9.0.1. (b.3.)	: demander (en général) à autrui de faire lui-même (...)
		+ I.9.3.	: demander de parler
		+ I.9.4.3.	: demander opinion sur la vérité d'un fait
		I.9.5.1.	: demander à autrui de faire lui-même demander propositions d'action R pour soi-même
		I.9.5.2.	: *id.* ; *id.* R pour soi-même et pour autrui ensemble
		+ I.9.6.1.	: demander avis action accomplie par soi-même
		I.10.3.1.	: indécision
		I.10.3.5.2.	: pragmatique ; volition ; intention R renoncement
		I.10.10.6.	: *id.* . dispositions objectives R imprudence
		I.11.2.1.	: affectivité ; attitude vis-à-vis de l'avenir R méfiance
		II.6.	: demander raisons
		II.15.1.	: approuver énoncé : approbation forte
		II.16.2.	: critiquer R donner son opinion sur la vérité d'un fait
		II.18.1.	: exprimer son ignorance R poser un fait comme vrai
		II.18.2.	: exprimer son ignorance R demander informations factuelles

+ II.18.4. : *id.* R demander jugement sur action accomplie par soi-même
+ II.19. : exprimer son indécision
II.22.3. : donner dispense R demander dispense
+ II.22.13. : répondre en exprimant l'opinion qu'un fait positif est vrai
+ II.22.14. : répondre en exprimant l'opinion qu'un fait positif est faux
+ II.22.15. : répondre en exprimant l'opinion qu'un fait négatif est vrai
+ II.22.16. : répondre en exprimant l'opinion qu'un fait négatif est faux
II.23.6. : faire le contraire de l'énonciation demandée R désapprouver (au lieu d'approuver) action d'autrui
II.23.7. : approuver (au lieu de désapprouver) action d'autrui
IV.1.18. : aspect référentiel R rapporter discours
IV.2.2. : aspect quantitatif R escamoter
IV.5.1. : engager conversation
IV.5.2. : prendre la parole
v. *quand je pense que*
G : I.2.1.4.5. : attribution d'une disposition

penser (+ infinitif) v.
AP : I.10.3.5. : intention

+ *penser à* v. AP : I.8.1. : suggérer à autrui de faire lui-même
I.9.0.1. (a.2.) : demander (en général) à autrui de faire lui-même (...)
I.9.0.1. (b.13.) : *id.*
+ I.10.10.9. : altruisme
+ I.10.10.10. : égoïsme
II.24.1. : refuser de faire soi-même R suggérer, proposer, conseiller, recommander à autrui de faire lui-même
IV.6.5. : faire une digression

penser à mal v. AP : I.4.3. : s'excuser

+ *penser (faire – à)* v.
AP : + IV.1.8. : comparer
IV.2.3. : évoquer, faire allusion à

pension complète n.f. ON : III.7.1. : hôtel, camping

pension (demi-) n.f. ON : III.7.1. : hôtel, camping

Pentecôte n.f. ON : III.5.5. : mois et saisons, fêtes de l'année

PERCEPTION (sensation, -)
ON : III.11.2.

PERCEPTIONS (positions -, opérations physiques)
ON : III.11.

perdre v. AP : I.8.2. : proposer à autrui de faire lui-meñe R proposer
I.9.0.4. : demander à autrui de faire lui-même R promettre récompense
I.11.3.2. : rancune, ressentiment
II.24.2. : refuser de faire soi-même R conseiller à autrui de faire lui-même
ON : III.13.1. : distractions et information
III.13.2. : sports

perdre (se) v. ON : III.6.1. : consignes d'orientations, de déplacements, indications d'itinéraires

père n.m. ON : III.1.11. : membres de la famille

père (nom du -) n.m. ON : III.1.4. : date et lieu de naissance

"PERFORMATIF" AP : v.I. : actes d'ordre (1)
v.II. : actes d'ordre (2)
v.III. : actes sociaux

"PERLOCUTION" AP : v.0.
v. Prés. 2.

permanente (formation -) n.f.
ON : III.12.6. : formation, carrière, avenir

permettez intj. AP : I.6.1.NB. : redemander la parole après avoir été interrompu

\+ PERMETTRE A AUTRUI DE FAIRE LUI-MEME
AP : I.8.6.

\+ *permettre* v. AP : I.1.2.7. : poser un fait comme contingent
I.1.3.1.3. : insister sur un fait : emphase intensive sur un constituant
I.6.2. : demander permission
I.8.3. : conseiller
I.8.5. : déconseiller
I.8.6. : permettre, autoriser
I.10.1.1. : faisabilité
I.10.1.4. : infaisabilité
I.10.1.6. : utilité
I.10.2.3. : permission
\+ II.14.1. : désapprouver énonciation : en général
IV.6.3. : aspect formel R conclure

+ *persuader* v.	AP :	+ I.1.3.1.2.	: insister sur un fait : emphase intensive sur la proposition assertée
		+ I.1.7.2.	: donner son opinion sur la vérité d'un fait : conviction
		I.9.0.1. (b.3.)	: demander (en général) à autrui de faire lui-même (...)
peser v.	ON :	II.2.3.3.4.	: poids
		III.1.15.	: caractéristiques physiques
+ *petit(e)* n.		I.2.4.	: plaindre
		+ I.2.5.	: remercier
		+ I.9.1.	: interpeller
		+ III.1.	: saluer
		+ III.2.1.	: prendre congé : à l'oral
petit aj.	ON :	II.2.3.3.1.	: taille
		III.1.15.	: quelques caractéristiques physiques
		III.4.7.	: quelques qualifiants pour la maison, l'habitation
		III.8.3.	: vêtements-mode
petit ami n.m.	ON :	III.14.1.	: types de relations
petit déjeuner n.m.	ON :	III.7.1.	: hôtel, camping
		III.7.2.	: nourritures et boissons
petit-fils n.m.	ON :	III.1.11.	: membres de la famille
petite annonce n.f.	ON :	III.12.3.	: recherche d'un emploi, chômage, licenciement
petite-fille n.f.	ON :	III.1.11.	: membres de la famille
petits pois n.m.	ON :	III.7.2.	: nourritures et boissons
pétoche n.f.	AP :	I.10.3.4.	: crainte
peu av.	AP :	I.1.3.1.2.	: insister sur un fait : emphase intensive sur la proposition
		I.1.8.4.	: échec
		I.11.7.	: insatisfaction
		II.13.4.	: critiquer énonciation R féliciter autrui pour son action
		II.14.6.	: désapprouver énonciation R se féliciter d'une action accomplie par soi-même
		II.23.6.	: faire le contraire de l'énonciation demandée R désapprouver (au lieu d'approuver) action d'autrui
		II.24.6.	: refuser de faire soi-même R menacer d'une sanction
		II.24.7.	: *id.* R promettre récompense
		v. *plus (un peu -)*	

	G :	II.1.3.3.1.1.	: détermination quantifiante du procès
		II.2.1.2.1.	: détermination quantifiante des actants
		II.2.1.2.4.	: quantifiant de quantifiant
	ON :	II.2.4.2.1.	: quantification de notions réalisées par des substantifs
		II.2.4.2.2.	: degré (quantification de notions réalisées par d'autres catégories que les substantifs)
		III.3.2.	: connaissance d'une langue ; niveau d'aptitude ; correction
peu (à - près) av.	ON :	II.2.4.1.	: nombre
peu à peu av.	ON :	II.2.2.4.	: stabilité et changement
+ *peur* n.f.	AP :	I.1.7.3.	: donner son opinion sur la vérité d'un fait : opinion
		I.9.0.1. (a.6.)	: demander (en général) à autrui de faire lui-même (...)
		+ I.9.0.2.	: inviter, encourager
		+ I.10.3.4.	: crainte
		I.10.11.6.	: audace, témérité
		I.11.2.1.	: confiance
		II.20.6.	: accepter, promettre de faire soi-même R suggérer, proposer, conseiller, recommander à autrui de faire lui-même
		II.24.2.	: refuser de faire soi-même R déconseiller à autrui de faire lui-même
		+ II.24.6.	: *id.* R menacer d'une sanction
peur (à faire -) av.	AP :	I.1.3.1.3.	: insister sur un fait : emphase intensive sur un constituant
+ *peut-être* av.	AP :	+ I.1.2.6.	: poser un fait comme possible
		I.9.0.1. (b.2.)	: demander (en général) à autrui de faire lui-même (...)
		+ I.10.3.1.	: indécision
		I.10.3.2.	: pragmatique ; volition R indifférence
		I.10.3.5.	: intention
		+ II.15.2.	: approuver énoncé : approbation faible
		+ II.16.1.	: critiquer énoncé R poser un fait comme vrai
		II.23.1.	: faire le contraire de l'énonciation demandée R refuser de donner la parole
		II.24.2.	: refuser de faire soi-même R déconseiller à autrui de faire lui-même
		III.1.18.	: aspect référentiel R rapporter discours

PHARMACIE, MEDICAMENTS			
	ON :	III.8	
pharmacie n.f.	ON :	III.10.6.	: services médicaux et de santé
pharmacien n.m.	ON :	III.10.6.	: services médicaux et de santé
philosophie n.f.	ON :	III.2.2.	: matières d'enseignement
photo n.f.	ON :	III.13.5.	: lire, écrire
PHYSIQUES (opérations manuelles, -)			
	ON :	III.11.3.	
PHYSIQUES (positions, perceptions, opérations -)			
	ON :	III.11.	
PHYSIQUES (qualités -)			
	ON :	II.2.5.1.	
PHYSIQUES (quelques caractéristiques -)			
	ON :	III.1.15.	
physique n.f.	ON :	III.2.2.	: matières d'enseignement
physique aj.	AP :	I.10.5.2.	: pragmatique ; capacité R incapacité
pièce n.f.	ON :	III.4.2.	: composition de l'habitation
		III.8.6.	: prix et paiement
		III.12.2.	: conditions de travail
		III.13.3.	: cinéma, théâtre, opéra, concert
+ *pied* n.m.	AP :	I.11.6.3.	: plaisir
		I.11.9.1.	: bonne humeur
		+ I.11.9.3.	: mauvaise humeur agressive
	ON :	III.10.1.	: parties du corps
pierre n.f.	ON :	II.2.5.1.10.	: matière
piéton n.m.	ON :	III.6.5.	: transport public
piffer v.	AP :	I.11.1.12.	: haine
piment n.m.	ON :	III.7.2.	: nourritures et boissons
pinceau n.m.	ON :	III.2.1.	: école et études
pipe n.f.	ON :	III.8.4.	: cigarettes et fumeurs
piquant aj.	ON :	II.2.5.1.4.	: consistance, résistance
piqûre n.f.	ON :	III.10.4.	: maladies, accidents
pire aj.	G :	II.2.1.2.3.	: détermination comparative des actants
piste cyclable n.f.	ON :	III.6.5.	: transport privé
+ PITIE	AP :	I.11.1.9.	
		I.11.7.9.	
pitié n.f.	AP :	I.9.0.1. (b.9.)	: demander (en général) à autrui de faire lui-même (...)
		I.9.0.1. (b.13.)	: *id.*
		I.9.0.7.	: prier, supplier
		I.11.1.9.	: pitié
		I.11.7.9.	: pitié

pittoresque aj.	ON :	III.5.2.	: quelques qualifiants pour le quartier et l'environnement
placard n.m.	ON :	III.4.3.	: meubles, literie
place n.f.	AP :	I.11.7.12.	: affectivité ; sentiment lié à une réalité désagréable R envie, jalousie
		II.24.5.	: refuser de faire soi-même R inviter, encourager autrui à faire lui-même
	ON :	III.1.2.	: adresse
		III.6.4.	: transports publics
		III.13.3.	: cinéma, théâtre, opéra, concert
+ *place (à ma, ta, votre -)*			
	AP :	I.3.4.	: critiquer
		+ I.8.3.	: conseiller
		I.9.0.1. (b.18.)	: demander (en général) à autrui de faire lui-même (...)
		I.9.0.2.	: inviter, encourager
		+ I.9.5.	: demander propositions d'action
		I.9.6.1.	: demander avis sur action accomplie par soi-même
		+ I.11.7.9.	: pitié
plage n.f.	ON :	III.5.1.	: quartier, région, paysage
+ PLAINDRE	AP :	I.2.4.	
plaindre v.	AP :	II.14.4.	: désapprouver énonciation R plaindre
PLAINDRE (SE) v.	AP :	I.1.5.	: signaler, avertir, prévenir, mettre en garde
		I.2.3.	: se plaindre
		II.14.3.	: désapprouver énonciation R se plaindre
plainte n.f.	ON :	III.9.5.	: police
+ *plaire* v.	AP :	I.3.4.	: juger l'action accomplie par autrui R critiquer
		+ I.9.6.1.	: demander avis sur action accomplie par soi-même
		I.11.1.2.	: affectivité ; attitude vis-à-vis d'une chose, une personne, un fait R appréciation
		+ I.11.1.7.	: amour
		I.11.1.10.	: *id.* ; *id.* R antipathie
		I.11.6.3.	: *id.* ; sentiment lié à une réalité agréable R plaisir
		+ I.11.7.5.	: déplaisir
plaisanter v.	AP :	II.16.2.	: critiquer énoncé R donner son opinion sur la vérité d'un fait
		II.17.	: désapprouver énoncé R poser un fait comme vrai

+ PLAISIR	AP :	I.11.6.3.	
+ *plaisir* n.m.	AP :	+ I.7.1.	: proposer, suggérer à autrui de faire ensemble
		+ I.9.0.1. (a.18.)	: demander (en général) à autrui de faire lui-même (...)
		I.9.0.1. (b.10.)	: *id.*
		+ I.11.6.3.	: plaisir
		+ II.20.3.	: accepter, promettre de faire soi-même R demander (en général) à autrui de faire lui-même
		+ II.21.	: accepter qu'autrui fasse, de faire avec autrui R proposer à autrui de faire soi-même, de faire ensemble
		+ III.3.	: présenter quelqu'un
PLAN (annoncer -)	AP :	IV.6.1.	
plan n.m.	AP :	IV.6.1.	: annoncer plan, points
	ON :	III.6.1.	: consignes d'orientation, de déplacements ; indications d'itinéraires
		III.15.3.	: actualité économique et sociale
plante n.f.	ON :	III.5.3.	: flore et faune
plastique n.m.	ON :	II.2.5.1.10.	: matière
plat n.m.	ON :	III.4.4.	: vaisselle et appareils ménagers
		III.7.3.	: restaurants et cafés
plat (à -) av.	ON :	III.10.2.	: besoins et états "physiologiques"
plein (faire le -) v.	ON :	III.9.9.	: station-service automobile
pleurer v.	AP :	I.11.7.8.	: chagrin
		II.14.3.	: désapprouver énonciation R se plaindre
	ON :	III.10.2.	: besoins et états "physiologiques"
pleuvoir v.	ON :	III.5.4.	: climat, conditions météorologiques, temps qu'il fait
pluie n.f.	ON :	III.5.4.	: climat, conditions météorologiques, temps qu'il fait
plupart (la - de) aj.			
	G :	II.2.1.2.1.	: détermination quantifiante des actants
	ON :	II.2.4.2.1.	: quantification des notions réalisées par des substantifs
(la - du temps) av.			
	G :	II.1.1.4.1.	: situation de l'action dans le temps
plupart (la - (d'entre eux)) pron.			
	ON :	II.1.	: notions désignant des entités ("indéfinis" et quantifiants)

plus (de -) av.	AP :	II.7.	: demander conséquences
plus av.	AP :	IV.4.2.	: se corriger
	v. *on ne peut plus ; raison de plus ; tout ce qu'il y a de plus*		
(- de) av.	G :	II.2.1.2.3.	: détermination comparative des actants
	ON :	II.3.4.2.	: égalité, infériorité, supériorité
plus (+ aj. ou av.) *que* ... av.			
	AP :	II.24.7.	: refuser de faire soi-même R promettre récompense
	G :	II.1.3.3.3.	: détermination quantifiante comparative
	ON :	II.3.4.2.	: égalité, infériorité, supériorité
plus (un peu -) av.	AP :	I.10.8.4.	: échec
plus (de - en -) av.	AP :	IV.1.16.	: aspect référentiel R énumérer
	G :	II.2.1.2.3.	: détermination comparative des actants
plus (le - + aj.) pron.			
	ON :	II.1.	: notions désignant des entités
plusieurs aj.	AP :	IV.2.4.	: aspect quantitatif R s'étendre sur
	G :	II.2.0.3.	: substituts d'actants indéfinis
		II.2.1.2.1.	: détermination quantifiante des actants
	ON :	II.2.4.2.1.	: quantification de notions réalisées par des substantifs
plusieurs pron.	ON :	II.1.	: notions désignant des entités ("indéfinis" et quantifiants)
"PLUS-QUE-PARFAIT"	G :	II.1.1.1.3.	: accompli et résultatif antérieur
		II.1.1.2.3.	: quantification et déroulement : résultatif et non accompli du passé
		II.1.1.4.4.	: situation relative de l'action : antériorité
		III.1.6.2.	: hypothèse irréelle
		III.1.9.	: condition événementielle : accompli
	ON :	II.3.1.3.	: référence au passé
plutôt av.	AP :	II.16.1.	: critiquer énoncé R poser un fait comme vrai
		IV.4.2.	: se corriger
	ON :	II.2.4.2.2.	: degré (quantification de notions réalisées par d'autres catégories que les substantifs)
pluvieux aj.	ON :	III.5.2.	: quelques qualifiants pour le quartier et l'environnement
		III.5.4.	: climat, conditions météorologiques, temps
pneu n.m.	ON :	III.9.9.	: station-service automobile
poche n.f.	AP :	I.1.2.2.	: poser un fait comme nécessaire
poêle n.f.	ON :	III.4.4.	: vaisselle et appareils ménagers
poème n.m.	ON :	III.13.5.	: lire, écrire

ponctuel	G :	I.1.2.2.	: accomplissement spécifique
		II.1.1.1.	: action de type ponctuel et duratif
		II.1.1.4.4.	: situation relative de l'action dans le temps (simultanéité)
populaires aj.	ON :	III.15.2.	: actualité politique
porc n.m.	ON :	III.7.2.	: nourritures et boissons
porte n.f.	ON :	III.4.2.	: composition de l'habitation
		III.6.4.	: transports publics
portée (à la - de) prép.			
	AP :	II.13.4.	: critiquer énonciation R féliciter autrui pour son action
portefeuille n.m.	ON :	III.8.3.	: vêtements-mode
portemonnaie n.m.	ON :	III.8.3.	: vêtements-mode
porter v.	ON :	III.1.15.	: quelques caractéristiques physiques
		III.6.4.	: transports publics
		III.8.3.	: vêtements-mode
		III.11.3.	: opérations manuelles, physiques
porter (se) v.	ON :	III.10.4.	: maladies, accidents
porteur n.m.	ON :	III.6.4.	: transports publics
+ POSER UN FAIT VRAI, NECESSAIRE, CERTAIN, APPARENT, PROBABLE, POSSIBLE, CONTINGENT, IMPROBABLE, IMPOSSIBLE, FAUX			
	AP :	I.1.2.	
poser v.	AP :	I.1.1.1.	: faire l'hypothèse qu'un fait est vrai : hypothèse simple
	ON :	III.11.3.	: opérations manuelles, physiques
POSITIONS DU CORPS ET MOUVEMENT			
	ON :	III.11.1.	
POSITIONS, PERCEPTIONS, OPERATIONS PHYSIQUES			
	ON :	III.11.	
position n.f.	ON :	III.15.2.	: actualité politique
posséder v.	ON :	II.3.5.	: relations de possession
possessifs (adjectifs et pronoms -)			
	ON :	II.3.5.	: relations de possession
POSSESSION (relations de -)			
	ON :	II.3.5.	
possession	G :	I.2.1.4.4.	: attribution d'un objet de possession
		II.2.2.5.	: qualification des actants
+ POSSIBLE (poser un fait comme -)			
	AP :	I.1.2.6.	
possible	AP :	v.IV.1.10.	: prouver, démontrer

+ *possible* aj.	AP :	+ I.1.2.6.	: poser un fait comme possible
		I.1.3.1.3.	: insister sur un fait : emphase intensive sur un constituant
		I.6.2.	: demander pardon
		+ I.10.1.1.	: faisabilité
		I.10.2.3.	: permission
		I.10.5.1.	: capacité
		+ I.11.5.1.	: surprise, étonnement
		+ II.15.2.	: approuver énoncé : approbation faible
		II.20.3.	: accepter, promettre de faire soi-même R demander (en général) à autrui de faire lui-même
		+ II.23.2.	: refuser permission R demander permission
		+ II.24.1.	: refuser de faire soi-même R suggérer, proposer, conseiller, recommander à autrui de faire lui-même
		II.24.5.	: *id.* R inviter, encourager autrui à faire lui-même
		II.25.	: refuser de faire avec autrui R proposer à autrui de faire ensemble
possibilité	G :	I.2.1.4.5.	: attribution d'une disposition
POSTE	ON :	III.9.1.	
poste n.f.	ON :	I.10.10.1.	: pragmatique ; dispositions objectives R aisance
poste n.f.	ON :	III.9.1.	: poste
		III.14.3.	: correspondance
poste n.m.	ON :	III.1.3.	: téléphone
		III.9.2.	: téléphone
poste d'essence n.m.	ON :	III.6.5.	: transport privé
poste restante n.f.	ON :	III.9.1.	: poste
poste de travail n.m.	ON :	III.12.2.	: conditions de travail
poster v.	ON :	III.9.1.	: poste
POSTERIORITE	ON :	II.3.1.8.	
postériorité	G :	II.1.1.4.4.	: situation relative de l'action dans le temps
pot n.m.	AP :	I.2.3.	: se plaindre
pot (prendre un –) v.	ON :	III.7.5.	: souhaits et invites
potage n.m.	ON :	III.7.2.	: nourritures et boissons
pouah intj.	AP :	I.11.7.10.	: dégoût
poulet n.m.	ON :	III.7.2.	: nourritures et boissons
		III.5.3.	: flore et faune

+ *pour* prép.	AP :	I.1.6.2.	: rappeler, répéter
		I.9.0.1. (a.10.)	: demander (en général) à autrui de faire lui-même (...)
		I.9.0.1. (b.10.)	: *id.*
		I.9.0.1. (b.15.)	: *id.*
		I.9.0.4.	: promettre une récompense
		I.9.5.	: demander propositions d'actions
		+ I.10.1.5.	: indispensabilité
		I.10.1.6.	: utilité
		+ I.10.1.7.	: inutilité
		+ I.10.4.2.	: incompétence
		I.10.5.1.	: capacité
		I.10.5.2.	: incapacité
		+ I.10.7.	: but
		I.10.9.3.	: pragmatique ; dispositions subjectives R orgueil
		+ I.10.10.9.	: altruisme
		+ II.7.	: demander conséquences
		II.9.	: interpréter énonciation
		II.21.	: accepter qu'autrui fasse, accepter de faire avec autrui
		II.22.13.	: faire énonciation demandée R répondre en exprimant l'opinion qu'un fait positif est vrai
		II.22.14.	: *id.* R répondre en exprimant qu'un fait positif est faux
		II.22.16.	: *id.* R répondre en exprimant l'opinion qu'un fait négatif est faux
		II.24.4.	: refuser de faire soi-même R demander, ordonner, interdire
		II.26.	: refuser qu'autrui fasse
		III.5.	: présenter sa sympathie, ses condoléances
		IV.1.4.	: préciser
		IV.5.1.	: aspect dialogué R engager conversation
		IV.6.2.	: marquer le début d'un point
	G :	I.2.6.	: actance finale
		III.1.5.1.	: explication causale
	ON :	II.2.2.3.2.	: durée
		II.3.6.6.	: explication causale
		II.3.6.7.	: finalité
		III.6.4.	: transports publics
		III.15.2.	: actualité politique

pour (- cela, cette raison)			
	G :	I.2.5.2.	: prépositions causales
pour (que) conj.	G :	I.2.6.	: actance finale
	ON :	II.3.6.7.	: finalité
+ *pour (être -)* v.	AP :	+ I.10.3.6.	: volonté
+ *pour moi* av.	AP :	I.1.7.3.	: donner son opinion sur la vérité d'un fait : opinion
		I.9.8.	: demander de (ne pas) transmettre
pourboire n.m.	ON :	III.7.3.	: restaurants et cafés
+ *pourquoi* av.	AP :	+ I.3.4.	: critiquer
		+ I.8.1.	: suggérer à autrui de faire lui-même
		+ I.10.6.	: motivation
		I.10.7.	: but
		I.11.7.3.	: regret
		+ II.6.	: demander raisons
		II.7.	: demander conséquences
		II.23.7.	: faire le contraire de l'énonciation demandée R approuver (au lieu de désapprouver) action d'autrui
		II.24.1.	: refuser de faire soi-même R suggérer, proposer, conseiller, recommander à autrui de faire lui-même
		II.24.12.	: refuser de faire soi-même R demander propositions d'actions pour soi-même
	G :	III.1.5.3.	: interrogation sur la cause
	ON :	II.3.6.6.	: explication causale
pourquoi pas av.	AP :	I.10.3.2.	: pragmatique ; volition R indifférence
		I.10.3.6.1.	: *id.* ; *id.* ; volonté R tolérance
		I.10.11.6.	: *id.* ; responsabilité R audace, témérité
		I.11.5.2.	: affectivité ; sentiment lié à l'inattendu R indifférence
		II.15.2.	: approuver énoncé : approbation faible
		II.21.	: accepter qu'autrui fasse, de faire avec autrui R proposer à autrui de faire soi-même, de faire ensemble
pourquoi (c'est -) conj.			
	G :	III.1.5.1.	: explication causale
+ POURSUIVRE	AP :	IV.6.6.	
pourtant av.	AP :	II.16.1.	: critiquer énoncé R poser un fait comme vrai
	G :	III.2.1.1. et 3.	: opposition - concession
	ON :	II.3.6.3.	: opposition, concession

+ *pourvu que* conj.	AP :	+ I.10.3.3.3.	: espoir, souhait
		+ I.10.3.4.1.	: anxiété
		I.11.8.2.	: inquiétude
	ON :	II.2.5.3.4.	: appréciation quant à la désirabilité
pousser v.	ON :	III.11.3.	: opérations manuelles, physiques
pouvoir n.m.	ON :	II.2.5.3.8.	: appréciation quant à la capacité, la compétence
		III.15.2.	: activité politique
		III.3.2.	: connaissance d'une langue ; niveau d'aptitude ; correction
pouvoir d'achat n.m.	ON :	III.12.5.	: organisations professionnelles ; syndicats
		III.15.3.	: actualité économique et sociale
+ *pouvoir* v.	AP :	I.1.2.3.	: poser un fait comme certain
		I.1.2.6.	: poser un fait comme possible
		I.1.3.1.3.	: insister sur un fait ; emphase intensive sur un constituant
		I.1.5.	: signaler, avertir, prévenir, mettre en garde
		I.3.4.	: critiquer
		I.3.5.	: désapprouver, reprocher, protester
		I.4.1.	: se féliciter
		+ I.5.1.	: proposer, offrir à autrui de faire soi-même
		+ I.5.2.	: promettre à autrui de faire soi-même
		I.6.1.NB.	: redemander la parole après avoir été interrompu
		+ I.6.2.	: demander permission
		I.6.3.	: demander dispense
		+ I.7.1.	: proposer, suggérer à autrui de faire ensemble
		I.8.1.	: suggérer à autrui de faire lui-même
		I.8.2.	: proposer à autrui de faire lui-même
		I.8.3.	: conseiller à autrui de faire lui-même
		I.8.5.	: déconseiller à autrui de faire lui-même
		+ I.8.6.	: permettre, autoriser autrui à faire lui-même
		I.8.7.	: dispenser autrui de faire lui-même
		I.9.0.1. (a.4.)	: demander à autrui de faire lui-même (faisabilité)
		I.9.0.1. (a.5.)	: *id.* (devoir)
		I.9.0.1. (a.7.)	: *id.* (compétence)
		I.9.0.1. (a.8.)	: demander (en général) à autrui de faire lui-même (...)
		I.9.0.1. (b.5.)	: demander à autrui de faire lui-même (faisabilité)

I.9.0.1. : *id.*
(b.8.)
I.9.0.1. : *id.* (hypothèse)
(c.1.)
I.9.0.1. : *id.*
(c.7.)
I.9.0.7. : prier, supplier
\+ I.9.1.2. : interpeller : téléphone
I.9.4. : demander informations factuelles
\+ I.9.4.1. : demander si un fait est vrai
\+ I.9.5. : demander propositions d'action
I.9.5.1. : demander propositions d'action R pour soi-même
I.9.6.1. : demander jugement sur une action accomplie par soi-même R demander avis
I.9.7.1. : demander de demander pardon
\+ I.9.7.2. : demander de remercier
I.9.8. : demander de (ne pas) transmettre
I.10.1.1. : faisabilité
I.10.1.2. : pragmatique, faisabilité R facilité
\+ I.10.1.5. : indispensabilité
I.10.1.7. : inutilité
I.10.2.1. : obligation
\+ I.10.2.2. : interdiction
\+ I.10.2.3. : permission
I.10.3.2. : indifférence
I.10.3.3.3. : espoir, souhait
I.10.3.3.4. : désespoir
\+ I.10.3.6.3. : résignation
I.10.4.1. : compétence
\+ I.10.5.1. : capacité
\+ I.10.5.2. : incapacité
I.11.1.12. : affectivité ; attitude vis-à-vis d'une chose, une personne, un fait R haine
I.11.5.1. : *id.* ; sentiment lié à l'inattendu R surprise, étonnement
I.11.8.1. : ennui, embarras
I.11.8.2. : *id.* ; sentiment lié aux conséquences d'une réalité désagréable R inquiétude
II.3. : demander de répéter
II.13.4. : critiquer énonciation R féliciter autrui pour son action

		II.14.5.	: désapprouver énonciation R désapprouver action accomplie par autrui
		II.14.8.	: *id.* R s'excuser d'une action accomplie par soi-même
		II.15.1.	: approuver énoncé : approbation forte
		II.15.2.	: *id.* : approbation faible
		II.15.3.	: *id.* : admettre, reconnaître, avouer
		II.18.3.	: exprimer son ignorance R demander information factuelle
		II.19.	: exprimer son indécision
		+ II.20.3.	: accepter, promettre de faire soi-même R suggérer, proposer, conseiller, recommander à autrui de faire lui-même
		+ II.24.1.	: refuser de faire soi-même R suggérer, proposer, conseiller, recommander à autrui de faire lui-même
		II.24.4.	: *id.* demander, ordonner, interdire à autrui de faire lui-même
		II.24.10.	: *id.* R demander de parler
		II.24.11.	: refuser de faire soi-même R demander informations factuelles
		+ II.25.	: refuser de faire avec autrui R proposer à autrui de faire ensemble
		II.26.	: refuser qu'autrui fasse R proposer à autrui de faire soi-même
		IV.1.20.	: aspect référentiel R faire des jurons
		IV.6.4.	: aspect formel R faire une transition
		v. *on ne peut plus*	
	G :	I.2.1.4.5.	: attribution d'une disposition ou imposition
pouvoir (se) v.	AP :	I.1.2.6.	: poser un fait comme possible
+ PRAGMATIQUE	AP :	v.0.3.2.1.2.	: implicite extra-linguistique
		I.10.	
		v.IV.1.11.	: juger, évaluer, apprécier
pratique aj.	ON :	III.4.7.	: quelques qualifiants pour la maison, l'habitation
		III.6.2.	: déplacements liés au travail, aux études, etc.
		III.6.4.	: transports publics
précaution n.f.	AP :	I.9.0.1. (a.13.)	: demander à autrui de faire lui-même (dispositions objectives)
		I.10.10.5.	: prudence
précédent aj. *(le ... -)*			
	G :	II.1.1.4.2.	: situation anaphorique de l'action dans le temps

premier aj.	AP :	IV.6.1.	: aspect formel R annoncer plan, points
		IV.6.2.	: *id.* R marquer le début d'un point
premier (le -) pron.	ON :	II.1.	: notions désignant des entités
premier ministre n.m.	ON :	III.15.2.	: actualité politique
première (classe) n.f.			
	ON :	III.6.4.	: transports publics
premièrement av.	AP :	IV.1.16.	: énumérer
		IV.6.1.	: annoncer plan, points
premièrement/deuxièmement/etc. av.			
	ON :	II.2.4.1.	: nombre
prenant aj.	AP :	I.11.6.7.	: affectivité ; sentiment lié à une réalité agréable R fascination
prendre v.	AP :	I.9.0.1. (b.14.)	: demander à autrui de faire lui-même (responsabilité)
		II.20.5.	: accepter, promettre de faire soi-même R promettre récompense
		II.24.12.	: refuser de faire soi-même R demander propositions d'action pour soi-même
		IV.5.1.	: aspect dialogué R engager conversation
+ PRENDRE ACTE	AP :	II.10.	
PRENDRE ACTE DE L'IGNORANCE D'AUTRUI			
	AP :	II.10.3.	
+ PRENDRE CONGE	AP :	III.2.	
PRENDRE AU MOT	AP :	II.10.2.	
+ PRENDRE LA PAROLE	AP :	IV.5.2.	
prendre v.	ON :	III.6.1.	: consignes d'orientation, de déplacements ; indications d'itinéraires
		III.6.2.	: déplacements liés au travail, aux études, etc.
		III.6.3.	: vacances et tourisme
		III.6.4.	: transports publics
		III.7.3.	: restaurants et cafés
		III.7.5.	: souhaits et invites
		III.9.9.	: station-service automobile
		III.10.3.	: hygiène
		III.10.4.	: maladies et accidents
		III.11.3.	: opérations manuelles, physiques
		III.14.2.	: invitations, rendez-vous
prendre froid v.	ON :	III.10.4.	: maladies, accidents
prendre rendez-vous v.			
	ON :	III.14.2.	: invitations, rendez-vous

prendre (quelqu'un) v.

AP : I.11.9.3. : mauvaise humeur agressive
II.17. : désapprouver énoncé
II.20.4. : accepter, promettre de faire soi-même R menacer d'une sanction
II.24.1. : refuser de faire soi-même R suggérer, proposer, conseiller, recommander à autrui de faire lui-même

prendre (à tou -) av.

AP : I.11.1.8. : préférence

+ *prendre (se - pour)* v.

AP : + I.10.9.3. : orgueil
II.24.4. : refuser de faire soi-même R demander, ordonner, interdire

+ *prendre (s'y -)* v. AP : + I.9.5. : demander propositions d'action

prénom AP : v.I.2.4. : plaindre
v.I.9.1.1. : interpeller : en champ libre
v.I.9.1.3. : *id.* : correspondance
v.III.1. : saluer
v.III.3. : présenter quelqu'un
v.III.4. : se présenter
ON : III.1.1. : nom

préparer v. ON : III.2.3. : sanctions et qualifications

préparer un repas v.

ON : III.7.2. : nourritures et boissons

"PREPOSITION" G I.2.1.4.2., 3., 4. et 5. : rection de l'attribution
I.2.3. et 4. : rection des verbes du "faire" et du "causer"
I.2.5. et 6. : actance causale et finale
I.3.3. : syntaxe du groupe nominal
II.1.1.4. : situation objective de l'action dans le temps
II.1.2.2. : détermination spatiale objective
II.1.2.2. (annexe) : prépositions spatiales
II.1.4.1.2. : détermination qualitative du procès
II.1.4.2.1. : détermination instrumentale du procès
II.2.2. : qualification des actants
II.2.3. : détermination issue de nominalisations
II.2.4. : détermination de l'adjectif
III.1.5.1. : explication causale
III.2.1.3. : concession
ON : II.2.3.2. : mouvement

prépositionnel (groupe -)
G : II.4.1.2. : qualification du procès
près av. AP : IV.2.4. : aspect quantitatif R s'étendre sur
près av. ON : II.3.2.2. : distance
III.6.1. : consignes d'orientation, de déplacements ; indications d'itinéraires
près (à peu -) av. ON : II.2.4.1. : nombre
près (de) prép. AP : I.9.0.3. : demander à autrui de faire lui-même R menacer d'une sanction
G : II.1.2.2.2. : situation spatiale appréciative
ON : II.3.2.2. : distance
III.6.2. : déplacements liés au travail, aux études, etc.
PRESCRIPTIF (énoncé -)
G : I.1.2.2.
PRESENCE/ABSENCE ON : II.2.1.2.
"PRESENT" ("temps") G : I.1.2.2. : accomplissement générique et spécifique
II.1.1.1.1. : action hors époque et déroulement
II.1.1.1.2. : action dans l'époque présente
II.1.1.2.1. : quantification et déroulement : action en cours d'accomplissement
II.1.1.3. : stades du déroulement
II.1.1.4.4. : situation relative de l'action dans le temps (accomplissement spécifique et générique)
III.1.10. : expression de la condition logique (hors déroulement)
PRESENT (époque -) G : II.1.1.1.2.
PRESENT (référence au -)
ON : III.5.2.1.2.
présent ON : II.3.2.1.2. : référence au présent
II.3.1.4. : hors époque
présent aj. ON : II.2.1.2. : présence/absence
PRESENTATIF (existentiel -)
G : I.2.1.3.3.
présentation n.f. AP : III.3. : présenter quelqu'un
+ PRESENTER QUELQU'UN
AP : III.3.
+ PRESENTER SA SYMPATHIE, SES CONDOLEANCES
AP : + III.5.
+ *présenter* v. AP : + III.3. : présenter quelqu'un
III.5. : présenter sa sympathie, ses condoléances
+ PRESENTER (SE) AP : III.4.
+ *présenter (se)* v. AP : + III.4. : se présenter
III.12.3. : recherche d'un emploi ; chômage ; licenciement
III.2.3. : sanctions et qualifications

président de la république n.m.			
	ON :	III.15.2.	: activité politique
presque av.	AP :	IV.1.18.	: aspect référentiel R rapporter discours
	ON :	II.2.4.2.2.	: degré (quantification de notions réalisées par d'autres catégories que les substantifs)
presque pas de av.	ON :	II.2.4.2.1.	: quantification de notions réalisées par des substantifs
presser (se) v.	ON :	III.6.4.	: transports publics
+ PRESUPPOSER QU'UN FAIT EST VRAI			
	AP :	v.0.1.1.1.	: paraître avoir une opinion
		v.0.3.1.	: faire un implicite linguistique
		I.1.8.	
		v.I.9.4.2.	: demander des informations sur un fait
		v.II.13.3.	: critiquer énonciation R présupposer qu'un fait est vrai
		v.IV.1.1.	: mentir
prêt n.m.	ON :	III.4.6.	: loyer, prix de vente, charges
		III.9.4.	: banque
prétendre v.	AP :	I.1.7.2.	: donner son opinion sur la vérité d'un fait : conviction
		IV.1.1.	: mentir
		IV.1.18.	: rapporter discours
prêter v.	ON :	III.8.6.	: prix et paiement
		III.9.4.	: banque
+ PREVENIR	AP :	I.1.5.	
+ *prévenir* v.	AP :	+ I.1.5.	: signaler, avertir, prévenir, mettre en garde
prévoir v.	AP :	I.1.2.6.	: poser un fait comme possible
+ PRIER	AP :	I.9.0.7.	
+ *prier* v.	AP :	+ I.3.3.	: excuser, pardonner
		+ I.9.0.1. (a.1.)	: demander (en général) à autrui de faire lui-même (...)
		+ I.9.0.7.	: prier, supplier
		+ II.11.	: remercier
		+ II.14.4.	: désapprouver énonciation R plaindre
+ *prière* n.f.	AP :	+ I.10.2.1.	: obligation
		I.10.2.2.	: interdiction
prime n.f.	ON :	III.12.4.	: revenus, aides sociales
primeurs (fruits et -) n.m.			
	ON :	III.8.2.	: alimentation
principe (en -) av.	AP :	II.15.2.	: approuver énoncé : approbation faible
		II.16.1.	: critiquer énoncé R poser un fait comme vrai
printemps n.m.	ON :	III.5.5.	: mois et saisons, fêtes de l'année

produit n.m. ON : III.15.3. : actualité économique et sociale

professeur n.m. ON : III.2.1. : école et études

PROFESSION, METIER, OCCUPATION
ON : III.12.

profession n.f. ON : III.1.10. : activité professionnelle

PROFESSIONNELLE (activité -)
ON : III.1.10.

PROFESSIONNELLES (types d'activités -)
ON : III.12.1.

PROFESSIONNELLES (organisations - ; syndicats)
ON : III.12.5.

professionnelle (formation -) n.f.
ON : III.12.6. : formation, carrière, avenir

profiter v. AP : I.9.0.1. : demander (en général) à autrui de faire (b.15.) lui-même (...)

profond aj. ON : II.2.3.3.1. : taille

profondeur n.f. ON : II.2.3.3.1. : taille

programme n.m. ON : III.13.1. : distraction et information
III.13.3. : cinéma, théâtre, opéra, concert
III.15.2. : actualité politique

progrès n.m. ON : III.15.3. : actualité économique et sociale

progressivement av. ON : II.2.2.4. : stabilité et changement

projet n.m. ON : III.6.3. : vacances et tourisme
III.15.2. : actualité politique

promenade (faire une -) v.
ON : III.13.1. : distractions et information

promener (se) ON : III.13.1. : direction

\+ PROMETTRE A AUTRUI DE FAIRE SOI-MEME
AP : I.5.2.
II.20.

\+ PROMETTRE RECOMPENSE
AP : v.0.2.2. : faire faire
I.9.0.4.

\+ *promettre* v. I.1.3.1.1. : donner des informations factuelles ; insister sur un fait (emphase) R (sur l'acte d'asserter)
AP : + I.5.2. : promettre à autrui de faire soi-même
I.9.0.3. : menacer d'une sanction
I.9.0.4. : promettre récompense
\+ II.20. : accepter, promettre de faire soi-même
II.23.4. : faire le contraire de l'énonciation demandée R réfuter vérité d'un fait positif
II.23.5. : *id.* R réfuter vérité d'un fait négatif

promotion n.f. ON : III.12.6. : formation, carrière, avenir

"PRONOMINAL" ("verbe")
G : I.2.2.
(note)
(transformation -)
G : I.3.2.2.

"PRONOM" G : I.3.2.2. : transformation nominale
II.2.0.3. : substituts d'actants
ON : II.1. : notions désignant des entités
(" - démonstratif")
G : II.2.1.1I.2. : substituts de déterminants déictiques
ON : II.1. : notions désignant des entités
(" - indéfini")
G : II.2.0.3. : substituts d'actions indéfinis
ON : II.1. : notions désignant des entités
(" - interrogatif")
ON : II.1. : notions désignant des entités
(" - personnel")
G : II.2.0.1. : actants déictiques
II.2.0.3. : substituts d'actants déictiques
ON : II.1. : notions désignant des entités
(" - possessif")
G : II.2.2.5. : substituts de déterminants possessifs
ON : II.1. : notions désignant des entités
(" - relatif")
G : cf. *que* pron.
ON : II.1. : notions désignant des entités

pronoms (adjectifs et - possessifs)
ON : II.3.5. : relations de possession

prononcer v. ON : III.3.2. : connaissance d'une langue ; niveau d'aptitude ; correction

+ PRONONCIATION DES LETTRES, DES ACCENTS, DE LA PONCTUATION
AP : IV.3.1.

propos n.m. AP : II.22.4. : répondre à interpellation R interpeller

propos (à -) av. AP : I.1.5. : signaler, avertir, prévenir, mettre en garde

+ *propos (à ce -)* av. AP : + IV.6.5. : faire une digression

PROPOSER AP : V.0.2.2. : faire faire

+ PROPOSER A AUTRUI DE FAIRE ENSEMBLE
AP : I.7.1.

+ PROPOSER A AUTRUI DE FAIRE LUI-MEME
AP : I.8.

+ PROPOSER A AUTRUI DE FAIRE SOI-MEME
AP : I.5.1.

I.10.10.6. : imprudence

prudent aj. AP : I.10.10.5. : pragmatique ; prudence

PUBLICS (transports -)

ON : III.6.4.

PUBLICS (services - et privés)

ON : III.9.

public aj. ON : III.15.2. : actualité politique

publicité n.f. ON : III.13.5. : lire, écrire

puer v. ON : II.2.5.1.8. : odeur

+ *puis* av. AP : + IV.1.17. : raconter

IV.6.1. : annoncer plan, points

G : III.1.1. : conjonction événementielle (succession)

puis (et -) av. ON : II.3.1.9. : séquence du récit

+ *puisque* conj. AP : + I.1.2.2. : poser un fait comme nécessaire

I.1.8.10. : présupposer qu'un fait est vrai

I.9.0.1. (a.15.) : demander (en général) à autrui de faire lui-même (...)

G : III.1.5.1. : explication causale

III.1.7. : déduction

ON : II.3.6.6. : cause-conséquence

quai n.m. ON : III.6.4. : transports publics

QUALIFIANTS (quelques - à propos du métier)

ON : III.12.7.

QUALIFIANTS (quelques - pour la maison, l'habitation)

ON : III.4.7.

QUALIFIANTS (quelques - pour le quartier et l'environnement)

ON : III.5.2.

QUALIFIANTS (quelques - pour les événements d'actualité)

ON : III.15.4.

QUALIFIANTS (quelques - pour les repas)

ON : III.5.4.

QUALIFIANTS (quelques - pour les spectacles et divertissements)

ON : III.13.6.

QUALIFICATION

(- du procès)

G : II.1.4.1.

(- des actants

G : II.2.2.

QUALIFICATIONS (sanctions et -)

ON : III.2.3.

qualifié aj. ON : III.12.3. : recherche d'un emploi ; chômage ; licenciement

qualifier v. ON : III.12.3. : recherche d'un emploi ; chômage ; licenciement

QUALIFICATIF (détermination -)
G : 0.II.
II.1.4.1.
(appréciation -)
ON : II.2.5.3.
QUALITE ON : II.2.4.
qualité n.f.
(attribution d'une -)
G : I.2.1.4.1. : prédicats attributifs
II.2.2.2. : détermination qualitative des actants
QUALITES (notions désignant des propriétés et -)
ON : II.2.
QUALITES D'UNE PERSONNE
ON : II.2.5.2.
QUALITES PHYSIQUES ON : II.2.5.1.
quand conj. AP : I.1.2.2. : poser un fait comme nécessaire
II.24.8. : refuser de faire soi-même R prier, supplier de faire lui-même
v. *depuis quand*
G : II.1.1.4.4. : situation de l'action dans le temps, antériorité, postériorité et simultanéité
III.1.10. : cause - conséquence : expression de la règle générale
ON : II.3.1.5. : antériorité
II.3.1.7. : simultanéité
II.3.1.8. : postériorité
quand (est-ce que) ? av.
ON : II.2.2.1. : situation dans le temps
quand je pense que conj.
AP : I.11.7.2. : déception
+ *quand même* av. AP : + II.16.1. : critiquer énoncé R poser un fait comme vrai
II.24.2. : refuser de faire soi-même R déconseiller à autrui de faire lui-même
G : III.2.2.1.
et 3. : opposition affective et concession
ON : II.3.6.3. : opposition, concession
quant à prép. AP : IV.6.2. : marquer le début d'un point
QUANTIFIANT (détermination -)
G : II.1.3.3.
II.2.1.2.
QUANTIFIANTS ON : II.1. : notion désignant des entités

		I.10.2.2.	: pragmatique ; devoir
		II.24.4.	: refuser de faire soi-même R demander, ordonner, interdire
queue (en -) n.f.	ON :	III.6.4.	: transports publics
queue (faire la -) v.	ON :	III.13.3.	: cinéma, théâtre, opéra, concert
qui pron.	AP :	II.22.4.	: faire énonciation demandée R répondre à interpellation
		II.24.1.	: refuser de faire soi-même R suggérer, proposer, conseiller, recommander à autrui de faire lui-même
		II.24.4.	: *id.* R demander, ordonner, interdire
	G :	cf. *que* pron.	
	ON :	II.1.	: notions désignant des entités ("relatifs")
		II.1.	: notions désignant des entités ("interrogatifs"
qui est-ce que	ON :	II.1.	: notions désignant des entités ("interrogatifs"
qui est-ce qui	ON :	II.1.	: notions désignant des entités ("interrogatifs"
quiconque pron.	G :	II.2.0.2.	: actant indéfini générique
quitter v.	ON :	II.3.2.3.	: déplacements orientés dans l'espace
quoi pron.	AP :	I.3.5.	: désapprouver, reprocher, protester
		I.10.3.6.2.	: pragmatique ; volition, volonté R intolérance
		I.11.5.1.	: surprise, étonnement
		II.3.	: demander de répéter
		II.6.	: demander raisons
		II.7.	: demander conséquences
		II.14.2.	: désapprouver énonciation R faire l'hypothèse qu'un fait est vrai
		II.14.6.	: désapprouver énonciation R se féliciter d'une action accomplie par soi-même
		II.14.7.	: *id.* R s'accuser d'une action accomplie par soi-même
		II.22.1.	: donner la parole R demander la parole
		II.22.4.	: répondre à interpellation R interpeller
		II.24.1.	: refuser de faire soi-même R suggérer, proposer, conseiller, recommander à autrui de faire lui-même
		II.25.	: refuser de faire avec autrui
		v. *bon (à quoi -)*	
	ON :	II.1.	: notions désignant des entités ("relatifs")
		II.1.	: notions désignant des entités ("interrogatifs"
quoi (et puis encore -) intj.			
	AP :	v. *encore quoi (et puis -)*	

quoi qu'il en soit av.			
	AP :	II.16.1.	: critiquer énoncé R poser un fait comme vrai
quotidien aj.	ON :	II.2.2.3.1.	: fréquence
rabaisser v.	AP :	I.11.4.4.	: affectivité ; sentiment lié à la responsabilité R déshonneur
raccrocher v.	ON :	III.9.2.	: téléphone
+ RACONTER	AP :	IV.1.17.	
raconter v.	AP :	I.9.3.	: demander de parler
		IV.1.15.	: aspect référentiel R décrire
		IV.5.1.	: aspect dialogué R engager conversation
		IV.1.17.	: raconter
raide aj.	ON :	III.1.15.	: caractéristiques physiques
raisin n.m.	ON :	III.7.2.	: nourritures et boissons
+ RAISONS (demander -)			
	AP :	II.6.	
+ *raison* n.f.	AP :	I.3.1.	: approuver, féliciter
		I.9.0.1. (c.3.)	: demander (en général) à autrui de faire lui-même (...)
		I.9.0.2.	: demander à autrui de faire lui-même R inviter, encourager
		II.12.1.	: approuver énonciation : en général
		+ II.15.1.	: approuver énoncé : approbation forte
		II.17.	: désapprouver énoncé
		+ II.20.1.	: accepter, promettre de faire soi-même R suggérer, proposer, conseiller, recommander à autrui de faire lui-même
		+ II.20.2.	: *id.* R déconseiller à autrui de faire lui-même
		+ II.22.18.	: donner accord sur la vérité d'un fait positif
		+ II.22.19.	: donner accord sur la vérité d'un fait négatif
		II.24.4.	: refuser de faire soi-même R demander, ordonner, interdire à autrui de faire lui-même
	G :	III.1.5.1.	: explication causale
		III.1.5.3.	: interrogation sur la cause
	ON :	II.3.6.6.	: explication causale
		III.15.1.	: généralités
raisonnable aj.	ON :	III.4.7.	: quelques qualifiants pour la maison, l'habitation
		III.8.6.	: prix et paiement

RAISONNEMENT (logique du -)			
	G :	0.III.	
		III.1.	
raisonnement n.m.	AP :	IV.1.9.	: argumenter
rajouter v.	AP :	I.10.9.4.	: pragmatique, dispositions subjectives R modestie
		II.14.3.	: désapprouver énonciation R se plaindre
ralentir v.	ON :	II.2.3.3.3.	: vitesse, accélération
ramassage (scolaire) n.m.			
	ON :	III.6.4.	: transports publics
râler v.	AP :	II.20.4.	: accepter, promettre de faire soi-même R menacer d'une sanction
ramasser v.	ON :	III.11.2.	: opérations manuelles, physiques
+ RANCUNE	AP :	I.11.3.2.	
rancune n.f.	AP :	I.11.3.2.	: rancune, ressentiment
rancunier aj.	AP :	I.3.3.	: excuser, pardonner
ranger v.	AP :	IV.1.14.	: classifier
rapide aj.	ON :	II.2.3.3.3.	: vitesse, accélération
		III.6.4.	: transports publics
+ RAPPELER	AP :	I.1.6.1.	
+ *rappeler* v.	AP :	+ I.1.6.1.	: rappeler
		I.9.0.1. (a.1.)	: demander (en général) à autrui de faire lui-même (...)
		IV.1.8.	: comparer
		IV.2.3.	: évoquer, faire allusion à
rappeler (quelque chose) v.			
	AP :	IV.6.5.	: aspect formel R faire une digression
+ RAPPELER (SE)	AP :	+ I.1.7.1.	
+ *rappeler (se)* v.	AP :	+ I.1.7.1.	: donner son opinion sur la vérité d'un fait : savoir, se souvenir, se rappeler
		I.1.7.5.	: *id.* : ignorance
		IV.2.3.	: évoquer, faire allusion à
	ON :	III.3.2.	: connaissance d'une langue ; niveau d'aptitude ; correction
+ RAPPORTER DISCOURS	AP :	IV.1.18.	
rapporter v.	AP :	IV.1.3.	: citer
	AP :	IV.1.18.	: rapporter discours
rarement av.	G :	II.1.1.4.1.	: situation de l'action dans le temps
	ON :	II.2.2.3.1.	: fréquence
ras-le-bol intj.	AP :	I.11.7.13.	: irritation, indignation, exaspération
raser (se)	ON :	III.10.3.	: hygiène
rasoir n.m.	ON :	III.10.3.	: hygiène

recommencer v.	AP :	I.3.3.	: excuser, pardonner
		I.4.3.	: s'excuser
		I.5.2.	: promettre à autrui de faire lui-même
		I.9.0.3.	: demander à autrui de faire lui-même R menacer d'une sanction
		I.9.4.	: *id.* R demander informations factuelles
		II.3.	: demander de répéter
		IV.4.1.	: aspect correctif R se reprendre
+ RECOMPENSE (promettre -)			
	AP :	v.0.2.2.	: faire faire
		I.9.0.4.	
+ RECONNAISSANCE	AP :	I.11.3.	
reconnaissant aj.	AP :	I.9.0.1. (b.17.)	: demander (en général) à autrui de faire lui-même
		I.11.3.1.	: gratitude, reconnaissance
		I.11.3.3.	: ingratitude
reconnaître v.	AP :	I.1.2.3.	: poser un fait comme certain
		I.4.2.	: juger l'action accomplie par soi-même R s'accuser, avouer
		II.15.3.	: approuver énoncé : admettre, reconnaître, avouer
		II.22.9.	: répondre en avouant qu'un fait positif est vrai
récréation n.f.	ON :	III.2.1.	: écoles et études
rectangulaire aj.	ON :	II.2.5.1.1.	: formé
reculer v.	ON :	II.2.3.2.	: mouvement
+ REDEMANDER LA PAROLE APRES AVOIR ETE INTERROMPU			
	AP :	I.6.1.NB.	
redemander v.	AP :	I.6.1.NB.	: redemander la parole après avoir été interrompu
redoubler v.	ON :	III.2.3.	: sanctions et qualifications
redouter v.	AP :	I.10.3.4.	: crainte
réduction n.f.	ON :	III.13.4.	: musées, expositions
réécrire (se) v.	AP :	I.1.2.2.	: poser un fait comme nécessaire
REFERENCE DE L'ACTE DE PAROLE			
	AP :	Prés. 1.	
REFERENCE AU FUTUR	ON :	II.3.1.1.	
REFERENCE AU PASSE	ON :	II.3.1.	
REFERENCE AU PRESENT	ON :	III.5.2.1.2.	
réfléchir v.	AP :	II.19.	: exprimer son indécision
		II.23.6.	: faire le contraire de l'énonciation demandée R désapprouver (au lieu d'approuver) action d'autrui

réflexion n.f.	AP :	II.19.	: exprimer son indécision
réforme n.f.	ON :	III.14.3.	: actualité politique
réfrigérateur	ON :	III.4.4.	: vaisselle et appareils ménagers
+ REFUSER QU'AUTRUI FASSE			
	AP :	II.26.	
+ REFUSER DISPENSE	AP :	II.23.3.	
+ REFUSER DE DONNER LA PAROLE			
	AP :	II.23.1.	
+ REFUSER DE FAIRE AVEC AUTRUI			
	AP :	II.25.	
+ REFUSER DE FAIRE SOI-MEME			
	AP :	II.24.	
+ REFUSER PERMISSION	AP :	II.23.2.	
+ *refuser* v.	AP :	II.13.4.	: critiquer énonciation R féliciter autrui
		+ II.20.5.	: accepter, promettre de faire soi-même R promettre récompense
		II.23.1.	: refuser de donner la parole R demander la parole
		II.23.2.	: refuser permission R demander permission
		II.24.	: refuser de faire soi-même
		II.25.	: refuser de faire avec autrui R proposer à autrui de faire ensemble
		II.26.	: refuser qu'autrui fasse R proposer à autrui de faire soi-même
	ON :	III.5.2.	: actualité politique
+ REFUTER VERITE D'UN FAIT POSITIF			
	AP :	II.23.4.	
+ REFUTER VERITE D'UN FAIT NEGATIF			
	AP :	II.23.5.	
regard n.m.	AP :	IV.1.17.	: nommer
+ *regarder* v.	AP :	II.24.4.	: refuser de faire soi-même R demander, ordonner, interdire
		+ II.24.11.	: refuser de faire soi-même R demander informations factuelles
		+ II.24.12.	: *id.* R demander propositions d'action pour soi-même
		II.24.13.	: *id.* R demander jugement sur action accomplie par soi-même
		IV.2.4.	: aspect quantitatif R s'étendre sur
	ON :	III.11.2.	: sensation, perception
		III.13.1.	: distraction et information
		III.13.2.	: sports

RELATIONS DANS L'ACCOMPLISSEMENT D'UNE ACTION
ON : II.3.3.

RELATIONS COMPARATIVES
ON : II.3.4.

RELATIONS ELECTIVES ET ASSOCIATIVES
ON : III.14.

RELATIONS DANS L'ESPACE
ON : II.3.2.

RELATIONS LOGIQUES
G : 0.3.
III.1. et 2.
ON : II.3.6.

RELATIONS DE POSSESSION
ON : II.3.5.

RELATIONS DANS LE TEMPS
ON : II.3.1.

relations temporelles AP : v.IV.1.17. : raconter
v.IV.1.18. : rapporter discours

RELIGION ON : III.1.12.

religion n.f. ON : III.1.12. : religion

religions (nom de -) ON : III.1.12. : religion

remarquable aj. ON : III.13.6. : quelques qualifiants pour les spectacles et divertissements
III.15.4. : quelques qualifiants pour les événements d'actualité

remarquer (faire -) AP : v.0.2.1. : faire savoir

remarquer v. AP : I.1.2.3. : poser un fait comme certain
II.10.1. : prendre acte d'une énonciation en général
II.10.3. : prendre acte de l'ignorance d'autrui
IV.6.6. : poursuivre

remboursement n.m. ON : III.9.8. : sécurité sociale

rembourser v. ON : III.8.1. : commerces : généralités

remerciements n.m. AP : I.9.7.2. : demander de remercier

+ REMERCIER AP : I.2.5.
II.11.

+ REMERCIER (demander de -)
AP : I.9.7.2.

+ *remercier* v. AP : I.2.5. : remercier
+ I.9.7.2. : demander de remercier
II.11. : remercier
+ II.24.14. : refuser de faire soi-même R demander de remercier

+ *répondre* v.	AP :	II.22.4.	: répondre à interpellation R interpeller
		II.22.5.	: répondre affirmativement à une question positive
		II.22.6.	: répondre affirmativement à une question négative
		II.22.7.	: répondre négativement à une question positiv
		II.22.8.	: répondre négativement à une question négativ
		II.22.13.	: répondre en exprimant l'opinion qu'un fait positif est vrai
		II.22.14.	: répondre en exprimant l'opinion qu'un fait positif est faux
		II.22.15.	: répondre en exprimant l'opinion qu'un fait négatif est vrai
		II.22.16.	: répondre en exprimant l'opinion qu'un fait négatif est faux
		II.22.17.	: répondre en donnant des informations sur un fait R demander informations sur un fait
		II.23.3.	: faire le contraire de l'énonciation demandée R refuser dispense
		II.24.11.	: refuser de faire soi-même R demander informations factuelles
		IV.5.1.	: aspect dialogué R engager conversation
	ON :	III.14.3.	: correspondance
réponse n.f.	ON :	III.14.3.	: correspondance
		III.15.1.	: généralités
reposant aj.	ON :	III.6.3.	: vacances et tourisme
reposer (se) v.	AP :	III.6.	: souhaiter quelque chose à quelqu'un
+ *reprendre* v.	AP :	+ II.4.	: demander de paraphraser, d'expliciter
		IV.4.1.	: se reprendre
		IV.4.3.	: corriger autrui
		IV.6.6.	: poursuivre
	ON :	III.7.5.	: souhaits et invites
+ REPRENDRE (SE)	AP :	IV.4.1.	
+ *reprendre (se)* v.	AP :	IV.4.1.	: se reprendre
représentation n.f.	ON :	II.13.3.	: cinéma, théâtre, opéra, concert
reproche n.m.	AP :	I.3.5.	: désapprouver, reprocher, protester
+ REPROCHER	AP :	I.3.5.	
reprocher v.	AP :	I.3.5.	: désapprouver, reprocher, protester
		II.13.	: critiquer énonciation
		II.14.	: désapprouver énonciation

république n.f. ON : III.15.2. : actualité politique
répugnant aj. AP : I.11.7.10. : dégoût
répugner v. AP : I.11.7.10. : dégoût
réservation n.f. ON : III.6.4. : transports publics
réserver une chambre v.
ON : III.7.1. : hôtel, camping
RESIDENCE (documents de voyage, de séjour, et - dans un pays étranger)
ON : III.6.7.
+ RESIGNATION AP : I.10.3.6.3.
RESISTANCE (consistance, -)
ON : II.2.5.1.4.
résistant aj. ON : II.2.5.1.4. : consistance, résistance
résister v. AP : I.9.0.1. (b.11.) : demander (en général) à autrui de faire lui-même (...)
I.10.6.1. : abstention
respect n.m. AP : I.10.9.5. : pragmatique ; dispositions subjectives R humilité
respecter v. ON : III.10.5. : assurances, sécurité
respectueusement av. AP : I.10.9.5. : pragmatique, dispositions subjectives R humilité
responsable n.m. AP : I.10.11.1. : pragmatique R responsabilité
responsabilité n.f. AP : II.24.12. : refuser de faire soi-même R demander propositions d'actions pour soi-même
+ RESPONSABILITE AP : I.10.11.
RESPONSABILITE (sentiments liés à la -)
AP : I.11.4.
+ *ressembler à* v. AP : + IV.1.8. : comparer
ON : II.3.4.1. : similitude, différence
ressembler (se) v. ON : II.3.4.1. : similitude, différence
+ RESSENTIMENT AP : I.11.3.2.
RESTAURANT (le gîte et le couvert : hôtel -)
ON : III.7.
RESTAURANTS ET CAFES ON : III.7.3.
restaurant n.m. ON : III.7.3. : restaurants et cafés
rester v. AP : I.10.3.3.3. : pragmatique, volition ; désir R espoir, souhait
IV.6.2. : marquer le début d'un point
G : I.2.1.2. : existentiel locatif
II.1.1.2.1. : accomplissement perspectif
ON : II.2.1.3. : disponibilité/non-disponibilité
II.2.2.4. : stabilité et changement
III.9.6. : hôpital

restriction n.f.	AP :	IV.1.13.	: aspect référentiel R définir·
RESTRICTION	G :	III.2.2.1.	
résultat n.m.	AP :	I.11.6.1.	: affectivité ; sentiment lié à une réalité agréable R satisfaction
	ON :	II.3.6.5.	: cause-conséquence
		III.12.5.	: organisations professionnelles ; syndicats
		III.15.3.	: actualité économique et sociale
RESULTATIF (aspect du déroulement)			
	G :	I.1.2.2.	
		II.1.1.2.3.	
résulter (de) v.	G :	III.1.4.2.	: cause - conséquence
		III.1.5.1.	: explication causale
	ON :	II.3.6.5.	: cause - conséquence
		II.3.6.6.	: explication causale
résumé n.m.	AP :	IV.1.19.	: résumer
		IV.6.3.	: aspect formel R conclure
RESUMER	AP :	v.IV.1.18.	: rapporter discours
		IV.1.19.	
résumer	AP :	IV.1.19.	
		IV.6.3.	: conclure
RETARD (avance et -)	ON :	II.3.1.5.	
retard n.m.	ON :	II.3.1.5.	: avance et retard
retard (en –) av.	G :	II.1.1.4.3.	: situation appréciative de l'action dans le temps
	ON :	III.6.2.	: déplacements liés au travail, aux études, etc.
retenir v.	AP :	II.10.1.	: prendre acte d'une énonciation en général
		IV.1.19.	: résumer
retenir (se)	AP :	I.9.0.1. (b.11.)	: demander (en général) à autrui de faire lui-même (...)
		I.10.8.1.	: abstention
retirer v.	ON :	III.8.3.	: vêtements-mode
retraite n.f.	ON :	III.12.6.	: formation, carrière, avenir
réunion n.f.	ON :	III.12.5.	: organisations professionnelles, syndicats
		III.14.4.	: associations, sociétés
		III.15.1.	: généralités
réunir v.	ON :	III.14.4.	: associations, sociétés
réunir (se) v.	ON :	III.14.4.	: associations, sociétés
réussi aj.	ON :	III.13.6.	: quelques qualifiants pour les spectacles et divertissements

+ *réussir* v.	AP :	I.9.0.1. (a.11.)	: demander à autrui de faire lui-même (échec, réussite)
		+ I.10.8.3.	: réussite
		+ I.11.4.1.	: fierté
	ON :	II.2.5.3.6.	: appréciation quant à la réussite
		III.2.3.	: sanctions et qualifications
		III.3.2.	: connaissance d'une langue
+ REUSSITE	AP :	I.10.8.	
REUSSITE DE L'INTENTION ENONCIATIVE	AP :	0.4.	
REUSSITE (appréciation quant à la -)	ON :	II.2.5.3.6.	
réveiller v.	ON :	III.7.1.	: hôtel, camping
revendication n.f.	ON :	III.12.5.	: organisations professionnelles ; syndicats
revenir v.	AP :	I.11.5.1.	: surprise, étonnement
		IV.6.6.	: poursuivre
	ON :	II.3.2.3.	: déplacements orientés dans l'espace
revenir (à) v.	AP :	IV.1.19.	: aspect référentiel R résumer
		IV.3.3.	: aspect métalinguistique R gloser
		IV.3.4.	: *id.* R paraphraser, expliciter
REVENUS, AIDES SOCIALES	ON :	III.12.4.	
revenus n.m.	ON :	III.12.4.	: revenus, aides sociales
rêver v.	AP :	I.11.5.1.	: surprise, étonnement
		II.24.4.	: refuser de faire soi-même R demander, ordonner, interdire
+ *revoir (au -)* intj.	AP :	+ III.2.1.	: prendre congé : à l'oral
	ON :	III.6.4.	: transports publics
révoltant aj.	AP :	I.11.7.13.	: irritation, indignation, exaspération
révolution n.f.	ON :	III.15.2.	: actualité politique
revue n.f.	ON :	III.13.5.	: lire, écrire
rez-de-chaussée n.m.	ON :	III.4.2.	: composition de l'habitation
+ *rien* pron.	AP :	I.1.8.7.	: donner des informations factuelles ; présupposer qu'un fait est vrai R sentiments
		I.10.1.7.	: pragmatique ; faisabilité R inutilité
		I.10.3.3.4.	: *id.* ; volition ; désir R désespoir
		I.10.8.1.	: *id.* ; échec, réussite R abstention
		I.10.9.3.	: *id.* ; dispositions subjectives R orgueil
		I.11.9.3.	: affectivité ; bonne et mauvaise humeur R mauvaise humeur agressive
		II.13.1.	: critiquer énonciation R annoncer, informer d'un fait

II.13.2. : *id.* R signaler, avertir
II.13.4. : *id.* R féliciter autrui
II.14.1. : désapprouver énonciation R en général
II.14.2. : *id.* R faire l'hypothèse qu'un fait est vrai
II.14.5. : *id.* R désapprouver une action accomplie par autrui
II.18.4. : exprimer son ignorance R demander jugement sur une action accomplie par soi-même
II.23.6. : faire le contraire de l'énonciation demandée R désapprouver (au lieu d'approuver) action d'autrui
II.24.1. : refuser de faire soi-même R suggérer, proposer, conseiller, recommander à autrui de faire lui-même
II.24.14. : *id.* R demander de remercier
IV.1.16. : aspect référentiel R énumérer
IV.2.3. : aspect quantitatif R évoquer, faire allusion à
ON : + I.3.3. : excuser, pardonner
I.10.1.2. : facilité
I.10.1.7. : inutilité
+ I.10.3.2. : indifférence
I.10.10.1. : aisance
+ I.10.11.2. : non-responsabilité
+ I.11.9.2. : mauvaise humeur dépressive
I.11. : remercier
+ II.24.10. : refuser de faire soi-même R demander de parler
G : II.1.3.3.1. : détermination quantifiante du procès
II.2.0.2. : actants indéfinis négatifs
ON : II.1. : notions désignant des entités

rigoler v. AP : II.17. : désapprouver énoncé

rigueur n.f. AP : I.10.3.6.3. : pragmatique ; volition ; volonté R résignation
II.15.2. : approuver énoncé (approbation faible)
II.16.1. : critiquer énoncé R poser un fait comme vrai

rire v. AP : II.17. : désapprouver énoncé
II.24.1. : refuser de faire soi-même R suggérer, proposer, conseiller, recommander à autrui de faire lui-même
ON : III.10.2. : besoins et états "physiologiques"

+ *risque* n.m. AP : I.10.10.5. : prudence
+ I.10.10.6. : imprudence

risqué aj.	AP :	II.24.1.	: refuser de faire soi-même R suggérer, proposer, conseiller, recommander à autrui de faire lui-même
risquer v.	AP :	I.1.2.6.	: poser un fait comme possible
		I.1.5.	: donner des informations factuelles R signaler, avertir, prévenir, mettre en garde
		I.8.2.	: proposer à autrui de faire lui-même
		I.9.0.2.	: demander à autrui de faire lui-même
		I.10.10.6.	: imprudence
rivière n.f.	ON :	III.5.1.	: quartier, région, paysage
robe n.f.	ON :	III.8.3.	: vêtements-mode
rôle n.m.	ON :	III.13.3.	: cinéma, théâtre, opéra, concert
roman n.m.	ON :	III.13.5.	: lire, écrire
rond aj.	AP :	I.11.9.2.	: affectivité ; bonne et mauvaise humeur R mauvaise humeur dépressive
	ON :	III.4.5.1.1.	: forme
rondelle n.f.	ON :	III.7.2.	: nourritures et boissons
rose aj.	ON :	II.2.5.1.9.	: couleur
rosé	ON :	III.7.2.	: nourritures et boissons
rôtir v.	ON :	III.7.2.	: nourritures et boissons
roue n.f.	ON :	III.1.15.	: quelques caractéristiques physiques
rouge n.m.	ON :	III.7.2.	: nourritures et boissons
rouge aj.	ON :	II.2.5.1.9.	: couleur
rouge (feu -) n.m.	ON :	III.6.4.	: transports publics
rouler v.	ON :	III.6.5.	: transport privé
		III.11.3.	: opérations manuelles, physiques
route n.f.	ON :	III.1.2.	: adresse
		III.6.4.	: transports publics
routière (gare -)	ON :	III.6.4.	: transports publics
rudement av.	AP :	I.1.3.1.3.	: insister sur un fait : emphase intensive sur un constituant
rue n.f.	ON :	III.1.2.	: adresse
rugby (jouer au -) v.	ON :	III.13.2.	: sports
sac n.m.	ON :	III.6.4.	: transports publics
saignant aj.	ON :	III.7.4.	: quelques qualifiants pour les repas
SAISONS (mois et -, fêtes de l'année)	ON :	III.5.5.	
saison n.f.	ON :	III.5.5.	: mois et saisons, fêtes de l'année
salade n.f.	ON :	III.7.2.	: nourritures et boissons
salaire n.m.	ON :	III.12.4.	: revenus, aides sociales
salaud, salope aj.,n.	AP :	I.11.3.2.	: rancune, ressentiment

sale aj.	ON :	III.4.7.	: quelques qualifiants pour la maison, l'habitation
		III.10.3.	: hygiène
salé aj.	ON :	II.2.5.1.7.	: goût
		III.7.2.	: nourritures et boissons
		III.7.4.	: quelques qualifiants pour les repas
salle à manger n.f.	ON :	III.4.2.	: composition de l'habitation
		III.7.1.	: hôtel, camping
salle d'attente n.f.	ON :	III.6.4.	: transports publics
salle de bains n.f.	ON :	III.4.2.	: composition de l'habitation
		III.7.1.	: hôtel, camping
salle de classe n.f.	ON :	III.2.1.	: école et études
salle de séjour n.f.	ON :	III.4.2.	: composition de l'habitation
SALUER	AP :	III.1.	
saluer v.	AP :	III.1.	: saluer
		III.2.	: prendre congé
+ *salut* n.m.	AP :	+ III.1.	: saluer
		+ III.2.1.	: prendre congé : à l'oral
		+ III.3.	: présenter quelqu'un
+ *salutations* n.f.	AP :	+ III.2.2.	: prendre congé : correspondance
samedi n.m.	ON :	II.2.2.1.	: situation dans le temps
+ SANCTION (menacer d'une -)			
	AP :	v.0.2.2.	: faire faire
		I.9.0.3.	
SANCTIONS ET QUALIFICATIONS			
	ON :	III.2.3.	
sang (mauvais -) n.m.	AP :	I.11.2.1.	: confiance
+ *sans* prép.	AP :	I.9.0.1. (a.13.)	: demander (en général) à autrui de faire lui-même (...)
		+ I.10.1.5.	: indispensabilité
		I.10.1.7.	: inutilité
		+ I.11.3.1.	: gratitude, reconnaissance
	G :	II.1.4.1.	: qualification du procès
		II.1.4.2.	: détermination instrumentale
		III.2.2.2.2.	: condition - restriction négative
	ON :	II.3.2.4.	: déplacements avec une personne ou un objet
		II.3.6.4.	: inclusion, exclusion
		II.3.6.8.	: condition
sans arrêt av.	ON :	II.2.2.2.3.	: continuation
sans cesse av.	ON :	II.2.2.2.3.	: continuation
		II.2.2.3.1.	: fréquence

I.9.0.1. (a.8.) : *id.*

I.9.0.1. (b.3.) : *id.*

I.9.0.1. (b.8.) : *id.*

\+ I.9.4.1. : demander si un fait est vrai

I.9.4.2. : demander informations sur un fait

I.9.4.3. : demander accord sur la vérité d'un fait

\+ I.9.5. : demander propositions d'action

I.9.6.1. : demander avis sur action accomplie par soi-même

I.9.8. : demander de (ne pas) transmettre

I.10.1.2. : pragmatique ; faisabilité R facilité

\+ I.10.3.1. : indécision

\+ I.10.4.1. : compétence

\+ I.10.4.2. : incompétence

I.10.9.3. : orgueil

I.11.1.13. : affectivité : attitude vis-à-vis d'une chose, une personne, un fait R dédain

I.11.4.3. : *id.* : sentiment lié à la responsabilité R honte

I.11.7.2. : *id.* : sentiment lié à une réalité désagréable R déception

I.11.8.1. : *id.* ; sentiment lié aux conséquences d'une réalité désagréable R ennui, embarras

I.11.9.2. : mauvaise humeur dépressive

II.10.3. : prendre acte de l'ignorance d'autrui

\+ II.13.1. : critiquer énonciation R annoncer, informer d'un fait

II.13.2. : *id.* R signaler, avertir

\+ II.13.3. : *id.* R présupposer qu'un fait est vrai

II.15.1. : approuver énoncé : approbation forte

\+ II.18.1. : exprimer son ignorance R poser un fait comme vrai

\+ II.18.2. : *id.* R demander informations factuelles

\+ II.18.3. *id.* R demander propositions d'action

\+ II.18.4. : *id.* R demander jugement sur action accomplie par soi-même

\+ II.19. : exprimer son indécision

II.23.6. : faire le contraire de l'énonciation demandée R désapprouver (au lieu d'approuver) action d'autrui

		II.24.1.	: refuser de faire soi-même R suggérer, proposer, conseiller, recommander à autrui de faire lui-même
		II.24.2.	: *id.* R déconseiller à autrui de faire lui-même
		II.24.11.	: refuser de faire soi-même R demander informations factuelles
		+ II.24.12.	: *id.* R demander propositions d'action pour soi-même
		II.24.13.	: *id.* R demander jugement sur action accomplie par soi-même
		IV.1.7.	: nommer
		IV.1.18.	: rapporter discours
	G :	I.2.1.4.5.	: attribution d'une disposition
	ON :	II.2.5.3.8.	: appréciation quant à la capacité, la compétence
		III.3.2.	: connaissance d'une langue ; niveau d'aptitude ; correction
savonnette n.f.	ON :	III.10.3.	: hygiène
scandaleux aj.	AP :	I.3.5.	: désapprouver, reprocher, protester
schéma n.m.	ON :	III.2.4.	: exercices scolaires
sciences naturelles n.f.	ON :	III.2.2.	: matières d'enseignement
scolaire aj.	ON :	III.2.1.	: école et études
sculpteur n.m.	ON :	III.13.4.	: musées, expositions
sculpture n.f.	ON :	III.13.4.	: musées, expositions
+ *se* pron.	AP :	I.9.0.1. (c.3.)	: demander (en général) à autrui de faire lui-même (...)
		I.9.0.1. (c.4.)	: *id.*
		I.10.1.1.	: faisabilité
		I.10.1.2.	: facilité
		+ I.10.2.1.	: obligation
		I.10.2.2.	: interdiction
	G :	I.1.2.2.	: voix moyenne
		I.2.2. (note)	: verbes "pronominaux"
		I.3.2.2.2.	: transformation pronominale de la "que-phrase"
	ON :	II.1.	: notions désignant des entités ("pronoms personnels")
sec aj.	ON :	II.2.5.1.2.	: humidité
		III.3.4.	: climat, conditions météorologiques, temps qu'il fait

sécher v.	ON :	II.2.5.1.2.	: humidité
second aj.	ON :	II.2.4.1.	: nombre
seconde (classe) n.f.	ON :	III.6.4.	: transports publics
secouer v.	ON :	III.11.3.	: opérations manuelles, physiques
SECOURS (urgences -)	ON :	III.9.7.	
+ *secours (au -)* intj.			
	AP :	I.9.2.	: appeler à l'aide
	ON :	III.9.7.	: urgences, secours
SECURITE SOCIALE	ON :	III.9.8.	
SECURITE (assurances, -)			
	ON :	III.10.5.	
sécurité sociale n.f.	ON :	III.9.8.	: sécurité sociale
		III.10.5.	: assurances, sécurité
sécurité (consignes de -) n.f.			
	ON :	III.10.5.	: assurances, sécurité
segmentation	AP :	v.I.1.3.2.	: insister sur un fait : emphase oppositive
		v.I.9.4.1.	: demander si un fait est vrai
SEJOUR (documents de voyage, de - et résidence dans un pays étranger)			
	ON :	III.6.7.	
séjour (carte de -)	ON :	III.6.7.	: documents de voyage, de séjour, et résidence dans un pays étranger
sel n.m.	ON :	III.7.2.	: nourritures et boissons
self-service n.m.	ON :	III.7.3.	: restaurants et cafés
selon prép.	AP :	I.1.2.6.	: poser un fait comme possible
semaine (nom des jours de la -)			
	ON :	II.2.2.1.	: situation dans le temps
semaine n.f.	AP :	III.2.1.	: prendre congé (à l'oral)
		II.2.2.3.2.	: durée
		III.6.3.	: vacances et tourisme
		III.12.2.	: conditions de travail
semaine (cette -) av.	ON :	II.2.2.1.	: situation dans le temps
semblable aj.	AP :	IV.1.8.	: comparer
	ON :	II.3.4.1.	: similitude, différence
+ *sembler* v.	AP :	I.1.2.4.	: poser un fait comme apparent
		I.1.2.8.	: poser un fait comme improbable
		+ I.1.7.3.	: donner son opinion sur la vérité d'un fait : opinion
		I.9.0.1. (c.2.)	: demander (en général) à autrui de faire lui-même (...)
sembler bien v.	AP :	I.1.2.5.	: poser un fait comme probable
sens n.m.	ON :	III.3.1.	: comprendre
sens (à mon -) av.	AP :	I.1.7.3.	: donner son opinion sur la vérité d'un fait : opinion

SENSATION, PERCEPTION			
	ON :	III.11.2.	
sensationnel aj.	AP :	I.11.1.3.	: affectivité ; attitude vis-à-vis d'une chose, une personne, un fait R admiration
sentiment	AP :	v.I.1.8.7.	: présupposer qu'un fait est vrai
	G :	I.2.1.4.5.	: attribution d'une disposition
SENTIMENT (faire éprouver un -)			
	AP :	0.2.3.	
SENTIMENT (paraître avoir un -)			
	AP :	0.1.1.3.	
+ SENTIMENT LIES AUX CONSEQUENCES D'UNE REALITE DESAGREABLE			
	AP :	I.11.8.	
+ SENTIMENTS LIES A L'INATTENDU			
	AP :	I.11.5.	
+ SENTIMENTS LIES A UNE REALITE AGREABLE			
	AP :	I.11.6.	
+ SENTIMENTS LIES A UNE REALITE DESAGRABLE			
	AP :	I.11.7.	
+ SENTIMENTS LIES A LA RESPONSABILITE			
	AP :	I.11.4.	
+ *sentiment* n.m.	AP :	II.20.5.	: accepter, promettre de faire soi-même R promettre récompense
		+ III.2.2.	: prendre congé : correspondance
sentir v.	AP :	I.11.1.12.	: haine
	G :	I.2.1.4.5.	: attribution d'une disposition
	ON :	II.2.5.1.8.	: odeur
		III.11.2.	: sensation, perception
sentir (se) v.	AP :	I.9.0.1. (a.12.)	: demander (en général) à autrui de faire lui-même (...)
		I.10.5.1.	: capacité
		I.10.6.	: motivation
		I.10.9.7.	: culpabilité
		I.11.9.1.	: bonne humeur
		I.11.9.3.	: mauvaise humeur agressive
	ON :	III.10.2.	: besoins et états "physiologiques"
séparer (se) v.	ON :	III.14.1.	: types de relations
septembre n.m.	ON :	III.5.5.	: mois et saisons, fêtes de l'année
SEQUENCE DE RECIT	ON :	II.3.1.9.	
sérieusement av.	AP :	I.3.5.	: juger l'action accomplie par autrui R désapprouver, reprocher
		II.16.2.	: critiquer énoncé R donner son opinion sur la vérité d'un fait

+ *sérieux* aj.	AP :	I.3.5.	: juger l'action accomplie par autrui R désapprouver, reprocher
		+ II.16.2.	: critiquer énoncé R donner son opinion sur la vérité d'un fait
		II.24.1.	: refuser de faire soi-même R suggérer, proposer, conseiller, recommander à autrui de faire lui-même
		II.25.	: refuser de faire avec autrui R proposer à autrui de faire ensemble
	ON :	III.15.4.	: quelques signifiants pour les événements d'actualité
serrer v.	ON :	III.11.3.	: opérations manuelles, physiques
serveur n.m.	ON :	III.7.3.	: restaurants et cafés
servi aj.	ON :	III.7.4.	: quelques qualifiants pour les repas
SERVICES MEDICAUX ET DE SANTE			
	ON :	III.10.6.	
SERVICES PUBLICS ET PRIVES			
	ON :	III.9.	
service n.m.	ON :	III.1.12.	: religion
		III.7.3.	: restaurants et cagés
		III.12.2.	: conditions de travail
service d'immigration n.m.			
	ON :	III.6.6.	: d'un pays dans un autre
service (rendre –) v.	AP :	I.5.1.	: proposer, offrir à autrui de faire soi-même
serviette n.f.	ON :	III.10.3.	: hygiène
servir v.	ON :	III.7.3.	: restaurants et cafés
		III.14.2.	: invitations, rendez-vous
servir à v.	AP :	I.10.1.7.	: inutilité
		II.14.2.	: désapprouver énonciation R faire l'hypothèse qu'un fait est vrai
seul pron. *(pas un –)*			
	AP :	I.1.3.2.	: donner des informations factuelles ; insister sur un fait (emphase) sur la proposition assertée
	G :	II.2.0.3.	: substitut d'actants indéfinis
seul (le –) pron.	ON :	II.1.	: notions désignant des entités ("attributifs")
seul aj.	AP :	I.1.3.2.	: donner des informations factuelles ; insister sur un fait (emphase) R sur la proposition assertée
		I.10.1.2.	: pragmatique ; faisabilité R facilité
		I.10.1.3.	: *id.* ; *id.* R difficulté

		II.24.1.	: refuser de faire soi-même R suggérer, proposer, conseiller, recommander à autrui de faire lui-même
		II.25.	: refuser de faire avec autrui
		II.26.	: refuser qu'autrui fasse
+ *seulement* av.	AP :	I.10.3.3.3.	: préférence
		+ I.11.7.3.	: regret
		II.16.1.	: critiquer énoncé R poser un fait comme vrai
		IV.2.1.	: aspect quantitatif R effleurer, s'en tenir à
		v. *non seulement*	
SEXE	ON :	III.1.6.	
sexe n.m.	ON :	III.1.6.	: sexe
+ *si* av. affirmatif	AP :	I.9.4.4.	: demander accord sur la vérité d'un fait
		+ II.17.	: désapprouver énoncé
		+ II.22.8.	: répondre négativement à une question négative
		+ II.22.12.	: répondre en avouant qu'un fait négatif est faux
		+ II.22.16.	: répondre en exprimant l'opinion qu'un fait négatif est faux
		II.23.2.	: refuser permission
		+ II.23.5.	: réfuter vérité d'un fait négatif
		+ II.24.4.	: refuser de faire soi-même R demander, ordonner, interdire à autrui de faire lui-même
Eh si ! intj.	AP :	II.22.11.	: répondre en avouant qu'un fait négatif est vrai
mais si	AP :	II.23.7.	: approuver (au lieu de désapprouver) action d'autrui
que si !	AP :	II.22.8.	: répondre négativement à une question négative
si av. intensif	AP :	I.10.1.3.	: difficulté
		II.15.3.	: approuver énoncé R admettre, reconnaître, avouer
		II.16.1.	: critiquer énoncé R poser un fait comme vrai
		II.24.14.	: refuser de faire soi-même R demander de remercier
	G :	II.1.3.3.2.	: détermination quantifiante appréciative du procès
	ON :	II.3.4.2.	: égalité, infériorité, supériorité
si ... que av.	ON :	II.2.4.2.2.	: degré (quantification de notions réalisées par d'autres catégories que les substantifs)
		II.3.6.5.	: cause-conséquence

+ *si* conj.	AP : + I.1.1.2.	: faire l'hypothèse qu'un fait est vrai : éventuel
	+ I.1.1.3.	: *id.* : irréel
	I.1.2.2.	: poser un fait comme nécessaire
	I.1.3.1.3.	: insister sur un constituant de la proposition assertée
	I.1.5.	: signaler, avertir, prévenir, mettre en garde
	+ I.5.1.	: proposer, offrir à autrui de faire soi-même
	+ I.7.1.	: proposer, suggérer à autrui de faire ensemble
	I.7.2.	: inviter autrui à faire ensemble
	+ I.8.1.	: suggérer à autrui de faire lui-même
	I.8.2.	: proposer à autrui de faire lui-même
	+ I.8.3.	: conseiller à autrui de faire lui-même
	I.8.5.	: déconseiller à autrui de faire lui-même
	+ I.8.6.	: permettre, autoriser autrui à faire lui-même
	I.8.7.	: dispenser autrui de faire lui-même
	I.9.0.1. (a.3.)	: demander (en général) à autrui de faire lui-même
	I.9.0.1. (a.13.)	: *id.*
	I.9.0.1. (a.16.)	: *id.*
	+ I.9.0.1. (b.1.)	: *id.*
	I.9.0.1. (b.14.)	: *id.*
	I.9.0.1. (b.17.)	: *id.*
	I.9.0.1. (b.18.)	: *id.*
	I.9.0.1. (c.1.)	: *id.*
	I.9.0.1. (c.7.)	: *id.*
	+ I.9.0.1. (c.9.)	: *id.*
	+ I.9.0.3.	: menacer d'une sanction
	+ I.9.0.4.	: promettre une récompense
	I.9.5.	: demander propositions d'actions
	+ I.10.1.5.	: indispensabilité
	I.10.1.6.	: utilité

		I.10.1.7.	: inutilité
		+ I.10.2.3.	: permission
		I.10.3.3.3.	: espoir, souhait
		+ I.11.7.3.	: regret
		II.14.2.	: désapprouver énonciation R faire l'hypothèse qu'un fait est vrai
		II.15.2.	: approuver énoncé : approbation faible
		II.24.5.	: refuser de faire soi-même R inviter, encourager autrui à faire lui-même
		II.24.6.	: refuser de faire soi-même R menacer d'une sanction
		IV.1.6.	: (s')expliquer
		v. *comme si*	
	G :	III.1.6.	: condition pragmatique
		III.1.7.	: déduction pragmatique
		III.1.8.	: déduction de la condition logique
		III.10.	: condition logique
		III.2.2.2.	: condition modale
	ON :	II.3.6.8.	: condition
+ *si bien que* conj.	ON :	II.3.6.5.	: cause-conséquence
siècle n.m.	ON :	II.2.2.1.	: situation dans le temps
sien (le -) pron.	AP :	I.10.10.3.	: pragmatique ; dispositions objectives R applications
	ON :	II.1.	: notions désignant des entités ("pronoms possessifs")
SIGNALER	AP :	I.1.5.	
+ *signaler* v.	AP :	+ I.1.5.	: signaler, avertir, prévenir, mettre en garde
signature n.f.	ON :	III.1.1.	: nom
signer v.	ON :	III.1.1.	: nom
		III.12.3.	: recherche d'un emploi ; chômage ; licenciement
significatif aj.	ON :	III.15.4.	: quelques qualifiants pour les événements d'actualité
signifier v.	AP :	I.1.2.2.	: poser un fait comme nécessaire
		IV.1.6.	: aspect référentiel R (s')expliquer
		IV.3.3.	: aspect métalinguistique R gloser
		IV.3.4.	: *id.* R paraphraser, expliciter
	ON :	III.3.1.	: comprendre
+ *silence* n.m.	AP :	+ II.2.	: demander de se faire
		IV.2.2.	: escamoter
	ON :	III.15.1.	: cinéma, théâtre, opéra, concert

+ *s'il te plaît, s'il vous plaît* av.

	AP :	I.6.1.NB.	: redemander la parole après avoir été interrompu
		+ I.6.2.	: demander permission
		+ I.9.0.1. (a.2.)	: demander (en général) à autrui de faire lui-même (...)
		I.9.0.1. (b.1.)	: *id.*
		I.9.0.1. (b.2.)	: *id.*
		+ I.9.0.1. (b.4.)	: *id.*
		+ I.9.0.1. (b.7.)	: *id.*
		+ I.9.0.1. (b.8.)	: *id.*
		I.9.0.1. (b.10.)	: *id.*
		+ I.9.0.1. (b.11.)	: *id.*
		I.9.0.1. (b.12.)	: *id.*
		I.9.0.1. (b.13.)	: *id.*
		I.9.0.1. (b.16.)	: *id.*
		+ I.9.0.1. (b.17.)	: *id.*
		+ I.9.0.1. (b.18.)	: *id.*
		I.9.0.5.	: ordonner
		+ I.9.1.1.	: interpeller : en champ libre
		+ I.9.1.2.	: *id.* : au téléphone
		+ I.9.5.	: demander propositions d'action
		+ II.21.	: accepter qu'autrui fasse, de faire avec autrui R proposer à autrui de faire soi-même, de faire ensemble
SIMILITUDE, DIFFERENCE			
	ON :	II.3.4.1.	
simple aj.	AP :	I.10.1.2.	: facilité
		I.10.1.3.	: difficulté

simplement av.	AP :	I.9.0.1. (a.13.)	: demander à autrui de faire lui-même (dispositions objectives)
		I.10.9.5.	: pragmatique : dispositions subjectives R humilité
simplicité n.f.	AP :	I.10.9.5.	: pragmatique, dispositions subjectives R humilité
SIMULTANEITE	ON :	II.3.1.7.	
simultanéité	G :	II.1.1.4.4.	: situation relative de l'action dans le temps
sincère aj.	AP :	II.12.2.	: approuver énonciation R donner son opinion sur la vérité d'un fait
+ *sincèrement* av.	AP : +	I.4.3.	: s'excuser
		II.16.2.	: critiquer énoncé R donner son opinion sur la vérité d'un fait
sincérité	AP :	v.0.3.2.2.	: implicite de l'énonciation
sincérité n.f.	AP :	II.12.2.	: approuver énonciation : en général
		II.16.2.	: critiquer énoncé R donner son opinion sur la vérité d'un fait
+ *sinon* conj.	AP : +	I.9.0.3.	: menacer d'une sanction
SITUATION (- de l'action dans le temps)	G :	II.1.1.4.	
(- de l'action dans l'espace)	G :	II.1.2.	
SITUATION DANS LE TEMPS	ON :	2.2.1.	
SITUATION FAMILIALE	ON :	III.1.7.	
situation n.f.	ON :	III.15.1.	: généralités
situé aj.	ON :	III.4.7.	: quelques qualifiants pour la maison, l'habitation
		III.5.2.	: quelques qualifiants pour le quartier, l'environnement
slip n.m.	ON :	III.8.3.	: vêtements-mode
social aj.	ON :	III.15.3.	: actualité économique et sociale
SOCIALE (activité économique et -)	ON :	III.15.3.	
SOCIALE (actualité ; vie politique, économique et -)	ON :	III.15.	
SOCIALES (revenus, aides -)	ON :	III.12.4.	
socialisme n.m.	ON :	III.15.2.	: actualité politique
		III.15.3.	: actualité économique et sociale

socialiste n.m. et aj.
ON : III.15.2. : actualité politique
SOCIETES (associations -)
ON : III.14.4.
société n.f. ON : III.14.4. : associations et sociétés
III.15.3. : actualité économique et sociale
soeur n.f. AP : II.17. : désapprouver énoncé
ON : III.1.11. : membres de la famille
soif n.f. ON : III.7.4. : quelques qualifiants pour les repas
se soigner v. AP : III.6. : souhaiter quelque chose à quelqu'un
soit av. AP : I.1.1.1. : faire l'hypothèse qu'un fait est vrai, hypothèse simple
soit ... soit conj. ON : II.3.6.2. : disjonction
sole n.f. ON : III.7.2. : nourritures et boissons
soleil n.m. ON : III.5.4. : climat, conditions météorologiques, temps qu'il fait
solide aj. ON : II.2.5.1.4. : connaissance, résistance
III.4.7. : quelques qualifiants pour la maison, l'habitation
soliste n.m. ON : III.13.3. : cinéma, théâtre, opéra, concert
solution n.f. AP : I.9.6.3. : demander à autrui de faire lui-même ; demander jugement sur une action accomplie par soi-même R demander de désapprouver
ON : III.15.1. : généralités
somme (en -) av. AP : II.9. : interpréter énonciation
sommet n.m. ON : III.5.1. : quartier, région, paysage
sommet (au - de) prép.
G : II.1.2.2. (annexe) : situation dans l'espace
songer v. AP : I.10.3.5. : intention
sonner v. ON : III.9.2. : téléphone
+ *sorte* n.f. AP : IV.1.8. : aspect référentiel R comparer
+ IV.3.3. : gloser
sortie n.f. ON : III.2.1. : école et études
III.6.4. : transports publics
III.13.3. : cinéma, théâtre, opéra, concert
sortir v. ON : II.2.3.2. : mouvement
III.13.3. : cinéma, théâtre, opéra, concert
sottise n.f. AP : IV.1.18. : aspect référentiel R rapporter discours
+ *souci* n.m. AP : I.3.3. : excuser, pardonner
+ I.11.2.1. : confiance
soudain av. ON : II.2.2.4. : stabilité et changement

+ SOUHAIT	AP :	I.10.3.3.3.	
SOUHAITS ET INVITES	ON :	III.7.5.	
souhaitable aj.	AP :	I.10.3.3.3.	: espoir, souhait
	ON :	II.2.5.3.4.	: appréciation quant à la désirabilité
+ SOUHAITER QUELQUE CHOSE A QUELQU'UN			
	AP :	III.8.	
souhaiter v.	AP :	I.8.6.	: permettre, autoriser autrui à faire lui-même
		I.10.3.3.3.	: espoir, souhait
		III.6.	: souhaiter quelque chose à quelqu'un
	ON :	II.2.5.3.4.	: appréciation quant à la désirabilité
		III.6.4.	: transports publics
soulever v.	ON :	III.11.3.	: opérations manuelles, physiques
souligner	AP :	I.1.3.1.2.	: insister sur un fait : emphase intensive sur un constituant
soupe n.f.	ON :	III.7.2.	: nourritures et boissons
sourd n.m.	ON :	III.11.2.	: sensation, perception
sourd aj.	AP :	II.2.	: demander de se taire
	ON :	III.11.2.	: sensation, perception
sous prép.	G :	II.1.2.2. (annexe	: situation dans l'espace
	ON :	II.3.2.1.	: localisation relative dans l'espace
sous-vêtements	ON :	III.8.3.	: vêtements-mode
soutenir v.	ON :	III.15.2.	: actualité politique
soutien-gorge n.m.	ON :	III.8.3.	: vêtement-mode
+ SOUVENIR (SE)	AP :	+ I.1.7.1.	
+ *souvenir (se)* v.	AP :	I.1.8.1.	: rappeler
		+ I.1.6.1.	: donner son opinion sur la vérité d'un fait : savoir, se souvenir, se rappeler
		+ I.1.7.5.	: *id.* : ignorance
		I.9.0.3.	: demander à autrui de faire lui-même
		I.9.0.4.	: *id.*
		I.10.1.	: pragmatique R faisabilité
		+ I.11.3.2.	: rancune, ressentiment
		III.3.	: présenter quelqu'un
		IV.2.3.	: aspect quantitatif R évoquer, faire allusion à
souvent av.	G :	II.1.1.4.1.	: situation de l'action dans le temps
	AP :	III.3.	: présenter quelqu'un
	ON :	II.2.2.3.1.	: fréquence

super aj.	AP :	I.11.1.3.	: affectivité ; attitude vis-à-vis d'une chose, une personne, un fait R admiration
		I.11.6.7.	: *id.* ; sentiment lié à une réalité agréable R fascination
	ON :	III.9.9.	: station-service automobile
SUPERIORIT2 (égalité, infériorité, -)			
	ON :	II.3.4.2.	
supermarché n.m.	ON :	III.8.1.	: commerces : généralités
+ SUPPLIER AUTRUI DE FAIRE LUI-MEME			
	AP :	I.9.0.7.	
supplier v.	AP :	I.9.0.1. (a.1.)	: demander (en général) à autrui de faire lui-même (...)
		I.9.0.7.	: prier, supplier
		II.24.8.	: refuser de faire soi-même R prier, supplier autrui de faire lui-même
supportable aj.	AP :	I.10.3.6.1.	: tolérance
supporter v.	AP :	I.3.5.	: désapprouver, reprocher, protester
		I.11.1.12.	: haine
		I.11.9.3.	: mauvaise humeur agressive
+ *supposer* v.	AP :	+ I.1.1.1.	: faire l'hypothèse qu'un fait est vrai : hypothèse simple
		I.1.1.2.	: *id.* éventuel
		I.1.1.3.	: *id.* irréel
		+ I.1.7.3.	: donner son opinion sur la vérité d'un fait : opinion
		IV.1.18.	: aspect référentiel R rapporter discours
sur prép.	G :	II.1.2.2. (annexe)	: situation dans l'espace
	ON :	II.3.2.1.	: localisation relative dans l'espace
sur le point de av.	G :	II.1.1.3.1., 2. et 4.	: imminence de l'action
+ *sûr* aj.	AP :	I.1.2.3.	: poser un fait comme certain
		+ I.1.3.1.2.	: insister sur un fait : emphase intensive sur la proposition assertée
		+ I.1.7.2.	: donner son opinion sur la vérité d'un fait : conviction
		I.1.7.4.	: donner des informations factuelles ; donner son opinion sur la vérité d'un fait R doute
		I.9.0.1. (b.3.)	: demander à autrui de faire lui-même (opinion)
		I.9.0.1. (b.12.)	: *id.* : (dispositions subjectives)

		II.15.1.	: approuver énoncé (approbation forte)
		II.16.1.	: critiquer énoncé R poser un fait comme vrai
		II.17.	: désapprouver énoncé
		II.20.6.	: accepter, promettre de faire soi-même R prier, supplier autrui de faire lui-même
		+ II.22.13.	: répondre en exprimant l'opinion qu'un fait positif est vrai
		+ II.22.14.	: répondre en exprimant l'opinion qu'un fait positif est faux
		+ II.22.15.	: répondre en exprimant l'opinion qu'un fait négatif est vrai
		+ II.22.16.	: répondre en exprimant l'opinion qu'un fait négatif est faux
		II.22.18.	: donner accord sur la vérité d'un fait positif
		II.22.19.	: donner accord sur la vérité d'un fait négatif
		II.23.5.	: faire le contraire de l'énonciation demandée R réfuter vérité d'un fait négatif
sûr (bien -) av.	AP :	+ I.1.3.1.2.	: insister sur un fait : emphase intensive sur la proposition assertée
		+ II.15.1.	: approuver énoncé : approbation forte
sûr et certain	AP :	I.1.7.2.	: donner son opinion sur la vérité d'un fait : conviction
+ *sûr (être - de soi)* v.			
	AP :	+ I.10.9.1.	: assurance
sûrement av.	AP :	I.1.2.5.	: donner des informations factuelles ; poser un fait comme contingent
		I.9.0.1. (b.2.)	: demander à autrui de faire lui-même (vrai)
		II.15.2.	: approuver énoncé : approbation faible
+ *sûrement pas* av.	AP :	+ II.17.	: désapprouver énoncé
surestimer v.	AP :	IV.1.18.	: rapporter discours
SURFACE (mesure des liquides, -, volumes)			
	ON :	II.2.3.3.5.	
surface	G :	II.1.2.2. (annexe)	: quantification de l'espace
surface n.f.	ON :	II.2.3.3.5.	: mesure des liquides, surfaces, volumes
surface (grande -) n.f.			
	ON :	III.8.1.	: commerces : généralités
+ *surprenant* aj.	AP :	+ I.11.5.1.	: surprise, étonnement

+ *tâcher* v. AP : + I.9.0.1. (b.11.) : demander (en général) à autrui de faire lui-même (...)
I.10.8.2. : tentative
II.19. : exprimer son indécision

TAILLE ON : II.2.3.3.1.

taille n.m. ON : II.2.3.3.1.
III.8.3. : vêtements-mode

taille-crayon n.m. ON : III.2.1. : école et études

tailleur n.m. ON : III.8.3. : vêtements-mode

TAIRE (SE) (demander de -)
AP : II.2.

+ *taire (se)* v. AP : II.2. : demander de se taire
II.24.10. : refuser de faire soi-même R demander de parler
ON : III.15.3. : cinéma, théâtre, opéra, concert

tant av. G : II.1.3.3.2. : détermination quantifiante appréciative du procès (prédicats actif)

tant de av. G : II.2.1.2.12. : détermination quantifiante appréciative des actants
ON : II.2.4.2.1. : quantification de notions réalisées par des substantifs

+ *tant pis* av. AP : I.1.5. : signaler, avertir, mettre en garde
+ I.10.3.6.3. : résignation
II.24.2. : refuser de faire soi-même R déconseiller à autrui de faire lui-même

tant que conj. AP : I.10.1.5. : indispensabilité
G : II.1.1.2. : quantification et déroulement

tant ... que av. ON : II.3.6.5. : cause-conséquence

tante n.f. ON : III.1.11. : membres de la famille

tard av. G : II.1.1.4.3. : situation appréciative de l'action dans le temps
AP : II.23.1. : faire le contraire de l'énonciation demandée R refuser de donner la parole
ON : II.3.1.5. : avance et retard
II.3.1.8. : postériorité
III.6.2. : déplacements liés au travail, aux études, etc.

tard (plus -) av. G : II.1.1.4.2. et 4. : situation anaphorique de l'action dans le temps
ON : II.3.1.8. : postériorité

tasse n.f. ON : III.4.4. : vaisselle et appareils ménagers

taux d'intérêt n.m. ON : III.9.4. : banque

taxi n.m. ON : III.6.4. : transports publics

te pron. ON : II.1. : notions désignant des entités ("pronoms personnels")

technologie n.f.	ON :	III.2.2.	: matières d'enseignement
télégramme n.m.	ON :	III.9.3.	: télégraphe
TELEGRAPHE	ON :	III.9.3.	
TELEPHONE	ON :	III.1.3.	
		III.7.2.	
+ TELEPHONE (interpeller au -)			
	AP :	I.9.1.2.	
+ TELEPHONE (répondre à interpellation au -)			
	AP :	II.22.4.	
téléphone n.m.	ON :	III.1.3.	: téléphone
		III.9.2.	: téléphone
téléphone (numéro de -) n.m.			
	ON :	III.1.3.	: téléphone
		III.9.2.	: téléphone
téléphoner v.	AP :	III.2.1.	: prendre congé (à l'oral)
	ON :	III.7.1.	: hôtel, camping
		III.9.2.	: téléphone
télévision n.f.	ON :	III.13.1.	: distractions et information
+ *tellement* av.	AP :	+ I.1.3.1.3.	: insister sur un fait : emphase intensive sur un constituant
		II.14.4.	: désapprouver énonciation R plaindre
		II.16.1.	: critiquer énoncé R poser un fait comme vrai
	G :	II.1.3.3.2.	: détermination quantifiant appréciative du procès
tellement de av.	ON :	II.2.4.2.1.	: quantification de notions réalisées par des substantifs
tellement ... que av.			
	ON :	II.2.4.2.2.	: degré (quantification de notions réalisées) par d'autres catégories que les substantifs)
		II.3.6.5.	: cause-conséquence
téméraire aj.	AP :	I.10.11.6.	: audace, témérité
+ TEMERITE	AP :	I.10.11.6.	
témérité n.f.	AP :	I.10.11.6.	: audace, témérité
TEMPERAMENT	ON :	III.1.14.	
TEMPERATURE	ON :	II.2.3.3.6.	
température n.f.	ON :	II.2.3.3.6.	: température
		III.5.4.	: climat, conditions météorologiques, temps qu'il fait
		III.10.4.	: maladies, accidents
tempête n.f.	ON :	III.5.4.	: climat, conditions météorologiques, temps qu'il fait

+ *terminer* v.	AP :	+ I.6.1.NB	: redemander la parole après avoir été interrompu
		IV.6.1.	: aspect formel R annoncer plan, points
		IV.6.3.	: *id.* R conclure
terrain n.m.	ON :	III.13.2.	: sports
terrain de camping n.m.	ON :	III.7.1.	: hôtel, camping
terrible aj.	AP :	I.3.1.	: juger l'action accomplie par autrui R approuver, féliciter
		I.3.4.	: critiquer
		I.11.1.3.	: affectivité ; attitude vis-à-vis d'une chose, une personne, un fait R admiration
		I.11.6.7.	: *id.* ; sentiment lié à une réalité agréable R fascination
tête n.f.	AP :	I.11.9.2.	: affectivité ; bonne et mauvaise humeur R mauvaise humeur dépressive
		II.8.	: demander intentions énonciatives
		II.17.	: désapprouver énoncé
		II.22.13.	: faire énonciation demandée R répondre en exprimant l'opinion qu'un fait positif est vrai
	ON :	III.10.1.	: parties du corps
tête (en -) av.	ON :	III.6.4.	: transports publics
thé n.m.	ON :	III.7.2.	: nourriture et boissons
THEATRE (cinéma -, opéra, concert)	ON :	III.13.3.	
théâtre n.m.	ON :	III.13.3.	: cinéma, théâtre, opéra, concert
thon n.m.	ON :	III.7.2.	: nourriture et boissons
ticket n.m.	ON :	III.6.4.	: transports publics
tiède aj.	ON :	II.2.3.3.6.	: température
tien (le -) pron.	ON :	III.1.	: notions désignant des entités ("pronoms possessifs")
tienne (à la -) conj.	ON :	III.7.5.	: souhaits et invites
+ *tiens* intj.	AP :	I.1.7.1.	: donner son opinion sur la vérité d'un fait : savoir, se souvenir, se rappeler
		+ I.11.5.1.	: surprise, étonnement
		I.10.1.	: prendre acte : d'une énonciation en général
		II.17.	: désapprouver énoncé
		+ II.18.1.	: exprimer son ignorance R poser un fait comme vrai
		+ III.1.	: saluer
tiens-toi bien v.	AP :	I.1.4.	: annoncer, informer d'un fait

tiers (le -)	ON :	II.1.	: notions désignant des entités ("indéfinis" et quantifiants)
timbre n.m.	ON :	III.9.1.	: poste
		III.14.3.	: correspondance
+ *timide* aj.	AP :	+ I.10.9.2.	: timidité
timidement av.	AP :	I.10.9.2.	: timidité
+ TIMIDITE	AP :	I.10.9.2.	
timidité n.f.	AP :	I.10.9.2.	: timidité
tirer v.	AP :	I.1.2.2.	: poser un fait comme nécessaire
	ON :	III.11.3.	: opérations manuelles, physiques
tirer (quelque chose) de v.			
	AP :	I.11.9.3.	: affectivité ; bonne et mauvaise humeur R mauvaise humeur agressive
tissu synthétique n.m.			
	ON :	II.2.5.1.10.	: matière
		III.8.3.	: vêtements-mode
titre	AP :	v.III.2.2.	: prendre congé : correspondance
		v.III.3.	: présenter quelqu'un
		v.III.4.	: se présenter
titre n.m.	ON :	III.13.5.	: lire, écrire
toi pron.	AP :	II.22.1.	: faire énonciation demandée R donner la parole
		II.24.6.	: refuser de faire soi-même R menacer d'une sanction
		II.25.	: refuser de faire avec autrui
		III.1.	: saluer
	G :	II.2.0.1.	: actant défini déictique (groupes prépositionnels)
	ON :	II.1.	: notions désignant des entités ("pronoms personnels")
toile n.f.	ON :	III.13.4.	: musées, expositions
toilettes n.f.	ON :	III.4.2.	: composition de l'habitation
		III.13.3.	: cinéma, théâtre, opéra, concert
+ TOLERANCE	AP :	I.10.3.6.1.	
tolérer v.	AP :	I.10.2.3.	: permission
		I.10.3.6.2.	: intolérance
tomate n.f.	ON :	III.7.2.	: nourriture et boissons
tomber v.	AP :	I.11.6.7.	: affectivité ; sentiment lié à une réalité agréable R fascination
	ON :	III.10.4.	: maladies, accidents
		III.11.3.	: opérations manuelles, physiques

ton n.m. AP : II.20.4. : accepter, promettre de faire soi-même R menacer d'une sanction
IV.7.1. : élever la voix
tordre v. ON : III.11.3. : opérations manuelles, physiques
tort n.m. AP : I.8.4. : recommander à autrui de faire lui-même
I.8.5. : déconseiller à autrui de faire lui-même
I.9.6.3. : demander de désapprouver action accomplie par soi-même
tôt av. AP : I.9.0.3. : demander à autrui de faire lui-même R menacer d'une sanction
G : II.1.1.4.3. : situation appréciative de l'action dans le temps
ON : II.3.1.5. : avance et retard
totalement av. AP : II.23.6. : faire le contraire de l'énonciation demandée R désapprouver (au lieu d'approuver) action d'autrui
toucher n.m. ON : III.11.2. : sensation, perception
III.12.4. : revenus, aides sociales
toucher v. AP : I.1.3.1.2. : insister sur un fait : emphase intensive sur la proposition assertée
ON : III.11.2. : sensation, perception
toujours av. AP : I.8.1. : proposer à autrui de faire lui-même R suggérer
I.8.2. : *id.* R proposer
I.11.7.12. : envie, jalousie
II.16.1. : critiquer énoncé R poser un fait comme vrai
II.22.1. : faire énonciation demandée R donner la parole
II.24.6. : refuser de faire soi-même R menacer d'une sanction
II.24.7. : *id.* R promettre récompense
G : II.1.1.3.2. : accomplissement de l'action
II.1.1.4.1. : situation objective de l'action dans le temps (action répétée)
ON : II.2.2.1. : situation dans le temps
II.2.2.2.3. : continuation
II.2.2.3.1. : fréquence
II.2.2.3.2. : durée

TOURISME (vacances et -)
ON : III.6.3.

tourisme n.m. ON : III.6.3. : vacances et tourisme
touriste n.m. ON : III.6.3. : vacances et tourisme

tourner v.	AP :	I.11.9.2.	: affectivité ; bonne et mauvaise humeur R mauvaise humeur dépressive
		III.6.1.	: consignes d'orientation, de déplacements ; indications d'itinéraires
		III.11.3.	: opérations manuelles, physiques
tout, tous pron.	AP :	I.10.5.1.	: pragmatique ; capacité
		I.10.8.2.	: *id.* ; échec, réussite R tentative
		IV.1.16.	: aspect référentiel R énumérer
		IV.2.2.	: aspect quantitatif R escamoter
	G :	II.1.	: notions désignant des entités ("indéfinis" et quantifiants)
tout, tous aj.	AP :	IV.6.2.	: aspect formel R marquer le début d'un point
	G :	II.2.1.1.11.	: détermination générique des actants
	ON :	II.2.4.2.1.	: quantification de notions réalisées par des substantifs
tous les/toutes les (+ indication temporelle : *jours / lundis / mois / semaines*, etc.)			
	G :	II.1.1.4.1.	: situation objective de l'action dans le temps
	ON :	II.2.2.3.1.	: fréquence
tous les deux/trois, etc.			
	ON :	II.1.	: notions désignant des entités ("indéfinis" et quantifiants)
+ *tout* av.	AP :	+ I.1.3.1.3.	: insister sur un fait : emphase intensive sur un constituant
		I.1.3.2.	: donner des informations factuelles sur un fait (emphase) R sur la proposition assertée
		I.10.1.2.	: pragmatique ; faisabilité R facilité
		I.10.1.3.	: *id.* ; *id.* R difficulté
		I.10.9.3.	: *id.* ; dispositions subjectives R orgueil
		I.11.7.1.	: insatisfaction
		II.24.1.	: refuser de faire soi-même R suggérer, proposer, conseiller, recommander à autrui de faire lui-même
		II.25.	: refuser de faire avec autrui
		IV.1.16.	: énumérer
		IV.6.1.	: aspect formel R annoncer, plan, points
			v. *comme tout ; pas du tout ; prendre (à tout -)*
tout (pas du -) av.	ON :	III.3.2.	: connaissance d'une langue ; niveau d'aptitude ; correction
tout (en - et pour -) av.			
	AP :	IV.1.16.	: énumérer
tout à coup av.	ON :	II.2.2.4.	: stabilité et changement

tout à fait av.	AP :	I.3.1.	: juger l'action accomplie par autrui R approuver, féliciter
		I.11.1.11.	: affectivité ; attitude vis-à-vis d'une chose, une personne, un fait R hostilité
		II.11.	: remercier
tout à l'heure av.	ON :	II.2.2.1.	: situation dans le temps
tout de même av.	AP :	II.16.1.	: critiquer énoncé R poser un fait comme vrai
	G :	III.2.2.1. et 3.	: opposition affective et concession
tout de suite av.	AP :	II.20.3.	: accepter, promettre de faire soi-même R demander (en général) à autrui de faire lui-même
		II.20.7.	: accepter, promettre de faire soi-même R appeler à l'aide
		II.23.1.	: faire le contraire de l'énonciation demandée R refuser de donner la parole
	G :	II.1.1.3.1.	: imminence de l'action
	ON :	II.2.2.2.1.	: imminence
tout droit av.	ON :	III.6.1.	: consignes d'orientation, de déplacements ; indications d'itinéraires
tout le monde	AP :	I.10.1.2.	: pragmatique ; faisabilité R facilité
		IV.1.16.	: aspect référentiel R énumérer
	ON :	II.1.	: notions désignant des entités
toutefois av.	AP :	II.16.1.	: critiquer énoncé R poser un fait comme vrai
	ON :	II.3.6.3.	: opposition, concession
traduction n.f.	AP :	IV.3.5.	: traduire
	ON :	III.3.1.	: comprendre
+ TRADUIRE	AP :	IV.3.5.	
+ *traduire* v.	AP :	+ IV.3.5.	
	ON :	III.3.1.	: comprendre
tragique aj.	ON :	III.15.4.	: quelques qualifiants pour les événements d'actualité
train n.m.	ON :	III.6.4.	: transports publics
traiter v.	AP :	IV.1.20.	: faire des jurons
		IV.6.1.	: annoncer, plan, points
		IV.6.2.	: aspect ofrmel R marquer le début d'un point
		IV.6.4.	: *id.* R faire transition
trajet n.m.	ON :	II.4.2.	: déplacements liés au travail, aux études, etc
tranche n.f.	ON :	III.7.2.	: nourriture et boissons

travail n.m.	ON :	III.1.10.	: activité professionnelle
		III.12.2.	: conditions de travail
		III.12.3.	: recherche d'un emploi ; chômage ; licenciement
travail (accident de –) n.m.			
	ON :	III.10.5.	: assurances, sécurité
travail (arrêt de –) n.m.			
	ON :	III.9.8.	: sécurité sociale
		III.12.5.	: organisation professionnelle syndicats
travail (contrat de –) n.m.			
	ON :	III.6.7.	: documents de voyage, de séjour et résidence dans un pays étranger
		III.12.3.	: recherche d'un emploi ; chômage ; licenciement
travail (permis de –) n.m.			
	ON :	III.6.7.	: documents de voyage, de séjour, et résidence dans un pays étranger
travail (poste de –) n.m.			
	ON :	III.12.2.	: conditions de travail
travailler v.	AP :	III.6.	: souhaiter quelque chose à quelqu'un
	ON :	III.1.10.	: activité professionnelle
travailleur n.m.	ON :	III.1.10.	: activité professionnelle
traverser v.	ON :	II.3.2.3.	: déplacements orientés dans l'espace ; indications d'itinéraires
trembler v.	AP :	I.10.3.4.	: pragmatique ; volition R crainte
trempé aj.	ON :	II.2.5.1.3.	: humidité
+ *très* av.	AP :	+ I.1.3.1.3.	: insister sur un fait : emphase intensive sur un constituant
		IV.1.7.	: aspect référentiel R nommer
		IV.2.4.	: aspect quantitatif R s'étendre sur
	G :	II.1.3.3.1.	: détermination quantifiante absolue (prédicats attributifs)
	ON :	II.2.4.2.2.	: degré (quantification de notions réalisées par d'autres catégories que les substantifs)
		III.4.7.	: quelques qualifiants pour la maison, l'habitation
triangulaire aj.	ON :	II.2.5.1.1.	: forme
trimestre (ce –) av.	ON :	II.2.2.1.	: situation dans le temps
+ TRINQUER	AP :	III.7.	
trinquer	AP :	III.7.	: trinquer
+ *triste* aj.	AP :	+ I.11.7.7.	: tristesse
		I.11.9.2.	: mauvaise humeur dépressive

	ON :	III.13.6.	: quelques qualifiants pour les spectacles et divertissements
		III.15.4.	: quelques qualifiants pour les événements d'actualité
+ TRISTESSE	AP :	I.11.7.7.	
+ *tristesse* n.f.	AP :	+ I.11.7.7.	: tristesse
tromper (se) v.	AP :	I.1.7.3.	: donner des informations factuelles, donner son opinion sur la vérité d'un fait R opinion
		I.3.5.	: juger l'action accomplie par autrui R désapprouver, reprocher
		I.9.4.4.	: demander à autrui de faire lui-même ; demander informations factuelles R demander accord sur la vérité d'un fait
		I.9.6.1.	: *id.* ; demander jugement sur une action accomplie par soi-même R demander avis
		I.9.6.2.	: *id.* ; *id.* ; R demander d'approuver
		II.22.4.	: faire énonciation demandée R répondre à interpellation
		II.22.18.	: *id.* R donner accord sur la vérité d'un fait positif
		II.22.19.	: *id.* R donner accord sur la vérité d'un fait négatif
		II.23.4.	: réfuter vérité d'un fait positif
		II.23.5.	: réfuter vérité d'un fait négatif
		II.23.6.	: faire le contraire de l'énonciation demandée R désapprouver (au lieu d'approuver) action d'autrui
		IV.1.18.	: rapporter discours
	ON :	II.2.5.3.5.	: appréciation quant à la correction
		III.3.2.	: connaissance d'une langue ; niveau d'aptitude ; correction
trop av.	AP :	I.10.1.3.	: pragmatique ; faisabilité R difficulté
		I.10.8.4.	: *id.* ; échec réussite R échec
		II.14.3.	: désapprouver énonciation R se plaindre
		IV.1.18.	: aspect référentiel R rapport discours
	G :	II.1.3.3.2.	: détermination quantifiante appréciative du procès
	ON :	II.2.4.2.2.	: degré (quantification de notions réalisées par d'autres catégories que les substantifs
		III.4.7.	: quelques qualifiants pour la maison, l'habitation
(- de) prép.	G :	II.2.1.2.12.	: détermination quantifiante appréciative des actants

trop de av.	ON :	II.2.4.2.1.	: quantification de notions réalisées par des substantifs
trouille n.f.	AP :	I.10.3.4.	: crainte
+ *trouver* v.	AP :	+ I.1.7.3.	: donner son opinion sur la vérité d'un fait : opinion
		+ I.9.4.4.	: demander accord sur la vérité d'un fait
		I.9.5.1.	: demander à autrui de faire lui-même R demander propositions d'action (pour soi-même)
		I.9.5.2.	: *id.* ; *id.* R pour soi-même et pour autrui ensemble
		I.9.7.2.	: demander de remercier
		I.11.6.1.	: affectivité ; sentiment lié à une réalité agréable R satisfaction
		I.11.6.7.	: *id.* ; *id.* R fascination
		II.14.6.	: désapprouver énonciation R se féliciter d'une action accomplie par soi-même
		+ II.16.2.	: critiquer énoncé R donner son opinion sur la vérité d'un fait
	ON :	II.2.1.1.	: existence/non-existence
		III.12.3.	: recherche d'un emploi ; chômage ; licenciement
+ *truc* n.m.	AP :	+ IV.1.7.	: nommer
	ON :	II.1.	: notions désignant des entités
ts - ts	AP :	II.1.	: désapprouver l'expression
tu pron.	G :	II.2.0.1.	: actant défini déictique
	ON :	II.1.	: notions désignant des entités ("pronoms personnels")
(toi -)	G :	II.2.0.1.	: actant défini déictique (emphase)
tuer v.	ON :	III.10.4.	: maladies, accidents
tuer (se) v.	ON :	III.10.4.	: maladies, accidents
TYPES (modes et - d'habitation)	ON :	III.4.1.	
TYPES D'ACTIVITES PROFESSIONNELLES	ON :	III.12.1.	
TYPES DE RELATIONS	ON :	III.14.1.	
+ *type* n.m.	AP :	+ I.2.4.	: plaindre
		I.11.7.13.	: irritation, exaspération
		IV.1.7.	: aspect référentiel R nommer
	ON :	III.1.6.	: sexe
+ *- uble* aj.	AP :	+ I.10.1.1.	: faisabilité
un at.	G :	II.2.1.1.11.	: détermination générique des actants
		II.2.1.1.12.	: détermination spécifique des actants
		II.2.1.1.22.	: détermination à valeur aléatoire implicite

un (des) pron. G : II.2.1.1.2.2. : déterminant à valeur aléatoire explicite
II.2.1.2.1. : détermination quantifiante

un (l'-) (l'-, l'autre) pron.
G : II.2.0.3. : substituts d'actants indéfinis
ON : II.1. : notions désignant des entités ("indéfinis" quantifiants)

(ni l'- ni l'autre) pron.
G : II.2.0.3. : substitut d'actants indéfinis
III.1.2. : conjonction logique

UNITES DE MESURE DES DISTANCES
ON : II.2.3.3.2.

unité n.f. ON : III.15.3. : actualité économique et sociale

unités (capitalisables) n.f.
ON : III.2.3. : sanctions et qualifications

université n.f. ON : III.2.1. : école et études

URGENCES, SECOURS ON : III.9.7.

usage G : II.2.2.3. : qualification des actants

usine n.f. ON : III.1.10. : activité professionnelle

utile aj. AP : I.5.1. : proposer, offrir à autrui de faire soi-même
I.10.1.6. : utilité
ON : II.2.5.3.7. : appréciation quant à l'utilité

utiliser v. AP : IV.3.5. : aspect métalinguistique R traduire

\+ UTILITE AP : I.10.1.6.

UTILITE (appréciation quant à l'-)
ON : II.2.5.3.7.

utilité n.f. AP : II.14.2. : désapprouver énonciation R faire l'hypothèse qu'un fait est vrai

VACANCES ET TOURISME ON : III.6.

vacances n.f. AP : III.2.1. : prendre congé (à l'oral)
ON : III.6.3. : vacances et tourisme
III.12.2. : conditions de travail

vache n.f. ON : III.5.3. : flore et faune

VAISSELLE ET APPAREILS MENAGERS
ON : III.4.4.

valable aj. AP : II.14.8. : désapprouver énonciation R s'excuser d'une action accomplie

valeur (unités de -) n.f.
ON : III.2.3. : sanctions et qualifications

valise n.f. ON : III.6.4. : transports publics

vallée n.f. ON : III.5.1. : quartier, région, paysage

valoir v.	AP :	I.8.1.	: proposer à autrui de faire lui-même R suggérer
		I.10.1.6.	: pragmatique ; faisabilité R utilité
		I.10.1.7.	: *id.* ; *id.* R inutilité
		I.10.9.3.	: *id.* ; dispositions subjectives R orgueil
		I.11.2.2.	: affectivité ; attitude vis-à-vis de l'avenir R méfiance
		II.24.7.	: refuser de faire soi-même R promettre récompense
		IV.4.3.	: aspect correctif R corriger autrui
+ *valoir mieux* v.	AP :	I.8.3.	: conseiller à autrui de faire lui-même
		I.9.5.	: demander propositions d'action
		I.10.1.6.	: utilité
		+ I.10.3.1.	: indécision
		I.10.3.3.2.	: préférence
		I.11.2.2.	: méfiance
		+ II.18.3.	: exprimer son ignorance R demander propositions d'action
	ON :	II.2.5.3.4.	: appréciation quant à la désirabilité
vantard aj.	AP :	I.10.9.3.	: orgueil
vanter (se) v.	AP :	I.4.2.	: s'accuser, avouer
		II.14.6.	: désapprouver énonciation R se féliciter d'une action accomplie par soi-même
		II.15.3.	: approuver énoncé : admettre, reconnaître, avouer
		II.22.9.	: répondre en avouant qu'un fait positif est vrai
vas-y intj.	AP :	II.22.11.	: répondre en avouant qu'un fait négatif est vrai
		I.6.8.	: demander à autrui de faire soi-même R proposer, suggérer
		+ I.9.0.2.	: inviter, encourager
		II.22.1.	: faire énonciation demandée R donner la parole
veau n.m.	ON :	III.7.2.	: nourriture et boissons
veille (la -) av.		III.5.3.	: flore et faune
	G :	II.1.1.4.2.	: situation anaphorique de l'action dans le temps
	ON :	II.2.2.1.	: situation dans le temps
veine n.f.	AP :	I.2.1.	: se féliciter
		I.2.3.	: se plaindre
vélo n.m.	ON :	III.6.5.	: transports publics
venant de ... v.	ON :	III.1.9.	: origine

vinaigre n.m.	ON :	III.7.2.	: nourriture et boissons
violet aj.	ON :	II.2.5.1.9.	: couleur
virage n.m.	ON :	III.6.5.	: transports publics
virgule n.f.	AP :	v.IV.1.16.	: énumérer
visa n.m.	ON :	III.6.7.	: documents de voyage, de séjour et résidence dans un pays étranger
VISIBILITE	ON :	II.2.5.1.5.	: visibilité
visite n.f.	ON :	III.6.3.	: vacances et tourisme
		III.9.6.	: hôpital
		III.10.6.	: services médicaux et de santé
		III.14.2.	: invitations, rendez-vous
visite (rendre) v.	ON :	III.14.2.	: invitations, rendez-vous
visiter v.	AP :	III.6.3.	: vacances et tourisme
vite av.	AP :	IV.1.18.	: aspect référentiel R rapporter discours
	ON :	II.2.3.3.3.	: vitesse, accélération
		II.3.3.8.	: manière
VITESSE (quantification de l'espace : dimensions, volume, -)			
	ON :	III.2.3.3.	
vitesse n.f.	ON :	III.6.5.	: transport privé
vitrine n.f.	ON :	III.8.1.	: commerces : généralités
vivant aj.	ON :	III.10.4.	: maladies, accidents
vivantes (langues -) n.f.			
	ON :	III.2.2.	: matières d'enseignement
vivement av.	ON :	II.2.5.3.4.	: appréciation quant à la désirabilité
vivre v.	ON :	III.4.1.	: modes et types d'habitation
		III.10.4.	: maladies, accidents
+ *voici* prép.	AP :	+ III.3.	: présenter quelqu'un
		IV.1.5.	: illustrer, exemplifier
voie n.f.	ON :	III.6.4.	: transports publics
+ *voir* v.	AP :	I.1.2.3.	: poser un fait comme certain
		I.9.0.1. (b.16.)	: demander (en général) à autrui de faire lui même (...)
		I.10.3.1.	: indécision
		I.10.3.6.1.	: tolérance
		I.10.3.6.2.	: pragmatique ; volition ; volonté R intolérance
		I.10.9.3.	: *id.* ; dispositions subjectives R orgueil
		I.11.1.12.	: affectivité ; attitude vis-à-vis d'une chose, une personne, un fait R haine
		II.6.	: demander raisons
		II.9.	: interpréter énonciation
		II.14.2.	: désapprouver énonciation R faire l'hypothèse qu'un fait est vrai

		II.14.5.	: *id.* R désapprouver action accomplie par autrui
		II.15.1.	: approuver énoncé : approbation forte
		II.16.1.	: critiquer énoncé : poser un fait comme vrai
		II.17.	: désapprouver énoncé
		+ II.19.	: exprimer son indécision
		II.22.2.	: donner permission R demander permission
		II.24.1.	: refuser de faire soi-même R suggérer, proposer, conseiller, recommander à autrui de faire lui-même
		II.24.5.	: refuser de faire soi-même R inviter, encourager autrui à faire lui-même
		+ II.24.6.	: *id.* R menacer d'une sanction
		II.24.12.	: *id.* R demander proposition d'action pour soi-même
		+ II.24.14.	: *id.* R demander de remercier
		III.3.	: présenter quelqu'un
		IV.1.6.	: (s')expliquer
		IV.1.7.	: nommer
		IV.1.8.	: aspect référentiel R comparer
		IV.1.16.	: *id.* R énumérer
		IV.6.1.	: annoncer plan, points v. *voyons*
	ON :	II.2.5.1.5.	: visibilité
		III.11.2.	: sensation, perception
voir (se) v.	AP :	II.25.	: refuser de faire avec autrui
	ON :	II.2.5.1.5.	: visibilité
		III.14.1.	: types de relations
voir (aller -) v.	ON :	III.14.2.	: invitations, rendez-vous
voir (faire -) v.	AP :	v.0.2.1.	: faire savoir
voir (faire -)	AP :	I.1.3.1.2.	: insister sur un fait : emphase intensive sur la proposition assertée
	ON :	III.8.1.	: commerces : généralités
voisin n.m.	ON :	III.14.1.	: types de relations
voiture n.f.	ON :	III.6.5.	: transport privé
VOIX	G :	I.1.2.1. I.2.2., 3. et 4.	
voix n.f.	AP :	IV.7.1.	: élever la voix
vol n.m.	ON :	III.9.5.	: police
voler v.	AP :	IV.5.1.	: aspect dialogué R engager conversation
	ON :	III.9.5.	: police

+ I.9.1.2. : interpeller : téléphone
I.9.4.1. : demander si un fait est vrai
I.9.7.3. : demander de pardonner
I.9.8. : *id.* R demander de ne pas transmettre
I.10.1.5. : indispensabilité
I.10.2.1. : pragmatique ; devoir R obligation
I.10.2.2. : *id.* ; *id.* R interdiction
+ I.10.2.3. : permission
I.10.3.1. : indécision
I.10.3.3.1. : *id.* ; volition ; désir R intensité
I.10.3.5. : intention
I.10.3.5.2. : *id.* ; *id.* intention R renoncement
+ I.10.3.6. : volonté
+ I.10.3.6.2. : intolérance
I.10.3.6.3. : résignation
+ I.10.8.2. : tentative
I.10.9.3. : *id.* ; dispositions subjectives R orgueil
I.11.1.13. : affectivité ; attitude vis-à-vis d'une chose, une personne, un fait R dédain
+ I.11.6.1. : satisfaction
I.11.6.2. : contentement
+ I.11.7.1. : insatisfaction
+ I.11.7.9. : pitié
II.2. : demander de se taire
II.4. : demander de paraphraser, d'expliciter
II.13.2. : critiquer énonciation R signaler, avertir
II.15.2. : approuver énoncé : approbation faible
+ II.15.3. : *id.* : admettre, reconnaître, avouer
II.16.2. : critiquer énoncé R donner son opinion sur la vérité d'un fait
II.18.2. : exprimer son ignorance R demander informations factuelles
+ II.20.3. : accepter, promettre de faire soi-même R demander (en général) à autrui de faire lui-même
+ II.21. : accepter qu'autrui fasse, de faire avec autrui R proposer à autrui de faire soi-même, de faire ensemble
+ II.22.2. : donner permission R demander permission
II.22.3. : donner dispense R demander dispense
II.22.4. : répondre à interpellation R interpeller

		II.23.2.	: faire le contraire de l'énonciation demandée R refuser permission
		II.24.2.	: refuser de faire soi-même R déconseiller à autrui de faire lui-même
		+ II.24.11.	: refuser de faire soi-même R demander informations factuelles
		II.24.12.	: *id.* demander propositions d'action pour soi-même
		+ II.25.	: refuser de faire avec autrui R proposer à autrui de faire ensemble
		+ III.2.2.	: prendre congé : correspondance
		IV.1.5.	: aspect référentiel R illustrer, exemplifier
		IV.1.6.	: (s')expliquer
		IV.2.2.	: aspect quantitatif R escamoter
		IV.3.4.	: aspect métalinguistique R paraphraser, expliciter
		IV.5.1.	: aspect dialogué R engager conversation
		+ IV.5.2.	: prendre la parole
	G :	I.2.4.5.	: attribution d'une disposition
+ *vouloir bien* v.	AP :	I.5.1.	: proposer, offrir à autrui de faire soi-même
		I.6.2.	: demander à autrui de faire soi-même R demander permission
		I.8.6.	: permettre, autoriser autrui à faire lui-même
		I.8.7.	: dispenser autrui de faire lui-même
		I.9.0.1. (b.10.)	: demander (en général) à autrui de faire lui-même (...)
		I.10.2.3.	: permission
		+ I.10.3.6.1.	: tolérance
		II.15.2.	: approuver énoncé : approbation faible
		II.20.3.	: accepter, promettre de faire soi-même R demander (en général) à autrui de faire lui-même
		II.22.2.	: donner permission R demander permission
+ *vouloir (en - à)* v.	AP :	I.3.3.	: excuser, pardonner
		I.4.2.	: juger l'action accomplie par soi-même R s'accuser, avouer
		+ I.9.0.1. (b.17.)	: demander (en général) à autrui de faire lui-même (...)
		I.9.7.3.	: demander de pardonner
		+ I.11.3.2.	: rancune, ressentiment
		II.14.7.	: désapprouver énonciation R s'accuser d'une action accomplie par soi-même

+ *vouloir dire* v.	AP :	+ II.8.	: demander intentions énonciatives
		+ II.9.	: interpréter énonciation
		+ IV.1.6.	: (s')expliquer
		IV.1.7.	: nommer
		+ IV.3.4.	: paraphraser, expliciter
		+ IV.3.5.	: traduire
		+ IV.4.1.	: se reprendre
		IV.4.2.	: se corriger
		+ IV.4.3.	: corriger autrui
	ON :	III.3.1.	: comprendre
vous pron.	AP :	III.1.	: saluer
		III.5.	: présenter sa sympathie, ses condoléances
	G :	II.20.1.	: actant défini déictique (groupes prépositionnels)
	ON :	II.1.	: notions désignant des entités ("pronoms personnels")
(vous -)	G :	II.2.0.1.	: actant défini déictique (emphase)
voyage (documents de -, de séjour, et résidence dans un pays étranger)			
	ON :	III.6.7.	
VOYAGES ET DEPLACEMENTS			
	ON :	III.6.	
voyage n.m.	ON :	III.6.3.	: vacances et tourisme
voyage (bon -)	ON :	III.6.4.	: transports publics
		III.6.5.	: transport privé
voyageur n.m.	ON :	III.6.4.	: transports publics
voyons intj.	AP :	+ I.9.0.2.	: inviter, encourager
		II.14.3.	: désapprouver énonciation R se plaindre
		+ II.19.	: exprimer son indécision
+ VRAI (demander si un fait est -)			
	AP :	I.9.4.1.	
+ VRAI (faire l'hypothèse qu'un fait est -)			
	AP :	I.1.1.	
+ VRAI (poser un fait comme -)			
	AP :	I.2.1.	
+ VRAI (présupposer qu'un fait est -)			
	AP :	I.1.8.	
+ VRAI (répondre en avouant qu'un fait négatif est -)			
	AP :	II.22.11.	
+ VRAI (répondre en avouant qu'un fait positif est -)			
	AP :	II.22.9.	
+ VRAI (répondre en exprimant l'opinion qu'un fait négatif est -)			
	AP :	II.22.15.	

VRAI (répondre en exprimant l'opinion qu'un fait positif est -)
AP : II.22.11.

VRAI (répondre en avouant qu'un fait positif est -)
AP : II.22.9.

VRAI (répondre en exprimant l'opinion qu'un fait négatif est -)
AP : II.22.15.

VRAI (répondre en exprimant qu'un fait positif est -)
AP : II.22.13.

vrai aj. AP : I.1.2.1. : donner des informations factuelles R poser un fait comme vrai
I.1.2.10. : *id.* R poser un fait comme faux
I.1.3.1.2. : *id.* ; insister sur un fait (emphase), emphase intensive sur la proposition assertée
I.9.4.4. : demander accord sur la vérité d'un fait
I.11.5.1. : surprise, étonnement
II.15.1. : approuver énoncé : approbation forte
II.15.3. : *id.* : admettre, reconnaître, avouer
\+ II.16.2. : critiquer énoncé R donner son opinion sur la vérité d'un fait
\+ II.17. : désapprouver énoncé
\+ II.18.1. : exprimer son ignorance R poser un fait comme vrai
II.22.9. : répondre en avouant qu'un fait positif est vrai
II.22.13. : faire énonciation demandée R répondre en exprimant l'opinion qu'un fait positif est vrai
II.22.15. : *id.* R répondre en exprimant l'opinion qu'un fait négatif est vrai
\+ II.22.18. : donner accord sur la vérité d'un fait positif
\+ II.22.19. : donner accord sur la vérité d'un fait négatif
II.23.4. : faire le contraire de l'énonciation demandée R réfuter vérité d'un fait positif
II.23.5. : réfuter vérité d'un fait négatif
ON : II.2.5.3.5. : appréciation quant à la correction

vraiment av. AP : I.1.3.1.1. : insister sur un fait : emphase intensive sur l'acte d'asserter
\+ I.1.3.1.3. : *id.* : sur un constituant
I.2.5. : réagir aux faits et aux événements R remercier
\+ I.6.3. : demander dispense

		II.16.1.	: critiquer énoncé R poser un fait comme vrai
		II.16.2.	: *id.* R donner son opinion sur la vérité d'un fait
		II.23.7.	: approuver (au lieu de désapprouver) action d'autrui
vraisemblable aj.	AP :	I.1.2.8.	: poser un fait comme improbable
vue (avec -)	ON :	III.7.1.	: hôtel, camping
w.c. abrv.	ON :	III.4.2.	: composition de l'habitation
wagon n.m.	ON :	III.6.4.	: transports publics
wagon-restaurant n.m.	ON :	III.6.4.	: transports publics
y pron.	AP :	II.15.2.	: approuver énoncé R approbation faible
		II.18.1.	: exprimer son ignorance R poser un fait comme vrai
		II.18.2.	: *id.* R demander infirmations factuelles
		II.20.4.	: accepter, promettre de faire soi-même R menacer d'une sanction
		II.24.1.	: refuser de faire soi-même R suggérer, conseiller, proposer, recommander à autrui de faire lui-même
		II.25.	: refuser de faire avec autrui
		IV.2.4.	: aspect quantitatif R s'étendre sur
		IV.6.6.	: aspect formel R poursuivre
	ON :	II.1.	: notions désignant des entités ("pronoms personnels")
		II.1.	: notions désignant des entités (pro-verbes et pro-propositions)
zéro n.m.	AP :	I.11.7.7.	: affectivité ; sentiment lié à une réalité désagréable R tristesse
		I.11.9.2.	: *id.* ; bonne et mauvaise humeur R mauvaise humeur dépressive
	ON :	II.2.4.1.	: nombre
		III.5.4.	: climat, conditions météorologiques, temps qu'il fait
zut intj.	AP :	I.11.7.13.	: irritation, indignation, exaspération

Imprimé en France, par Hemmerlé, Petit et Cie. Paris 1867-02-1982
Dépôt légal n° 4518 Février 1982